LA DANSE DU MIROIR

Du même auteur
aux Éditions J'ai lu

LOIS McMASTER BUJOLD

LA DANSE DU MIROIR

TRADUIT DE L'AMÉRICAIN
PAR PAUL BENITA

Titre original :

MIRROR DANCE
A Baen Books Original

1

La rangée de cabines de comconsoles au fond du hall de la plus grande station orbitale de transfert commercial d'Escobar possédait des portes-miroirs. Chacune était divisée en sections diagonales par des rais de lumière multicolores. Celui qui avait imaginé ça avait de drôles de goûts en matière de décor. Les sections de miroir étaient délibérément mal alignées, offrant ainsi des reflets fragmentés. Le petit homme en uniforme militaire gris et blanc grimaça devant son image éclatée.

L'image lui rendit sa grimace en dix exemplaires. L'uniforme sans insigne d'officier mercenaire – veste à poches plaquées, pantalon large glissé aux chevilles sous les bottes – était correct jusqu'au moindre détail. Il examina le corps sous l'uniforme : celui d'un nain à la colonne vertébrale tordue, au cou trop court, à la tête trop grosse. Une tête qui aurait pu passer pour normale sans cette taille ridicule. Ses cheveux sombres étaient soigneusement peignés. Sous les épais sourcils noirs, les yeux gris s'étrécirent. Le corps, lui aussi, était correct jusqu'au moindre détail. Il le haïssait.

La porte-miroir se leva enfin et une femme sortit de la cabine. Elle portait une tunique ample et un pantalon assorti. Une luxueuse cartouchière en travers du buste et bardée d'attirail électronique prévenait de son statut social. Elle eut une hésitation en l'apercevant, esquissant même un geste de recul devant son regard sinistre, avant de le contourner avec prudence en bafouillant :

– Excusez-moi... désolée...

Un peu tard, il plissa les lèvres dans un sourire mal imité avant de maugréer une formule de politesse inaudible. Il pénétra dans la cabine et s'y enferma. Seul enfin, pour une ultime fois dans ce réduit minuscule. Le parfum écœurant de la femme y traînait encore, mêlé aux odeurs de la station de transfert : air recyclé, nourriture, corps, stress, plastique, métaux et produits de nettoyage. Il soupira, s'assit et posa les mains à plat sur le petit comptoir pour calmer leur tremblement.

Pas vraiment seul. Ils avaient encore fourré un autre satané miroir là-dedans, à l'usage de ceux qui voulaient vérifier leur allure avant une communication par holovid. Ses yeux aux cernes noirs lui adressèrent un regard malveillant. Il l'ignora et vida ses poches sur le comptoir. Toutes ses richesses dans ce monde tenaient dans un espace à peine plus grand que ses deux mains étalées. Un dernier inventaire. Comme si compter pouvait y changer quelque chose...

Une carte de crédit sur laquelle il restait encore trois cents dollars betans : une somme avec laquelle on pouvait vivre assez confortablement pendant une semaine sur cette station orbitale, ou beaucoup moins bien pendant deux mois sur la planète qui tournait en dessous. Trois fausses cartes d'identité, aucune au nom de l'homme qu'il allait devenir. Aucune au nom de l'homme qu'il était. Si un tel homme existait. Un peigne de poche en plastique. Un cube de données. C'était tout. Il rangea le tout sauf la carte de crédit, distribuant gravement chaque objet dans une poche différente. Il avait plus de poches que d'objets... ce qui le fit ricaner. *Tu aurais pu au moins apporter ta brosse à dents*... Trop tard.

Et chaque seconde qui passait accroissait son retard. Les horreurs continuaient tandis qu'il était là à essayer de se calmer. *Ressaisis-toi. Tu l'as déjà fait, tu peux le refaire*. Il inséra sa carte de crédit dans la fente et composa le numéro qu'il avait soigneusement mémorisé. Malgré lui, il jeta un dernier regard dans le miroir et essaya d'adopter une expression qui se voulait neutre. Malgré tout son entraînement, il ne se sentait guère capable d'imiter le sourire pour le moment. De toute manière, il haïssait ce sourire.

Le plateau vidéo siffla et s'éveilla à la vie : le visage d'une femme apparut dessus. Elle portait l'uniforme gris et blanc identique au sien mais avec les insignes de son rang et son nom.

– Officier de communication Hereld, récita-t-elle, à bord du *Triumph*... Corporation des Dendariis libres.

La Flotte des Mercenaires libres Dendariis s'était transformée en paisible corporation. Dans l'espace contrôlé par Escobar, les flottes mercenaires scellaient leurs armes à la sortie du couloir galactique sous l'œil vigilant d'inspecteurs militaires escobarans avant d'être autorisées à passer. Cette fiction polie était, apparemment, maintenue sur l'orbite d'Escobar.

Il s'humecta les lèvres avant de répondre.

– Mettez-moi en contact avec l'officier de garde, s'il vous plaît.

– Amiral Naismith ! Vous êtes de retour ! (Même son holo-image s'illumina de plaisir et d'excitation. Il eut l'impression de recevoir un coup de poing.) Ça y est ? On va bientôt repartir ?

– En temps utile, lieutenant... Hereld. (Il déchiffra son nom sur la poitrine avec un sourire. Oui, l'amiral Naismith sourirait.) Vous le saurez en temps utile. D'ici là, je voudrais un ramassage sur la station de transfert orbitale.

– Oui, monsieur. Je vous le prépare. Le capitaine Quinn est-il avec vous ?

– Euh... non.

– Quand vous suivra-t-il ?

– ... Plus tard.

– Bien, monsieur. Laissez-moi demander les autorisations. Y a-t-il aussi de l'équipement à charger ?

– Non. Il n'y a que moi.

– Demande de transfert à Escobar pour un individu... (Elle se détourna quelques instants avant d'annoncer :) Je peux avoir quelqu'un au quai E-17 dans à peu près vingt minutes.

– Parfait. (Il lui faudrait bien ça pour arriver là-bas. Devait-il ajouter un mot personnel à l'intention du lieutenant Hereld ? Elle le connaissait... mais le connaissait-elle si bien ? Chaque phrase qui tombait de ses lèvres comportait un pourcentage de risques. A tout instant, il pouvait commettre une erreur. Et les erreurs étaient punies. Par exemple, son accent betan était-il correct ? Il détestait cela, cette tension perpétuelle. Son estomac était tordu de terreur.) Je veux être transféré immédiatement sur l'*Ariel*.

– Bien, monsieur. Voulez-vous que je prévienne le capitaine Thorne ?

L'amiral Naismith avait-il pour habitude de se lancer dans des inspections-surprises ? Eh bien, pas cette fois-ci.

– Oui. Dites-leur aussi de se préparer à quitter l'orbite.

– Seulement l'*Ariel* ?

Elle haussa un sourcil.

– Oui, lieutenant.

Ceci avec un agacement bien imité. Il se félicita en notant son air pincé. Il avait parfaitement su sous-entendre qu'aucune question supplémentaire ne serait tolérée.

– Bien, amiral. A vos ordres.

– Naismith, terminé.

Il éteignit la console. Elle s'évanouit dans une nuée d'étincelles et il poussa un long soupir. Amiral Naismith. Miles Naismith. Il allait devoir s'habituer à répondre à nouveau à ce nom, même dans son sommeil. Oublier, pour l'instant, tout ce qui avait trait à lord Vorkosigan. C'était déjà assez difficile d'être la moitié Naismith. Dring. *Quel est ton nom ? Miles. Miles. Miles.*

Lord Vorkosigan prétendait être l'amiral Naismith. Lui aussi. Après tout, quelle différence ?

Mais quel est ton vrai nom ?

Sa vision s'obscurcit sous l'effet du désespoir et de la rage. Il cligna des paupières, maîtrisa sa respiration. *Mon nom, je le choisis. Et pour le moment, je choisis d'être Miles Naismith.*

Il sortit de la cabine et se mit à trotter dans le hall, ses courtes jambes pompant, attirant les regards gênés des passants. Il fonçait tête baissée et personne ne se mit en travers de son chemin.

Dès que les capteurs du sas passèrent au vert et que la porte se dilata, il se glissa dans la capsule, une petite navette pour quatre passagers. Il actionna le système de fermeture immédiatement derrière lui. La capsule était trop petite pour maintenir un champ de gravité. Il flotta au-dessus des sièges pour prendre place à côté du pilote, un homme portant la combinaison grise des techs dendariis.

— Parfait. Allons-y.

Le pilote lui adressa un salut aimable tandis qu'il s'harnachait. Cet homme avait l'air d'un adulte à peu près normal, pourtant il arborait la même expression débile que Hereld, l'officier des comm : excité, haletant, l'observant avec fascination comme un gamin à qui on va donner un bonbon.

Il jeta un coup d'œil derrière lui tandis que la navette quittait le quai. Ils frôlèrent la peau de la station orbitale pour s'élancer dans l'espace. La console de navigation se mit à clignoter d'innombrables signaux de contrôle.

— Content de vous revoir, amiral, dit le pilote quand toute cette agitation lumineuse se calma un peu. Que se passe-t-il ?

Son ton formel était rassurant. C'était un simple compagnon d'armes, pas un des Chers Vieux Amis, ou pire un Cher Vieil Amant. Il tenta une manœuvre de diversion.

— Quand vous aurez besoin de le savoir, on vous le

dira, fit-il d'un ton affable en évitant de lui donner un nom ou un rang.

– Ah, fit le pilote, intrigué mais apparemment satisfait.

L'énorme station de transfert tombait silencieusement derrière eux, réduite à la taille d'un jouet puis à quelques lumières dans la nuit de l'espace.

– Excusez-moi. Je suis un peu fatigué. (Il se renfonça dans son siège et ferma les yeux.) Si je m'endors, réveillez-moi quand nous arriverons.

– Oui, monsieur, fit l'autre respectueusement. On dirait que vous en avez besoin.

Il approuva d'un vague geste de la main et fit semblant de somnoler.

Ceux qui, en le rencontrant, croyaient se trouver en face de « Naismith » étaient tous pareils. Ils avaient tous cet air hyper-attentif complètement stupide. Oh, ils ne l'adoraient pas tous. Il avait rencontré quelques-uns des ennemis de Naismith mais, adorateurs ou haineux, ils réagissaient. Comme si, tout d'un coup, on venait de les brancher : ils devenaient alors dix fois plus vivants qu'avant. Comment arrivait-il à faire ça ? Comment parvenait-il à éveiller les gens ainsi ? Bien sûr, Naismith était un hypernerveux mais comment arrivait-il à se rendre aussi contagieux ?

Les étrangers ne réagissaient pas à *lui* ainsi. Ils se montraient neutres et courtois, ou neutres et impolis ou simplement neutres. Dissimulant leur gêne devant ses difformités et son mètre quarante. Circonspects.

Son ressentiment lui piquait les yeux comme une sinusite. Toute cette adoration, toute cette admiration pour le héros... tout cela était pour Naismith. *Pour Naismith, pas pour moi... jamais pour moi...*

Il étouffa une bouffée de crainte, sachant ce qui lui pendait au nez. Bel Thorne, le capitaine de l'*Ariel*, représentait une énorme menace. C'était un officier supérieur, un ami, un Betan. Oui, il allait être un sacré test. De plus, Thorne connaissait l'existence du clone depuis cette rencontre désastreuse deux ans auparavant sur Terre. Ils ne s'étaient jamais trouvés face à face mais la moindre erreur pourrait déclencher ses soupçons...

Et même *ça*, cette différence, Naismith la lui avait volée. L'amiral mercenaire prétendait à présent, publiquement et faussement, être lui-même un clone. Une couverture impeccable pour dissimuler son autre identité, son autre vie. *Tu as deux vies. Je n'en ai aucune. Je suis le vrai clone, bon sang. Ne pouvais-tu me laisser au moins ça ? Fallait-il que tu prennes tout ?*

Non. Rester positif. Il pouvait faire face à Thorne. Tant qu'il pourrait éviter la terrifiante Quinn, le garde du corps, la maîtresse. Il *avait* rencontré Quinn sur Terre et l'avait trompée pendant une matinée entière. Il ne pensait pas être capable de la tromper une deuxième fois. Mais Quinn se trouvait avec le vrai Miles Naismith, collée à lui comme un aimant. Il n'avait rien à craindre d'elle. Pas d'anciennes maîtresses pour ce voyage.

Il n'avait jamais eu d'amante, pas encore. C'était peut-être un peu injuste d'en vouloir à Naismith à ce sujet. Car, pendant les vingt premières années de sa vie, il n'avait été qu'un prisonnier même si, à l'époque, il l'ignorait. Quant aux deux dernières... les deux dernières avaient été un perpétuel désastre, décida-t-il amèrement. Voilà, maintenant, c'était sa dernière chance. Il refusait de penser aux conséquences. Plus maintenant. Il devait réussir.

Le pilote s'étira à ses côtés et il entrouvrit les yeux tandis que la décélération lui enfonçait le harnais de sécurité dans la chair. Ils arrivaient sur l'*Ariel*. Le point se transforma en jouet puis en navire. Le croiseur léger en illyricium possédait un équipage de vingt personnes, une énorme cale et assez de place pour héberger un commando. Surpuissant pour sa taille, on ne pouvait se méprendre sur sa qualité de vaisseau de guerre. Il était élancé et semblait très rapide. C'était un bon navire capable de foncer n'importe où. Même au fin fond de l'enfer. Tant mieux. Malgré sa mauvaise humeur, ses lèvres se retroussèrent tandis qu'il observait le bâtiment. *Maintenant, je prends et tu donnes, Naismith.*

Le pilote, conscient qu'il convoyait l'amiral, effectua une approche parfaite et s'arrima au navire avec une délicatesse digne d'éloge.

– Dois-je attendre, monsieur ?

– Non. Je n'aurai plus besoin de vous.

Le pilote se rua pour ajuster le sas et le salua avec ce même sourire large et fier et parfaitement idiot. Il lui adressa un salut bienveillant en retour avant de gagner le champ de gravité de l'*Ariel*.

Il atterrit sans encombre sur ses deux pieds sur une petite aire de débarquement. Derrière lui, le pilote rescellait déjà le sas pour ramener sa navette à son vaisseau d'origine, probablement le navire-amiral *Triumph*. Il leva les yeux – *toujours lever les yeux* – vers l'officier dendarii qui l'attendait, vers ce visage qu'il n'avait jusqu'à présent vu que sur un plateau d'holovid.

Le capitaine Bel Thorne était un hermaphrodite de Beta, une race qui était le résultat d'une ancienne expérience génético-sociale qui n'était parvenue qu'à créer une nouvelle minorité. Le visage imberbe de Thorne était encadré par une chevelure châtain coupée d'une façon ambiguë qui pouvait être aussi bien masculine que féminine. Sa veste d'officier était ouverte, révélant des courbes modestes mais bien réelles : des seins de femme. Le pantalon gris de l'uniforme dendarii était assez ample pour dissimuler la bosse dans l'entrejambe. Certaines personnes éprouvaient un trouble immense en présence d'hermaphrodites. Il fut soulagé de constater que l'aspect de Thorne ne le déconcertait que vaguement. Non, ce qui le gênait vraiment c'était son air radieux qui proclamait : « J'aime Naismith. » Son ventre se noua tandis qu'il rendait son salut au capitaine de l'*Ariel*.

– Bienvenue à bord, monsieur !

La voix d'alto était vibrante d'enthousiasme.

Il essayait tant bien que mal de sourire quand l'hermaphrodite le prit soudain dans ses bras. Saisi de nausée, il retint in extremis un geste de défense. Il supporta son étreinte en s'agrippant mentalement à ses derniers lambeaux de lucidité et à ses discours soigneusement répétés. *Il... elle... ce machin ne va quand même pas m'embrasser ?!*

L'hermaphrodite le tint à bout de bras pour mieux l'examiner et non pour l'embrasser. Il soupira de soulagement. Thorne pencha la tête, amusé.

– Qu'est-ce qui se passe, Miles ?

Par le prénom ?

– Désolé, Bel. Je suis juste un peu fatigué. On peut se débarrasser du briefing tout de suite ?

– Tu sembles plus que fatigué. D'accord. Tu veux que je rassemble tout l'équipage ?

– Non... tu leur expliqueras au moment voulu.

C'était ça le plan : aussi peu de contact direct avec les Dendariis que possible.

– Viens dans ma cabine, alors. Tu pourras mettre les pieds sous la table et boire un peu de thé en m'expliquant.

L'hermaphrodite le suivit dans le corridor. Ne sachant quelle direction prendre, il fit volte-face et attendit, comme par politesse, que Thorne prenne les devants. Il lui emboîta le pas. Ils tournèrent une ou deux fois et passèrent au niveau supérieur. On ne se sentait pas aussi à l'étroit à l'intérieur du vaisseau qu'il ne l'aurait cru. Il nota soigneusement chaque direction. Naismith connaissait parfaitement ce navire.

La cabine du capitaine de l'*Ariel* était une étroite chambre nette, martiale, ne révélant pas grand-chose de la personnalité de son occupant. Mais Thorne ouvrit un placard contenant un antique service à thé en porcelaine et une douzaine de petites boîtes contenant plusieurs variétés de thé en provenance de la Terre ou d'autres planètes.

– Lequel veux-tu ? demanda-t-il.

– Comme d'habitude, répliqua-t-il en se laissant tomber dans une chaise tournante fixée au sol devant une table.

– J'aurais dû m'en douter. Je jure qu'un de ces jours je t'apprendrai le goût du risque.

Thorne lui adressa un drôle de sourire par-dessus son épaule... Y avait-il un sens caché dans cette remarque ? Quelques instants plus tard, Thorne posait devant lui une tasse et une sous-tasse délicatement peintes à la main. Il s'en saisit pour goûter avec précaution le liquide tandis que Thorne fixait une autre chaise dans ses attaches à ses côtés à la table, se servait à son tour et s'asseyait avec un petit grognement satisfait.

Avec soulagement, il trouva la boisson brûlante assez plaisante. Du sucre ? Il n'osa en demander. Thorne n'en avait pas sorti. Il l'aurait fait sans aucun doute s'il s'était attendu que Naismith en prenne. Thorne ne pouvait pas déjà être en train de le tester subtilement. Donc, pas de sucre.

Des mercenaires buvant du thé. Cette boisson semblait bien inoffensive pour accompagner l'arsenal accroché au mur : deux neutralisateurs, un injecteur, un arc à plasma, une arbalète en métal étincelant avec un carquois rempli de carreaux à tête de grenade. Thorne était censé être bon dans sa partie. Si cela était vrai, il se fichait pas mal que l'hermaphrodite boive du thé ou de l'infusion de déchets nucléaires.

– Oh, oh... tu fais une drôle de tête. Tu as dû nous en trouver une jolie cette fois-ci, hein ? s'enquit Thorne après un instant de silence.

– Si tu parles de la mission, oui. (Il espérait que Thorne parlait bien de la mission et pas d'autre chose dont il ignorait tout. Thorne hocha la tête.) Il s'agit d'un ramassage. Pas le plus grand que nous ayons fait et de loin...

Thorne éclata de rire.

– ... mais qui présente certaines difficultés particulières, ajouta-t-il.

– Ça ne peut pas être plus difficile que sur Dagoola IV. Vas-y, je t'écoute.

Il se frotta les lèvres : un geste estampillé Naismith.

– On va vider la crèche de clones de la Maison

Bharaputra dans l'Ensemble de Jackson. La vider jusqu'au dernier.

Thorne était en train de croiser les jambes, ses deux pieds heurtèrent bruyamment le sol.

– Les tuer ? fit-il, stupéfait.

– Les clones ? Non, les sauver ! Les sauver tous !

– Oh, pfuuii... (Thorne parut nettement soulagé.) J'ai eu cette horrible vision pendant un instant... ce sont des enfants, après tout. Même si ce sont des clones.

A sa grande surprise, il sourit.

– Exactement. Je suis... content que tu voies les choses ainsi.

Thorne haussa les épaules.

– Comment les voir autrement ? Le trafic de clones est la plus obscène, la plus monstrueuse pratique au catalogue des saloperies fournies par Bharaputra.

– C'est ce que je pense aussi.

Il but une autre gorgée de thé pour dissimuler sa surprise devant cette réaction. Thorne était-il sincère ? Il savait, pour les avoir lui-même vécues, les horreurs cachées derrière le trafic de clones dans l'Ensemble de Jackson. Mais il ne s'était pas attendu que quelqu'un n'ayant pas partagé son expérience partage son avis sur la question.

La spécialité de la Maison Bharaputra n'était pas, à vrai dire, le clonage. C'était plutôt l'immortalité ou, plus exactement, l'extension de la vie. Et il s'agissait d'un trafic très lucratif car quel prix pouvait-on mettre sur la vie elle-même ? Le procédé de Bharaputra était médicalement risqué, pas vraiment idéal... mais les risques étaient contrebalancés par la certitude d'une mort imminente. Les clients étaient riches, sans scrupules et, il devait l'admettre, possédaient une perspicacité glacée à l'égard d'eux-mêmes assez inhabituelle.

Le principe était simple mais la procédure chirurgicale sur laquelle il reposait d'une extraordinaire complexité. Un clone était fabriqué à partir d'une cellule du client, porté à terme dans un réplicateur utérin puis élevé jusqu'à la maturité physique dans une crèche de Bharaputra, une sorte d'orphelinat merveilleux et hallucinant. Les clones étaient, après tout, d'une grande valeur : leur santé et leur conditionnement physique d'une extrême importance. Puis, le moment venu, ils étaient cannibalisés. Au cours d'une opération dont on prétendait que le taux de succès était égal ou immédiatement voisin des cent pour cent, le cerveau de l'original du clone était transplanté de son corps âgé ou endommagé dans un duplicata dans l'épanouissement de sa jeunesse. Le cerveau du clone était classé en tant que déchet médical.

Ce procédé était illégal sur toutes les planètes connues sauf sur l'Ensemble de Jackson. Ce qui ne gênait nullement les maisons criminelles qui gouvernaient l'endroit. Cela leur donnait un joli monopole, l'occasion de contacts fructueux avec de riches étrangers qui leur permettaient de garder leurs équipes chirurgicales au sommet. Pour ce qu'il en savait, l'attitude des autres mondes à leur égard était : « On ne voit pas, on ne touche pas. » L'étincelle de sympathie dans le regard de Thorne éveillait en lui une douleur si ancienne, si ancrée qu'il en avait à peine conscience. Il fut stupéfait de constater qu'il était au bord des larmes. *C'est probablement un piège.* Il soupira. Encore un truc à Naismith.

Thorne réfléchissait intensément.

– Tu es sûr qu'on doit prendre l'*Ariel* ? D'après ce que je sais, le baron Ryoval est toujours vivant. Ça risque d'attirer son attention.

La maison Ryoval était une des rivales mineures de Bharaputra dans l'exercice illégal de la médecine. Sa spécialité était la fabrication par des moyens génétiques ou chirurgicaux d'êtres humains utilisables dans n'importe quel but, y compris sexuel. En fait, des esclaves. Mais quel était le rapport entre l'*Ariel* et le baron Ryoval ? Il n'en avait pas la moindre idée. A la première occasion, il consulterait les dossiers du navire.

– Cette mission n'a rien à faire avec la maison Ryoval. Nous les éviterons.

– J'espère bien, approuva Thorne avec ferveur. Bon, en dehors du fait que l'Ensemble de Jackson aurait besoin d'un bon coup de balai, de préférence aux atomiques, j'imagine qu'on n'y va pas par pure bonté d'âme. Quelle est... la mission derrière la mission, cette fois-ci ?

Il avait, cette fois-ci, une réponse toute prête.

– En fait, un seul des clones, ou plus exactement un seul de ses progéniteurs intéresse notre employeur. Les autres nous serviront de camouflage. Les clients de Bharaputra ont beaucoup d'ennemis. Ils ne sauront pas qui attaque qui. Cela devrait nous permettre de garder secrète l'identité de notre employeur, ce à quoi il tient beaucoup.

Thorne eut un sourire suffisant.

Ce petit raffinement était ton idée, j'imagine.

Il haussa les épaules.

– Dans un sens.

– Ne vaudrait-il pas mieux qu'on sache quel est le clone que nous cherchons, pour éviter les accidents au cas où on devrait déguerpir à toute allure ? Si notre employeur le veut vivant... mais peut-être se moque-t-il de l'avoir mort ou vif ? Si la cible réelle est son original.

– Il le veut vivant. Mais pour des raisons... pratiques, nous ferons comme si tous les clones sont celui que nous cherchons.

Thorne écarta les mains en signe d'approbation.

– Ça me va. (Les yeux brillant d'enthousiasme, l'hermaphrodite se cogna soudain la paume avec le poing si violemment qu'il sursauta.) Il est grand temps que quelqu'un s'occupe de ces salopards de Jacksoniens ! Oh, je crois qu'on va bien rigoler ! (Ses dents se découvrirent dans un sourire inquiétant.) Quelle aide possédons-nous là-bas ? Des filets de sécurité ?

– Ne compte pas là-dessus.

– Hum... Combien d'obstacles ? En dehors de Bharaputra, Ryoval et Fell, bien sûr.

La maison Fell s'occupait, pour la plus grande part, de trafic d'armes. Pourquoi la mêlait-il à ça ?

– Tu en sais autant que moi.

Thorne fronça les sourcils : ce ne devait pas être une réponse à la Naismith.

– Je possède pas mal de renseignements sur la crèche, reprit-il vivement, des renseignements de l'intérieur, que je pourrai te communiquer une fois que nous serons en route. Ecoute, Bel, tu n'as pas vraiment besoin que je te dise comment faire ton boulot. Occupe-toi de la logistique et des préparatifs, je prendrai en charge l'opération.

Thorne se redressa.

– D'accord. Combien de gosses y aura-t-il ?

– Bharaputra effectue en moyenne une transplantation par semaine. Cinquante par an, disons. Lors de leur dernière année de vie de clone on les emmène dans un coin spécial près du quartier général. Je veux que nous prenions tout leur stock d'une année. Cinquante ou soixante gosses.

– Tous à bord de l'*Ariel* ? Ça va être juste.

– La vitesse, Bel. La vitesse.

– Ouais... Tu as raison. On s'y met quand ?

– Aussi vite que possible. Chaque semaine coûte la vie d'un nouvel innocent.

Cette horloge lui avait servi à mesurer ces deux dernières années. *J'ai déjà gâché une centaine de vies.* Le voyage de la Terre à Escobar lui avait coûté un millier de dollars et quatre clones morts.

– Je vois, fit Thorne en se levant pour ranger sa tasse et fixer sa chaise devant la comconsole. Ce gosse doit bientôt passer sur le billard ?

– Oui. Et si ce n'est pas lui, un de ses semblables.

Thorne tapait déjà sur le clavier.

– Et l'argent ? Ça c'est ton rayon.

– Nous serons payés cash à la livraison. Retire tout ce dont tu penses avoir besoin du compte de la Flotte.

– D'accord. Pose ta paume ici pour autoriser mon retrait.

Thorne lui tendait un capteur.

Sans hésitation, il posa sa main sur l'engin. Horrifié, il vit la lumière rouge s'allumer : la machine ne le reconnaissait pas. *Non ! C'est pas possible, il faut que ça marche...*

– Maudite machine. (Thorne cogna le capteur sur le coin de la table.) Tu vas marcher ! Essaye encore.

Cette fois-ci, l'ordinateur se montra plus conciliant. La lumière verte s'alluma. Son identité était acceptée, le transfert de fonds aussi. Ils avaient l'argent. Son cœur se calma.

Thorne s'activa de plus belle sur la console et lança par-dessus son épaule :

– Aucun désir spécial sur le commando affecté à cette mission ?

– Non, fais ton choix.

Il fallait qu'il sorte d'ici au plus vite.

– Tu veux ta cabine habituelle ? s'enquit Thorne.

– Bien sûr.

Il se leva.

– Et tu la veux vite, hein ? (L'hermaphrodite vérifia encore quelques données sur son plateau de contrôle.) Le capteur est encore réglé sur toi. Va te reposer un peu, tu as l'air crevé. Tout est réglé.

– Bien.

– Quand arrive Quinn ?

– Elle ne nous accompagne pas cette fois-ci.

Stupéfait, Thorne écarquilla les yeux.

– *Vraiment*. (Inexplicablement, son sourire s'élargit.) Quel dommage...

Il ne semblait pas le moins du monde déçu. Une rivalité ? A quel sujet ?

– Qu'on m'envoie mes affaires depuis le *Triumph*, ordonna-t-il. Et, dès que tu peux, fais-moi porter un repas dans ma cabine.

– Promis, aquiesça Thorne. Je suis content de voir qu'à défaut d'avoir bien dormi, tu as mieux mangé ces derniers temps. Tant mieux. Continue comme ça. On se faisait du souci pour toi, tu sais.

Mieux manger, merde. Avec sa taille, garder un poids convenable avait été un combat perpétuel. Il avait jeûné pendant trois mois pour pouvoir enfiler l'uniforme de Naismith qu'il avait volé deux ans plus tôt et qu'il portait en ce moment. Une nouvelle vague de crainte haineuse à l'égard de son progéniteur déferla sur lui. Il esquissa un vague salut à l'égard de Thorne et s'abstint de faire le moindre commentaire tant que la porte ne fut pas refermée derrière lui.

Il n'y avait pas d'autre moyen que d'essayer tous les capteurs du corridor jusqu'à ce qu'une cabine veuille bien s'ouvrir. Il espérait qu'aucun Dendarii ne se montrerait pendant ce temps-là. Il trouva enfin sa cabine, juste en face de celle du capitaine hermaphrodite.

C'était une petite pièce quasiment identique à celle de Thorne mais encore plus vide. Il vérifia les placards. La plupart ne contenaient absolument rien mais dans l'un d'entre eux, il trouva un treillis gris et une vieille combinaison de tech à sa taille. Dans la minuscule salle de bains, traînaient encore quelques articles de toilette dont une brosse à dents. Il eut un sourire sardonique. Le lit impeccablement fait contre la paroi lui parut extraordinairement attirant et il faillit s'y évanouir.

On va partir. J'ai réussi. Les Dendariis l'avaient accepté, avaient accepté ses ordres avec cette confiance aveugle qu'ils accordaient à Naismith. Des moutons. Tout ce qu'il avait à faire maintenant, c'était de ne pas tout gâcher. Le plus dur était passé.

Après une douche rapide, il enfilait le pantalon de Naismith quand son repas arriva. Le fait d'être à moitié nu lui donna une bonne excuse pour se débarrasser rapidement du Dendarii trop curieux. Il s'agissait d'un vrai dîner, pas de rations de campagne. Du steak de labo grillé, des légumes qui semblaient frais, du café non synthétique. Ce qui devait être chaud l'était et tout cela était bien apprêté en petites portions calculées pour le maigre appétit de Naismith. Même la glace au chocolat. Il reconnut les goûts de son progéniteur et fut encore une fois intimidé par la dévotion avec laquelle ces inconnus essayaient de lui faire plaisir même pour des détails comme celui-ci. Le rang avait ses privilèges mais ça c'était grotesque.

Déprimé, il dévora tout. Il était en train de se demander si le machin vert qui décorait son assiette était lui aussi comestible quand le signal de sa porte résonna à nouveau.

Cette fois, c'était un agent de maintenance avec une palette flottante portant trois malles.

– Ah... mes affaires. Posez ça là au milieu pour l'instant.

– Oui, monsieur. Voulez-vous qu'on vous assigne une ordonnance ?

Son expression enthousiaste ne laissait aucun doute : il serait le premier à se porter volontaire pour ce poste.

– Pas pour cette mission. Nous aurons besoin de toute la place nécessaire plus tard. Vous n'avez qu'à laisser tout ça ainsi.

– Je serai ravi de déballer vos affaires, monsieur. C'est moi qui ai fait vos bagages.

– Ça ira, merci.

– S'il vous manque quelque chose, dites-le-moi, je retournerai tout de suite le chercher.

– *Merci*, caporal.

Son exaspération mit un frein à la dévotion du bonhomme. Celui-ci déchargea la palette et sortit avec un sourire timide comme pour dire : *On peut toujours essayer.*

Dès que la porte fut scellée, il se précipita sur les malles, surpris par sa propre impatience. Voilà ce qu'on devait ressentir en recevant un cadeau d'anniversaire. Il n'avait *jamais* reçu de cadeau d'anniversaire. *C'est le moment de se rattraper.*

La première ne contenait que des vêtements, plus de vêtements qu'il n'en avait jamais possédé. Des combinaisons de tech, des tenues de repos, un uniforme d'apparat – il tint longuement la tunique grise devant lui en haussant les sourcils devant les boutons d'argent brillants –, des bottes, des pantoufles, des pyjamas, le tout parfaitement coupé. Et des tenues civiles, huit ou dix, représentant divers styles galactiques ou niveaux sociaux. Un costume d'homme d'affaires d'Escobar en soie rouge ; une tunique quasi militaire barrayarane avec un pantalon étroit ; un sarong de Beta avec ses sandales ; la veste, la chemise et le pantalon éculés que portaient tous les malheureux qui travaillaient sur les docks de la galaxie. Des sous-vêtements en abondance. Trois sortes de chronos avec unité de comm : l'un était l'engin réglementaire dendarii, le deuxième un modèle commercial très coûteux et le dernier qui paraissait bon marché et en mauvais état et qui se révéla posséder le système le plus perfectionné. Et des tas d'autres choses encore.

Il ouvrit la deuxième malle et s'étrangla. *Une armure spatiale.* Une unité d'attaque entièrement équipée, avec un générateur à pleine charge, un système de survie et des armes chargées et en position de sécurité. Le tout à sa taille. Impeccablement rangée, elle brillait d'une noirceur maléfique. L'odeur de métal, de plastique, d'énergie et de sueur monta jusqu'à lui. Elle... sentait la guerre. Il sortit le casque et contempla avec émerveillement la surface noire de sa visière. Il n'avait jamais porté d'armure spatiale même s'il les avait étudiées sur holovid à s'en brûler les yeux. Une carapace sinistre, mortelle...

Il la sortit entièrement et posa soigneusement chaque élément sur le sol. D'étranges bosses et marques parsemaient les surfaces brillantes ici et là. Quelles armes, quels coups avaient été assez puissants pour abîmer cette matière métalloïde ? Quels avaient été les ennemis ? En les touchant du bout des doigts, il se rendit compte que chaque coup avait voulu être mortel. Tout ceci était bien réel.

Et très troublant. *Non.* Il refoula le frisson glacé du doute. *S'il peut le faire, je peux y arriver moi aussi.* Il essaya d'ignorer les réparations et les mystérieuses taches sur la douce doublure interne. Du sang ? De la merde ? Des brûlures ? De l'huile ? Elles étaient toutes nettoyées et inodores maintenant.

La troisième malle, plus petite que la seconde, contenait une demi-armure. Elle ne possédait pas d'armement intégré et n'était pas prévue pour le combat dans l'espace mais plutôt pour celui à terre dans des conditions de température, de pression et d'atmosphère quasi normales. Sa particularité la plus étonnante était un système de commande placé dans un casque souple en duralloy : un projecteur-vid dans la visière au-dessus du front envoyait devant les yeux de son possesseur toutes les données désirables. Ce flot d'informations était contrôlé par certains mouvements faciaux et par commande vocale. Il le posa sur la table pour l'examiner plus soigneusement plus tard et remballa le reste.

En rangeant les vêtements dans les placards et tiroirs, il regretta d'avoir trop vite congédié l'ordonnance. Ceci terminé, il se laissa tomber sur le lit et baissa les lumières. La prochaine fois qu'il se réveillerait, ils seraient en route pour l'Ensemble de Jackson...

Le signal de la comconsole retentit. Il sursauta mais parvint à répondre d'une voix décente.

– Naismith, j'écoute.

– Miles. (C'était Thorne.) Le commando est arrivé.

– Ah... bien. Dans ce cas, quitte l'orbite dès que possible.

– Tu ne veux pas les voir ? fit Thorne, apparemment surpris.

L'inspection. Il aspira profondément.

– Oui. Je... j'arrive. Naismith, terminé.

En enfilant un pantalon et une veste d'uniforme, il appela sur la console un plan du vaisseau. Il y avait deux zones de débarquement. Il mémorisa les deux trajets.

Par chance, la première fut la bonne. Il s'arrêta dans l'ombre et le silence du couloir avant d'être repéré pour contempler la scène.

Au pied de la navette, se trouvaient une douzaine d'hommes et de femmes en treillis de camouflage gris. Des armes lourdes et de poing étaient soigneusement empilées derrière eux. Debout ou assis, les mercenaires bavardaient bruyamment, échangeant des blagues salaces ponctuées de rires énormes. Ils étaient tous si grands, produisant une incroyable impression de puissance, se cognant les uns les autres comme s'ils avaient besoin d'une excuse pour parler encore plus fort. Ils portaient des couteaux et d'autres armes personnelles à la ceinture ou dans des holsters. Ils avaient des traits grossiers, animaux. Il déglutit, se redressa et s'avança parmi eux.

L'effet fut instantané.

– Garde à vous ! cria quelqu'un.

Aussitôt, comme par enchantement, ils se retrouvèrent alignés sur deux rangs impeccables, la posture rigide, chacun avec son ballot à ses pieds. C'était plus terrifiant encore que le chaos précédent.

Un mince sourire aux lèvres, il défila devant eux, faisant mine d'examiner chacun. Un dernier paquetage énorme jaillit de la navette et s'écrasa pesamment au sol. Le treizième membre du commando apparut, se redressa et le salua.

Paniqué, il se figea sur place. Au nom du ciel, qu'est-ce que *c'était* ? Il contemplait une boucle de ceinture étincelante puis il pencha la tête en arrière à s'en démonter le cou. La *chose* faisait bien deux mètres quarante de haut. La puissance qui émanait de ce corps monstrueux l'enveloppa comme une vague de chaleur et le visage... le visage était un cauchemar. Des yeux jaunes de loup, une bouche distordue, déformée par des *crocs* – bon Dieu –, de longues canines blanches qui débordaient sur les lèvres écarlates. Les mains énormes possédaient des *griffes*, épaisses, puissantes, tranchantes comme des rasoirs et recouvertes de... vernis à ongles... *Quoi ?* Son regard remonta vers le visage du monstre. Les yeux étaient maquillés et soulignés par un trait d'or. Un fond de teint doré ornait une de ses hautes pommettes. Les cheveux couleur d'acajou étaient tirés en arrière dans une natte compliquée. La ceinture était serrée et soulignait une silhouette éloquente malgré l'ample treillis. La chose était... femelle ?

– Sergent Taura et l'escadron vert au rapport, monsieur !

La voix de baryton se cogna aux parois de la salle de débarquement. L'écho revint lui faire trembler les tympans.

– Merci... (On aurait dit un murmure brisé. Il toussa pour se libérer la gorge.) Merci, ce sera tout. Vous prendrez vos ordres du capitaine Thorne. Vous pouvez disposer. (Ils n'eurent pas l'air de l'avoir entendu.) Repos !

Ils se dispersèrent dans un désordre apparent mais, en un rien de temps, tout le matériel était rangé. Le sergent monstrueux se pencha vers lui. Il bloqua ses genoux pour s'empêcher de fuir à toutes jambes.

Il... elle baissa la voix.

– Merci d'avoir choisi l'escadron vert, Miles. Tu viens de nous faire un beau cadeau.

Elle aussi le tutoyait ? Et utilisait son prénom ?

– Le capitaine Thorne vous mettra au courant pendant le trajet. C'est une mission... délicate.

Et c'était cette *chose* qui allait la diriger ?

– Le capitaine Quinn a tous les détails, comme d'habitude ?

– Le capitaine Quinn ne nous accompagne pas cette fois-ci.

Il aurait juré que ses yeux dorés s'écarquillaient, que ses pupilles se dilataient. Ses lèvres se retroussèrent sur ses crocs d'une façon terrifiante. Il comprit enfin qu'il s'agissait d'un sourire. Bizarrement, cela lui rappela le plaisir avec lequel Thorne avait accueilli cette même nouvelle.

Elle jeta un coup d'œil autour d'eux. Ils étaient seuls à présent.

– Aaah ? (On aurait dit un feulement.) Alors, je veux bien être ton garde du corps, chéri. Tu n'as qu'à me faire signe.

Chéri ? Et de *quel* signe parlait-elle, au nom du ciel ?

Elle se pencha, les lèvres frémissantes. Les mains aux griffes écarlates lui saisirent les épaules – il eut la vision qu'elle lui arrachait la tête, la dépeçait pour la manger – puis sa bouche se posa sur la sienne. Il en eut le souffle coupé, un voile noir passa devant ses yeux. Il faillit s'évanouir. Elle se redressa pour lui adresser un regard blessé.

– Miles, que se passe-t-il ?

Cela avait été un *baiser*. Dieu tout-puissant.

– Rien, s'étrangla-t-il. J'ai été... malade. Je n'aurais peut-être pas dû me lever mais il fallait que je fasse l'inspection.

Elle parut soudain très alarmée.

– Bien sûr que tu n'aurais pas dû te lever. Tu trembles comme une feuille ! Tu tiens à peine debout. Je vais te porter à l'infirmerie. Espèce de fou !

– Non ! Je vais bien. C'est-à-dire... on m'a déjà soigné. Il faut simplement que je me repose quelque temps, c'est tout.

– Bon... alors, retourne au lit. Tout de suite.

– Oui.

Il pivota.

Elle lui flanqua une claque sur les fesses. Il se mordit la langue.

– En tout cas, tu as mieux mangé, ces derniers temps. On prend soin de sa petite personne, hein ?

Il fit un geste vague par-dessus l'épaule et s'enfuit sans regarder derrière lui. Non, il ne s'agissait pas de camaraderie militaire. Pas entre un sergent et un amiral. Il s'agissait d'*intimité. Naismith, espèce de taré, d'obsédé sexuel, c'est ça que tu fais de tes moments perdus ? Tu dois être complètement malade, suicidaire, si tu baises avec ce...*

Il verrouilla la porte de sa cabine derrière lui et s'y adossa, tremblant, en proie à un rire hystérique. Bon sang, il avait tout étudié à propos de Naismith. Tout. Ceci était impossible. *Avec des amis pareils, pourquoi se chercher des ennemis ?*

Il se déshabilla et se coucha, réfléchissant à la vie compliquée de Naismith/Vorkosigan et se demandant quelles autres mauvaises surprises elle lui réservait. Enfin, un infime changement dans les craquements du navire autour de lui, dans le champ de gravité lui apprit que l'*Ariel* quittait l'orbite d'Escobar.

Il venait tout bonnement de voler un croiseur de combat entièrement armé avec tout son équipage. Et ils étaient en route pour l'Ensemble de Jackson. Vers son destin. *Son* destin, pas celui de Naismith.

Il eut du mal à trouver le sommeil.

Tu veux un destin, clamait une voix en lui, *et tu n'as même pas de nom.*

2

Bras dessus bras dessous, ils sortirent du tube flexible accroché aux flancs du navire de plaisance, Quinn avec son barda jeté sur l'épaule, Miles tenant un bagage à main. Dans le hall de débarquement de la station de transfert orbital, des têtes se tournèrent. Miles jeta un regard satisfait vers sa compagne tandis que tous les mâles présents la contemplaient avec envie.

Quinn semblait particulièrement en forme, et en formes, ce matin, ayant à moitié retrouvé son personnage habituel. Elle avait transformé son pantalon d'uniforme gris aux poches plaquées en accessoire de mode, en l'enfonçant dans des bottes de daim rouge (les pointes d'acier sous les orteils restaient invisibles). En haut, elle ne portait qu'un minuscule boléro écarlate. Sa peau blanche offrait un contraste saisissant avec le gilet et ses courtes boucles brunes. Ce contraste empêchait l'œil de se rendre compte de sa puissance musculaire, puissance bien réelle quand on savait le poids de ce sacré barda.

Ses yeux marron brillaient d'intelligence. Mais

c'étaient les traits parfaitement sculptés de son visage qui faisaient que les hommes s'arrêtaient de parler en la voyant. Un visage dû au génie extraordinaire d'un artiste-chirurgien qui avait à l'évidence coûté très cher. Un observateur neutre pouvait deviner que ce visage avait été payé par le petit homme laid pendu à son bras et se dire que la femme aussi avait été achetée. Cet observateur neutre ne devinerait jamais le prix qu'elle avait payé : son ancien visage complètement brûlé dans un combat sur Tau Verde. Le premier combat perdu au service de l'amiral Naismith dix ans plus tôt. Dieu, déjà dix ans. L'observateur neutre était un salopard, décida Miles.

Ils venaient de rencontrer un représentant de cette espèce, un riche cadre supérieur en qui Miles avait reconnu une version blonde et civile de son cousin Ivan et qui avait passé les deux semaines de voyage entre Sergyar et Escobar à nourrir de telles incompréhensions à l'égard de Quinn qu'il avait essayé de la séduire. Miles l'apercevait à présent, chargeant ses bagages sur une palette flottante, l'air frustré et déconfit. En dehors du fait qu'il lui rappelait Ivan, Miles ne lui en voulait guère. En fait, il était presque désolé pour lui car le sens de l'humour de Quinn était aussi exécrable que ses réflexes mortels.

Du menton, il désigna l'Escobaran qui s'éloignait et murmura :

– Que lui as-tu dit finalement pour te débarrasser de lui ?

Quinn chercha l'homme du regard et éclata de rire.

– Tu vas être horriblement gêné.

– Mais non, allez, dis-le.

– Je lui ai dit que tu pouvais me porter avec ta langue. Il a dû se dire qu'il n'était pas de taille.

Miles rougit.

– Je ne l'aurais pas mené en bateau aussi longtemps, ajouta-t-elle sur un ton d'excuse, mais, au début, j'avais peur qu'il ne soit un agent quelconque.

– Et maintenant, tu es sûre qu'il ne l'est pas.

– Ouais. Dommage. Ça aurait été encore plus amusant.

– Pas pour moi. J'avais besoin de ces petites vacances.

– Oui. D'ailleurs elles t'ont fait du bien. Tu as l'air reposé.

– J'ai vraiment apprécié de voyager sous cette couverture, remarqua-t-il. Faire semblant qu'on est mariés, ça me convient parfaitement. Puisqu'on a eu notre lune de miel, pourquoi ne célébrerait-on pas le mariage qui va avec ?

– Tu n'abandonnes jamais, hein ?

Son ton restait léger mais le tressaillement de son bras sous le sien lui indiqua qu'il venait de la faire souffrir. Il se maudit en silence.

– Je suis désolé. J'avais promis de ne pas aborder ce sujet.

Elle haussa son épaule libre, ce qui eut pour résultat de séparer leurs coudes.

– Le problème c'est que tu ne veux pas faire de moi madame Naismith. Tu veux une lady Vorkosigan de Barrayar. C'est un emploi de rase-mottes. Même si j'épousais un suceur de boue, même si je me laissais enfoncer dans un puits de gravité pour ne jamais en sortir... Barrayar n'est pas le trou que je choisirais. Ceci dit sans vouloir insulter ta mère patrie.

Pourquoi pas ? Tous les autres le font.

– Tu plais à ma mère.

– Et je l'admire. Je l'ai rencontrée quatre fois, et à chaque fois, j'ai été encore plus impressionnée. Et pourtant... plus je suis impressionnée, plus je regrette le gâchis que Barrayar fait de ses talents. Elle serait surveillante générale de la Surveillance Astronomique de Beta maintenant, si elle était restée sur la Colonie Beta. Ou n'importe quoi d'autre, si elle en avait eu envie.

– Elle avait envie d'être la comtesse Vorkosigan.

– Elle avait envie de se laisser subjuguer par ton père, qui, je dois l'admettre, est un personnage fascinant. Elle se fout pas mal du reste de la caste des Vors.

Quinn s'interrompit car ils arrivaient à portée de voix des inspecteurs des douanes d'Escobar. Miles attendit à ses côtés. Ils évitaient de se regarder.

Un peu plus tard, elle reprit :

– Malgré toutes ses capacités, c'est une femme fatiguée. Barrayar l'a sucée jusqu'à la moelle. Barrayar est son cancer. Il la tue à petit feu.

Muet, Miles secoua la tête.

– Et vous aussi, lord Vorkosigan, ajouta Quinn, l'air sombre.

Cette fois-ci, ce fut au tour de Miles de tressaillir. Elle le sentit.

– J'aime les fous comme l'amiral Naismith. Par contraste, lord Vorkosigan est ennuyeux, coincé, trop respectueux de son devoir. Je t'ai vu chez toi sur Barrayar, Miles. On dirait que tu es la moitié de toi-même. Réduit, rabougri. Même ta voix est moins forte. C'est très bizarre.

– Je ne peux pas... Je dois m'adapter. Il y a à peine une génération de cela, un type avec un corps aussi étrange que le mien aurait été tué parce qu'on l'aurait pris pour un mutant. Je ne peux pas aller trop loin, trop vite. Je suis une cible trop reconnaissable.

– C'est pour cela que la Sécurité Impériale de Barrayar ne cesse de t'envoyer en mission aux quatre coins de l'espace ?

– Cela fait partie de mon apprentissage d'officier. Pour élargir mes connaissances, approfondir mon expérience.

– Et, un jour, ils te ramèneront à la maison pour t'y coincer à jamais et profiter de cette fameuse expérience à *leur* service. Ils vont te presser comme une éponge.

– Je suis déjà à leur service, Elli, lui rappela-t-il doucement d'une voix si grave et si sourde qu'elle dut se pencher pour l'entendre. Maintenant, avant et à jamais.

Elle détourna les yeux.

– C'est ça... et quand ils te cloueront les bottes sur Barrayar, je veux ton boulot. Je veux être l'amiral Quinn, un jour.

– J'ai rien contre ça.

Le boulot, oui. Il était temps que lord Vorkosigan et ses désirs personnels retournent dans leur placard. Il fallait qu'il se décide à arrêter ces conversations masochistes à propos d'un mariage avec Quinn. Quinn était Quinn. Il ne voulait pas qu'elle devienne quelqu'un d'autre... même pas pour lord Vorkosigan.

Après ce moment de déprime qu'il venait de s'infliger, l'impatience de retrouver les Dendariis lui fit hâter le pas. Ils en terminèrent très vite avec les formalités de la monstrueuse station de transfert Quinn avait raison. Il *sentait* Naismith lui emplir la peau à nouveau, renaissant des profondeurs de sa psyché pour venir lui chatouiller le bout des doigts. Au revoir à l'ennuyeux lieutenant Miles Vorkosigan, agent de la Sécurité Impériale Barrayarane (et à qui on devait une promotion depuis bien longtemps) ; bonjour à l'éblouissant amiral Naismith, mercenaire de l'espace et soldat de fortune.

Ou d'infortune. Il ralentit l'allure devant une rangée de cabines de comconsoles. Il hocha la tête vers les portes-miroirs.

– Prenons d'abord des nouvelles de l'escadron rouge. S'ils sont suffisamment rétablis, j'aimerais bien descendre leur parler personnellement.

– D'accord.

Quinn laissa tomber son barda dangereusement près du pied de Miles chaussé d'une simple sandale, s'introduisit dans la plus proche cabine, inséra sa carte et tapa un numéro.

Miles posa son bagage à main, s'assit sur le barda et l'observa depuis l'extérieur de la cabine. Il se vit en tranches dans la mosaïque de miroirs de la porte levée. Le pantalon sombre et la chemise blanche qu'il portait ne donnaient guère d'indications sur sa planète d'origine mais convenaient parfaitement à sa couverture actuelle. Ils lui donnaient un air civil, détendu. Pas mal.

Il y avait eu un temps où il ne portait que des uniformes, telles des carapaces de tortue, comme pour protéger son corps vulnérable par ce signe extérieur de pouvoir. C'était une armure qui disait : *Ne m'emmerdez pas. J'ai des copains.* Quand avait-il cessé d'en avoir si désespérément besoin ? Il ne se le rappelait plus trop.

A ce sujet, quand avait-il cessé de haïr son corps ? Cela faisait deux ans qu'il n'avait pas été gravement blessé... depuis cette mission de sauvetage d'otages qui avait suivi cette incroyable pagaille sur Terre avec son frère. Il était parfaitement guéri depuis un bon moment déjà. Il fit fonctionner ses mains, remplies d'os en plastique : elles étaient autant les siennes que celles d'avant. En fait, elles fonctionnaient encore mieux qu'avant. Cela faisait des mois qu'il n'avait pas eu d'inflammation osseuse. Pour la première fois de sa vie, il ne ressentait plus aucune douleur. Et ce n'était pas seulement à cause de Quinn même si elle avait eu sur lui une influence très... thérapeutique. *La raison me viendrait-elle avec l'âge ?*

Profites-en tant que tu peux. Il avait vingt-huit ans, ce qui signifiait qu'il devait être au sommet de sa forme physique. Il sentait ce sommet, la sensation exaltante de l'apogée. Désormais, il ne ferait que descendre.

Les voix dans la cabine de comm le firent revenir au présent. Quinn avait Sandy Hereld en ligne et disait :

– Salut, me revoilà.

– Salut, Quinnie, je t'attendais. Que puis-je faire pour toi ?

Sandy avait encore fait des machins curieux avec ses cheveux, remarqua Miles de là où il était posté. Elle ne pouvait pas le voir.

– Je viens d'arriver à la station de transfert. Le saut s'est bien passé. Je voudrais faire un petit détour. Je veux une navette pour ramener les survivants de l'escadron rouge sur le *Triumph*. Où en sont-ils ?

– Attends une seconde...

Le lieutenant Hereld consulta une autre console sur sa gauche.

Dans la foule qui se pressait autour de lui, Miles aperçut un homme portant l'uniforme gris des Dendariis. Celui-ci le vit et eut un hochement de menton hésitant, prudent comme si les vêtements civils de l'amiral signifiaient qu'il pouvait être en mission secrète. Miles lui répondit d'un geste rassurant et l'homme sourit avant de poursuivre son chemin. Dans le cerveau de Miles, des rouages se mirent en branle. Cet homme se nommait Travis Gray, c'était un tech normalement en poste sur le *Peregrine*, embauché six ans plus tôt, expert en équipement de communication ; il collectionnait les enregistrements de musique classique de la Terre d'avant le Saut... Combien de rapports équivalents Miles transportait-il dans son crâne ? Des centaines ? Des milliers ?

Hereld récitait ce qu'elle avait appris.

– Ives est sorti, il est en permission de convalescence là en bas et Boyd est revenu à bord du *Triumph* pour poursuivre sa thérapie. Le Centre de Vie Beauchene nous signale que Durham, Vifian et Aziz peuvent être emmenés mais ils veulent d'abord parler à un responsable.

– D'accord.

– Ils veulent aussi parler de Kee et Zelaski.

Les lèvres de Quinn se durcirent.

– Oui, acquiesça-t-elle platement. Dis-leur qu'on descend les voir.

Le ventre de Miles se noua : cette conversation ne serait sûrement pas agréable.

– Oui, cap'taine. (Hereld consulta d'autres fichiers sur son vid.) Quelle navette veux-tu ?

– La plus petite du *Triumph* suffira amplement, à moins qu'il n'y ait une cargaison à prendre chez Beauchene.

– Non, rien. Je peux envoyer la navette Deux au

quai J-26 dans trente minutes. Tu pourras partir immédiatement pour la planète, nous avons l'accord des contrôleurs d'Escobar.

– Merci. Quelle heure est-il à Beauchene ?

Hereld regarda vers sa gauche.

– 0906. La journée fait 2607 heures.

– Le matin. Très bien. Et le temps ?

– Superbe. Ils se baladent en manches courtes.

– Alors, je n'ai pas besoin de me changer. On se recontactera quand on quittera Port Beauchene. Quinn, terminé.

Miles, assis sur le barda, contemplait ses sandales. Cette mission de contrebande avait été une des plus déplaisantes effectuées par les Mercenaires Dendariis. Ils avaient déchargé du matériel et des conseillers militaires sur Marilac afin de soutenir la résistance locale contre l'invasion cetagandane. La navette de combat A-4 avait essuyé le feu de l'ennemi lors de son dernier voyage de retour à bord du *Triumph*. A son bord, se trouvaient l'escadron rouge et plusieurs notables marilacans. Le pilote, le lieutenant Durham, bien que mortellement blessé, était parvenu à ramener sa navette trouée et en flammes suffisamment près et à une vitesse suffisamment faible pour que les équipes de secours du *Triumph* puissent l'arrimer au vaisseau. Ils avaient fixé un tube flexible sur la navette, avaient percé sa paroi et extirpé tout le monde. Puis ils avaient expulsé la navette juste avant qu'elle n'explose, ce qui avait bien sûr attiré l'attention des Cetagandans. Le *Triumph* avait quitté l'orbite juste à temps pour éviter des représailles. Ainsi une mission qui avait débuté de façon simple s'était terminée en chaos héroïque. Miles détestait ça. Le chaos, pas l'héroïsme.

Résultat de cette équipée : douze blessés graves ; sept dont l'état dépassait les ressources de remise en vie du *Triumph* et qu'on avait cryogénisés dans l'espoir de les aider plus tard ; trois morts irrémédiables. A présent, Miles n'allait pas tarder à apprendre combien de victimes de la deuxième catégorie étaient passées dans la troisième. Les visages, les noms, des centaines de souvenirs ou d'informations à leur sujet cascadaient dans son esprit. Il aurait dû être à bord de cette navette mais avait dû partir plus tôt pour s'occuper d'un autre problème ailleurs...

– Ils s'en sont peut-être tirés, dit Quinn en lisant dans ses pensées.

– J'ai trop passé de temps dans les hôpitaux, je ne peux pas m'empêcher de m'identifier à eux, répondit-il, absent.

Une mission parfaite. Que ne donnerait-il pas pour une seule mission parfaite, une mission au cours de laquelle rien n'irait de travers ? Peut-être que la prochaine allait enfin être celle-ci.

L'odeur frappa Miles dès que Quinn et lui franchirent les portes du Centre de Vie Beauchene, la clinique spécialisée dans la cryothérapie où se faisaient soigner les Dendariis sur Escobar. Ce n'était ni une puanteur, ni même une mauvaise odeur, juste une nuance bizarre dans le système d'air conditionné. Mais c'était une odeur si profondément associée à la douleur dans son esprit que son cœur se mit à battre plus vite. Il prit une longue inspiration et regarda autour de lui. Le hall était typique des techno-palaces en vogue sur Escobar, propre mais chichement meublé. L'argent était en fait entièrement investi dans les étages supérieurs, dans les cryo-équipements, les labos de régénération... là où on en avait vraiment besoin.

L'un des patrons de la clinique, le Dr. Aragones, descendit les accueillir pour les escorter jusqu'à son bureau à l'étage. Miles aimait ce bureau bourré de disques, de dossiers et même de feuilles imprimées sur papier pelure qui indiquaient un technocrate passionné par ce qu'il faisait. Il aimait aussi Aragones lui-même, un grand type bourru avec une peau de bronze, un nez noble et des cheveux gris.

Le Dr. Aragones n'était pas heureux des résultats qu'il allait annoncer : ils heurtaient sa fierté.

– Vous nous apportez des catastrophes en espérant des miracles, se plaignit-il gentiment en s'installant dans sa chaise tandis que Miles et Quinn s'asseyaient en face de lui. Si vous voulez des miracles, il faut vous en occuper plus tôt, dès les premiers soins donnés à mes pauvres patients.

Aragones ne les appelait jamais les morts-vivants, ne leur donnait jamais un de ces surnoms nerveux que leur attribuaient les soldats. Pour lui, ils étaient toujours « ses patients ». C'était encore quelque chose que Miles appréciait chez le médecin escobaran.

– En général, et malheureusement, nous devons parer au plus pressé, répondit Miles comme pour s'excuser à son tour. Dans ce cas, vingt-huit personnes sont arrivées en même temps à l'infirmerie, toutes souffrant de multiples blessures : traumatismes extrêmes, brûlures, contamination chimique... Toutes en même temps. Le triage a été brutal, en tout cas au début, jusqu'à ce qu'on sache à quoi s'en tenir. Mes hommes ont fait de leur mieux. (Il hésita.) Pensez-vous qu'il faudrait donner quelques cours de recyclage à nos med-techs ? Et dans ce cas, seriez-vous d'accord pour diriger un séminaire ?

Aragones écarta les mains d'un air pensif.

– On peut essayer... Discutez-en avec Margara, notre administrateur, avant votre départ.

Miles hocha le menton et Quinn prit une note sur son agenda électronique.

Aragones consulta sa comconsole.

– D'abord, les mauvaises nouvelles. Nous n'avons rien pu faire pour votre M. Kee et votre Mme Zelaski.

– Je... j'ai vu la blessure à la tête de Kee. Ça ne m'étonne pas. (*Écrasée comme un melon.*) Mais nous avions une cryo-chambre disponible, alors nous avons tenté le coup.

Aragones aquiesça.

– Mme Zelaski avait un problème similaire mais moins visible extérieurement. Son système d'irrigation cervicale a été complètement détruit lors du traumatisme. On n'a pas pu drainer tout son sang du cerveau et injecter proprement les cryo-fluides. Entre la cristallisation par le froid et les hématomes, la destruction des neurones a été complète. Je suis désolé. Leurs corps sont à votre disposition dans notre morgue.

— Kee souhaitait que son corps soit rapatrié à sa famille pour ses funérailles. Pouvez-vous le faire expédier par le canal habituel ? Nous vous donnerons l'adresse. (Un nouveau signe vers Quinn. Une nouvelle note.) Zelaski n'a pas signalé de familles ou de proches. Certains Dendariis n'en ont pas ou ne veulent pas en parler et nous n'insistons pas. Mais, une fois, elle a dit à ses compagnons de combat qu'elle aimerait qu'on dispose de ses cendres. Pouvez-vous passer ses restes au crématoire et les envoyer à notre département médical ?

— Très bien.

Aragones effaça ces données du plateau et elles disparurent comme par enchantement, aussitôt remplacées par d'autres.

— M. Durham et Mme Vifian sont à présent en partie guéris de leurs blessures originelles. Ils souffrent tous les deux d'un traumatisme neurologique et d'une cryo-amnésie que j'estime normaux. La perte de mémoire de M. Durham est plus profonde, en partie en raison des complications dues à ses implants neuraux de pilote de saut que nous avons dû, hélas, enlever.

— Pourra-t-on lui en implanter d'autres plus tard ?

— Il est trop tôt pour le dire. A mon avis, le diagnostic dans ces deux cas est assez favorable mais ils ne pourront reprendre leurs activités militaires avant au moins un an. Et ils auront besoin d'un réentraînement intensif. Dans les deux cas, je recommanderais qu'ils soient renvoyés dans leur foyer et environnement familial, si cela est possible. Un entourage familier facilitera sans doute le retour de leurs souvenirs.

— Le lieutenant Durham a de la famille sur Terre. Nous veillerons à ce qu'il y retourne. La tech Vifian vient de la Station Kline. Nous verrons ce qu'il est possible de faire.

Quinn hocha vigoureusement la tête et prit d'autres notes.

– Je peux vous les remettre aujourd'hui, si vous le désirez. Nous avons fait tout ce qui était en notre pouvoir. Des conditions de convalescence normales feront le reste. Bon... nous en arrivons à M. Aziz.

– Le soldat Aziz, acquiesça Miles.

Depuis trois ans avec les Dendariis, il avait demandé avec succès à suivre l'entraînement d'officier. Ving et un ans.

– M. Aziz est... à nouveau en vie. C'est-à-dire que son corps se subvient à lui-même sans aide artificielle en dehors d'un problème de régulation thermique interne qui semble se régler petit à petit.

– Mais Aziz n'avait pas de blessure à la tête. Que s'est-il passé ? s'enquit Miles. Etes-vous en train de me dire qu'il va être transformé en légume ?

– J'ai bien peur que M. Aziz n'ait été victime d'une mauvaise prép. Son sang a été apparemment hâtivement drainé mais pas complètement, en tout cas pas assez. Son tissu cérébral était rongé d'hémo-kystes gelés. Nous les avons enlevés. La cicatrisation génétique s'est bien déroulée. Mais sa personnalité est à jamais perdue.

– Tout ?

– Il se peut qu'il garde quelques fragments frustrants de souvenirs. Des rêves. Mais il ne retrouvera pas son ancien moi car les tissus eux-mêmes ont disparu. Le nouveau M. Aziz sera pratiquement un enfant. Il a perdu le langage, entre autres choses.

– Retrouvera-t-il son intelligence, avec le temps ?

Aragones hésita un peu trop avant de répondre.

– Dans quelques années, il devrait être capable d'effectuer des tâches simples qui lui permettront de subsister.

– Je vois, soupira Miles.

– Que voulez-vous faire de lui ?

– Lui non plus n'a pas de parents enregistrés.

(Miles souffla bruyamment.) Transférez-le dans un centre de soins à long terme ici sur Escobar. Un qui possède un bon département de thérapie. Je vous fais confiance pour le choisir. Je vais ouvrir un compte pour couvrir tous les frais jusqu'à ce qu'il puisse se débrouiller seul. Aussi longtemps qu'il le faudra.

Aragones acquiesça.

Ils réglèrent d'autres détails administratifs et financiers et la réunion prit fin. Miles insista pour passer voir Aziz avant d'aller chercher les deux convalescents.

– Il ne vous reconnaîtra pas, le prévint Aragones quand ils pénétrèrent dans la petite chambre.

– Ça ira.

Au premier regard, et malgré l'ingrate chemise d'hôpital, Aziz ne paraissait nullement avoir vu la mort de près. Son visage avait des couleurs et de la chaleur et son teint naturel lui évitait la pâleur des pensionnaires d'hôpital. Mais il gisait tordu dans ses couvertures, apathique et décharné. Les côtés du lit étaient remontés, évoquant un cercueil. Quinn s'adossa au mur et croisa les bras. Elle aussi avait trop bien connu les hôpitaux et les cliniques et ne les supportait pas.

– Azzie, appela doucement Miles en se penchant vers lui. Azzie, tu m'entends ?

Les yeux d'Aziz se fixèrent un moment puis se remirent à errer dans le vague.

– Je sais que tu ne me connais pas mais tu te souviendras peut-être de ceci, plus tard. Tu étais un bon soldat, intelligent et fort. Tu possédais cette discipline qui sauve des vies. (*Celles des autres, pas la tienne.*) Demain, tu iras dans un autre établissement où on t'aidera à t'en sortir. Ne t'inquiète pas pour l'argent. Je m'en occupe. Tu en auras tant que tu en auras besoin. (*Il ne sait pas ce qu'est l'argent.*) Je repasserai te voir de temps en temps dès que j'en aurai l'occasion, promit-il.

A qui s'adressait cette promesse ? A Aziz ? Aziz n'existait plus. A lui-même ? Il se tut.

Cette stimulation auditive fit qu'Aziz se tordit dans son lit et émit des gémissements informes et assourdissants. Il ne contrôlait pas encore le volume de sa voix, apparemment. Cela n'avait rien d'une tentative de communication. Il s'agissait plutôt d'une sorte de réflexe animal.

– Soigne-toi bien, chuchota Miles avant de se retirer.

Dans le couloir, il s'immobilisa, tremblant.

– Pourquoi t'infliges-tu ça ? demanda Quinn.

Ses bras qu'elle n'avait pas encore décroisés ajoutaient silencieusement : *Et à moi ?*

– Primo, il est mort pour moi, littéralement, et deuxièmement, ajouta-t-il d'une voix trop légère, ça me fascine de me retrouver face à ce que je crains le plus.

– C'est la mort que tu crains le plus ? s'enquit-elle, curieuse.

– Non. Pas la mort. (Il se massa le front, hésita.) La perte d'esprit. Toute la vie, il a fallu que je me batte pour faire accepter ça... (D'un geste vague, il engloba son corps difforme.) Et parce que je suis un petit salopard assez malin, j'y suis parvenu. Mais il faut sans cesse que je fasse mes preuves. Si ma cervelle me lâche...

Sans ma cervelle, je ne suis plus rien. Il se redressa, haussa les épaules et crispa les joues pour faire semblant de sourire.

– Allons-y, Quinn.

Durham et Vifian étaient nettement en meilleur état qu'Aziz. Ils pouvaient marcher et parler et Vifian reconnut même Quinn. Ils les emmenèrent au port dans la voiture de sol louée et, par égard pour leur condition, Quinn évita de conduire comme une folle comme à son habitude. Dans la navette, Miles envoya Durham s'asseoir aux côtés du pilote, un ancien compagnon d'armes. En arrivant au *Triumph*, Durham se souvenait non seulement du nom de son collègue mais aussi de quelques procédures de pilotage.

Un med-tech les attendait derrière le sas et conduisit immédiatement les deux convalescents épuisés par ce court voyage à l'infirmerie. Après leur départ, Miles se sentit un peu mieux.

– Ça va coûter cher, remarqua Quinn.

– Oui, soupira Miles. Les programmes de réhabilitation commencent à engloutir une grosse part du budget médical. Je vais demander au comptable de les transférer sur le compte général de la Flotte, pour éviter que les meds ne manquent d'argent. Il n'y a pas d'autre moyen. Que veux-tu ? Mes troupes me sont plus que loyales, je ne peux pas les trahir. D'ailleurs... (Un bref sourire.) C'est Barrayar qui paie.

– Je croyais que ton patron de la SecImp t'avait fait un petit laïus à propos de tes factures ?

– Illyan doit expliquer chaque année pourquoi une somme assez importante pour financer une véritable petite armée privée disparaît sans jamais révéler l'existence de cette armée. C'est un exercice de haute voltige. Certains bureaucrates de l'Empire l'accusent de légèreté dans sa gestion, ce qui le fait beaucoup souffrir...

Le pilote, ayant verrouillé sa navette, se pencha pour franchir le sas et le sceller derrière lui. Il hocha la tête vers Miles.

– En vous attendant à Port Beauchene, monsieur, j'ai vu une nouvelle intéressante sur le réseau local. Pour Escobar, c'était une nouvelle mineure mais je pense qu'elle vous intéressera.

Miles haussa un sourcil.

– Je vous écoute, sergent LaJoie.

– Les Cetagandans viennent d'annoncer qu'ils se retirent de Marilac. Ils appellent ça... comment déjà... : « Grâce aux grands progrès enregistrés en matière d'échange entre nos deux cultures, nous avons décidé de laisser les problèmes de police aux mains des autorités locales. »

Miles serra les poings de bonheur.

– En d'autres mots, ils lâchent leur gouvernement fantoche ! Ha ! (Il assena une claque sur le dos d'Elli.)

Tu as entendu ça, Elli ! On a gagné ! Je veux dire, ils ont gagné, les Marilacans.

Nos sacrifices ont servi à quelque chose... Il se força à retrouver sa maîtrise de soi avant de se mettre à pleurer ou de faire un truc aussi idiot.

– Accordez-moi une faveur, LaJoie. Faites passer le mot dans toute la Flotte. Dites-leur que je les remercie d'avoir fait un aussi bon boulot. Hein ?

– Oui, monsieur. Avec joie.

Le pilote les salua avec enthousiasme et s'en fut au trot dans le corridor.

Le sourire de Miles lui mangeait le visage.

– Tu vois, Elli ! Ce que ça va coûter à Simon Illyan n'est rien en comparaison de ce que cela aurait pu coûter. Une véritable invasion planétaire cetagandane mise en échec ! (Puis, dans un chuchotement féroce :) *Je* l'ai fait ! J'ai fait la différence.

Quinn souriait elle aussi mais un de ses sourcils parfaits se courba avec une sèche ironie.

– C'est bien joli mais si je sais bien lire entre les lignes, la Sécurité Impériale de Barrayar avait un autre but : forcer les Cetagandans à se débattre contre la guérilla sur Marilac. Indéfiniment. Afin de détourner leur attention des frontières barrayaranes et des points de saut.

Les lèvres de Miles se retroussèrent dans un sourire de loup.

– Ils n'ont pas mis ça par écrit. Simon m'a simplement dit : « Aide les Marilacans autant que possible. » Tels étaient ses ordres. J'ai obéi.

– Mais tu sais pertinemment ce qu'il voulait en réalité.

– Quatre années de guerre, ça suffisait largement. Je n'ai pas trahi Barrayar. Ni personne d'autre.

– Ah ouais ? Alors, dis-moi un peu pourquoi entre la version de Simon Illyan et la tienne c'est la tienne qui a prévalu. Un de ces jours, Miles, à force de couper les cheveux en quatre avec ces gens, tu vas te retrouver complètement chauve. Que feras-tu alors ?

Il sourit, secoua la tête et évita de répondre.

Son exaltation à propos de Marilac durait encore quand il arriva à sa cabine. Il avait l'impression de marcher dans une demi-gravité. Après un coup d'œil furtif pour s'assurer qu'il n'y avait personne dans le couloir, il embrassa longuement Quinn. Longuement car ce baiser allait devoir leur durer longtemps. Elle rejoignit ses propres quartiers. Il se glissa dans sa cabine, écouta la porte glisser derrière lui. Il était à nouveau chez lui.

En tout cas, pour une bonne moitié de lui, ceci était chez lui, se dit-il en lançant son bagage sur le lit avant d'aller tout droit sous la douche. Dix ans plus tôt, dans des circonstances désespérées, lord Miles Vorkosigan avait de toutes pièces inventé l'amiral Naismith. Celui-ci avait alors pris le contrôle temporaire des Mercenaires Dendariis. La Sécurité Impériale de Barrayar avait par la suite découvert que ceux-ci pouvaient lui être très utiles. Non. Ce n'était pas exactement ça. En vérité, il avait tant et si bien persuadé, manipulé, démontré et contraint que la SecImp avait fini par accepter l'existence de cette armée secrète et de son mystérieux chef. *Méfie-toi de ce que tu fais semblant d'être. Tu pourrais le devenir.*

Quand l'amiral Naismith avait-il cessé d'être un faux ? Graduellement, sûrement, mais sans doute depuis que son mentor chez les mercenaires, le commodore Tung, avait pris sa retraite. Tung était un vieux singe. Il s'était rendu compte avant Miles que ce jeune homme prématurément nommé amiral n'avait plus besoin de ses services. Tout en se douchant, il passait en revue dans son esprit toutes sortes de diagrammes colorés concernant l'organisation de la Flotte des Mercenaires libres Dendariis. Il connaissait chaque navire, chaque soldat, chaque navette et chaque machine, maintenant. Il savait comment tout ça se mettait en place, ce qui devait être fait en premier, en deuxième, en dixième, afin d'exercer une force extrêmement précise en tel ou tel point de la galaxie. Voilà quel était son savoir-faire : être capable de regarder un navire tel que le *Triumph* et voir à travers ses parois chaque détail de sa machinerie, chacun de ses points forts ou vulnérables ; regarder un escadron commando ou une table de briefing réunissant les capitaines et les capitaines-actionnaires et savoir ce que chacun allait dire ou faire avant qu'eux-mêmes le sachent. *Je suis au sommet. J'y suis finalement arrivé. Avec ce levier, je peux bouger des mondes.* Il brancha la douche sur « sec » et se laissa envelopper par le souffle d'air chaud. Il quitta la cabine en gloussant de joie. *J'adore ça.*

Son gloussement se coinça dans sa gorge quand il ouvrit la porte de son placard et le trouva vide. Son ordonnance avait-elle tout envoyé à nettoyer ? Sa stupéfaction s'accrut après qu'il eut essayé tous les autres tiroirs. Il n'y trouva que quelques loques civiles qu'il ne portait que quand il voulait se déguiser en clochard et jouer les espions pour les Dendariis. Plus quelques-uns de ses sous-vêtements les plus informes. C'était une blague ou quoi ? Dans ce cas, il aurait le dernier mot. D'un geste brusque, il ouvrit le placard où était rangée son armure spatiale. Vide. C'en devenait choquant. *Quelqu'un a dû la descendre à la Mécanique pour la recalibrer ou ajouter des programmes ou quelque chose.* Mais son ordonnance aurait déjà dû la faire revenir. Et s'il en avait eu besoin sur-le-champ ?

Réfléchir. Ses seconds devaient être en train de se rassembler à présent. Quinn avait une fois prétendu qu'il pourrait faire son meeting entièrement nu. D'après elle, il réussirait à donner aux autres l'impression qu'ils étaient trop habillés. Il eut un instant envie de vérifier cette affirmation mais préféra renfiler le pantalon et la chemise qu'il portait en arrivant. Il n'avait pas besoin d'un uniforme pour asseoir son autorité. Plus maintenant.

En chemin vers la salle de réunion, il croisa Sandy Hereld qui avait achevé son service. Il lui adressa un petit salut amical. Elle sursauta et le contempla tout en continuant à marcher, le cou tordu.

– Vous êtes de retour, monsieur ! Vous avez fait vite.

Elle ne pouvait parler de son voyage de plusieurs semaines au Q.G. de la SecImp. Elle devait penser à son excursion sur la planète.

– Cela ne nous a pris que deux heures.

– Hein ?

Son nez se fronça comiquement. Il avait une salle remplie d'officiers supérieurs qui l'attendait. Il la salua à nouveau et emprunta le tube de descente.

La salle de réunion était agréablement familière, ainsi que les visages qui l'entouraient. Le capitaine Auson du *Triumph*. Elena Bothari-Jesek, récemment promue capitaine du *Peregrine*. Son mari, le commodore Baz Jesek, ingénieur en chef de la Flotte et chargé, en l'absence de Miles, de toutes les réparations et problèmes d'intendance de la Flotte en orbite autour d'Escobar. Le couple, des Barrayarans eux aussi, était parmi les rares Dendariis avec Quinn à connaître le secret de sa double identité. Etaient aussi présents le capitaine Truzillo du *Jayhawk*, et une douzaine d'autres, tous sûrs et loyaux. Ses hommes.

Bel Thorne de l'*Ariel* était en retard. Voilà qui était inhabituel. Son insatiable curiosité était l'une des caractéristiques de Thorne : une nouvelle mission était comme un cadeau de Fête de l'Hiver pour l'hermaphrodite de Beta. Miles se tourna vers Elena Bothari-Jesek en l'attendant.

– Tu as pu rendre visite à ta mère sur Escobar ?

– Oui, merci. (Elle sourit.) C'était... agréable, d'avoir un peu de temps. On a pu bavarder de choses dont nous n'avions pas parlé la première fois.

Cela avait été bon pour toutes les deux, jugea Miles. Cette tension qui habitait en permanence ses yeux sombres avait quelque peu disparu. Elle allait de mieux en mieux, petit à petit.

– Bien.

Il leva les yeux quand la porte glissa mais ce n'était que Quinn se ruant à l'intérieur de la salle avec des dossiers de sécurité à la main. Elle avait remis son véritable uniforme d'officier et semblait très à l'aise et efficace. Elle tendit les dossiers à Miles qui les chargea dans la comconsole. Une nouvelle minute passa. Toujours pas de Bel Thorne.

Les conversations mouraient. Ses officiers le considéraient attentivement. Mieux valait arrêter de se tourner les pouces. Avant de brancher le plateau de la comconsole, il demanda à la cantonade :

– Y a-t-il une raison qui explique le retard du capitaine Thorne ?

Ils le regardèrent puis se contemplèrent les uns les autres. *S'il y avait eu un problème avec Bel, on m'aurait déjà fait un rapport.* Pourtant, son estomac se nouait.

– Où est Bel Thorne ?

Du regard, ils désignèrent Elena Bothari-Jesek comme leur porte-parole. C'était extrêmement mauvais signe.

– Miles, fit-elle d'une voix hésitante, Bel était-il censé rentrer avant toi ?

– Rentrer ? Où donc est-il allé ?

Elle le dévisageait comme s'il avait perdu la tête.

– Bel est parti avec toi sur l'*Ariel*, il y a trois jours.

Le visage de Quinn se redressa vivement.

– Impossible.

– Il y a trois jours de ça, nous étions encore en route pour Escobar, commença Miles.

Le nœud dans son estomac se transformait en bombe à neutrons. Il ne dominait pas du tout cette réunion. Il avait l'impression de trébucher.

– Tu as pris l'escadron vert avec toi. C'était le nouveau contrat, d'après Bel, ajouta Elena.

– Voilà le nouveau contrat.

Miles tapa sur la comconsole. Une hideuse explication commençait à poindre dans son esprit, née dans le trou noir de son ventre. Les visages autour de lui annonçaient clairement que l'assemblée se divisait en deux camps : la minorité qui avait pris part à cette affaire sur Terre deux ans plus tôt semblait effrayée, les autres qui n'y avaient pas été directement mêlés étaient complètement perdus...

– Où ai-je dit que j'allais ? s'enquit Miles.

Il avait utilisé un ton doux, pensait-il, mais plusieurs d'entre eux grimacèrent.

– L'Ensemble de Jackson.

Elena le regardait droit dans les yeux avec l'attention d'un zoologiste sur le point de disséquer un spécimen. Une subite perte de confiance...

L'Ensemble de Jackson. Plus aucun doute.

– Bel Thorne ? L'*Ariel* ? Taura ? Avec *dix sauts* jusqu'à l'Ensemble de Jackson ? s'étrangla Miles. Ô Seigneur !

– Mais si vous êtes vous, dit Truzillo, qui était-ce il y a trois jours ?

– *Si* tu es toi, répéta Elena d'un ton lugubre.

Les initiés faisaient tous cette tête méfiante.

– Vous voyez, expliqua Miles à Ceux-qui-ne-savaient-pas, certains possèdent un double démoniaque. Je n'ai pas cette chance. *Mon* double est *idiot*.

– Ton clone, dit Elena Bothari-Jesek.

– Mon frère, corrigea-t-il machinalement.

– Le petit Mark Pierre, dit Quinn. Oh... *merde*.

3

Son estomac se noua, la cabine chancela et des ombres obscurcirent sa vision. Les bizarres sensations du saut dans le couloir à travers l'espace disparurent aussi vite qu'elles étaient apparues mais laissaient un écho somatique déplaisant, comme s'il était un gong qu'on venait de frapper. Il respira profondément. C'était le quatrième saut du voyage. Il n'en restait plus que cinq sur le chemin tortueux qui menait à travers les connexions galactiques d'Escobar à l'Ensemble de Jackson. L'*Ariel* était en route depuis trois jours. Ils étaient presque à mi-chemin.

Il contempla la cabine de Naismith. Il ne pouvait plus se cacher ici davantage, le prétexte de la maladie ou d'une crise de mauvaise humeur de Naismith ne tiendrait plus. Thorne avait besoin des moindres renseignements qu'il pouvait lui fournir pour établir le plan d'attaque de la crèche des clones. Mais il avait mis à profit son hibernation, passant en revue le journal de bord de l'*Ariel* depuis sa première rencontre avec les Dendariis deux ans auparavant. Il en savait à présent beaucoup plus à propos des mercenaires et la perspective d'une conversation banale avec des membres de l'équipage lui semblait beaucoup moins terrifiante.

Malheureusement, il n'avait pas trouvé grand-chose à propos de sa rencontre avec Naismith sur Terre. Le journal de bord détaillait essentiellement les problèmes de maintenance du navire. Un seul élément se rattachait à son cas : un avis annonçant aux capitaines de navires que le clone de l'amiral Naismith avait été repéré sur Terre, avertissant qu'il pouvait tenter de se faire passer pour l'amiral et donnant l'information (incorrecte) que les jambes du clone possédaient des os normaux et non des prothèses en plastique : un simple med-scan le démasquerait. L'ordre formel était donné de n'utiliser pour appréhender l'imposteur qu'un simple neutralisateur. Pas d'explications, pas de corrections ultérieures. C'était du Naismith-Vorkosigan tout craché : moins il y avait de traces, mieux c'était, selon sa conception paranoïaque de la sécurité.

Il se renfonça sur sa chaise en fixant la comconsole d'un regard noir. Le fichier dendarii le nommait *Mark. Encore une chose que tu ne pourras pas choisir*, lui avait dit Miles Naismith Vorkosigan. *Mark Pierre. Tu es lord Mark Pierre Vorkosigan, de plein droit, sur Barrayar.*

Mais il n'était pas sur Barrayar et il n'y mettrait jamais les pieds s'il pouvait l'éviter. *Tu n'es pas mon frère et le Boucher de Komarr n'a jamais été un père pour moi*, se répéta-t-il pour la millième fois. *Ma mère était un réplicateur utérin.*

Mais ce nom l'avait poursuivi sans relâche, sapant son plaisir à se trouver des pseudonymes. Il en avait essayé de toutes sortes : des communs, des majestueux, des exotiques, des étranges, des idiots... Jan Vandermark était celui qu'il avait utilisé le plus souvent, celui auquel il tentait peurcusement et vainement de s'identifier.

Mark ! avait hurlé Miles au moment où il avait cru être emporté vers sa mort. *Tu t'appelles Mark !*

Je ne suis pas Mark. Je ne suis pas ton foutu frère, espèce de taré, hurla-t-il à son tour en silence. Mais quand l'écho de ce cri de rage mourut dans son crâne, il eut l'impression de ne plus être personne.

Il avait mal à la tête. Il avait l'impression qu'on lui vissait la colonne vertébrale dans les épaules et le cou, qu'on lui déboîtait le crâne. Il se massa la nuque mais la tension se transmit à ses bras.

Pas son frère. Mais pour être précis, Naismith n'était en rien responsable de son existence, en tout cas pas à la manière des autres clients de la maison Bharaputra. Même si, effectivement, ils étaient génétiquement identiques. Tel avait été le but recherché.

Lord Miles Naismith Vorkosigan avait à peine six ans quand des spécimens de son tissu cellulaire avaient été dérobés dans un laboratoire après une biopsie sur Barrayar. Cela datait de l'époque des derniers sursauts de la résistance de Komarr contre l'invasion barrayarane. Personne à vrai dire n'était intéressé par Miles, l'enfant infirme. On en voulait à son père, l'amiral comte Aral Vorkosigan, régent de Barrayar, Conquérant (ou Boucher) de Komarr. Aral Vorkosigan avait été le principal artisan de la première conquête stellaire de Barrayar : Komarr. En tant que tel, il était la cible idéale pour les résistants de Komarr, celui sur qui ils entendaient exercer leur vengeance. La résistance avait peu à peu perdu tout espoir. Le désir de vengeance s'était pour quelques-uns exacerbé dans l'amertume de l'exil. Sans armée, sans armes, sans soutien, un groupe de Komarrans haineux avait élaboré une lente et folle vengeance. Frapper le père grâce au fils qu'il adorait...

Tel un sorcier dans un vieux conte, les Komarrans avaient passé un pacte avec le démon pour fabriquer un simulacre. *Un clone bâtard*, pensa-t-il avec un rire muet et sans joie. Mais les choses avaient mal tourné. Le garçon original, empoisonné dans le ventre de sa mère par d'autres ennemis de son père, avait « grandi » de façon étrange, imprévisible alors que son double génétique se développait normalement... et cela avait été pour lui le premier signe qu'il était différent des autres clones. Quand les autres partaient en traitement, ils en revenaient invariablement plus forts, en meilleure santé, grandissant mieux et plus vite. A chacune de ses visites chez les docteurs, et elles avaient été très nombreuses, leurs traitements atrocement douloureux le rendaient plus maladif, plus chétif. Les bracelets qu'ils posaient sur ses os, son cou, son dos ne semblaient guère l'aider. Ils avaient *fait* de lui ce nain tordu comme s'ils l'avaient moulé dans une presse, à l'image de son progéniteur. *J'aurais pu être normal si Miles Vorkosigan n'avait pas été infirme.*

Quand il avait commencé à soupçonner à quoi allaient vraiment servir ses compagnons clones car, malgré toute leur prudence, leurs gardiens débonnaires ne pouvaient empêcher les plus folles rumeurs de circuler parmi les enfants, ses difformités croissantes lui avaient procuré une joie cachée. Ils n'allaient sûrement pas utiliser *ce* corps pour une transplantation de cerveau.

Quand, à l'âge de quatorze ans, ses maîtres komarrans vinrent le chercher, il crut à un miracle. Puis le conditionnement avait commencé. L'endoctrinement implacable, pénible et perpétuel. Au début, un avenir, n'importe quel avenir, lui avait paru glorieux en comparaison de la fin de ses compagnons de crèche. Il avait donc fait de son mieux pour apprendre tout ce qui était nécessaire pour prendre la place de son progéniteur et frapper un coup mortel au nom de

Komarr la bien-aimée, une planète qu'il n'avait jamais vue, contre Barrayar la diabolique, qu'il ne connaissait pas plus. Mais apprendre à être Miles était comme de prendre part à la course du paradoxe de Xenon. Peu importait tout ce qu'il apprenait, la frénésie avec laquelle il s'entraînait, la dureté des punitions qui sanctionnaient la moindre de ses erreurs, Miles apprenait plus et plus vite. Dès qu'il arrivait à un palier, son rival avait déjà franchi le suivant, intellectuellement ou autre.

La course symbolique était devenue bien réelle quand ses tuteurs komarrans avaient décidé d'opérer la substitution. Ils avaient poursuivi le très fantomatique lord Vorkosigan à travers la moitié du réseau de connexions galactiques sans jamais se rendre compte que quand il disparaissait, l'amiral Naismith apparaissait ailleurs. Les Komarrans n'avaient jamais deviné la réelle identité de l'amiral Naismith. C'est finalement le plus grand des hasards qui les avait mis face à face sur Terre, deux ans plus tôt, à l'endroit même où cette stupide race était née. Une vengeance refroidie depuis vingt ans allait enfin pouvoir s'exercer.

Ce délai s'avéra déterminant mais pas comme les Komarrans l'avaient envisagé. Quand ils avaient commencé à traquer Vorkosigan, leur clone sur mesure était au sommet de son conditionnement mental, acquis à la cause de la révolte et aveuglément déterminé. Ne l'avaient-ils pas sauvé du sort des clones ? Dix-huit mois à les voir errer, dix-huit mois de voyages, d'observation, d'exposition à des informations non censurées, de rencontres – même rares – avaient fait germer en lui des doutes. De plus, il était impossible de dupliquer l'éducation de type galactique qu'avait reçue Vorkosigan sans apprendre à réfléchir un minimum. Au milieu de tout ça, l'opération pour remplacer les os impeccables de ses jambes par des prothèses synthétiques sous le simple prétexte que Vorkosigan s'était brisé les siennes avait été abominablement douloureuse. Et si, la prochaine fois,

Vorkosigan se brisait le cou ? Cette idée lui avait fait froid... dans le cou, précisément.

Lui bourrer le crâne avec lord Vorkosigan était comme lui infliger une transplantation cervicale mais sans utiliser les scalpels au laser et les tissus vivants. *Celui qui cherche à se venger doit creuser deux tombes.* Les Komarrans avaient creusé la deuxième tombe pour *lui.* Pour la personne qu'il ne deviendrait jamais, pour l'homme qu'il aurait pu être si on ne l'avait pas forcé à coups de vibro-matraques à être quelqu'un d'autre.

Certains jours il ne savait plus qui il haïssait le plus : la maison Bharaputra, les Komarrans ou bien Miles Naismith Vorkosigan.

Il éteignit la comconsole d'un coup de poing pour aller chercher le précieux cube de données dans la poche de l'uniforme où il était encore caché. Après réflexion, il se lava et s'épila à nouveau avant d'enfiler un uniforme propre. Autant être le plus réglementaire possible. Que les Dendariis ne voient que la surface polie et non l'homme à l'intérieur de l'homme à l'intérieur de...

Il se redressa, sortit de la cabine, traversa le couloir et pressa la sonnette à la porte du capitaine hermaphrodite.

Pas de réponse. Il pressa à nouveau. Après un court instant, la voix d'alto de Thorne retentit.

– Oui ?

– C'est Naismith.

– Oh ! Entre, Miles, répliqua l'autre, soudain alerte.

La porte glissa et il comprit pourquoi Thorne n'avait pas répondu immédiatement : il l'avait réveillé. Encore au lit, l'hermaphrodite s'était redressé sur un coude, ses cheveux bruns ébouriffés, sa main libre quittant la commande qui manœuvrait la porte.

– Excuse-moi, dit-il en voulant se retirer mais la porte s'était déjà refermée derrière lui.

– Non, ça va, fit l'hermaphrodite ensommeillé en se blottissant à nouveau dans ses draps avant de tapoter le matelas entre ses cuisses et son ventre. Pour toi, c'est toujours ouvert. Viens t'asseoir. Tu veux que je te masse le dos ? Tu as l'air tendu.

Thorne portait une chemise de nuit incroyable en soie brodée de dentelle avec un décolleté plongeant qui révélait le renflement de ses seins.

Il préféra s'asseoir sur une chaise, ce qui lui valut un sourire sardonique de Thorne. Il s'éclaircit la gorge.

– Je... me suis dit qu'il était temps de te faire part de tous ces détails que je t'avais promis.

J'aurais dû vérifier la feuille de quart. L'amiral Naismith aurait-il connu le cycle de sommeil du capitaine ?

– Temps et plus que temps. Content de voir que tu es enfin sorti du brouillard. Qu'est-ce que t'as bien pu fabriquer pendant ces huit semaines où tu as disparu ? Qui est mort ?

– Personne. Ou plutôt, huit clones sûrement.

Thorne acquiesça d'un air sombre. Il abandonna sa posture sinueuse et se redressa d'un coup, l'air parfaitement réveillé.

– Du thé ?

– Oui. Si tu préfères, je peux revenir après ton cycle de sommeil.

Ou dès que tu seras habillé.

Thorne fit basculer ses jambes couvertes de soie par-dessus le rebord du lit.

– Pas question. D'ailleurs, je me serais levé dans une heure. Et je suis impatient de connaître ces informations.

La cérémonie du thé se répéta. Il inséra le cube de données dans la comconsole et attendit que le capitaine ait avalé ses premières gorgées de liquide noir et brûlant. Si seulement il se décidait à enfiler son uniforme.

Il appela les dossiers tandis que Thorne s'approchait.

– J'ai une holocarte détaillée du principal complexe médical de la maison Bharaputra. Ces informations n'ont pas plus de quatre mois. Plus les horaires des gardes et des rondes... leur sécurité est beaucoup plus renforcée que dans un hôpital normal, un peu comme pour un laboratoire militaire mais ce n'est pas une forteresse. Ils ont surtout peur des vols et, bien sûr, des tentatives d'évasion de leurs patients.

Une part significative de sa propre expérience était dans ce cube.

L'image colorée se déploya au-dessus du plateau du vid. Le complexe l'était en effet : un complexe assemblage de bâtiments, tunnels, jardins thérapeutiques, labos, mini-usines, entrepôts, garages et même deux hangars à navettes orbitales.

Penché vers la console, Thorne reposa sa tasse pour examiner tout cela avec intérêt. Il tapota sur le clavier pour faire tourner la carte en trois D, la réduire, l'agrandir, la découper.

– On commence par occuper les aires de décollage ?

– Non. Les clones sont tous gardés ici, du côté ouest, dans cette zone. Si on atterrit sur ce terrain d'exercice, on sera pile au-dessus de leurs dortoirs. Naturellement, si la navette en se posant cause quelque dommage, ça ne m'empêchera pas de dormir.

– Naturellement. (Un bref sourire papillota sur le visage du capitaine.) L'heure ?

– Il faut qu'on y aille de nuit. Pas pour se cacher. Il n'y a aucune chance de dissimuler l'arrivée d'une navette de combat. En fait, c'est le seul moment où les clones sont tous réunis dans un espace restreint. Pendant la journée, ils sont éparpillés sur les terrains de jeux, à la piscine et Dieu sait où encore.

– En classe ?

– Non, pas exactement. Ils ne leur apprennent que le minimum. Si un clone sait compter jusqu'à vingt et lire les panneaux, c'est tout ce dont ils ont besoin. Des cerveaux à jeter.

Cela avait été pour lui l'autre façon d'apprendre qu'il n'était pas comme les autres. Un vrai professeur humain l'avait initié à une vaste utilisation des programmes d'éducation virtuelle. Dès lors, il avait passé des jours et des jours en face d'un ordinateur. A la différence de ses tuteurs komarrans plus tard, ils l'aidaient à apprendre mais ne le punissaient jamais, ne le forçaient jamais, ne le frappaient jamais, n'exerçaient sur lui aucune pression physique...

– Malgré tout, reprit-il, et de façon étonnante, les clones parviennent à glaner un tas de renseignements. Surtout grâce aux jeux holovids. Ils sont brillants. En général, leurs progéniteurs ne sont pas stupides. Ce sont tous des gens assez malins pour s'être bâti une fortune assez colossale qui leur permet de s'offrir une vie après leur mort. Des salopards peut-être mais pas idiots.

Thorne disséquait l'endroit sur le vid, détaillant chaque bâtiment morceau par morceau, étudiant le moindre recoin.

– Donc, une douzaine de Dendariis armés jusqu'aux dents réveillent au beau milieu de la nuit cinquante ou soixante gosses... Est-ce qu'ils savent qu'on arrive ?

– Non. Au fait, il faudra prévenir les soldats : ils n'ont pas vraiment l'air de gosses. Nous allons les ramasser durant leur dernière année de développement. Ils ont tous à peu près dix ou onze ans, mais grâce aux accélérateurs de croissance, ils ont des corps de jeunes gens.

– Ils sont empotés ?

– Pas vraiment. Ils sont tous en excellente condition physique. C'est justement pour qu'ils soient vraiment en forme qu'ils ne les élèvent pas en cuve jusqu'à la transplantation.

– Est-ce qu'ils... savent ? Est-ce qu'ils savent ce qui va leur arriver ? s'enquit Thorne.

– On ne leur dit pas, non. On leur raconte toutes sortes de mensonges. Qu'ils sont dans cette école spéciale car ils sont en grand danger ; qu'ils sont des princes ou des princesses, ou l'héritier d'un homme très riche ou d'un chef militaire et qu'un jour leurs parents ou leur tante ou un ambassadeur viendra les chercher pour les conduire vers un avenir radieux...

Et puis, bien sûr, un jour, quelqu'un débarque, le sourire aux lèvres, pour les arracher à leurs compagnons de jeu en annonçant que le jour promis est arrivé. Alors... (Il s'arrêta et déglutit.) Ils courent ranger leurs affaires, blaguer une dernière fois avec leurs amis...

Inconsciemment, Thorne martelait le vid avec la paume de sa main. Il était blême.

– Je vois.

– Et ils s'en vont main dans la main avec leurs meurtriers. Tout joyeux.

– Pas la peine d'en rajouter, à moins que tu ne veuilles que je vomisse mon thé.

– Cela fait des années que tu sais que ça existe. Tu es bien délicat tout à coup.

Il ravala son amertume. Naismith. Il devait être Naismith.

Thorne lui lança un regard acéré.

– *Je* voulais les faire frire depuis l'orbite la dernière fois, comme tu dois t'en souvenir. Tu m'en as empêché.

Quelle dernière fois ? En tout cas, pas au cours des trois dernières années. Il allait devoir éplucher ce journal de bord, bon sang. Il haussa les épaules, de façon ambiguë.

– Si ces... grands gosses, reprit Thorne, s'imaginent que nous sommes les ennemis de leurs parents, qu'on est en train de les kidnapper avant leur retour chez eux ? Ça risque d'être coton.

Les doigts de sa main droite se crispèrent. Il se força à les détendre.

– Peut-être pas. Les enfants... ont une culture bien à eux. Qui se transmet d'année en année. Il y a des rumeurs. Des histoires un peu dingues. Des doutes. Je te l'ai déjà dit : ils ne sont pas stupides. Les adultes essaient bien de bannir ces histoires ou de les tourner en ridicule ou de les utiliser à leur avantage. (Et malgré cela... ils n'étaient pas parvenus à le tromper. Mais il était resté à la crèche bien plus longtemps que la moyenne. Il avait eu le temps de voir tant et tant de clones arriver et disparaître, d'entendre répéter tant et tant d'histoires, tant et tant de pseudo-biographies. Il avait eu le temps de voir leurs geôliers accumuler les minuscules erreurs.) Je devrais être capable de les persuader. Laisse-moi m'occuper de ça.

– Avec joie.

Thorne s'installa devant la comconsole et commença à prendre des notes pour un plan d'attaque : où atterrir, où placer l'arrière-garde, par où s'infiltrer dans les bâtiments.

– Deux dortoirs ? nota-t-il avec curiosité.

Les ongles de Thorne étaient coupés court. Ils n'étaient pas vernis.

– Oui. Ils séparent les garçons et les filles. Les femmes.... les clients femmes préfèrent se réveiller dans un corps intact.

– Je vois. Bon. Par je ne sais quel miracle, on arrive et on charge tous ces gamins dans la navette avant l'arrivée des Bharaputrans...

– Oui, la vitesse est essentielle.

– Comme d'habitude. Mais, s'il y a le moindre problème, la moindre anicroche, les Bharaputrans nous tomberont dessus. Ce n'est pas comme sur Dagoola, tu n'auras pas des semaines et des semaines pour préparer ces gamins à leur évasion. On fait quoi, alors ?

– Une fois que les clones seront dans la navette, ils deviendront, de fait, nos otages. Avec eux à bord, ils n'oseront pas nous tirer dessus. Les Bharaputrans ne risqueront pas de perdre leur investissement tant qu'ils auront une chance de le récupérer.

– Mais si jamais ils décident qu'une telle chance n'existe plus, ils exerceront de vigoureuses représailles de façon à décourager toute tentative future.

– Exact. Il faudra toujours leur laisser le doute.

– Dans ce cas, ils tenteront de faire sauter l'*Ariel* en orbite avant que notre navette n'y arrive. De façon à nous couper la route.

– Il faudra faire vite, répéta-t-il avec entêtement.

– Et les imprévus, Miles, mon cher ? Réveille-toi.

En général, tu fonctionnes mieux que ça de bon matin. Tu veux que je te refasse du thé ? Non ? Je suggère que, si nous sommes retardés là en bas, l'*Ariel* se réfugie à la Station Fell et que nous le retrouvions là-bas.

– La Station Fell ? Tu parles de la station orbitale ? (Il hésita.) Pourquoi ?

– Le Baron Fell a toujours sa vendetta avec Bharaputra et Ryoval, n'est-ce pas ?

La politique intérieure des maisons de l'Ensemble de Jackson. Il n'en savait pas autant sur le sujet qu'il le devrait. Il n'avait même pas songé à chercher un allié pami les autres Maisons. Elles étaient toutes criminelles, toutes plus mauvaises les unes que les autres, se tolérant ou se sabotant dès que l'occasion se présentait. Et voilà que Thorne mentionnait Ryoval à nouveau. Pourquoi ?

– Je ne vois pas l'intérêt de se retrouver coincés sur la Station Fell avec cinquante jeunes clones tandis que Bharaputra prendra le contrôle des accès aux couloirs galactiques. Non, fuir et faire les sauts aussi vite que possible est la meilleure stratégie.

– Bharaputra ne pourra prendre le contrôle du Point de Saut 5. Il appartient à Fell.

– Oui, mais je veux rentrer à Escobar. C'est le seul endroit où les clones seront en sécurité.

– Ecoute, Miles, les couloirs sur cette route sont tous tenus par le consortium dominé par Bharaputra. Nous ne pourrons pas revenir par le même chemin, à moins que tu n'aies un atout caché dans ta manche... non ? Alors, je pense que notre meilleure route pour fuir est d'emprunter le Point 5.

– Tu vois vraiment en Fell un allié fiable ? s'enquit-il prudemment.

– Pas du tout. Mais il est l'ennemi de nos ennemis. Cette fois-ci.

– Mais le saut à travers le point 5 conduit au Moyeu de Hegen. Nous ne pouvons sauter dans l'espace cetagandan et la seule autre route mène à Komarr via Pol.

– Un petit détour mais bien plus sûr.

Pas pour moi ! On sera en plein empire barrayaran ! Il ravala un hurlement muet.

– Du Moyeu à Pol à Komarr à Sergyar et terminus Escobar, récita Thorne gaiement. Tu sais, ça pourrait vraiment marcher.

Il enregistra encore quelques données supplémentaires, penché sur sa console. Sa chemise de nuit bâillait et miroitait des lueurs du système vid. Puis il posa les coudes sur le plateau, le menton sur les mains, les seins compressés sur le rebord de la table bougeant délicatement sous le tissu. Son expression se fit pensive quand il se retourna vers lui avec un sourire étrange, assez triste.

– Jamais aucun clone ne s'est échappé ? demanda doucement Thorne.

– Non, répondit-il très vite, machinalement.

– Sauf le tien, bien sûr.

Cette conversation devenait dangereuse.

– Mon clone ne s'est pas enfui lui non plus. Il a simplement été emporté par ses acheteurs.

Il aurait dû tenter de s'évader. Quelle vie aurait-il eue s'il avait réussi ?

– Cinquante gosses, soupira Thorne. Tu sais... *J'approuve vraiment* cette mission.

Il attendait, l'observant avec un regard brillant, aigu.

Mal à l'aise, il se retint de prononcer un merci idiot et ne trouva rien à dire. Un silence gêné s'installa.

– J'imagine, reprit Thorne après un moment, qu'il serait très difficile pour quiconque qui a grandi dans un tel environnement de faire vraiment confiance à... qui que ce soit. De croire en quelqu'un.

– Je... l'imagine aussi.

Etait-ce une banale conversation ou bien autre chose ? Un test, un piège...

Thorne, souriant toujours de façon aussi mystérieuse, se pencha, lui prit le menton d'une main fine et forte et l'embrassa.

Il ne savait pas s'il était censé répondre ou se libérer, aussi ne fit-il ni l'un ni l'autre. Il louchait, paralysé par la peur. La bouche de Thorne était soyeuse et chaude, parfumée au thé à la bergamote. Naismith baisait-il... ça aussi ? Et si oui, qui faisait quoi à qui ? Ou bien le faisaient-ils chacun leur tour ? *Est-ce que ça serait vraiment si moche ?* Sa terreur s'accrut parce qu'il éprouvait une indéniable excitation. *Etre aimé.* Il avait toujours été seul.

Thorne recula enfin, à son immense soulagement. Mais il resta tout près, lui tenant toujours le menton. Après un nouveau silence mortel, son sourire se mua en un triste rictus.

– Je ne devrais pas te taquiner, soupira-t-il. C'est un peu cruel, tout bien considéré.

Thorne le relâcha pour se lever. La sensuelle langueur s'évanouit brutalement.

– Je reviens dans une minute.

Thorne gagna le cabinet de toilette et s'y enferma.

Il tremblait. *Qu'est-ce que ça signifiait, bon sang ?* Et d'une autre partie de son esprit. *Tu pourrais perdre ton pucelage pendant ce voyage.* Et d'une autre encore. *Non, non. Pas avec ça !*

Etait-ce un test ? Et si oui, avait-il réussi ou échoué ? Thorne n'avait lancé aucune accusation, ni appelé personne. Le capitaine était peut-être en train d'organiser son arrestation depuis le comm situé dans le cabinet de toilette. Il n'y avait aucun moyen de fuir à bord d'un navire aussi petit, perdu au fond de l'espace. Ses bras croisés lui serraient la poitrine. Il se força à poser les mains sur la console et à se détendre. *Ils éviteront de me tuer.* Ils le ramèneraient à Naismith pour qu'il s'en charge lui-même.

Mais aucun garde ne franchit la porte et Thorne revint bientôt. Impeccablement sanglé dans son uniforme, enfin. L'hermaphrodite retira le cube de données de la console et le couvrit de ses paumes.

– Le sergent Taura et moi, on va étudier ça sérieusement.

– Euh... oui.

Il n'avait aucune envie de se séparer de son précieux cube mais il semblait bien que Thorne le prenait toujours pour Naismith.

– Maintenant qu'il est temps de briefer l'équipage, tu ne penses pas qu'il vaudrait mieux nous mettre en black-out ?

Interdire les communications avec l'extérieur ? Il en serait plus que soulagé mais il avait eu peur de le suggérer lui-même, de crainte que cela ne paraisse trop bizarre. Mais c'était peut-être la routine lors de ces opérations secrètes. Il n'avait aucune idée de la date du retour du vrai Naismith mais, à voir la facilité avec laquelle les Dendariis l'avaient accepté, il ne faisait aucun doute qu'ils l'attendaient plus ou moins. Il avait passé ces trois derniers jours dans la terreur de voir arriver des ordres du vrai amiral par faisceau ou par courrier, intimant à l'*Ariel* de faire demi-tour. *Donnez-moi encore quelques jours, juste quelques jours et vous ne le regretterez pas.*

– Oui. Black-out.

– Très bien, amiral. (Thorne hésita.) Comment te sens-tu en ce moment ? Tout le monde sait que tes crises peuvent durer des semaines. Mais si tu te reposes un peu, je suis certain que tu auras retrouvé ton énergie habituelle lorsqu'il faudra descendre là en bas. Tu veux que je dise qu'on te laisse tranquille ?

– Je... j'en serai ravi, Bel. (*Quelle chance !*) Mais, tiens-moi informé, hein ?

– Oh oui. Tu peux compter sur moi. Cette mission ne présente aucune difficulté particulière en dehors des gamins. Et ceux-là, je te les laisse. C'est toi, l'expert.

– Parfait.

Avec un sourire et un salut chaleureux, il regagna sa cabine de l'autre côté du couloir. Le mélange de tension et d'exaltation lui donnait l'impression de flotter. Quand la porte fut scellée derrière lui, il se laissa tomber sur le lit et s'accrocha aux couvertures pour rester en place. *Ça va vraiment arriver !*

Plus tard, après avoir consciencieusement consulté depuis la comconsole de sa cabine le journal de bord, il retrouva la trace de la précédente visite de l'*Ariel* à l'Ensemble de Jackson, quatre ans plus tôt. Ce compte rendu commençait par un inventaire ennuyeux à propos d'une cargaison d'armes devant être chargée depuis la station de transfert orbital Fell. Soudain, sans le moindre préambule, la voix haletante de Thorne s'élevait :

– Murka a perdu l'amiral. Il est retenu prisonnier par le baron Ryoval. Je vais passer un pacte avec le diable, avec Fell lui-même.

Suivaient des rapports à propos d'une navette partant en urgence pour la planète et le départ subit de l'*Ariel* avec simplement la moitié de sa cargaison. A cela, succédaient deux conversations fascinantes et inexpliquées entre l'amiral Naismith, le baron Ryoval et le baron Fell. Ryoval enrageait, crachant les menaces de mort les plus exotiques. Il étudia le beau visage convulsé du baron avec un certain malaise. Même dans une société où les pires exactions étaient la règle, Ryoval était soigneusement évité par les autres Jacksoniens.

Fell se contrôlait nettement mieux. Sa colère était froide. Comme d'habitude, les informations essentielles comme la vraie raison de ce voyage demeuraient cachées. Mais il parvint à découvrir le fait surprenant que le soldat de deux mètres quarante, le sergent Taura, était un produit des laboratoires génétiques de la maison Bharaputra. Un super-soldat fabriqué en cuve.

C'était comme de tomber tout à fait accidentellement sur un ami d'enfance. En proie à une mélancolie débile, il chercha toutes sortes de renseignements sur le sergent Taura. Apparemment, Naismith avait volé son cœur ou plus exactement l'avait volée même si, visiblement, ce n'était pas cela qui offensait Ryoval. Tout cela demeurait tout à fait incompréhensible.

Il découvrit un autre fait, assez déplaisant. Le baron Fell était, ou avait été, un consommateur de clones. Son vieil ennemi Ryoval, pour se venger, avait fait tuer son clone, le piégeant dans son corps vieillissant. Malgré les conseils de Thorne, il éviterait tout contact avec le baron Fell si cela était possible.

Il poussa un long soupir et éteignit la console. Il recommença à s'entraîner avec le casque de commandement. Heureusement, le programme d'apprentissage était toujours chargé dans sa mémoire. *Je vais réussir. D'une manière ou d'une autre.*

4

– Aucune réponse de l'*Ariel*, monsieur, s'excusa le lieutenant Hereld.

Miles serra les poings et se mit à arpenter de long en large le poste de Communication et Navigation du *Triumph*.

– C'est bien le troisième... hein, le troisième ? Et vous avez répété le message à chaque courrier ?

– Oui, monsieur.

– Trois fois et il ne répond toujours pas. Bon sang, Bel, qu'est-ce que tu fabriques ?

Le lieutenant Hereld haussa les épaules dans un geste d'impuissance.

Miles retraversa la pièce au pas de charge. Maudit décalage. Il voulait savoir ce qui se passait en cet instant même. Les faisceaux voyageaient dans un espace local à la vitesse de la lumière mais la seule façon d'obtenir une information à travers les connexions galactiques était de la transporter physiquement. Envoyer un courrier dans un vaisseau qui faisait le saut dans le couloir. A l'arrivée, l'information était transmise par faisceau jusqu'à une autre station de saut où un nouveau courrier l'emmenait à travers le couloir et ainsi de suite. Dans les régions où un tel service était économiquement très rentable, des courriers partaient toutes les demi-heures. Entre Escobar et l'Ensemble de Jackson, il en partait toutes les quatre heures. En plus du délai imposé par les lois de la physique, s'ajoutait celui, arbitraire, des règles humaines. De tels retards pouvaient s'avérer profitables parfois pour ceux qui s'amusaient au jeu complexe de la spéculation financière à l'échelle stellaire. Ou bien pour des subordonnés indépendants qui préféraient dissimuler le plus longtemps possible leurs activités à leurs chefs. Miles lui-même en avait souvent abusé. Une demande de clarification lui offrait le temps nécessaire pour passer à l'action. Voilà pourquoi il avait fait en sorte que son ordre de rappel à l'*Ariel* soit personnel, limpide et non discutable. Mais Bel n'avait pas répondu par une idiotie du genre : *Que voulez-vous dire par là, monsieur ?* Bel n'avait pas répondu du tout.

— Il ne s'agit pas d'un problème avec les courriers, n'est-ce pas ? Les autres circulent normalement, n'est-ce pas ?

— Oui, monsieur, j'ai vérifié. Les communications sont parfaitement normales avec l'Ensemble de Jackson.

— Ils ont donné un plan de vol vers l'Ensemble de Jackson mais l'ont-ils respecté ?

— Oui, monsieur.

Bon sang, quatre jours maintenant. Il fallait prendre une décision et cela seul l'énervait. Il n'avait plus l'habitude de se lancer dans une action sous la pression d'événements qu'il ne contrôlait pas. *J'avais prévu autre chose, bordel.*

— Très bien, Sandy, convoquez-moi une réunion d'état-major immédiate. Le capitaine Quinn, le capitaine Bothari-Jesek et le commodore Jesek dans la salle de briefing du *Triumph* dès que possible.

Hereld haussa les sourcils en entendant ces noms. Le Cercle Intime.

— C'est vraiment la merde, monsieur ?

Il parvint à sourire aigrement et à garder un ton léger.

– C'est seulement emmerdant, lieutenant, comme vous dites, pas grave.

Pas encore. Qu'est-ce que son idiot de frère avait l'intention de faire avec l'escadron qu'il avait réquisitionné ? Une douzaine de Dendariis en armes ne constituaient pas une puissance de feu négligeable. Mais, comparé aux ressources militaires de la maison Bharaputra... *C'était juste assez pour se foutre dans une belle merde mais pas pour en sortir.* L'idée que ses hommes - et Taura, bon Dieu ! - suivaient aveuglément l'ignorant Mark dans une opération débile, en s'imaginant qu'il s'agissait de *lui*, le rendait malade. Des sirènes hurlaient dans son crâne, des lumières rouges tourbillonnaient dans tous les sens. *Bel, pourquoi tu réponds pas ?*

Miles arpentait la salle d'état-major du *Triumph*. La table de tactique lui fournissait un circuit idéal : il achevait son vingtième tour quand Quinn se décida à gronder :

– Tu veux bien t'asseoir, *s'il te plaît* ?

Elle n'était pas encore aussi angoissée que lui. Elle ne se rongeait pas encore les ongles. Il trouva cela à peine rassurant. Il se laissa tomber sur une chaise rivée au sol. Une de ses bottes se mit à marteler le sol. Quinn baissa les yeux vers elle, ouvrit la bouche puis se ravisa en secouant la tête. Il força son pied à s'arrêter et lui adressa un sourire contraint. Heureusement, avant que sa nervosité ne trouve un autre tic agaçant pour s'exprimer, Baz Jesek entra.

– Elena ne devrait plus tarder, annonça-t-il en s'installant à sa place habituelle devant la comconsole et en consultant de façon tout aussi habituelle les dernières données sur l'entretien de la flotte. Elle a quitté le *Peregrine*.

– Bien, merci, fit Miles.

A l'époque de leur première rencontre, lors de la naissance des Mercenaires Dendariis, l'ingénieur, approchant la trentaine, était un grand homme maigre, tendu et peu heureux. L'équipe était alors uniquement constituée de Miles, de son garde du corps barrayaran, de la fille de celui-ci, d'un vieux cargo bon pour la ferraille et de son pilote déprimé et suicidaire, le tout tentant de mettre en place un insensé trafic de contrebande d'armes. Baz avait prêté serment d'allégeance à lord Vorkosigan bien avant l'invention de l'amiral Naismith. A présent, proche de la quarantaine, malgré quelques fils gris dans sa chevelure, Baz restait toujours aussi maigre et toujours aussi calme. Mais il possédait une sereine confiance en lui-même. Miles, en le voyant, songeait à un héron marchant majestueusement parmi les joncs au bord d'un lac, long, paisible et parfaitement économe de ses gestes.

Comme promis, Elena Bothari-Jesek pénétra dans la pièce peu après et prit place auprès de son ingénieur de mari. Etant tous deux de service, ils limitèrent leurs effusions à un bref sourire et à un contact tout aussi bref sous la table. Elle eut aussi un sourire pour Miles. Après.

De tous les membres du Cercle Intime connaissant sa double identité, Elena était celle qui en savait le plus sur son compte. Son père, feu le sergent Bothari, avait été l'ordonnance personnelle et le garde du corps attitré de Miles depuis sa naissance. Ayant le même âge, Miles et Elena avaient été pratiquement élevés ensemble. La comtesse Vorkosigan s'était beaucoup attachée à la petite fille. Elena connaissait l'amiral Naismith, le lieutenant Vorkosigan et Miles – le simple Miles – mieux que quiconque dans l'univers.

Et elle avait choisi d'épouser Baz Jesek... Miles se réconfortait en songeant à elle comme à sa sœur. En vérité, elle était quasiment sa sœur adoptive. Elle était aussi grande que son grand mari, avec des cheveux d'ébène coupés très court et une pâle peau d'ivoire. Ses traits âpres rappelaient le visage de lévrier russe du sergent Bothari mais, par une étrange alchimie génétique, la laideur de son père s'était muée en une beauté remarquable. *Elena, je t'aime encore, bon sang...* Il rejeta cette pensée. Il avait Quinn maintenant. Ou plus exactement, cette moitié de lui-même qui s'appelait Naismith avait Quinn.

En tant qu'officier dendarii, Elena était sa plus belle création. Il avait vu la fille timide, coléreuse et incertaine, dont le sexe interdisait l'accès à la carrière militaire sur Barrayar, devenir tour à tour chef d'escadron, agent secret, officier d'état-major et finalement commandant de vaisseau. Le commodore Tung, à présent à la retraite, l'avait un jour désignée comme son deuxième meilleur élève. Miles s'interrogeait parfois sur les raisons pour lesquelles il maintenait l'existence des Mercenaires Dendariis. Était-ce pour les besoins de la SecImp ? Ou bien pour assouvir quelque sombre désir enfoui au plus profond de lui-même ? Ou alors pour faire un secret cadeau à Elena Bothari ? Elena Bothari-Jesek.

– Nous n'avons toujours pas reçu la moindre réponse de l'*Ariel*, annonça-t-il sans préambule.

Pas de formalités avec ce groupe. Devant eux, il osait penser à haute voix. Il pouvait se détendre, laisser Naismith et Vorkosigan se mélanger. Il pouvait même se permettre d'oublier l'accent traînant betan de Naismith pour lancer quelques jurons gutturaux en barrayaran. Et les jurons ne manqueraient pas au cours de cette réunion.

– Je veux aller les chercher.

Les ongles de Quinn heurtèrent la table.

– Je m'y attendais. Et n'est-ce pas ce qu'attend aussi le petit Mark ? Il t'a étudié. Il te connaît sur le bout des doigts – ou, ce qui serait plus juste, jusqu'au bout des doigts. Et si c'était un piège ? N'oublie pas comme il t'a roulé la dernière fois.

Miles grimaça.

– Je n'oublie pas. J'ai effectivement songé à la possibilité d'un piège. C'est la raison pour laquelle je ne me suis pas lancé à leur poursuite il y a vingt heures. (Juste après cette réunion d'état-major qui s'était achevée dans une confusion gênée. A cet instant, il avait eu des envies fratricides.) Il me semblait raisonnable de penser que Bel s'était laissé abuser par Mark – jusqu'à présent, tout le monde s'est fait avoir. Mais, il était aussi possible qu'en passant du temps ensemble, Mark se trahisse et que Bel découvre la vérité. Dans ce cas, l'*Ariel* serait sur le chemin du retour.

– Mark sait parfaitement se faire passer pour toi, observa Quinn qui en avait fait l'expérience personnelle. Du moins, il le savait il y a deux ans. Si tu ne t'attends pas à l'apparition d'un double, on dirait toi dans un de tes mauvais jours. Son apparence extérieure est parfaite.

– Mais Bel sait qu'il existe, remarqua Elena.

– Oui, fit Miles. Dans ce cas, peut-être que Bel n'a pas été trompé. Peut-être qu'il a été purement et simplement mis à l'écart.

– Mark a besoin de l'équipage, ou d'un équipage, pour conduire le navire, fit Baz. Il en avait peut-être un en réserve quelque part.

– S'il avait prévu un tel acte de piraterie, il n'aurait pas emmené avec lui un escadron de Dendariis qui aurait résisté. (La logique était très rassurante parfois. Parfois. Miles prit une profonde inspiration.) Ou alors, Bel a été acheté.

Baz haussa les sourcils. Les dents de Quinn attaquèrent l'ongle du petit doigt de sa main droite.

– Acheté comment ? dit Elena. Pas avec de l'argent. (Elle eut un sourire narquois.) Crois-tu que Bel aurait enfin renoncé à te séduire et se soit replié sur une proie plus consentante ?

– Ce n'est pas drôle, aboya Miles.

Baz transforma un ricanement en toux prudente. Il ne parvint pas à se dominer totalement et se mit à rire sous cape.

– C'est une blague éculée, concéda Miles. Mais tout dépend, en fait, des plans de Mark dans l'Ensemble de Jackson. Le... euh, l'esclavage sous toutes ses formes pratiqué par les différentes maisons jacksoniennes est une grave offense pour l'esprit progressiste de Bel. Si Mark envisage de se venger d'une manière ou d'une autre de sa planète d'origine, il est concevable de penser qu'il a convaincu Bel de l'aider.

– Et il serait prêt à utiliser la Flotte pour ça ? s'enquit Baz.

– Ce serait pratiquement un cas de mutinerie, acquiesça Miles à regret. Je ne l'accuse pas. Je ne fais que spéculer. Essayer de voir toutes les éventualités.

– Dans ce cas, est-il possible que la destination de Mark ne soit pas l'Ensemble de Jackson ? fit Baz. Il leur reste quatre sauts pour y arriver. Peut-être que l'*Ariel* continuera son chemin.

– C'est physiquement possible, oui, dit Miles. Psychologiquement... J'ai, moi aussi, étudié Mark. Et même si je ne peux pas dire que je le connais *jusqu'au* bout des doigts, je sais que l'Ensemble de Jackson tient une grande place dans sa vie.

– Comment Mark a-t-il pu s'infiltrer chez nous cette fois-ci ? s'enquit Elena. Je croyais que la SecImp le surveillait en permanence.

– C'est ce qu'ils font. Illyan m'envoie des rapports réguliers, répondit Miles. Aux dernières nouvelles, qui remontent à trois semaines, Mark se trouvait toujours sur Terre. Mais il y a ce maudit décalage. S'il a quitté la Terre, disons il y a quatre ou cinq semaines, le rapport doit être en transit entre la Terre, Barrayar et ici. Je suis prêt à vous parier n'importe quoi qu'on ne tardera pas à recevoir un rapport du Q.G. nous annonçant que Mark a disparu de la circulation. Une nouvelle fois.

– Une nouvelle fois ? Il a déjà disparu ?

– Deux, trois fois pour être exact. (Miles hésita.) De temps en temps – en fait, trois fois au cours des deux dernières années – j'ai essayé d'entrer en contact avec lui. Je l'ai invité sur Barrayar ou au moins à venir me voir. A chaque fois, il a paniqué. Il s'est évaporé, a changé d'identité... Il est très doué pour ça depuis l'époque où il était prisonnier des terroristes komarrans. A chaque fois, il a fallu des semaines et des semaines aux hommes d'Illyan pour le localiser à nouveau. Illyan m'a demandé de ne plus essayer de join-

dre Mark sans son autorisation. (Il fit grise mine.)
Mère aimerait tant le voir mais elle refuse d'ordonner
à Illyan de le kidnapper. Au début, j'étais d'accord
avec elle mais maintenant, je me demande.

– Puisqu'il est ton clone... commença Baz.

– Mon frère, corrigea aussitôt Miles. Mon frère. Je
rejette le terme de clone pour Mark. Je l'interdis.
« Clone » implique quelque chose d'interchangeable.
Un frère est quelqu'un d'unique. Et, je puis vous
l'assurer, Mark est unique.

– Est-il... possible, reprit Baz avec prudence, de
deviner les intentions de Mark ? Pouvons-nous utiliser
la logique ? Est-il sain d'esprit ?

– S'il l'est, ce n'est pas grâce aux Komarrans.
(Miles se leva et se mit à arpenter la pièce malgré le
regard exaspéré de Quinn.) Après que nous eûmes
finalement découvert son existence, Illyan a demandé
à ses agents de fouiller les moindres recoins de son
passé. En partie, j'imagine, pour effacer le remords
de la SecImp qui n'avait jamais entendu parler de lui
pendant toutes ces années. J'ai vu tous ces rapports.
Pour essayer et essayer encore de pénétrer l'esprit de
Mark.

« Sa vie à la crèche sur Bharaputra ne semble pas
avoir été trop moche – ils prennent grand soin des
corps là-bas – mais une fois que les insurgés komarrans l'ont ramassé, ça a dû devenir assez cauchemardesque. Ils l'entraînaient en permanence à être moi,
mais chaque fois qu'ils pensaient y être arrivés, je
faisais quelque chose d'inattendu et ils devaient
recommencer. Ils n'ont pas arrêté de changer leurs
plans. Ça a duré des années. Ils étaient un tout petit
groupe, opérant sur le fil du rasoir. Leur chef, Ser
Galen, était à moitié fou, à mon avis.

« Parfois, Galen traitait Mark comme le grand
espoir de la révolte komarrane. Il le dorlotait, le chou-
choutait, lui faisait miroiter qu'ils allaient faire de lui
le nouvel empereur de Barrayar. A d'autres moments,
Galen perdait les pédales et ne voyait en Mark que
l'image génétique de notre père. Il en faisait son souf-

fre-douleur, le réceptacle de toute sa haine pour Barrayar et les Vorkosigan. Il le soumettait aux traitements les plus terribles, de véritables tortures, sous le prétexte d'accélérer son « entraînement ». L'agent d'Illyan a appris ça au cours d'un interrogatoire plus ou moins illégal au thiopenta d'un ancien sbire de Galen. C'est donc la stricte vérité.

« Par exemple, il semble que le métabolisme de Mark ne soit pas identique au mien. Donc, à chaque fois que le poids de Mark dépassait le mien, au lieu de faire la seule chose intelligente et de l'ajuster par traitement médical, Galen le privait de nourriture pendant des jours et des jours. Puis il le laissait se goinfrer avant de le forcer à coups de vibro-matraque à faire de l'exercice jusqu'à ce qu'il vomisse. Que des trucs tordus comme ça. Apparemment, Galen était du genre à aimer manier le bâton, en tout cas avec Mark. Peut-être aussi tentait-il délibérément de le rendre fou. Pour créer un empereur fou. Miles le Fou aurait été un autre Yuri le Fou, afin de détruire Barrayar par une crise au sommet. Une fois – nous a raconté ce type – Mark a essayé de sortir un soir, rien que pour la soirée. Et il est effectivement parvenu à sortir avant que les hommes de Galen ne lui remettent la main dessus et ne le ramènent. Galen est devenu cinglé, l'a accusé de vouloir s'enfuir. Il a pris sa vibro-matraque et... (Du coin de l'œil, il aperçut le visage pâlissant d'Elena.)... Il a fait des trucs horribles.

Qui n'avaient sûrement pas facilité la vie sexuelle de Mark. Ça avait été si moche que les propres gorilles de Galen l'avaient supplié d'arrêter, s'il fallait en croire leur informateur.

– Pas étonnant qu'il haïssait Galen, dit doucement Quinn.

Le regard d'Elena était plus pénétrant.

– Tu ne pouvais rien faire. Tu ne savais même pas que Mark existait.

– Nous aurions dû le savoir.

– Exact. Ce remords tardif affecte-t-il votre jugement, Amiral ?

– Un peu, j'imagine, admit-il. C'est pour cela que je fais appel à vous. J'ai besoin d'avoir votre avis sur cette affaire. (Il s'interrompit, se força à se rasseoir.) Mais ce n'est pas la seule raison, non plus. Avant que ce bordel avec l'*Ariel* ne surgisse de nulle part, j'avais une mission pour vous.

– Ah, fit Baz avec satisfaction. Enfin.

Malgré lui, Miles sourit.

– Le nouveau contrat. Avant l'apparition de Mark, je me figurais que pour une fois nous avions hérité d'une mission où rien ne pouvait aller de travers. De vraies vacances tous frais payés.

– Quoi, pas de combat ? railla Elena. Tu as toujours plus ou moins méprisé le vieil amiral Oser qui préférait ce genre de mission.

– J'ai changé. (Comme toujours, un bref sentiment de regret l'envahit comme à chaque fois qu'il pensait à feu l'amiral Oser.) Plus je vieillis, plus j'apprécie sa philosophie militaire.

– Tu en mets du temps à vieillir, fit Elena.

Ils échangèrent un regard sec.

– Quoi qu'il en soit, reprit Miles, le haut commandement barrayaran souhaite procurer un meilleur armement à une certaine station de transfert. La Station Vega est, ça ne vous surprendra pas, une des portes arrière de l'empire cetagandan. La position de cette petite République dans la connexion galactique est assez malencontreuse. Quinn, la carte, s'il te plaît.

Quinn brancha l'holovid. Au-dessus du plateau, apparut un schéma en trois dimensions de la Station Vega et de ses voisins. Les canaux de saut étaient matérialisés par des lignes brisées brillantes reliant des sphères brumeuses dans cette région de l'espace.

– Des trois points de saut que la Station Vega commande, l'un mène dans la sphère d'influence cetagandane : la satrapie Ola III ; l'un est bloqué par Toranira, parfois alliée, parfois ennemie de Cetaganda et le dernier est tenu par le Crépuscule du Zouave, politiquement neutre mais redoutant son puissant voisin cetagandan. (A chaque nom qu'il citait, Quinn illuminait le système correspondant.) Cetaganda a, de fait, imposé un embargo sur les armes à destination de la Station Vega. Ola III et Toranira n'y trouvent rien à redire. Le Zouave coopère bon gré mal gré.

– Alors, par où allons-nous entrer ? demanda Baz.

– Par Toranira. Nous allons faire la contrebande de chevaux de bât.

– Quoi ? fit Baz, interloqué tandis qu'Elena, qui avait saisi l'allusion, ricanait.

– Tu n'as jamais entendu cette histoire ? Ça se passait sur Barrayar. Le comte Selig Vorkosigan était en guerre contre lord Vorwynn d'Hazelbright au cours du Premier Siècle Sanglant. Vashnoi, la ville de Vorkosigan était assiégée. Deux fois par semaine, les patrouilles de lord Vorwynn arrêtaient un bonhomme un peu fou avec son convoi de chevaux de bât. Ils fouillaient tout, le moindre paquet, à la recherche de trucs de contrebande, nourriture ou armes. Mais les paquets ne contenaient que des choses inutiles. Ils déballaient et vidaient absolument tout, finissaient même par le fouiller lui mais ils ne trouvaient jamais rien et devaient le laisser partir. Après la guerre, un des gardes-frontières de Vorwynn rencontra par hasard le bonhomme qui n'avait plus rien d'un hurluberlu excentrique dans une taverne. C'était l'écuyer de lord Vorkosigan. « Qu'est-ce que vous lui apportiez ? demanda-t-il. Nous savons que vous lui apportiez quelque chose mais nous n'avons jamais pu découvrir ce que c'était. » La réponse de l'écuyer fut : « Des chevaux. »

« Nous allons leur apporter des vaisseaux spatiaux. Le *Triumph*, le *D-16*, et l'*Ariel* qui appartiennent tous à la flotte. Nous pénétrerons dans l'espace local de Vega en arrivant de Toranira, avec un plan de vol qui nous conduira à Illyrica. Où nous irons vraiment. Nous sortirons par le Zouave, avec tous nos hommes mais sans nos trois vieux navires. Arrivés à Illyrica, nous prendrons possession de trois nouveaux vaisseaux flambant neufs qui sont en ce moment même achevés dans les chantiers spatiaux orbitaux d'Illyrica. C'est le cadeau de la Fête de l'Hiver de l'empereur Gregor.

Baz cligna des paupières.

– Ça va marcher ?

– Aucune raison que ça ne marche pas. Le gros travail – permis, visas, pots-de-vin, etc. – a déjà été accompli par les agents de la SecImp sur place. Tout ce qu'on a à faire, c'est de traverser le coin sans alerter personne. Il n'y a pas de guerre, donc personne ne devrait tirer sur personne. Le seul problème c'est que le tiers de ma marchandise vient de partir pour l'Ensemble de Jackson, conclut-il sur une note morose.

– Combien de temps avons-nous pour le récupérer ? s'enquit Elena.

– Pas assez. Le scénario établi par la SecImp nous donne une marge de quelques jours. La flotte doit quitter Escobar avant la fin de la semaine. J'avais prévu que nous partirions demain.

– Alors, on part sans l'*Ariel* ? fit Baz.

– Pas moyen de faire autrement. Mais j'ai une idée pour le remplacer. Quinn, montre à Baz ces specs illyricains.

Quinn s'affaira sur sa console et transmit quelques données sur celles de Baz. L'ingénieur de la Flotte se mit à examiner les caractéristiques, les performances et autres spécificités des bâtiments construits par les chantiers illyricains. Un rare sourire étira son maigre visage.

– Le Père Gele est généreux cette année, murmura-t-il.

Ses lèvres se retroussèrent de plaisir tandis qu'il examinait avec avidité les plans des navires.

Miles le laissa se goinfrer quelques minutes.

– Bon, fit-il quand Baz releva enfin le nez. Le vaisseau qui ressemble le plus à l'*Ariel* en termes de fonctions et de puissance de feu est le *Jayhawk* de Truzillo. (Malheureusement, Truzillo était un capitaine-armateur qui était sous contrat indépendant avec la corporation des Mercenaires. Il n'était pas un employé de la Flotte.) Crois-tu que nous pourrons le persuader de faire l'échange ? Son nouveau navire sera neuf et plus rapide. Mais s'il est mieux armé que l'*Ariel*, il ne l'est pas autant que le *Jayhawk*. Je voulais que nous soyons tous gagnants quand ce marché a été établi.

Elena leva un sourcil et sourit.

– Cet échange, c'est une idée à toi ?

Il haussa les épaules.

– Illyan m'a demandé de résoudre ce problème d'embargo et il a accepté ma solution.

– Oh, ronronna Baz, toujours plongé dans ses données, attendez que Truzillo voie ça... et *ça*... et...

– Alors, tu penses pouvoir le persuader ? s'enquit Miles.

– Oui, affirma Baz avec certitude avant de le dévisager. Et toi aussi, tu le pourrais.

– Sauf que je ne viendrai pas avec vous. Mais, si tout se passe bien, il est possible que je vous rattrape en route. C'est toi qui dirigeras cette mission, Baz. Quinn te donnera les ordres complets, tous les codes et les contacts... tout ce qu'Illyan m'a donné.

Baz hocha la tête.

– Très bien, monsieur.

– Je prends le *Peregrine* pour rejoindre l'*Ariel*, ajouta Miles.

Baz et Elena n'échangèrent qu'un bref coup d'œil en coin.

– Très bien, monsieur, fit à son tour Elena. J'ai mis le *Peregrine* en état d'alerte hier. Il peut partir dans l'heure. Quand dois-je annoncer notre départ aux contrôleurs d'Escobar ?

– Dans une heure. (Même si personne ne demanda d'explications, il ajouta :) En dehors de l'*Ariel* et du *Jayhawk*, le *Peregrine* est notre engin le plus rapide qui possède une puissance de feu significative. Je pense que la vitesse sera primordiale dans cette affaire. Si nous pouvons rattraper l'*Ariel*... Eh bien, il vaut toujours mieux éviter une crise que tenter de réparer les pots cassés. Je regrette maintenant de ne pas être parti dès hier mais je devais leur laisser une chance. Quinn m'accompagnera car elle possède une solide expérience de l'Ensemble de Jackson.

Elle se gratta le bras.

– J'espère que Mark ne cherche pas à se frotter à la maison Bharaputra. Ils ne sont pas commodes. Ils ont du fric, des armes et un goût prononcé pour la vengeance.

– Pourquoi crois-tu que j'ai toujours évité ce coin ? L'autre danger c'est que certains Jacksoniens prennent Mark pour l'amiral Naismith. Le baron Ryoval, par exemple.

Ryoval était une menace permanente. Moins de trois mois auparavant, les Dendariis s'étaient débarrassés du dernier chasseur de scalp envoyé par Ryoval pour faire la peau de l'amiral Naismith. Cela devenait un événement annuel. A chaque anniversaire de leur première rencontre, Ryoval devait louer les services d'un nouveau tueur pour en commémorer le souvenir. Ryoval ne disposait pas d'un pouvoir énorme et n'avait pas le bras très long. Mais il avait subi des traitements de prolongement de vie et il était patient. Ce petit jeu pouvait durer indéfiniment.

– As-tu envisagé une autre solution au problème ? demanda Quinn avec lenteur. Prévenir l'Ensemble de Jackson. Demander, disons... à la maison Fell d'arrêter Mark et d'immobiliser l'*Ariel* jusqu'à ton arrivée. Fell déteste suffisamment Ryoval pour protéger Mark simplement pour l'emmerder.

Miles soupira.

– J'y ai songé.

Silence.

– Tu voulais notre avis, Miles, remarqua Elena. Qu'est-ce qui te chiffonne avec cette idée ?

– Ça pourrait marcher. Mais si Mark a vraiment convaincu Bel qu'il est moi, ils résisteront à l'arrestation. Ça peut leur être fatal. Mark est paranoïaque à propos de l'Ensemble de Jackson. Non, Mark est paranoïaque, point. Je ne sais pas comment il réagira sous l'effet de la panique.

– Tu es horriblement sensible aux états d'âme de Mark, fit Elena.

– Je veux gagner sa confiance. Ça risque d'être difficile si je commence par le trahir.

– Tu n'oublies pas ce que cette petite plaisanterie va coûter ? Je me demande ce que dira Simon Illyan quand il recevra la facture, remarqua Quinn.

– La SecImp paiera. Sans problème.

– Tu en es sûr ? fit Quinn. Que représente Mark pour eux ?

Miles répondit de son mieux.

– Le devoir de la SecImp est de protéger l'Empire Barrayaran. Cela ne signifie pas seulement protéger la personne de Gregor et se livrer à quelques missions d'espionnage galactique... (D'un geste de la main, il inclut la flotte dendarii, le réseau d'agents d'Illyan disséminés un peu partout.)... Mais aussi de garder un œil sur les héritiers potentiels de Gregor. Non seulement pour les protéger mais aussi pour protéger l'empire de tout complot monté par eux ou à travers eux. Je sais pertinemment que la question de savoir qui est actuellement l'héritier de Gregor est assez embrouillée. J'aimerais dire qu'il va enfin se marier et nous soulager de ce poids. (Il hésita un long moment.) Selon certains, lord Mark Pierre Vorkosigan peut être considéré, juste après moi, comme le légitime héritier de l'Empire. Ce qui fait de lui non seulement le problème de la SecImp, mais aussi notre problème *essentiel*. Ma poursuite de l'*Ariel* est parfaitement justifiée.

– Justifiable, corrigea sèchement Quinn.

– Peu importe.

– Tu as trop souvent prétendu que Barrayar ne t'accepterait pas sous le prétexte que tu as une tête de mutant. Je vois mal comment ils supporteraient l'idée de voir ton clone installé à la Résidence Impériale, dit Baz. Ton frère jumeau, s'amenda-t-il vivement tandis que Miles ouvrait la bouche.

– Que ce ne soit pas probable n'empêche pas que cela soit possible, répliqua Miles. C'est donc un problème qui concerne la SecImp. C'est drôle. Pendant toutes ces années, les Komarrans voyaient dans leur faux Miles un imposteur. Ni eux ni Mark ne se sont rendu compte qu'il avait des *droits* bien réels sur le trône. Bien sûr, pour cela, il aurait d'abord fallu que je sois mort. Ce qui, de mon point de vue, rend cette question assez stérile. (Il frappa sur la table et se leva.) Mesdames, messieurs, en piste.

Tandis qu'ils gagnaient la porte, Elena baissa la voix pour lui demander :

– Miles... ta mère a-t-elle vu ces horribles rapports d'enquête d'Illyan à propos de Mark ?

Il sourit faiblement.

– Qui les a ordonnées, d'après toi ?

5

Il commença par enfiler la demi-armure. Pour la première fois, il portait à même la peau un produit de la plus haute technologie : un filet de protection anti-brise-nerfs. Le filet était inséré dans le tissu d'une combinaison élastique qui recouvrait tout son corps ; la capuche lui protégeait le crâne, le cou et le front, ne laissant que ses yeux, son nez et sa bouche à découvert. Et voilà comment la menace de la plus terrible des armes antipersonnel, le brise-nerfs qui tuait le cerveau, était annulée. De plus, le filet arrêtait aussi le feu des neutralisateurs. Naismith ne se privait pas : il s'offrait ce qu'il y avait de mieux sur le marché... Pourquoi ce tissu élastique le serrait-il autant ?

Par-dessus le filet, venait une armure de poitrine flexible qui bloquerait tout projectile : depuis les mortelles aiguilles neurales, jusqu'aux petits missiles portables. Heureusement pour lui, les joints de l'armure étaient ajustables. Il les régla à la taille maximale et put respirer sans gêne. Puis, il enfila un treillis gris bien large dont le tissu, spécialement conçu, ne brûlait pas et ne fondait pas. Ce fut ensuite le tour des ceintures et baudriers pour neutralisateur, brise-nerfs, arc à plasma, grenades, cellules d'énergie, un harnais de rappel muni d'un grappin magnétique et l'oxygène d'urgence. Sur son dos, il portait un générateur hyper-plat qui créait un champ personnel anti-arc à plasma. L'engin réagissait au premier contact du feu ennemi, dans un laps de temps si court que son possesseur n'avait pas le temps de frire... trop. Il pouvait absorber trente ou quarante coups directs avant que sa cellule d'énergie – et son porteur – meurent. Et ils appelaient cela une demi-armure ! Rien que ça.

Aux pieds, par-dessus le filet, il enfila d'épaisses chaussettes et les bottes de combat de Naismith. Au moins, celles-ci lui allaient impeccablement. A peine une semaine d'inactivité et déjà son corps luttait contre lui, épaississant... Naismith était un foutu anorexique. Il se redressa. Convenablement distribué, son formidable équipement était étonnamment léger.

Le casque de commandement l'attendait sur la comconsole. L'ombre derrière la visière lui fit songer à un crâne vide. Chassant cette pensée morbide, il souleva le casque dans la lumière et inspecta ses lignes élégantes avec gourmandise. Ses mains pouvaient contrôler une arme, deux au maximum. Ceci, à travers les hommes qu'il commandait, en contrôlait des douzaines ; potentiellement des centaines ou même des milliers. Ceci était le vrai pouvoir de Naismith.

La sonnerie de la cabine retentit. Il sursauta, lâchant presque le casque. Il aurait pu, sans l'abîmer, le jeter contre le mur mais il le reposa avec le plus grand soin.

– Miles ? fit la voix de Thorne par l'intercom. Tu es prêt ?

– Oui, entre.

Il libéra la serrure.

Thorne entra, en armure lui aussi, mais avec sa capuche temporairement repoussée sur ses épaules.

Le treillis informe faisait de lui une chose asexuée, un *soldat*. Le capitaine portait lui aussi un casque de commandement sous le bras mais c'était un modèle différent, plus ancien.

Thorne le contourna, inspectant chaque arme et chaque crochet avant de vérifier la charge de son bouclier anti-plasma.

– Bien.

Le capitaine Thorne avait-il pour habitude d'inspecter l'amiral avant chaque mission ? Naismith avait-il pour habitude de se rendre au combat avec ses lacets défaits ? Thorne montra vaguement le casque posé sur la console.

– C'est un sacré truc. Tu es sûr que tu vas te débrouiller avec ?

Le casque semblait neuf mais pas si neuf. Il doutait que Naismith se fournisse, pour son usage personnel, en matériel d'occasion dans les surplus militaires. Il haussa les épaules.

– Pourquoi pas ? Je m'en suis déjà servi.

Thorne souleva le sien.

– Ces machins ne sont pas faciles à manipuler au début. C'est pas un flux de données qu'on reçoit, c'est un raz de marée. Tu dois apprendre à ignorer tout ce dont tu n'as pas besoin, sinon, il vaut carrément mieux le débrancher. Toi... (Thorne hésita.) Tu possèdes cette incroyable capacité, comme le vieux Tung, qui te permet d'ignorer tout ce qui défile devant tes yeux mais de t'en souvenir et de le retrouver dès que le besoin s'en fait sentir. Et de te retrouver toujours sur le bon canal au bon moment. C'est comme si ton esprit fonctionne sur deux niveaux en même temps. Ton temps de réponse est incroyablement bref quand ton taux d'adrénaline monte. C'est comme une drogue pour toi. Les gens qui travaillent avec toi comptent là dessus et se fient à ça.

Thorne se tut, attendit.

Que répondre à ça ? Il haussa à nouveau les épaules.

– Je fais de mon mieux.

– Si tu te sens encore malade, tu sais, tu peux me laisser mener ce raid.

– Ai-je l'air malade ?

– Tu n'es pas toi-même. Tu ne veux pas mettre tout l'escadron mal à l'aise.

Thorne semblait tendu, presque alarmé.

– Je vais bien, maintenant, Bel. Arrête !

Thorne soupira.

– Oui, monsieur.

– Est-ce que tout est prêt là dehors ?

– La navette est armée et prête à partir. L'escadron vert est entièrement équipé. Ils terminent le chargement de matériel. On sera en orbite à minuit pile, juste au-dessus du complexe médical. On plonge droit dessus. On n'attend personne et surtout pas qu'on nous pose des questions. On arrive et on part. Toute l'opération devrait être terminée en moins d'une heure, si tout se passe comme prévu.

– Bien. (Son cœur battait plus vite.) Allons-y.

– Euh... si on faisait la vérification de nos casques, d'abord ?

C'était une bonne idée. Mieux valait le faire ici, dans le calme de la cabine plutôt que dans le bruit et l'excitation de la navette.

– D'accord, dit-il avant d'ajouter, sournois : Prends ton temps.

Il y avait plus d'une centaine de canaux à sa disposition même pour un raid aussi limité. En plus d'un contact vocal direct avec l'*Ariel*, Thorne et chaque soldat, il pouvait faire appel aux ordinateurs de combat sur le navire, dans la navette et même dans le casque lui-même. Il disposait de toutes sortes de relevés de télémétrie, de contrôles d'énergie pour les armes, de données logistiques. Les casques de chaque soldat possédaient des vid-récepteurs, il pouvait donc voir tout ce qu'ils voyaient en infrarouge, en vision normale ou sur la bande UV. Il recevait aussi leur son en direct, leurs relevés médicaux et tout un jeu de cartes holovid. La carte de la crèche avait été spécialement incluse dans le programme avec les itinéraires d'attaque et de retrait ainsi que plusieurs variantes au cas où quelque chose tournerait mal. D'autres canaux servaient au brouillage, à tromper la télémétrie ennemie au moment de leur fuite. Thorne avait déjà fait brancher leurs comms sur le réseau des gardes de sécurité bharaputrans. Ils captaient même le réseau commercial de la planète. Des airs de musique se firent entendre tandis qu'il faisait défiler rapidement les canaux.

Quand ils eurent fini, il se retrouva face à Thorne qui le dévisageait. Un silence gênant s'installa. Le visage de Thorne était crispé d'appréhension, rongé par quelque chose. Du remords ? Non, ce n'était sûrement pas cela. Thorne ne pouvait pas se méfier de lui. Dans ce cas, il aurait arrêté toute l'opération.

– Nerveux avant le combat, Bel ? demanda-t-il d'un ton léger. Je croyais que tu aimais ton travail.

Thorne, qui se suçait la lèvre d'un air absent, sursauta.

– Oh, mais je l'aime. (Une aspiration.) Allez, au boulot.

– Allons-y ! approuva-t-il.

Il le devança dans le corridor brillamment éclairé. Il quittait enfin l'isolement et l'ombre de sa cabine pour rejoindre la réalité qu'il avait créée.

Cette fois-ci, le commando dendarii ne débarquait pas de la navette mais s'y entassait. Ils semblaient plus calmes, blaguant et plaisantant moins. Ils étaient au travail. Et ils avaient des noms à présent. Des noms qui défilaient dans son casque qui s'en souvenait pour lui. Tous portaient une demi-armure et un casque mais la plupart disposaient aussi d'armes plus lourdes que lui-même.

A présent qu'il connaissait son histoire, il se surprit à considérer le monstrueux sergent d'un œil neuf. D'après le journal de bord, elle n'avait que dix-neuf ans alors qu'elle semblait beaucoup plus âgée. Elle n'avait pas seize ans quand Naismith l'avait arrachée à la maison Ryoval. Il essaya de se la représenter en adolescente. Il avait été enlevé à l'âge de quatorze ans, huit ans auparavant. Ils avaient donc dû passer quelque temps ensemble dans les laboratoires génétiques de Bharaputra même s'il ne l'avait jamais rencontrée à l'époque. Les labos de recherche se trouvaient dans une autre ville que le complexe médical. La maison Bharaputra était une vaste organisation, presque un petit gouvernement. A cette nuance près que l'Ensemble de Jackson ne possédait pas de gouvernement.

Huit années... *Aucun de ceux que tu connaissais ne seront plus là. Tu le sais, n'est-ce pas ?*

Si je ne peux pas faire ce que je veux, je ferai au moins ce que je peux.

Il la rejoignit.

— Sergent Taura...

Elle se retourna et il leva les sourcils, abasourdi.

— Qu'est-ce que vous avez autour du cou ?

En fait, il voyait parfaitement ce que c'était : un gros nœud rose en peluche. La vraie question aurait dû être, pourquoi portait-elle un truc pareil ?

Elle... sourit. C'est du moins ce qu'il se dit en voyant sa grimace repoussante. Une énorme main griffue tapota le nœud. Les griffes étaient peintes en rose brillant, elles aussi.

— Tu penses que ça marchera ? C'est pour éviter d'effrayer les enfants.

Il leva les yeux vers les deux mètres quarante en demi-armure, treillis, bottes, baudriers, muscles et crocs. *C'est bizarre, sergent, mais j'ai l'impression que ça ne suffira pas.*

— Euh... ça valait la peine d'essayer...

Ainsi, elle était consciente de son extraordinaire apparence... *Imbécile ! Comment en serait-il autrement ? Tu sais bien à quoi tu ressembles, non ?* Il regrettait maintenant de ne pas avoir fait sa connaissance au cours du voyage. *Mon amie d'enfance.*

— Qu'est-ce que ça fait, d'y retourner ?

D'un geste vague du menton, il indiqua la maison Bharaputra.

— C'est bizarre, admit-elle.

– Tu connais cet endroit ? Tu y es déjà allée ?

– Pas ce complexe médical. J'ai rarement quitté le département de génétique, sauf pendant deux ans où on m'a placée dans une famille. Ils vivaient près du labo.

Elle tourna la tête, sa voix descendit d'une octave tandis qu'elle aboyait un ordre à propos de matériel à charger à un de ses hommes qui se dépêcha de lui obéir. Elle le dévisagea à nouveau et sa voix se radoucit. A présent qu'elle était en mission, elle ne lui témoignait plus la moindre familiarité déplacée. Naismith et elle avaient dû être des amants discrets. Si jamais ils l'avaient été.

– Je ne sortais pas beaucoup, ajouta-t-elle.

– Est-ce que tu les hais ? demanda-t-il, baissant à son tour la voix.

Autant que moi ?

Ses énormes lèvres s'agitèrent.

– Peut-être... Ils m'ont terriblement manipulée mais, à l'époque, je ne voyais pas les choses ainsi. Il y a eu beaucoup d'examens déplaisants mais c'était toujours pour la science... il n'y avait aucune intention de me faire du mal. En fait, je n'ai jamais vraiment eu mal jusqu'à ce qu'ils me vendent à Ryoval, après l'annulation du projet de super-soldat. Ryoval voulait me faire des trucs immondes mais c'était Ryoval. Bharaputra... Bharaputra, il n'en avait rien à foutre de moi. Il m'a jetée. Comme on jette quelque chose aux ordures. C'est *ça* qui m'a fait mal. Et puis, tu es arrivé... (Ses traits s'illuminèrent.) Mon chevalier dans sa belle armure et tout et tout.

Une vague de ressentiment familier déferla sur lui. *Au diable le preux chevalier, son armure et son destrier. Moi aussi, je peux sauver des gens, bon sang !* Heureusement, elle ne le regardait pas et ne vit pas la colère lui déformer le visage.

– Mais sans tout ça, murmura-t-elle, sans la maison Bharaputra, je n'existerais même pas. Ils m'ont faite. Je suis vivante... Faut-il que je rende la mort pour la vie ?

Son étrange faciès se fit pensif, comme si elle revoyait des moments depuis longtemps enfouis. Pas vraiment l'état d'esprit idéal avant de se lancer dans une mission de combat.

– Nous sommes ici, dit-il, pour sauver des clones, pas pour tuer des employés bharaputrans. Nous ne tuerons que si nous y sommes forcés.

Du vrai Naismith dans le texte. Elle redressa la tête et lui sourit.

– Je suis tellement soulagée que tu te sentes mieux. J'étais terriblement inquiète. Je voulais te voir mais le capitaine Thorne ne le permettait pas.

Ses yeux brillaient comme deux petites flammes jaunes.

– Oui. J'étais... très malade. Thorne a bien fait. Mais... peut-être qu'on pourra parler un peu plus sur le chemin du retour.

Quand tout ceci sera terminé... Quand il aura gagné le droit... *Gagné le droit de quoi ?*

– Le rendez-vous est pris, amiral.

Elle lui adressa un *clin d'œil* et se redressa, joyeusement féroce. *Qu'est-ce qu'elle s'imagine ?* Elle bondit vers son escadron.

Il la suivit dans la navette. La lumière y était beaucoup moins forte, l'air plus frais et, bien sûr, il n'y avait pas de gravité. Il flotta en avant, de poignée en poignée, vers le capitaine Thorne, vérifiant mentalement l'espace pour sa future cargaison : douze ou treize rangées de gosses assis par quatre... il y avait largement la place. Cette navette était prévue pour transporter deux escadrons, plus des aérocars blindés ou un hôpital de campagne. Elle possédait un poste de première urgence à l'arrière, avec quatre lits repliés et une cryo-chambre portable d'urgence. Le medic du commando organisait rapidement l'endroit et déballait ses affaires. Tout était aussitôt attaché aux parois de la navette par les soldats qui s'activaient en silence et avec efficacité. Une place pour chaque chose et chaque chose à sa place.

Le pilote de la navette était à son poste. Thorne prit

le siège du copilote. Il s'installa derrière eux à la place de l'opérateur des comms. Par le grand hublot avant, il distinguait quelques étoiles au loin, plus près les lueurs colorées et tremblantes de quelque activité humaine sur une station orbitale et, à l'extrême limite de son champ de vision, la tranche brillante du bord de la planète. Sa planète natale. Son ventre gargouilla et pas seulement à cause de la gravité zéro. Sous son casque, le sang affluait dans son crâne. Il se sentait soudain très à l'étroit.

Le pilote heurta l'intercom.

– Taura, y m'faut ta vérif' là derrière. Y nous reste moins de cinq minutes pour rejoindre l'orbite. Après on lâche les gaz et on plonge.

Un instant plus tard, la voix du sergent Taura résonna.

– Tout est OK. Tout le monde est attaché, le sas scellé. Nous sommes prêts. Je répète : prêts !

Thorne jeta un coup d'œil par-dessus son épaule et lui fit un signe. En hâte, il attacha ses ceintures de sécurité. Juste à temps. Les courroies le mordirent profondément et il ballotta sur son siège tandis que l'*Ariel* fournissait un dernier effort pour se glisser sur son orbite stationnaire. A l'intérieur du vaisseau, les effets de l'accélération étaient compensés ou annulés par la gravité artificielle.

Le pilote leva les mains avant de les abattre soudainement, comme un musicien qui joue crescendo. Des chocs sourds, étonnamment puissants ébranlèrent le fuselage. En réponse, des ululements guerriers s'élevèrent du compartiment derrière eux. La navette se séparait de son vaisseau-mère.

Quand ils disent plonger, ils sont sérieux. Les étoiles et la planète tournoyèrent dans le hublot. Il ferma les yeux, en proie à la nausée. Son estomac remontait dans son œsophage. Il songea soudain qu'une armure spatiale avait un avantage certain. Si vous vous chiez dessus de terreur, la tuyauterie du costume se charge de ça et personne ne s'aperçoit de rien.

L'air hurla sur la coque extérieure quand ils heurtèrent la ionosphère. Ses ceintures de sécurité essayaient de le découper en morceaux.

– Marrant, hein ? cria Thorne avec un sourire débile.

Ses lèvres et ses joues lui fouettaient le visage sous l'effet de la décélération. Ils tombaient en chute libre. Ou, du moins, le nez de la navette était pointé droit vers le sol. Son siège tentait de l'éjecter vers le plafond de la cabine.

– J'espère qu'il n'y a rien sur notre route, hurla le pilote avec gaieté. On n'a rien demandé au contrôle aérien !

Il s'imagina une collision aérienne avec un transport aérien... cinq cents femmes et enfants à bord... une immense explosion jaune et noir... les débris, les corps...

Puis ce fut l'obscurité. Ils traversaient la couche nuageuse. D'épais nuages... la navette qui vibrait et grondait comme un tuba en folie... toujours pointée droit vers le sol, il était prêt à le jurer même s'il ignorait comment le pilote dirigeait son engin.

Soudain, ils sortirent des nuages. Les lumières de la ville étaient étalées devant eux tels des joyaux sur un tapis. Ils tombaient toujours comme une pierre. Sa colonne vertébrale se tassait, se tassait. De nouveaux chocs tandis que les pieds de la navette se dépliaient. Quelques bâtiments à moitié éclairés surgirent devant eux. Une aire de jeu... *Merde, on y est, on y est !* Les bâtiments grandirent, grandirent, les dominèrent. Un dernier choc. Un bon atterrissage, bien solide sur les six pieds. Le silence l'hébéta.

– Parfait, allons-y !

Thorne bondit de son siège, le visage congestionné, les yeux enflammés par la soif de se battre ou la peur ou les deux.

Il trébucha le long de la rampe à la suite de la douzaine de Dendariis. Il y avait assez de lumière sur le complexe, diffusée par l'air poisseux et frais de la nuit, pour y voir sans problème. Seules manquaient les couleurs. Les ombres étaient noires et sinistres. Le sergent Taura divisa son escadron avec des gestes silencieux. Nul ne faisait le moindre bruit. De brefs staccatos de lumière glissaient sur les visages muets tandis que les vids des casques projetaient des flots de données sur les visières. Une Dendarii dont le casque possédait plusieurs caméras descendit une moto-flottante, la chevaucha et s'éleva en silence dans l'obscurité. La couverture aérienne.

Le pilote resta à bord et Taura choisit encore quatre autres Dendariis. Deux s'évanouirent dans les ombres autour de la navette pour établir un périmètre de sécurité ; les deux autres restèrent près de la navette en arrière-garde. Thorne et lui en avaient longuement débattu. Thorne aurait préféré laisser plus de soldats dans le périmètre de sécurité. Quant à lui, il avait le pressentiment qu'ils auraient besoin du maximum d'hommes à la crèche. Les gardes civils de l'hôpital ne représentaient pas une grande menace et, le temps que leurs renforts arrivent, les Dendariis seraient déjà partis... à condition de mettre les clones en branle suffisamment vite. Il se maudit rétrospectivement pour ne pas avoir emmené deux commandos depuis Escobar. Il aurait pu le faire tout aussi facilement mais il avait eu peur que l'*Ariel* ne soit pas assez grand.

Sur son propre casque, au bord de son champ de vision, défilaient dans un jet continu et coloré codes, chiffres et graphiques. Il voulut les examiner mais ils disparaissaient trop vite. A peine avait-il interprété l'une de ces données qu'elle disparaissait, remplacée par une autre. Il suivit l'avis de Thorne et d'un murmure réduisit l'intensité lumineuse. Le générique frénétique se transforma en vagues lueurs hallucinatoires. Le système audio du casque était moins pénible : personne ne bavardait inutilement.

En compagnie des sept autres Dendariis et de Thorne, ils partirent au trot derrière Taura – elle marchait – entre deux bâtiments. Il régnait une certaine agitation sur les lignes de communication de la sécurité bharaputrane, comme il s'en aperçut en vérifiant rapidement leur bande audio. *Bon sang, t'as entendu ça, Joe ? C'était dans le secteur quatre.* Personne ne répondit mais il était certain que cela ne durerait pas. Mieux valait ne pas trop s'attarder ici.

C'est là. Une plaisante construction blanche de trois étages apparut devant eux. Elle était pourvue de nombreux balcons et autres terrasses. Ça ne ressemblait pas vraiment à un hôpital, ni à un dortoir. C'était grand, ambigu et discret. LA MAISON DE VIE, ainsi la nommaient les Jacksoniens. *La maison de mort. Ma maison.* Terriblement familière et terriblement étrange. Il y avait eu une époque où elle lui avait paru splendide. A présent, elle semblait plus... petite.

Taura leva son arc à plasma, ajusta le rayon sur *large* et démolit les portes d'entrée en verre dans une gerbe d'étincelles orange, bleues et blanches. Les Dendariis, bondissant au-dessus des flaques de verre fondu, s'éparpillèrent dans le bâtiment. L'un prit position au rez-de-chaussée. Des systèmes d'alarme anti-incendie se mirent à hurler : ils détruisaient chaque sirène sur leur passage mais, plus loin dans le bâtiment, d'autres unités lançaient leur clameur assourdie. Les arroseurs automatiques fonctionnaient. Une vapeur nauséabonde s'éleva.

Il courait pour rester à hauteur. Un homme de la sécurité bharaputrane en uniforme marron et rose apparut dans le corridor devant eux. Trois neutralisateurs dendariis le descendirent tandis que le rayon de son arme se perdait au plafond.

Taura et deux femmes du commando empruntèrent le tube de montée vers le troisième étage. Un autre soldat se joignit à elles pour gagner le toit. Il mena Thorne et le restant de la troupe au deuxième étage. Deux adultes sans armes dont une femme en robe de chambre furent neutralisés immédiatement. *C'est là.* Derrière ces doubles portes. Elles étaient verrouillées et quelqu'un cognait de l'intérieur.

– On va faire sauter la porte, rugit Thorne. Eloignez-vous ou vous risquez d'être blessés.

Les coups cessèrent. Thorne hocha la tête. Un soldat régla son arc à plasma. Le fin rayon découpa la serrure. D'un coup de pied, Thorne ouvrit la porte.

Un jeune homme blond recula d'un pas et dévisagea Thorne avec stupeur.

– Vous n'êtes pas les pompiers.

Derrière lui, une foule d'hommes – de grands garçons – emplissait le corridor. Il n'eut pas besoin de se rappeler qu'aucun de ces gamins n'avait plus de dix ans mais il s'inquiéta de la réaction des soldats. Toutes les tailles, races, constitutions étaient représentées. Ce n'étaient pas des dieux grecs comme on aurait pu s'y attendre dans un endroit aussi « idyllique ». Mais la beauté n'avait rien à voir là-dedans, seule la richesse expliquait leur existence. Cependant, ils semblaient tous dans une forme excellente et portaient leur tenue de sommeil : une courte tunique marron et un short.

– A toi, siffla Thorne en le poussant devant. Parleleur.

– Trouve-moi combien ils sont, répliqua-t-il du coin des lèvres.

– Oui.

Il avait répété son discours des milliers de fois, avec toutes les variations possibles. La seule chose dont il était certain c'était qu'il ne commencerait pas par : *Je suis Miles Naismith*. Son cœur battait à toute allure. Il avala un bon litre d'air.

– Nous sommes les Mercenaires Dendariis et nous sommes venus pour vous sauver.

Le blond paraissait en même temps écœuré, effrayé et dédaigneux.

– Vous ressemblez à un champignon, déclara-t-il.

Ce n'était pas vraiment la réponse prévue. Elle ne figurait pas parmi les milliers de réactions qu'il avait envisagées. De fait, avec son casque et tout le reste, il ressemblait sûrement à un gros...

Il arracha son casque, repoussa sa capuche et découvrit ses dents. Le garçon eut un geste de recul.

– Ecoutez-moi, les clones ! s'écria-t-il. Les rumeurs qui vous sont parvenues sont vraies ! Chacun d'entre vous va être assassiné par les chirurgiens de la maison Bharaputra. Ils vont mettre le cerveau de quelqu'un d'autre dans votre tête et jeter le vôtre. C'est ce qui est arrivé à vos amis. Un par un, ils sont allés tout droit à la mort. Nous allons vous emmener sur Escobar où vous serez en sécurité...

Certains de ceux qui se trouvaient à l'arrière commencèrent à battre en retraite pour se réfugier dans leurs chambres individuelles. Une rumeur balbutiante s'éleva, suivie de cris et de pleurs. Un garçon brun essaya de franchir le cordon de soldats et un Dendarii l'immobilisa d'un arm-lock. Il hurla de surprise et de douleur. Ce son et le choc firent reculer les autres en bloc comme s'ils avaient été repoussés par une vague. Le gamin se débattait inutilement dans la prise impitoyable du soldat. Celui-ci, exaspéré et incertain, se tourna vers lui, quêtant un ordre ou une indication.

– Rassemblez vos amis et suivez-moi ! hurla-t-il désespérément aux garçons qui reculaient.

Le blond tourna les talons et partit au sprint.

– On ne les a pas convaincus, fit Thorne, le visage blême et tendu. Ça serait peut-être plus facile de les endormir tous et de les porter. On ne peut pas se permettre de perdre du temps ici. On n'a aucun soutien derrière nous.

– Non...

Quelqu'un l'appelait dans son casque. Il l'enfila en vitesse. Des voix affolées l'assaillirent aussitôt. Mais son canal privilégié rendait la voix profonde du sergent Taura plus présente.

– Monsieur, on a besoin de vous ici.

– Qu'y a-t-il ?

Sa réponse fut couverte par l'appel d'urgence de la femme sur la moto volante.

– Monsieur, il y a trois ou quatre personnes qui descendent par des balcons du bâtiment où vous vous trouvez. Et quatre gardes de la sécurité viennent vers vous par le nord.

Il farfouilla frénétiquement parmi les canaux jusqu'à ce qu'il trouve celui qui le mette en contact avec la moto volante.

– Il ne faut pas en perdre un seul !

– Comment dois-je les arrêter, monsieur ?

– Au neutralisateur, décida-t-il, affolé. Attendez ! Ne les neutralisez pas s'ils sont suspendus au balcon. Attendez qu'ils aient atteint le sol.

– Ça risque d'être difficile d'attendre.

– Faites de votre mieux. (Il la coupa et se rebrancha sur Taura.) Que voulez-vous, sergent ?

– Je veux que tu viennes parler à cette folle. Il n'y que toi qui puisses la convaincre.

– Nous ne... contrôlons pas encore la situation ici.

Thorne roula des yeux. Le garçon brun flanquait de grands coups de talon dans les tibias du Dendarii qui le maintenait. Thorne régla son neutralisateur sur la puissance minimale et toucha la nuque du gamin. Celui-ci eut une convulsion et parut se liquéfier debout mais il resta conscient, et, les yeux brillants et apeurés, se mit à pleurer.

Pris de couardise, il dit à Thorne :

– Rassemblez-les. Faites comme bon vous semble. Je vais aider le sergent Taura.

– Ben voyons, gronda Thorne avec une insubordination manifeste avant de se tourner vers ses hommes. Toi et toi de ce côté, vous deux de l'autre. Démolissez-moi ces portes...

Il battit ignominieusement en retraite au son du plastique qui fondait.

A l'étage supérieur, c'était plus calme. Il y avait moins de filles que de garçons, une disproportion qui existait déjà à son époque. Il s'en était souvent demandé la raison. Il enjamba le corps d'une garde corpulente et suivit son holocarte, projetée dans son casque, vers Taura.

Une douzaine de filles étaient assises en tailleur sur le sol, les mains nouées sur la nuque, sous la menace des neutralisateurs dendariis. Leur tunique et leur short, par ailleurs identiques à ceux des garçons, étaient en soie rose. Elles semblaient effrayées mais, au moins, elles étaient silencieuses. Il pénétra dans une chambre à coucher pour trouver Taura et deux commandos face à une grande femme-enfant de type eurasien. Celle-ci était assise sur une comconsole, les bras croisés belliqueusement. A la place du plateau de projection, il y avait un grand trou fumant.

L'Eurasienne se tourna vers lui à son entrée puis revint vers Taura comme s'il était une quantité négligeable.

– Milady, quel cirque ! s'exclama-t-elle avec mépris.

– Elle refuse de bouger, dit Taura avec une étrange inquiétude dans la voix.

Il hocha brièvement la tête.

– Ma fille, tu es morte si tu restes ici. Tu es un clone. Ton corps va t'être volé par ton progéniteur. Ils vont t'enlever le cerveau et le détruire. Peut-être très bientôt.

– Je le sais parfaitement, répliqua-t-elle avec un immense mépris comme si elle avait affaire à un attardé mental.

Il en resta bouche bée.

– Quoi ?

– Je le sais. Je suis parfaitement en phase avec mon destin. C'est le désir de milady. Et je sers milady à la perfection.

Son menton se dressa, ses yeux s'illuminèrent d'une adoration insensée.

– Elle a réussi à appeler la Sécurité, annonça Taura en montrant la console fumante. Elle leur a fait une description de notre équipement et même une estimation de notre nombre.

– Vous ne m'éloignerez pas de milady, affirma la fille. Les gardes vous auront. Ils me sauveront. Je suis très importante.

Qu'est-ce qu'ils lui avaient fait ? Quel conditionnement dément avait-elle subi ? Et comment le démolir en moins de trente secondes ? Il respira un bon coup.

– Sergent, fit-il, endormez-la.

L'Eurasienne plongea mais les réflexes du sergent

étaient foudroyants. Le rayon du neutralisateur la frappa entre les deux yeux en plein bond. Taura avait bondi elle aussi. Elle cueillit la tête de la fille avant qu'elle ne heurte le sol.

– On les a toutes ? demanda-t-il.

– Il y en a au moins deux qui se sont enfuies par l'escalier de secours avant qu'on le bloque, rapporta Taura, morose.

– Elles seront neutralisées si elles quittent le bâtiment, la rassura-t-il.

– Mais si elles se cachent ? Ça va nous prendre du temps pour les retrouver. (Ses yeux fauves glissèrent une fraction de seconde vers le côté de sa visière pour consulter le chrono de son casque.) On devrait déjà être en train de retourner à la navette.

– Encore une seconde.

Il trifouilla laborieusement parmi ses canaux pour joindre Thorne. Il entendit en arrière-plan quelqu'un hurler :

– Fils de pute ! Espèce de petit...

– *Quoi ?* aboya Thorne. Vous avez les filles ?

– On a dû en endormir une. Taura pourra la porter. Ecoute, tu as la liste ?

– Oui, on l'a dégotée dans la console du gardien... trente-huit garçons et seize filles. Il nous en manque quatre qui ont dû passer par le balcon. Phillipi en a eu trois mais elle n'a pas vu le quatrième. Et vous ?

– Le sergent Taura dit que deux filles ont emprunté l'escalier de secours. (Il leva les yeux pour regarder à travers sa visière dont les couleurs changeaient comme l'aube.) Le capitaine Thorne dit que nous devrions avoir seize corps ici.

Taura jeta un coup d'œil dans le corridor puis à l'Eurasienne inanimée.

– Il nous en manque encore une. Kesterton, fouillez cet étage, vérifiez sous les lits, les placards...

– Oui, sergent.

La femme se rua dehors.

Il la suivit. La voix de Thorne lui vrilla les oreilles.

– Bougez-vous là-haut ! On était censé nous tirer

d'ici en vitesse. On n'a pas le temps d'organiser des battues !

– *Attends*, bon sang !

Dans la troisième chambre, Kesterton trouva ce qu'elle cherchait sous le lit.

– Ha ! La voilà, sergent !

Elle attrapa deux chevilles affolées et tira. Sa proie apparut à la lumière, une petite femme enfant en rose. Elle sanglotait sans bruit, en proie à de pénibles hoquets. Elle possédait une superbe chevelure platine mais sa caractéristique la plus notable était un buste extraordinaire : d'énormes globes qui menaçaient de faire exploser le tissu de sa tunique. Agenouillée, les fesses sur les chevilles, elle tourna vaguement les paumes vers eux tandis que ses bras essayaient de contenir ces chairs trop lourdes comme si elle n'avait pas encore l'habitude de les sentir là.

Elle a dix ans, merde ! Elle en paraissait vingt. Une telle hypertrophie ne pouvait être naturelle. Le ou la cliente avait dû demander cette intervention de chirurgie esthétique avant de prendre possession du corps. Ce qui se comprenait : il valait mieux laisser le clone endurer les souffrances chirurgicales et métaboliques. Une taille mince, les hanches qui s'évasaient... une telle féminité exagérée ne pouvait avoir qu'une explication : un changement de sexe. Sa transplantation devait être programmée incessamment.

– Non, allez-vous-en, geignait-elle. Allez-vous-en, laissez-moi tranquille... maman va venir me chercher. Ma maman vient *demain*. Allez-vous-en, laissez-moi. Je vais retrouver ma maman...

Ses pleurs... et ses seins allaient le rendre cinglé, songea-t-il.

– Endormez-la, elle aussi, coassa-t-il.

Ils devraient la porter mais au moins ils ne l'entendraient plus.

La Dendarii semblait embarrassée et fascinée comme si la silhouette grotesque de la fille la gênait autant que lui.

– Pauvre petite poupée, chuchota-t-elle avant de

mettre un terme à son tourment d'une légère décharge de neutralisateur.

La fille mollit et s'effondra sur place.

On l'appelait dans son casque. Il ne reconnut pas la voix du soldat avec certitude.

– Monsieur, on vient de repousser une équipe de pompiers bharaputrans au neutralisateur. Ça a marché. Ils n'avaient pas de protection. Mais les gens de la sécurité ne vont plus tarder. Ils envoient de nouvelles équipes avec de l'armement lourd. Plus question de faire joujou avec les neutralisateurs.

Il chercha le bon canal mais avant qu'il puisse répondre la voix de leur couverture aérienne s'éleva :

– Une équipe de Bharaputrans avec des armes lourdes est en train d'encercler votre bâtiment par le sud, monsieur. Vous devez vous tirer de là en vitesse. Ça va mal tourner.

Il repoussa la Dendarii portant la femme-poupée hors de la chambre.

– Sergent Taura, appela-t-il. Vous avez entendu ?

– Oui, monsieur. Fichons le camp d'ici.

Le sergent Taura jeta l'Eurasienne sur une de ses épaules et la blonde sur l'autre, apparemment nullement incommodée par leur poids. Ils firent avancer la troupe de jeunes filles vers l'escalier. Taura les avait placées en rang par deux, se tenant la main, les organisant mieux qu'il n'aurait su le faire. Les murmures des filles se transformèrent en exclamations outragées quand ils arrivèrent devant le dortoir des garçons.

– Nous n'avons pas le droit de venir ici, essaya de protester l'une d'entre elles en larmes. Nous allons avoir des ennuis.

Thorne avait fait neutraliser six garçons. La vingtaine d'autres était debout face au mur, bras tendus, jambes écartées, dans la posture caractéristique des prisonniers. Deux soldats énervés ne cessaient de brailler et de leur ordonner de rester en place. Certains clones paraissaient furieux, d'autres pleuraient mais tous étaient terrorisés.

Il contempla, découragé, la pile de corps inconscients.

– Comment allons-nous les porter ?

– Les clones s'en chargeront, fit Taura. Comme ça, on aura les mains libres et pas eux.

Elle posa gentiment son fardeau.

– Bien, fit Thorne en s'arrachant avec difficulté à la contemplation de la blonde platine. Worley, Kesterton, en...

Sa voix fut coupée par des grésillements assourdissants qui retentirent dans les deux casques de commandement.

C'était Phillipi, leur couverture aérienne.

– Fils de pute, la navette... faites gaffe, les gars, sur votre gauche... (D'autres grésillements.) Oh, putain de merde...

Puis le silence suivi par le bourdonnement d'un canal vide.

Il chercha frénétiquement un signal, n'importe quoi en provenance de son casque. Le localisateur fonctionnait encore, la situant au sol entre les deux bâtiments devant la cour où attendait la navette. Ses coordonnées médicales étaient plates, complètement plates. Morte ? Sûrement pas, il y aurait encore de l'activité cellulaire... Finalement, il réussit à obtenir la vision transmise par son casque : une contre-plongée sur le brouillard nocturne. Phillipi avait perdu son casque. Qu'avait-elle perdu d'autre, il ne pouvait le dire.

Thorne appela encore le pilote de la navette ainsi que les deux soldats du périmètre de sécurité. Pas de réponse.

– Essaie toi, fit-il après un juron.

Il n'eut pas plus de succès. Les deux autres Dendariis postés à l'arrière étaient bloqués par un échange de feu avec les Bharaputrans lourdement armés annoncés par Phillipi un peu plus tôt.

– Il faut faire une reconnaissance, gronda Thorne. Sergent Taura, prenez la direction ici. Préparez ces gamins à se mettre en marche dès que possible. Toi...

(Ceci était dirigé à son adresse, apparemment. Pourquoi Thorne ne l'appelait-il plus *Miles* ou *amiral* ?) Viens avec moi. Sumner, couvrez-nous.

Thorne partit au sprint. Il maudit ses courtes jambes en essayant de le suivre. Ils empruntèrent le tube de descente, franchirent les portes d'entrée encore chaudes, passèrent entre les deux bâtiments. Il rattrapa l'hermaphrodite qui s'était aplati contre un mur à l'angle de la cour.

La navette était toujours là, apparemment intacte... Aucune arme de poing ne pouvait percer son blindage. La rampe était tirée, la porte fermée. Une silhouette sombre – un Dendarii, un ennemi ? – s'effondra brutalement dans l'ombre de ses flancs ailés. Thorne, marmonnant des jurons, tapota la plaque de contrôle sur son avant-bras. Le sas s'ouvrit et la rampe jaillit dans un sifflement telle une langue de reptile. Toujours aucune réponse.

– Je vais voir, annonça Thorne.

– Capitaine, la procédure standard veut que ce soit à moi d'y aller, intervint le soldat qui les couvrait depuis son poste derrière un gros cube de béton.

– Pas cette fois, rétorqua Thorne.

Sans plus discuter, il se jeta dans l'obscurité, courut en zigzag, gravit la rampe et plongea à l'intérieur, arc à plasma à la main. Au bout d'un moment, sa voix retentit dans le casque.

– Maintenant, Sumner.

Sans y être invité, il suivit le soldat Sumner. L'intérieur de la navette était plongé dans l'obscurité. Ils allumèrent les lampes de leurs casques. Tout semblait en ordre mais la porte du poste de pilotage était fermée.

En silence, Thorne fit signe au soldat de prendre position face à lui. Il se posta derrière Thorne. Celui-ci tapota un nouveau code sur son bras. La porte glissa avec un grognement tourmenté puis frémit et se coinça.

Une vague de chaleur les frappa comme l'haleine d'un fourneau. Une douce explosion orange suivit tandis que l'oxygène pénétrait dans le poste de pilotage et rallumait les derniers foyers. Le soldat enfila son masque à oxygène et s'empara d'un extincteur accroché à une paroi. Il dirigea le jet chimique vers les flammes. Quelques secondes plus tard, ils purent le suivre à l'intérieur.

Tout était brûlé, carbonisé. Les contrôles avaient fondu, ainsi que le matériel de communication. Une puanteur suffocante régnait, due à l'oxydation et aux vapeurs toxiques. Ils reconnurent aussi une autre odeur : celle de viande brûlée... ce qui restait du pilote. Il détourna les yeux et déglutit péniblement.

— Bharaputra n'a pas... est censée ne pas avoir d'armes lourdes ici !

A court de jurons, Thorne siffla et montra quelque chose.

— Ils ont balancé une ou deux de nos mines thermiques là-dedans, puis ils ont fermé la porte et couru se mettre à l'abri. Le pilote avait dû être neutralisé. Un de ces fils de pute était plus malin que les autres... ils n'avaient pas d'armes lourdes, alors ils ont utilisé les nôtres. Ils ont descendu mes gardes et nous ont cloués au sol. Comme ça, ils n'ont plus besoin de se casser la tête pour nous avoir... Ils n'ont qu'à venir nous cueillir. Cet engin ne volera plus jamais.

Dans la lumière blanche de leurs casques, le visage de Thorne ressemblait à un crâne.

La panique lui noua la gorge.

— Que va-t-on faire, maintenant, Bel ?

— Retourner au bâtiment. Nous protéger tant bien que mal et utiliser nos otages pour négocier notre reddition.

— Non !

— Tu as une meilleure idée... *Miles* ? (Un silence méprisant.) C'est ce que je pensais.

Le soldat choqué fixait Thorne.

— Capitaine... (Il les dévisagea alternativement.) L'amiral nous sortira de là. On a déjà connu pire que ça.

Thorne se redressa. Sa voix s'éleva, méconnaissable.

– Pas cette fois-ci, soldat. C'est ma faute... j'assume l'entière responsabilité... ce n'est *pas* l'amiral. C'est son frère, le clone, Mark. Il nous a trompés mais je savais à quoi m'en tenir depuis plusieurs jours. J'ai fait semblant de le croire, je me suis laissé entraîner comme un con parce que je croyais qu'on réussirait sans se faire prendre.

– Hein ?

Le soldat papillotait des paupières, incrédule.

– Nous... nous n'avons pas le droit de trahir ces enfants... de les rendre à Bharaputra, protesta Mark, suppliant.

Thorne plongea ses mains nues dans le magma gluant qui avait été le siège du pilote.

– Qui a été trahi ? Qui a été trahi ? répéta-t-il en lui dessinant sur la joue une balafre avec cette matière noirâtre. Est-ce-que-tu-as-une-meilleure-idée ?

Il tremblait, l'esprit totalement vide. La chose noire et chaude sur sa joue était insoutenable.

– On retourne au bâtiment, dit Thorne. Je prends le commandement.

6

– Pas de sous-fifre, dit Miles fermement. Je veux parler au grand chef et qu'on en finisse. Qu'on parte d'ici le plus vite possible.

– J'essaie encore, répondit Quinn.

Elle se retourna vers la comconsole de la salle de tactique du *Peregrine* qui transmettait la projection d'un officier de haut rang des services de sécurité bharaputrans. Elle recommença à discuter.

Miles se renfonça dans sa chaise, les bottes sur le bureau, les mains posées sur les accoudoirs. Calme et contrôle. Telle devait être la stratégie. Telle était, désormais, la seule stratégie possible. Si seulement il était arrivé neuf heures plus tôt... Il avait méthodiquement maudit chaque incident qui les avait retardés au cours des cinq derniers jours, dans quatre langues différentes jusqu'à ce qu'il ne trouve plus ses mots. Ils avaient gâché une quantité incroyable de carburant à mener le *Peregrine* au maximum de sa vitesse et ils avaient failli rejoindre l'*Ariel*. Failli seulement. Ces retards avaient permis à Mark de passer à l'action et de provoquer la catastrophe. Mais Mark n'était pas seul responsable. Miles ne croyait plus depuis longtemps à la fiction du héros solitaire. Un merdier aussi gigantesque nécessitait la pleine coopération de beaucoup d'autres. Il avait très envie d'avoir une conversation privée avec Bel Thorne et le plus tôt possible. Jamais il n'aurait cru Bel capable d'une telle inconscience.

Il jeta un coup d'œil autour de lui, pour glaner les dernières informations disponibles sur les plateaux de vid. L'*Ariel* était hors du coup maintenant. Le second de Thorne, le lieutenant Hart, avait fui sous le feu et s'était réfugié sur la Station Fell. Il était à présent coincé par une demi-douzaine de vaisseaux de la sécurité bharaputrane qui croisaient à la limite de l'espace local de Fell. Deux autres navires bharaputrans escortaient le *Peregrine* sur son orbite. C'était symbolique car le *Peregrine* était nettement mieux armé qu'eux. L'équilibre des forces changerait bientôt quand les renforts bharaputrans arriveraient. A moins qu'il ne parvienne à convaincre le baron que cela n'était pas nécessaire.

Il examina une vue de la situation en bas, du moins telle qu'elle était comprise pour le moment par les ordinateurs de combat du *Peregrine*. Les environs immédiats du complexe médical étaient visibles même de leur position sur orbite mais il ne possédait pas autant de détails qu'il l'aurait voulu sur l'intérieur des bâtiments... une attaque frontale serait très risquée. Trop. Il fallait négocier, payer... Il grimaça : cela allait coûter très cher. Bel Thorne, Mark, l'escadron vert et une cinquantaine d'otages bharaputrans étaient coincés dans un bâtiment, bien loin de leur navette endommagée. Le pilote était mort, trois soldats blessés. *Voilà* qui coûterait son poste à Bel, se jura Miles.

L'aube allait bientôt se lever. Les Bharaputrans avaient évacué tous les civils du complexe, Dieu merci, mais ils avaient aussi dépêché sur place d'importantes forces de sécurité et du matériel lourd. Seule la peur d'endommager leurs chers clones les retenait de perpétrer un massacre. Il n'était pas en position de force pour négocier. *Du calme.*

Quinn, sans se retourner, lui adressa un signe. *Prépare-toi.* Il vérifia son apparence. Il portait un uniforme emprunté à la plus petite personne à bord, une femme d'un mètre cinquante du service mécanique, et qui était encore trop grand pour lui. Il n'arborait que la moitié de ses insignes. Ce qui lui donnait un air négligé. Peu de chance pour que cela impressionne son interlocuteur. Il comptait sur l'adrénaline et sa rage contenue pour se donner un peu plus d'envergure. Sans les bio-puces implantées dans ses nerfs, ses vieux ulcères lui auraient déjà perforé l'estomac. Il brancha sa comconsole sur la fréquence de Quinn.

Avec une étincelle, un visage apparut sur le plateau du vid. Les cheveux noirs tirés en arrière et maintenus en un chignon serré par un anneau d'or soulignaient la puissance des traits. Il portait une tunique en soie couleur bronze et aucun autre bijou. La peau sombre, on lui donnait la quarantaine. Les apparences étaient trompeuses. Il fallait bien plus d'une seule vie pour se frayer un chemin au sommet d'une maison jacksonienne. Vasa Luigi, baron Bharaputra, occupait le corps d'un clone depuis au moins une vingtaine d'années. Et il en prenait visiblement grand soin. Une transplantation de cerveau le mettrait dans une position extrêmement vulnérable. Son pouvoir était convoité par trop d'impitoyables subordonnés.

– Ici, Bharaputra.

Sans plus de détails. Oui, sans aucun doute, l'homme et la maison ne faisaient qu'un.

– Ici Naismith, dit Miles. Commandant en chef de la Flotte des Mercenaires libres Dendariis.

– Visiblement pas complètement, fit sèchement Vasa Luigi.

Miles serra les dents.

– Exact. Vous comprenez donc que je n'ai nullement autorisé ce raid ?

– Je comprends que vous le prétendez. Personnellement, je ne serais pas aussi pressé d'annoncer mon manque d'autorité sur mes hommes.

Il te provoque. Du calme.

– Nous devons établir les faits. J'ignore encore si le capitaine Thorne s'est laissé suborner ou bien s'il a simplement été trompé par mon clone. Quoi qu'il en soit, c'est votre propre création, pour quelques raisons sentimentales, qui a tenté de se venger de vous. Je ne suis qu'un témoin innocent qui essaye d'arranger les choses.

Le baron Bharaputra cligna des yeux, comme un lézard.

– Vous êtes une curiosité. Nous ne vous avons pas créé. D'où sortez-vous ?

– Cela importe-t-il ?

– Ça se pourrait.

– Dans ce cas, ce renseignement ne sera pas gratuit. Il est à vendre ou à échanger.

C'était de la bonne étiquette jacksonienne. Le baron hocha la tête, nullement offensé. Un marché était en vue, même si les deux parties étaient loin d'être à égalité. Bien.

Mais le baron n'insista pas sur les origines de Miles.

– Que voulez-vous de moi, amiral ?

– Je souhaiterais vous aider. Je peux, si on me laisse agir librement, retirer mes gens de cette malheureuse situation là en bas sans dommages supplémentaires pour Bharaputra, que ce soit en vies humaines ou en biens. Ce sera rapide et propre. Je serais même disposé à verser des dommages et intérêts raisonnables pour les dégâts déjà causés.

– Je n'ai pas demandé votre aide, amiral.

– Vous le ferez si vous n'avez pas envie que cela vous revienne très cher.

Vasa Luigi ferma à demi les yeux.

– Est-ce une menace ?

Miles haussa les épaules.

– Plutôt le contraire. En nous entendant, nous éviterons que cela ne nous coûte très cher. Je préfère cette solution.

Le regard du baron flotta vers la droite vers quelque chose ou quelqu'un qui n'était pas dans le champ de l'holovid.

– Excusez-moi un instant, amiral.

Son visage fut remplacé par un signal d'attente.

Quinn se pencha vers lui.

– Tu penses qu'on pourra sauver quelques-uns de ces malheureux clones ?

Il se passa les doigts dans les cheveux.

– Bon sang, Elli, j'aurai déjà du mal à tirer nos hommes de là ! Ça m'étonnerait.

– Dommage. Maintenant qu'on est venu jusqu'ici...

– Ecoute, si j'avais envie de mener une croisade, il y en a un tas qui m'attendent tout près de chez moi. Je n'aurais pas besoin de traverser la moitié de la galaxie jusqu'à l'Ensemble de Jackson. Il y a bien plus que cinquante gosses qui sont massacrés chaque année au fin fond de la campagne sur Barrayar sous le simple prétexte qu'on les prend pour des mutants. Je ne peux pas me permettre d'être aussi... exalté que Mark. J'ignore où il a été chercher ces idées. Sûrement pas chez les Bharaputrans ou les Komarrans.

Quinn haussa les sourcils, hésita à parler, sourit sèchement puis se décida :

– C'est à Mark que je pensais. Tu n'arrêtes pas de dire que tu voudrais qu'il te fasse confiance.

– En lui faisant cadeau des clones ? J'aimerais pour voir. Mais d'abord, je l'étranglerai de mes propres mains... juste après avoir pendu Bel Thorne. Mark e

Mark, il ne me doit rien mais Bel aurait dû être plus prudent.

Il serrait les dents à s'en faire mal. Les paroles de Quinn avaient suscité en lui des visions galopantes. Leurs deux navires, avec tous les clones à leur bord, s'éjectant triomphalement de l'Ensemble de Jackson... Mark, admiratif, balbutiant de gratitude... Il les ramenait tous à la maison, chez Mèrc... *Folie*. Infaisable. S'il avait lui-même préparé cette opération du début à la fin, ils auraient peut-être eu une chance de réussir. Une étincelle jaillit à nouveau sur le plateau. D'un geste, il ordonna à Quinn de s'écarter. Vasa Luigi réapparut.

— Amiral Naismith, fit-il en hochant la tête. J'ai pris la décision de vous autoriser à donner l'ordre à votre équipage rebelle de se rendre à mes forces de sécurité.

— Je ne voudrais pas importuner davantage vos hommes, baron. Ils n'ont pas dormi de la nuit. Ils sont fatigués et énervés. J'irai moi-même chercher mes hommes.

— Ce ne sera pas possible. Mais je me porte garant de leurs vies. Les amendes individuelles pour leurs actes criminels seront fixées plus tard.

Des rançons. Miles ravala sa rage.

— Cette solution est... envisageable. Mais les amendes doivent être déterminées dès maintenant.

— Vous n'êtes pas vraiment en position de poser vos conditions, amiral.

— Je souhaite simplement éviter les malentendus, baron.

Vasa Luigi serra les lèvres.

— Très bien. Pour les soldats, dix mille dollars de Beta chacun. Pour les officiers, vingt-cinq mille. Pour votre capitaine hermaphrodite, cinquante mille, à moins que vous ne souhaitiez que nous ne vous en débarrassions nous-mêmes... Non ? Quant à votre clone, je ne vois pas à quoi il pourrait vous servir, aussi le garderons-nous en détention. En échange, je vous fais grâce des dégâts matériels.

Le baron hocha la tête, visiblement satisfait de sa grande générosité.

Ce qui faisait un total proche d'un quart de million. Miles réprima une grimace. Bon, c'était trouvable.

– Mais le clone m'intéresse. A quel... prix le céderiez-vous ?

– En quoi peut-il vous intéresser ? s'étonna Vasa Luigi.

Miles haussa les épaules.

– C'est évident, il me semble. Mon métier est plein d'imprévus. Je suis le seul survivant de ma série. Celui que j'appelle Mark a été une surprise aussi grande pour moi que je l'ai été pour lui. Nous ignorions tous les deux qu'il existait un autre projet de clonage. Où pourrais-je trouver une... banque d'organes aussi parfaite et facile à utiliser ?

Vasa Luigi ouvrit les bras.

– Nous pourrions vous le garder en parfaite sécurité.

– Si jamais j'en ai besoin, ce sera en toute urgence. De plus, j'aurai alors tout lieu de redouter une hausse soudaine des tarifs. Enfin, un accident est toujours possible. Regardez ce qui est arrivé au pauvre clone du baron Fell qui était sous votre garde.

La température dégringola de vingt degrés. Miles se dit qu'il aurait mieux fait de tenir sa langue. Le baron l'examinait, sinon avec plus de respect, mais avec une suspicion accrue.

– Si vous avez besoin d'un clone, amiral, c'est ici, et seulement ici, qu'on peut vous en fabriquer un. Mais ce clone-ci n'est pas à vendre.

– Ce clone ne vous appartient pas, rétorqua Miles trop vite.

Il se força à se calmer, à enfouir tout au fond de lui ses pensées réelles, afin de négocier avec le baron Bharaputra sans se mettre à vomir.

– D'ailleurs, reprit-il, il y a ce délai de dix ans avant d'obtenir un clone « adulte ». Ce n'est pas la mort de vieillesse que je crains mais un accident. (Une pause et un effort héroïque pour ajouter :) Vous pouvez nous facturer les dommages matériels, bien sûr.

– Je peux faire exactement ce qu'il me plaît, amiral, remarqua froidement le baron.

N'en mets pas ta tête à couper, espèce de salopard Jacksonien.

– Pourquoi tenez-vous tant à garder ce clone, baron ? Après tout, vous pouvez vous en fabriquer un quand ça vous chante.

– Ce ne serait pas si simple. Ses dossiers médicaux révèlent qu'il a été très difficile à obtenir.

Vasa Luigi se tapota le nez et sourit sans humour.

– Auriez-vous en tête de le punir ? s'enquit Miles. D'en faire un exemple ?

– C'est sûrement ce qu'il pensera.

Ainsi, il avait un plan pour Mark.

– Vous n'auriez pas idée de vous en prendre à notre progéniteur barrayaran ? Un tel complot a déjà échoué. Ils connaissent notre existence à tous les deux.

– Je l'admets, ses liens avec Barrayar m'intéressent. *Vos* liens avec Barrayar m'intéressent aussi. Il est évident, si on considère le nom que vous avez choisi, que vous connaissez vos origines. Quelles sont exactement vos relations avec Barrayar, amiral ?

– Exactement ? Elles sont délicates. Ils me tolèrent et je leur rends service de temps à autre. En me faisant payer. En dehors de cela, nous nous évitons mutuellement. La Sécurité Impériale de Barrayar a le bras long, plus long même que la maison Bharaputra. Vous n'auriez aucun intérêt à vous attirer leur mauvaise grâce, croyez-moi.

Vasa Luigi haussa les sourcils, poliment sceptique.

– Un progéniteur et deux clones... trois frères identiques. Et tous aussi petits. A vous trois, vous faites presque un homme entier.

Une provocation. Le baron cherchait quelque chose, un renseignement, sûrement.

– Trois mais sûrement pas identiques, dit Miles. Le lord Vorkosigan original est un idiot patenté, j'en suis certain. Quant à Mark, il vient de vous démontrer ses limites. Je suis le modèle amélioré. Mes créateurs me destinaient à de plus hautes fonctions mais ils ont trop bien fait leur boulot et j'ai décidé de voler de mes propres ailes. Ce qu'aucun de mes deux frères ne semble être en mesure de faire.

– J'aimerais parler avec vos créateurs.

– J'aimerais que cela soit possible. Ils sont décédés.

Le baron lui offrit un sourire glacial.

– Vous êtes un petit malin, pas vrai ?

Miles sourit à son tour sans répondre.

Le baron se renfonça dans son siège.

– Je maintiens mon offre. Le clone n'est pas à vendre. Mais, toutes les trente minutes, les amendes doubleront. Je vous conseille donc d'accepter rapidement le marché, amiral. Vous n'en obtiendrez pas de meilleur.

– Je dois consulter le comptable de la Flotte, temporisa Miles. Je vous rappelle très bientôt.

– Je n'en doute pas, murmura Vasa Luigi, l'air satisfait.

Miles coupa la communication.

– Mais le comptable n'est pas ici, remarqua Quinn.

Exact. Le lieutenant Bone était avec Baz et le reste de la flotte dendarii.

– Je... n'aime pas le marché du baron Bharaputra.

– La SecImp ne pourra-t-elle pas porter secours à Mark, plus tard ?

– Je *suis* la SecImp.

Quinn pouvait difficilement le désapprouver. Elle ne dit rien.

– Je veux mon armure spatiale, grogna-t-il d'une voix haut perchée.

– C'est Mark qui l'a.

– Je sais. Ma demi-armure. Mon casque de commande.

– Mark les a aussi.

– Je sais. (Sa main s'abattit violemment sur le bras de son siège. Le bruit fit grimacer Quinn.) Un casque de chef d'escadron, alors !

– Pour quoi faire ? Pas de croisades ici, tu l'as dit toi-même.

– J'ai changé d'avis. (Il bondit.) On y va.

Les ceintures de sécurité lui mordirent le corps quand la navette se détacha des flancs du *Peregrine*. Miles jeta un coup d'œil par-dessus l'épaule du pilote pour examiner la courbe de la planète et vérifier la présence des deux chasseurs qui leur servaient de couverture. Ils étaient suivis par une autre navette : l'autre moitié de leur attaque en deux temps. La diversion. Les Bharaputrans s'y laisseraient-ils prendre ? *Ça vaudrait mieux pour toi.* Il s'intéressa à nouveau aux informations fournies par son casque de commande.

Finalement, il ne portait pas celui d'un chef d'escadron. Elena Bothari-Jesek lui avait prêté le sien, celui d'un capitaine, puisqu'elle restait à bord de la salle de tactique du *Peregrine*. *Ramène-le-moi intact, bon sang*, lui avait-elle dit, le visage blême d'angoisse. Pratiquement tout ce qu'il portait avait été emprunté : la trop grande combinaison de protection anti-brise-nerfs qu'il avait dû replier aux poignets et aux chevilles et qui tenait grâce à des bandes adhésives. Quinn avait insisté pour qu'il la mette. Redoutant les brise-nerfs par-dessus tout, il n'avait pas discuté. Son treillis tenait de la même manière. Les lanières de son miroir à plasma le sanglaient assez bien. Deux paires d'épaisses chaussettes empêchaient ses bottes de trop glisser. Tout cela était très gênant mais il avait d'autres sujets de préoccupation plus importants : comment monter une telle opération en moins de trente minutes.

Sa plus grande inquiétude concernait l'endroit où ils atterriraient. Il aurait préféré qu'ils se posent sur le bâtiment qui abritait Thorne mais le pilote de la navette craignait que celui-ci ne s'effondre sous le poids. De toute manière le toit était en pente. L'autre site le plus proche était occupé par les débris de la navette de l'*Ariel*. Leur troisième choix allait les obliger à une longue marche, surtout au retour quand la sécurité bharaputrane aurait eu le temps de se réorganiser. Il espérait que le sergent Kimura et l'escadron jaune dans la deuxième navette leur fourniraient une diversion appréciable. *Faites bien gaffe à votre navette, Kimura. C'est notre unique renfort maintenant. J'aurais dû amener toute la foutue flotte.*

Il ignora les cris et les craquements de sa propre navette qui décélérait brutalement en pénétrant dans l'atmosphère. C'était un excellent plongeon mais rien n'allait assez vite pour lui. Il examina les données de son casque. Les deux engins bharaputrans surveillant le vaisseau avaient été surpris. Ils gâchèrent quelques salves inutiles contre le *Peregrine*, se tournèrent d'abord vers Kimura avant de se lancer à leur poursuite. La première navette bharaputrane fut pulvérisée immédiatement et Miles murmura une citation dans son casque pour leur pilote. L'autre Bharaputran, inquiet, battit en retraite pour attendre des renforts. Bon, cela avait été facile. Mais le voyage de retour allait être nettement plus rigolo. Il sentait déjà l'adrénaline gonfler ses veines, plus étrange et plus douce qu'une drogue. Cet état durerait plusieurs heures et disparaîtrait brutalement, le laissant complètement vidé. Cela en valait-il la peine ? *Oui, si on gagne.*

On gagnera.

Tandis qu'ils contournaient la planète pour rejoindre le complexe, il essaya à nouveau d'entrer en contact avec Thorne. Les Bharaputrans brouillaient les communications. Il essaya de passer tout bêtement par le réseau commercial mais sans succès. Bah, une fois sur place, il pourrait le joindre. Il examina soigneusement un holovid du complexe médical. Décidément, ils atterrissaient trop loin.

La folle décélération prit fin. Des bâtiments s'élevèrent autour d'eux – *idéal pour des snipers* – et la navette heurta le sol. Quinn, qui se démenait avec le réseau de communication depuis un bon moment, leva la tête et annonça simplement :

– J'ai Thorne. Essaye 6-2-J. En audio seulement, pas de vid pour le moment.

Il se brancha en un clin d'œil.

– Bel ? Nous sommes en bas. On vient vous chercher. Préparez-vous à sortir. Il y a encore des survivants parmi vous ?

Il n'eut pas besoin de la voir pour sentir la grimace de Bel mais, au moins, celui-ci ne perdit pas une seconde en excuses inutiles.

– Deux blessés à transporter. Phillipi est morte il y a à peu près quinze minutes. Nous avons mis sa tête dans de la glace. Si vous avez une cryo-chambre portable, on devrait pouvoir la sauver.

– On en a une mais on n'aura pas de temps à perdre. Commencez à la préparer dès maintenant. On arrive aussi vite que possible.

Un signe vers Quinn et ils se levèrent en même temps pour gagner la sortie. Il ordonna au pilote de sceller la porte derrière eux.

Quinn informa le medic de ce qui l'attendait et une bonne moitié de l'escadron orange se répandit autour de la navette pour la protéger. Deux aérocars s'élevèrent en même temps pour débarrasser les toits environnants d'éventuels snipers et les remplacer par des Dendariis. Dès qu'ils annoncèrent que la voie était libre, Miles et Quinn descendirent la rampe à la suite de l'escadron bleu dans l'aube froide et humide. Ils laissaient suffisamment d'hommes derrière eux pour empêcher les Bharaputrans de détruire à nouveau leur navette.

La rosée du matin s'accrochait aux flancs brûlants de la navette. Le ciel avait une teinte gris perle mais les bâtiments du centre médical n'émergeaient pas encore de l'ombre. Une moto volante s'éleva, deux soldats s'élancèrent en avant-garde au pas de course bientôt suivis par l'escadron bleu. Pompant rageusement sur ses petites jambes, Miles s'efforçait de rester à hauteur. Pas question que quiconque ralentisse le pas pour l'attendre. Personne n'en eut besoin. Haletant, il grogna de satisfaction. L'écho de quelques détonations lui apprit que l'escadron orange était déjà au travail.

Ils se glissèrent le long d'un bâtiment, puis d'un deuxième et d'un troisième, procédant par des sauts de crapaud : une moitié des hommes avançait puis couvrait l'autre moitié et ainsi de suite. C'était beaucoup trop facile. Miles songea à ces fleurs carnivores dont les épines se dissimulent à l'intérieur. Pénétrer ici était assez simple, surtout pour une puce comme lui. Sortir serait une autre histoire...

Il fut donc presque soulagé quand la première grenade sonique explosa. Les Bharaputrans ne gardaient pas *tout* pour le dessert. L'explosion s'était produite derrière un ou deux bâtiments et son écho se propageait étrangement jusqu'à eux. Miles manipula son casque de commande pour suivre de façon quasi subliminale le combat qui avait lieu là-bas. L'escadron orange rôtissait un nid de défenseurs bharaputrans. Il grimaça : ce n'étaient pas les gardes que ses hommes faisaient frire qui l'inquiétaient ; c'étaient ceux qu'ils n'apercevaient pas encore... Il se demanda si l'ennemi disposait d'autres armes à projectiles en dehors des grenades soniques en étant froidement conscient des éléments manquants dans sa demi-armure d'emprunt. Quinn avait tenté de le forcer de prendre sa plaque de torse mais il l'avait convaincue qu'avec un machin aussi grand pendant comme un bavoir de bébé sur sa poitrine il deviendrait cinglé. *Pas plus que d'habitude*, l'avait-il cru entendre marmonner. De toute manière, il n'avait aucune intention de mener une charge de cavalerie au cours de cette petite promenade.

Au détour du dernier bâtiment, il cligna de l'œil pour chasser le flux d'informations qui le distrayait. Ils effrayèrent trois ou quatre Bharaputrans et approchèrent de la crèche. On aurait dit un hôtel. Des portes en verre fondues menaient dans un hall où des soldats vêtus de gris avaient pris position derrière des abris de fortune : portes en métal arrachées de leurs gonds, etc. Après un bref échange de signes de reconnaissance, ils furent à l'intérieur. La moitié de l'escadron bleu s'éparpilla immédiatement dans le bâtiment pour renforcer leurs camarades épuisés de l'escadron vert. L'autre moitié resta avec Miles.

Le medic hala la palette flottante contenant la cryo-chambre portable à travers les portes et fut immédiatement conduit dans une pièce à l'écart. Intelligemment, ils avaient effectué la préparation de Phillipi hors de la vue des clones. La première étape consistait à vider autant que possible le patient de son sang. Dans ces conditions de combat, pas question de le récupérer et de le stocker : c'était une opération grossière, nécessaire et parfaitement dégoûtante. Un spectacle à éviter pour un cardiaque ou un esprit mal préparé.

– Amiral, fit une calme voix d'alto.

Il pivota pour se retrouver face à Bel Thorne. Les traits de l'hermaphrodite étaient d'un gris à peine plus pâle que la capuche de son uniforme qui lui enserrait le visage. Miles n'aima pas ce qu'il lut sur ce visage. *La défaite.* Ils n'échangèrent pas un seul mot de blâme ou de défense. Ils n'en avaient pas besoin. Ils savaient exactement à quoi s'en tenir l'un et l'autre.

A ses côtés, se trouvait un autre soldat. Le sommet de son casque – *mon casque* – n'arrivait même pas à l'épaule de Bel. Il avait à moitié oublié à quoi ressemblait Mark. *Je suis vraiment comme ça ?*

– Toi... (La voix de Miles se brisa. Il dut s'arrêter et déglutir.) Plus tard, nous aurons tous les deux une longue conversation. Il y a un tas de choses qu'il va falloir que je t'explique.

Le menton de Mark se haussa, d'un air de défi. *J'ai sûrement pas une bouille aussi ronde.* Ce devait être une illusion d'optique due à la capuche.

– Et ces gosses ? fit Mark. Les clones.

– Eh bien, quoi, ces gosses ?

En fait, il semblait bien qu'un couple de jeunes garçons en tunique de soie marron aidaient les Dendariis. Un autre groupe, filles et garçons mêlés, était assis à même le sol sous le regard attentif d'un garde armé d'un neutralisateur. *Bon sang, ce ne sont vraiment que des gamins.*

– Nous... Tu dois les emmener. Ou alors, je ne pars pas.

Mark serrait les dents mais sa glotte tremblait.

– Ne me tente pas, gronda Miles. Bien sûr qu'on va les emmener. Comment veux-tu qu'on sorte d'ici vivants sinon ?

Le visage de Mark s'éclaira, déchiré entre la haine et l'espoir.

– Et après ? s'enquit-il, soupçonneux.

– Oh, fit Miles, sarcastique, on va juste se payer une petite valse jusqu'à la station Bharaputra, les débarquer bien tranquillement en remerciant Vasa Luigi de nous les avoir si gentiment prêtés. *Crétin !* Qu'est-ce que tu t'imagines ? On les embarque et on détale en quatrième vitesse.

Mark grimaça mais opina.

– Bon, alors, ça va.

– Non. Ça ne va pas, cracha Miles. Ça ne va pas du tout... (Il chercha ses mots.) Puisque tu avais l'intention de tenter un exploit aussi stupide, tu aurais au moins pu consulter le spécialiste de la famille !

– Toi ? Venir *te* demander de l'aide ? Tu me prends pour un con ? fit Mark, furieux.

– Oui...

Ils furent interrompus par un jeune clone blond qui les considérait, bouche bée.

– Vous êtes vraiment des clones, fit-il.

– Non, nous sommes des jumeaux nés à six ans d'intervalle, aboya Miles. Oui, nous sommes des clones, exactement comme toi. Maintenant va t'asseoir là-bas et attends les ordres, bon Dieu !

Le garçon battit vivement en retraite en murmurant :

– C'est donc vrai !

– Bon sang ! gronda Mark d'une voix sourde. Pourquoi faut-il qu'ils te croient toi et pas moi ? C'est pas juste !

La voix de Quinn, dans le casque, mit un terme à la réunion de famille.

– Si Don Quichotte junior et toi en avez fini avec vos amabilités, le medic a achevé la préparation de Phillipi. Elle est prête à être transportée.

– Alors, en route, répondit Miles avant d'appeler le sergent de l'escadron bleu. Framingham, prenez la tête du premier convoi. Vous êtes prêts ?

– Prêts. Le sergent Taura les a briefés pour moi.

– Allez-y. Et ne regardez pas derrière vous.

Une demi-douzaine de Dendariis, une vingtaine de clones épuisés et hébétés ainsi que deux soldats blessés sur des brancards flottants se rassemblèrent dans le hall et franchirent les portes fondues. Framingham faisait la tête, nullement ravi d'utiliser deux jeunes filles comme bouclier humain. Mais pourquoi faciliter la tâche aux snipers bharaputrans ? Les Dendariis firent avancer les gosses au trot. Un second groupe suivit le premier moins d'une minute plus tard. Miles manipula son casque de façon à augmenter sa perception audio : il guettait le sifflement mortel d'armes de poing.

Allaient-ils s'en sortir ? Le sergent Taura amena le dernier groupe de clones dans le hall. Elle lui adressa un vague salut sans même prendre le temps de les comparer, Mark et lui.

– *Heureuse* de vous voir, monsieur.

– Moi de même, sergent, répliqua-t-il, sincère.

Si Taura avait été tuée à cause de Mark, il se dit qu'il n'aurait jamais été capable de lui pardonner. Dès qu'il en aurait l'occasion, il essaierait de savoir comment Mark était parvenu à la tromper. Et jusqu'à quel point... ? Plus tard.

Taura s'approcha et baissa la voix.

– Nous avons perdu quatre gosses. Ils se sont enfuis pour retrouver les Bharaputrans. Ça m'rend malade. Il n'y a pas moyen... ?

A regret, il secoua la tête.

– Aucune chance. Pas de miracle cette fois-ci. Il

faut qu'on se contente de ceux qu'on a déjà et qu'on se tire d'ici, sinon on va tout perdre.

Elle hocha la tête, comprenant parfaitement la situation. Mais cela ne soulageait pas sa nausée. Il lui offrit un bref sourire comme pour dire : *Je suis navré.* Elle se contenta de tordre les lèvres.

Le medic de l'escadron bleu apporta le grand brancard flottant supportant la cryo-chambre. Une couverture recouvrait le cylindre transparent afin de dissimuler le corps nu et vidé de son sang à la vue des enfants. Taura les fit mettre en rang.

Bel Thorne jeta un regard alentour.

— Je déteste cet endroit, fit-il d'un ton neutre.

— On pourra peut-être le bombarder plus tard, répliqua Miles tout aussi neutre.

Bel opina.

La petite troupe, composée d'une quinzaine de clones, du brancard flottant, de l'arrière-garde dendarii, Taura, Quinn, Mark, Miles et Bel, franchit les portes. Miles leva les yeux : il avait l'impression d'avoir un cercle rouge peint sur son casque. Mais les ombres qui se profilaient sur le toit du bâtiment voisin portaient des uniformes gris. Des Dendariis. Bien. L'holovid dans le coin droit de son viseur lui apprit que Framingham et son groupe étaient parvenus à la navette sans incident. Encore mieux. Il coupa la transmission de Framingham, baissa celle du deuxième groupe jusqu'à un vague murmure et se concentra sur le moment présent.

La voix de Kimura de l'escadron jaune fit soudain irruption dans son crâne. C'était la première fois qu'il l'entendait depuis qu'ils avaient atterri.

— Monsieur, on ne rencontre guère de résistance. Ils n'ont pas marché. Jusqu'où dois-je aller pour qu'ils nous prennent au sérieux ?

— Jusqu'au bout, Kimura. Vous devez attirer les Bharaputrans. Mais ne prenez pas trop de risques. Et surtout, ne risquez pas la navette.

Il espérait que le lieutenant Kimura était trop occupé pour s'interroger sur cet ordre paradoxal.

Le premier signe de résistance des Bharaputrans fut une explosion. Une grenade sonique éclata une quinzaine de mètres devant eux. Elle creusa un trou dans l'allée. Par la grâce de la gravité, il se mit à pleuvoir des débris tout autour d'eux. Impressionnant mais pas très dangereux. Les hurlements des clones étaient très assourdis par son casque.

– Faut qu'on y aille, Kimura. Faites preuve d'initiative, hein ?

Ils ne les avaient pas ratés par accident, comprit Miles tandis qu'un tir d'arc à plasma frappait un arbre à leur droite puis un mur sur leur gauche. Ils voulaient semer la panique parmi les clones. Et ils y parvenaient parfaitement : les gosses se jetaient au sol, criaient, s'accrochaient les uns aux autres et semblaient prêts à s'éparpiller dans toutes les directions. Après ça, ils ne pourraient plus les récupérer. Un rayon d'arc à plasma frappa un Dendarii, simplement pour montrer que les Bharaputrans en étaient capables, supposa Miles. Le rayon fut absorbé par le champ-miroir qui grésilla en émettant une infernale étincelle bleue, terrifiant encore davantage les gosses qui se trouvaient à ses côtés. Les soldats les plus expérimentés firent feu à leur tour, froidement, tandis que Miles hurlait dans son casque pour exiger la couverture aérienne. Les Bharaputrans se trouvaient au-dessus d'eux à en juger par l'angle de feu.

Taura examina les clones terrifiés puis, après un coup d'œil circulaire, fit sauter les portes du bâtiment le plus proche d'un coup d'arc à plasma.

– Dedans ! rugit-elle.

C'était une bonne initiative, décida Miles : grâce à elle, ils avaient tous le même but. A condition qu'ils ne s'arrêtent pas dans le bâtiment. S'ils se faisaient clouer là-dedans, il n'y avait plus de grand frère pour venir à leur secours.

– Allez-y ! fit-il. Mais ne *vous arrêtez pas* ! Il faut traverser jusqu'à l'autre côté !

Elle hocha la tête en signe de compréhension tandis que les gosses se ruaient vers ce qui leur paraissait sûrement un abri. Aux yeux de Miles, cela ressemblait plutôt à un piège. Mais ils devaient rester ensemble. Mieux valait être cloués au sol que cloués au sol *et dispersés*. Il suivit la petite troupe. Deux soldats se postèrent en arrière-garde. Ils ouvrirent le feu vers le toit voisin. L'un d'entre eux eut de la chance et atteignit un Bharaputran qui avait eu l'imprudence de se relever. Son écran absorba l'arc à plasma mais l'homme perdit l'équilibre et passa par-dessus le rebord du toit avec un hurlement. Miles essaya de ne pas entendre le bruit de son corps s'écrasant sur le béton. Le hurlement s'arrêta net.

Miles se rua dans l'immeuble pour se retrouver nez à nez avec Thorne qui l'attendait anxieusement.

– Je reste à l'arrière, proposa-t-il.

Espérait-il mourir en héros afin d'éviter la cour martiale ? Pendant un bref instant, Miles eut envie de le laisser faire. C'était un truc de Vor. Les vieux Vors pouvaient être assez cons parfois.

– *Tu* vas ramener ces clones jusqu'à la navette, aboya Miles, et finir le boulot que tu as commencé. Si ça doit nous coûter aussi cher, qu'au moins on ait ce pour quoi on paye.

Thorne serra les dents mais acquiesça. Ils se ruèrent tous les deux à la poursuite du groupe.

Une double porte s'ouvrit devant eux et ils se retrouvèrent dans une immense pièce au sol de béton qui occupait visiblement presque tout le bâtiment. Des travées peintes en rouge ou vert couraient le long du plafond. Il en pendait des câbles aux fonctions mystérieuses. Quelques rares lampes pâles brillaient, emplissant la pièce d'ombres multiples. Miles plissa les paupières et faillit baisser son viseur à infrarouge. Cela ressemblait à un hangar de montage, vide actuellement. Quinn et Mark hésitaient, les attendant, malgré le geste impatient de Miles leur faisant signe de continuer.

– Pourquoi vous arrêtez-vous ? aboya-t-il, furieux et inquiet.

Il s'arrêta devant eux.

118

– Attention ! hurla quelqu'un.

Quinn fit volte-face, son arc à plasma au poing, cherchant une cible. La bouche de Mark dessina un « o » qui ressemblait ridiculement à sa capuche.

Miles vit le Bharaputran parce qu'ils se regardèrent droit dans les yeux pendant un instant. Ils étaient toute une escouade, cavalant sur les travées, à peine moins surpris que les Dendariis qu'ils pourchassaient. Le Bharaputran le tenait en joue avec une arme à projectiles. Le museau brilla.

Miles ne put évidemment voir le missile, pas même quand il lui pénétra dans la poitrine. Mais il vit sa poitrine s'ouvrir comme une fleur puis un bruit qu'il *sentit* mais n'entendit pas, enfin un coup de marteau qui le projeta en arrière. Des fleurs sombres s'épanouirent dans ses yeux, recouvrant tout et tous.

Il fut stupéfait par l'incroyable intensité de ce qu'il ressentit durant le bref instant avant que son sang ne cesse d'irriguer son cerveau. La pièce tournoya autour de lui... une douleur au-delà de toute mesure... la rage et l'outrage... et un immense regret, infinitésimal en durée mais infini en profondeur. *Attendez, je n'ai pas...*

7

Mark se trouvait si près que l'explosion du projectile fut comme un silence lui comprimant les oreilles, oblitérant tout autre bruit. C'était arrivé trop vite pour comprendre, trop vite pour fermer les yeux et protéger son esprit contre ce qu'il voyait. Le petit homme qui gesticulait, leur ordonnant de fuir plus vite, fut rejeté en arrière comme un bout de chiffon gris, les bras écartés, le visage déformé. Quelque chose heurta Mark avec force : du sang et des lambeaux d'os et de chairs. Tout le côté gauche de Quinn était écarlate.

Ainsi, tu n'es pas parfait, fut sa première pensée

absurde. Cette soudaine et absolue vulnérabilité le choqua effroyablement. *Je ne pensais pas que tu pouvais être blessé. Bon sang je ne pensais pas que tu pouvais...*

Quinn hurlait, tout le monde reculait, seul lui restait immobile, paralysé dans son silence. Miles gisait sur le béton, la poitrine explosée, la bouche ouverte. *C'est un homme mort.* Il avait déjà vu un mort, il n'y avait aucun doute.

Quinn, folle furieuse, ouvrit le feu avec son arc sur les Bharaputrans, encore et encore, jusqu'à ce que des débris fondus du plafond commencent à leur tomber dessus et les menacent. Un Dendarii lui saisit le bras. De sa main libre, elle fit un geste vers les travées.

– Taura, occupe-toi d'eux !

Le sergent monstrueux expédia un crochet de rappel vers le plafond. Elle se hissa à l'accélération maximale, telle une araignée folle. Dans la semi-obscurité, Mark pouvait à peine suivre sa progression, tandis qu'elle bondissait à une vitesse inhumaine le long des travées. Les corps au cou brisé des Bharaputrans se mirent à pleuvoir autour d'eux. La belle technologie de leurs demi-armures ne pouvait rien contre ces énormes mains griffues. Ce bombardement atroce se poursuivit encore, un des Dendariis faillit se faire écraser par un cadavre.

Quinn ne semblait pas intéressée par les résultats de son ordre. Les mains tremblantes, elle s'agenouilla aux côtés de Miles. Soudain, les mains parurent se décider : elles plongèrent et enlevèrent le casque de commandement de Miles. Elle se débarrassa du sien et le remplaça par celui de Miles. Visiblement, le casque n'avait subi aucun dommage. Elle hurla des ordres aux hommes postés dehors, à la navette, puis à quelqu'un d'autre.

– Norwood, *revenez ici, revenez ici. Oui,* amenez-la. Tout de suite, Norwood ! (Elle quitta Miles des yeux un bref instant.) Taura, nettoie ce bâtiment !

Au-dessus d'eux, le sergent se mit à son tour à rugir des ordres.

Quinn dégaina un vibro-poignard et entreprit de trancher le treillis de Miles, coupant les courroies et le réseau de l'anti-brise-nerfs, écartant parfois un truc sanguinolent. Suivant son regard, Mark leva soudain les yeux pour voir le medic revenir avec son brancard flottant. Le champ anti-grav annulait le poids mais pas l'inertie de la lourde cryo-chambre. Il dut s'arc-bouter pour freiner son fardeau. Il baissa le brancard au niveau du sol près de son chef mort. Une demi-douzaine de clones suivaient le medic tels des bébés canards, s'accrochant les uns aux autres, terrorisés.

Le medic contempla Miles et la cryo-chambre occupée.

– Capitaine Quinn, ça ne sert à rien. Ils ne tiendront pas à deux dedans.

Quinn se redressa, apparemment inconsciente des larmes qui ruisselaient sur son visage. Sa voix grinçait comme du gravier sous des semelles.

– Je m'en fous. Sortez-la.

– Quinn, je ne peux pas !

– C'est un ordre. Sous ma responsabilité.

– *Quinn*... aurait-*il* donné un ordre pareil ?

– Il vient juste de perdre sa capacité à donner des ordres. D'accord... (Elle respira un bon coup.) Je m'occupe d'elle. Vous, préparez-le.

Mâchoires serrées, le medic obéit. Il ouvrit une porte au bout du cylindre et en sortit tout un équipement. L'attirail était en désordre. Il avait déjà été utilisé une fois et hâtivement remballé.

Quinn tapa le code commandant l'ouverture de la chambre. Les charnières sautèrent, un panneau glissa. Elle se pencha, débranchant des choses que Mark ne pouvait voir. Ne souhaitait pas voir. Elle grimaça tandis qu'une peau gelée lui brûlait les doigts mais s'activa à nouveau. Grognant, elle souleva le corps nu, verdâtre d'une femme et le déposa à terre. C'était le soldat Phillipi, celle qui se trouvait sur la moto flottante. La patrouille de Thorne, bravant le feu bharaputran, avait fini par la trouver à deux bâtiments de son casque perdu. Le dos et les membres brisés, elle avait agonisé pendant plusieurs heures avant de mourir, malgré tous les efforts du medic de l'escadron vert. Quinn leva la tête et vit Mark qui la fixait. Elle avait le visage ravagé.

— Toi... puisque tu sers à rien... *couvre-la*.

Elle désigna Phillipi puis contourna la cryo-chambre pour s'agenouiller aux côtés du medic près de Miles.

Mark émergea enfin de sa paralysie. Il trouva une fine couverture en amiante parmi l'équipement. Effrayé par le cadavre mais plus terrifié encore par Quinn, il étala la feuille argentée et roula la femme glacée dedans. Elle était raide et lourde.

Il se redressa pour entendre le medic maugréer. A mains nues, il fouillait la charpie sanglante qui avait été quelques minutes auparavant la poitrine de Miles.

— Je ne trouve pas le *bout*. Bon Dieu, il doit bien y en avoir un... Au moins l'aorte ou *quelque chose*...

— Ça fait plus de quatre minutes, gronda Quinn en brandissant à nouveau son vibro-poignard.

Elle trancha la gorge de Miles : deux coupures nettes et profondes de chaque côté mais qui ne touchaient pas la trachée-artère. A son tour, elle se mit à fouiller les plaies.

Le medic ne leva même pas les yeux, se contentant de dire :

— Assurez-vous d'avoir la carotide, pas la jugulaire.

— J'essaie, figurez-vous. Il n'y a pas d'étiquette.

Elle trouva quelque chose de pâle et caoutchouteux. S'emparant d'une espèce de bouteille, elle en fixa l'embout sur l'artère présumée puis actionna un interrupteur : une petite pompe se mit à ronronner, injectant le cryo-fluide dans le corps. Elle sortit un deuxième embout de la bouteille et le fixa de l'autre côté de la gorge de Miles. Le sang se mit à couler des vaisseaux sectionnés, sur ses mains, partout. Il ne jaillissait pas par à-coups comme propulsé par le cœur mais d'une façon régulière, inhumaine, comme d'un robinet. Une mare rouge s'étala sur le sol. Cela semblait incroyable, une telle quantité de sang. Les clones pleuraient. Mark avait mal au crâne. Une douleur mauvaise, aveuglante.

Quinn laissa les pompes fonctionner jusqu'à ce que le liquide qui sortait devienne parfaitement verdâtre. Pendant ce temps-là, le medic avait fini par trouver les « bouts » qu'il cherchait et y avait fixé deux autres embouts. Du sang mêlé au fluide jaillit encore de la blessure. La mare se transforma en rivière. Le medic enleva les bottes et les chaussettes de Miles et examina ses pieds pâlissant à vue d'œil avec des senseurs.

– Ça y est presque... bon sang, c'était juste. Il ne nous reste plus grand-chose.

Il se précipita sur sa bouteille qui venait de s'arrêter toute seule. Une lumière rouge clignotait sur son flanc.

– J'ai utilisé tout ce que j'avais, fit Quinn.

– Ça devrait suffire. Ils étaient petits tous les deux. Bon, il faut boucher les ouvertures...

Il lui tendit quelque chose de brillant et ils se penchèrent à nouveau sur le petit corps.

– Dans la chambre, maintenant.

Quinn prit la tête avec d'infinies précautions, le medic le saisit par le torse et les hanches. Les bras et les jambes ballèrent.

– Il est léger...

Ils placèrent le corps nu dans le cylindre, abandonnant l'uniforme ensanglanté à terre. Quinn laissa le medic achever le travail puis se détourna pour parler dans son casque. Elle avait les yeux vides, aveugles. Elle ne regarda pas le paquet brillant qui gisait à terre non loin de là.

Thorne apparut, traversant la salle en courant. Où avait-il été ? Il fit un signe de tête vers les Bharaputrans morts.

– Ils sont arrivés ici par des tunnels. J'ai fait nettoyer tous les accès.

Il baissa les yeux vers la cryo-chambre. Soudain, l'hermaphrodite parut... vieux.

Quinn se contenta de hocher la tête.

– Branche-toi sur le canal 9-C. On a des problèmes dehors.

Une curiosité morbide s'insinua dans l'esprit choqué de Mark. Il rebrancha son propre casque qu'il avait éteint quand Thorne l'avait destitué de son commandement. Il suivit les transmissions des capitaines.

Les escadrons orange et bleu étaient soumis à une forte pression de la part d'importantes forces de sécurité bharaputranes. Le retard décidé par Quinn dans ce bâtiment attirait les Bharaputrans comme des mouches sur un charnier. Avec les deux tiers des clones à bord de la navette, l'ennemi avait cessé de tirer droit dessus mais les renforts aériens se rassemblaient à toute vitesse, tournant autour de leur proie comme des vautours. Quinn et les siens risquaient de se voir très bientôt couper des leurs.

– Il doit y avoir un autre chemin, maugréa-t-elle en changeant de canal. Lieutenant Kimura, comment ça va chez vous ? Toujours peu de résistance ?

– Pas exactement. J'ai largement de quoi faire, Quinnie, répliqua la voix fine, étrangement joyeuse de Kimura entrecoupée de grésillements indiquant l'activation des boucliers anti-plasma. Nous avons atteint notre objectif et nous sommes en train de nous retirer. Enfin, on essaie. On bavardera plus tard, hein ?

D'autres grésillements.

– Quel objectif ? Prends bien soin de ta navette, mon gars, tu m'entends ? Tu risques de devoir venir nous chercher. Contacte-moi dès que tu seras à nouveau en l'air.

– D'accord. (Une hésitation.) Pourquoi l'amiral n'est-il pas sur ce canal, Quinnie ?

Les paupières de Quinn tremblèrent.

– Il est... temporairement injoignable. Au boulot, Kimura !

La réponse de Kimura, quelle qu'elle fût, se perdit dans les grésillements. Le sergent Framingham, depuis la navette, intervint alors pour demander à Quinn de se dépêcher de les rejoindre tandis que, simultanément, des membres de l'escadron orange annonçaient qu'ils avaient dû à nouveau abandonner une de leurs positions.

– La navette pourrait-elle se poser sur ce toit ? s'enquit Quinn en levant les yeux vers le plafond.

Thorne fronça les sourcils en suivant son regard.

– Ça m'étonnerait. Elle le défoncerait.

– Merde. D'autres idées ?

– Par en dessous, dit soudain Mark.

Les deux Dendariis tressaillirent et le considérèrent comme s'ils venaient de voir une mouche d'un mètre quarante.

– Par les tunnels ! Les Bharaputrans sont venus par là. On doit pouvoir partir par là nous aussi.

– On ne connaît pas le réseau, objecta Quinn.

– J'ai une carte, fit Mark. Tous ceux de l'escadron vert en ont une chargée dans leurs programmes. Ils peuvent nous guider.

– Pourquoi ne pas l'avoir dit plus tôt ? aboya Quinn de façon assez illogique : il n'y avait pas eu de *plus tôt*.

Thorne acquiesça pour confirmer et commença à consulter en hâte les holovids de son casque.

– Ça peut marcher. Il y a une route... elle nous conduira au bâtiment situé derrière ta navette, Quinn. Les défenses des Bharaputrans sont maigres là et elles sont toutes dirigées de l'autre côté. Et, là-dessous, leur nombre ne leur servira à rien.

Quinn contempla le sol.

– Je hais les tunnels. Je veux du vide et des sas de pressurisation. Bon, allons-y. Sergent Taura !

L'organisation dendarii se remit en branle. Quelques portes furent soufflées et la petite troupe reprit sa progression : un tube de descente puis un tunnel. Des soldats partirent en éclaireurs. Taura s'était débrouillée pour que six clones transportent le corps enveloppé de Phillipi sur trois barres de métal qu'elle avait arrachées aux travées. Comme s'il restait un quelconque espoir de ressusciter la morte.

Mark se retrouva à marcher le long du brancard

poussé par le medic anxieux. Du coin de l'œil, il regarda à travers le couvercle transparent. Son progéniteur gisait la bouche ouverte, les lèvres grises. Le gel formait des plumes aux jointures de la boîte et un courant d'air chaud jaillissait de l'unité de réfrigération. Ça devait brûler comme une nova sur les senseurs à infrarouge de l'ennemi. Mark frissonna et se glissa dans le sillage de chaleur. Il avait terriblement froid et faim. *Sois maudit, Miles Vorkosigan. J'avais tant de choses à te dire et maintenant tu n'écoutes plus.*

Le tunnel qu'ils empruntaient passait sous un autre bâtiment. Ils franchirent des doubles portes donnant dans un hall. Il y avait là plusieurs tubes ascensionnels, des escaliers de secours, d'autres tunnels, des placards. Toutes les portes avaient été soufflées par l'avant-garde cherchant des Bharaputrans. L'air était piquant de fumée et résonnait encore de ce tintement désagréable dû au feu des arcs à plasma. Ce fut là que l'avant-garde trouva ce qu'elle cherchait.

Les lumières s'éteignirent. Les visières des Dendariis se fermèrent aussitôt tout autour de Mark, tandis qu'ils passaient sur vision infrarouge. Il les imita et contempla, désorienté, un monde vidé de couleurs. Une multitude de voix s'éleva dans son casque tandis que les deux éclaireurs surgissaient de deux couloirs différents, faisant feu avec leurs arcs à plasma. Sa visière, sensible à la chaleur, se transforma en éclair permanent. Quatre Bharaputrans en demi-armure jaillirent d'un tube de descente, coupant la colonne de Quinn en deux. Il y avait si peu de place que le combat s'engagea au corps à corps. Par accident, Mark fut renversé par un revers de bras d'un Dendarii. Il se retrouva à terre près du brancard.

– Elle n'a pas de bouclier, gémit le medic en donnant une claque à la cryo-chambre. Une seule décharge dessus et...

Des arcs de feu zébraient l'air autour d'eux.

– Dans le tube alors, lui hurla Mark.

Le medic hocha la tête et tourna le brancard vers le tube le plus proche d'où ne jaillissaient pas des

Bharaputrans. Le tube était débranché ou alors les champs de gravité antagonistes du tube et du brancard s'annulaient. Le medic se mit à chevaucher le cylindre et commença à sombrer, hors de vue. Un autre soldat le suivit, dégringolant le long de l'échelle de secours à l'intérieur du tube. Trois décharges d'arc à plasma frappèrent successivement Mark tandis qu'il tentait de se redresser. A chaque fois, il s'écroula à nouveau. Son écran se mit à rugir et à lancer des étincelles bleues. Il roula sur lui-même jusqu'au tube. Imitant le soldat, il descendit le long de l'échelle.

Mais pas pour longtemps. Un casque bharaputran surgit au-dessus d'eux, ouvrant le feu. Des éclairs ruisselèrent dans le tube. Le soldat aida le medic à pousser le brancard dans une galerie adjacente à l'abri de cette foudre qui leur tombait dessus. Ils disparurent. Mark tâtonna à leur poursuite, avec l'impression d'être transformé en torche vivante, enveloppé dans une incandescence bleue. Combien de tirs avait-il reçus ? Il avait perdu le compte. Combien d'autres son écran pouvait-il absorber avant de lâcher ?

Le Dendarii se mit en position de tir sous lui mais aucun Bharaputran ne les suivit. Ils se trouvaient dans une poche de silence et d'ombre, à l'écart des hurlements et des détonations qui cascadaient faiblement dans le tube. Cette galerie était beaucoup plus petite. Elle se séparait en deux boyaux un peu plus loin. De petites lumières jaunes de secours sur le sol donnaient une impression trompeuse de sécurité.

– Merde, fit le medic en levant les yeux. J'ai l'impression qu'on s'est coupés des autres.

– Pas nécessairement, dit Mark.

Ni le medic ni le soldat n'appartenait à l'escadron vert mais le casque de Mark possédait la bonne programmation. Il appela l'holocarte, trouva leur localisation présente et demanda à l'ordinateur du casque de leur trouver une route.

– Vous pouvez y arriver par ce niveau aussi. Ça fait un petit détour mais, du coup, il y a peu de chance que vous tombiez sur des Bharaputrans.

— Laissez-moi voir, demanda le medic.

Mi-rechignant, mi-soulagé, Mark lui tendit son casque. Le medic l'enfila et étudia la ligne rouge serpentant à travers le schéma en 3-D du complexe médical. Mark risqua un regard dans le tube. Personne. Et les échos du combat s'atténuaient comme s'il s'éloignait. Il se retourna pour trouver le regard du soldat planté sur lui. *Non. Je ne suis pas ton maudit amiral. Dommage, hein ?* A l'évidence, le bonhomme regrettait que les Bharaputrans n'aient descendu le mauvais nain. Mark n'avait pas besoin de l'entendre le dire pour recevoir le message. Ses épaules s'affaissèrent.

— Ouais, décida le medic.

— Si vous vous dépêchez, vous risquez même d'arriver avant le capitaine Quinn, fit Mark.

Il tenait toujours le casque du medic. Au-dessus, on n'entendait plus rien. Devait-il se lancer à la poursuite de Quinn ou bien rester pour tenter de guider ces deux hommes et le brancard ? Il se demandait s'il avait plus peur de Quinn ou des Bharaputrans qui la pourchassaient. Il serait probablement plus en sécurité avec la cryo-chambre.

Il respira un bon coup.

— Gardez... mon casque. Je prendrai le vôtre. (Le medic et le soldat le toisèrent méchamment, avec répugnance.) Je vais essayer de retrouver Quinn et les clones.

Ses clones. Quinn aurait-elle la moindre considération pour eux ?

— C'est ça, allez-y, fit le medic.

Avec l'aide du soldat, il dirigea le brancard vers les portes qu'ils franchirent sans lui accorder un autre regard. A leurs yeux, il était plus encombrant qu'utile. Ils étaient soulagés d'être débarrassés de lui.

Il regrimpa le long du tube de montée. Arrivé au niveau supérieur, il lança un coup d'œil prudent au ras du sol. Il y avait pas mal de dégâts. Un dispositif anti-incendie s'était déclenché, ajoutant de la vapeur à la fumée irritante. Un corps en uniforme marron gisait à terre, immobile. Le sol était humide et glissant. Il s'extirpa du tube et s'engagea, mal à l'aise dans le corridor que les Dendariis devaient avoir emprunté. Il espérait qu'ils continuaient toujours sur la route prévue. De nouvelles traces de tirs d'arc à plasma lui assurèrent que c'était le cas.

Franchissant un coin, il s'immobilisa et bondit en arrière, hors de vue. Les Bharaputrans ne l'avaient pas aperçu : ils lui tournaient le dos. Il battit en retraite dans le boyau tout en farfouillant maladroitement parmi les canaux de comm. Ce casque lui était encore moins familier que l'autre. Il parvint enfin à joindre Quinn.

– Capitaine Quinn ? Euh... c'est Mark.

– Où êtes-vous, bon Dieu ? Et où est Norwood ?

– Il a mon casque. Il ramène la cryo-chambre par un autre chemin. Je suis derrière vous mais je ne peux pas vous rejoindre. Il y a au moins quatre Bharaputrans en armure spatiale complète entre nous. Ils vont vous tomber dessus. Faites attention.

– Merde, on ne pourra pas leur résister. Voilà qui règle tout. (Une pause.) Non ! Je sais ce que je vais faire. Mark, tirez-vous d'ici, rejoignez Norwood. Vite !

– Qu'allez-vous faire ?

– Leur démolir le toit sur le crâne. Leurs armures ne leur serviront pas à grand-chose à ces salopards ! *Tirez-vous !*

Il se mit à courir, comprenant ce qu'elle envisageait. Au premier tube de descente qu'il rencontra, il se mit à grimper frénétiquement à l'échelle, se souciant peu de savoir où cela le conduisait. Il n'avait aucune envie d'être sous terre quand elle allait déclencher...

Ce fut comme un tremblement de terre. Il s'accrocha de toutes ses forces à son barreau tandis que la paroi craquait et tremblait. La vibration lui fit tinter les os avant de se transformer en écho sourd. Il reprit son ascension. Au-dessus de lui, la lumière du jour aspergeait le tube d'une teinte argentée.

Il sortit au rez-de-chaussée d'un bâtiment, dans ce qui ressemblait à un bureau chic. Les fenêtres cassées étaient étoilées. D'un coup de coude, il acheva d'en démolir une et se glissa dehors par l'ouverture. Il releva sa visière à infrarouge. A sa droite, la moitié d'un immeuble s'était effondrée, creusant un énorme cratère. De la poussière s'élevait encore du tas de décombres en nuages suffocants. Les Bharaputrans dans leurs armures étaient peut-être encore vivants là-dessous mais il faudrait des heures à une équipe d'excavation pour les sortir de là. Il sourit malgré sa terreur.

Le casque du medic ne possédait pas les fonctions du casque de commandement mais il parvint à retrouver Quinn.

— C'est ça, Norwood, continuez à avancer, disait-elle. Et magnez-vous ! Framingham ! Vous avez entendu ? Verrouillez-vous sur Norwood. Commencez à faire rentrer vos hommes. Décollez dès que Norwood et Tonkin seront à bord. Kimura ! Vous êtes en l'air ? (Une pause. Mark ne pouvait entendre la réponse de Kimura mais il en comprit le sens à la réaction de Quinn :) Bon, on vient juste de vous fabriquer une nouvelle zone d'atterrissage. C'est pas génial mais ça devrait aller. Suivez mon signal et descendez droit dans le cratère. Ça devrait passer. Si j'en crois mon laser. Vérifiez vous aussi, Kimura. Parfait. Vous pouvez venir. *Maintenant !*

Il se dirigea à son tour vers le cratère, frôlant les vestiges du bâtiment, jusqu'à ce qu'il se rende compte que les murs pouvaient lui tomber dessus d'un instant à l'autre. Il avait le choix : rester à couvert et se faire écrabouiller ou bien avancer à découvert et se faire descendre. Quelle était cette citation du manuel de l'académie que Vorkosigan avait tant de plaisir à citer : *Aucun plan de bataille ne survit au premier contact avec l'ennemi.* La tactique et les initiatives de Quinn variaient à une allure ahurissante. Elle exploitait chaque nouvelle situation à fond. Le rugissement d'une navette lui secoua les tympans. Il sprinta hors de son recoin dès qu'il s'affaiblit. Derrière lui, un morceau de gravats assez gros pour l'écraser se fracassa au sol à l'endroit précis qu'il venait de quitter. Il continua à courir. Les Bharaputrans allaient pouvoir s'exercer sur une cible en mouvement...

Quinn et son groupe se ruèrent à découvert dès que la navette, au train d'atterrissage sorti telles des pattes d'insecte, tâtait délicatement les parois du cratère. Quelques Bharaputrans encore en position sur un toit voisin se mirent à les arroser. Mais ils ne possédaient que des arcs à plasma et essayaient toujours d'éviter les clones. L'une d'entre elles, tout habillée de rose, hurla quand l'écran d'un Dendarii la frôla. La brûlure serait légère, douloureuse mais pas mortelle. Elle paniquait mais un soldat la souleva de terre et la porta jusqu'à la rampe qui sortait d'un sas de la navette.

Les Bharaputrans changèrent de tactique : ils concentrèrent leur feu sur Quinn. Décharge après décharge, ils arrosaient son écran. Enveloppée d'une hallucinante flamme bleue, Quinn titubait sous les impacts.

Le casque de commandement attire le feu. Il ne trouva pas d'autre solution que de se jeter devant elle. L'air autour de lui s'enflamma tandis que son champ d'énergie recrachait toute cette énergie. Mais ce bref répit permit à Quinn de retrouver son équilibre. Elle l'attrapa par la main et, ensemble, ils se mirent à courir le long de la rampe qui se redressait déjà. Ils tombèrent à travers le sas qui se scella derrière eux. Le silence sonnait comme une chanson.

Mark roula sur lui-même, essayant de trouver de l'air à respirer. Ses poumons étaient en feu. Quinn se redressa, le visage rouge dans sa cagoule grise. Un gros coup de soleil. Hystérique, elle cria trois fois puis verrouilla ses mâchoires. Craintifs, ses doigts touchèrent ses joues et Mark se souvint que cette femme avait eu autrefois le visage entièrement calciné par des arcs à plasma. Autrefois mais pas cette fois-ci.

Elle bondit sur ses pieds tout en fouillant les canaux de son casque qui avait failli lui être fatal. Les accélérations de la navette la déséquilibraient. Mark s'assit et regarda autour de lui, désorienté. Le sergent Taura,

Thorne, les clones, tous ceux-là il les reconnaissait. Mais les autres étaient des Dendariis inconnus. Sans doute les membres de l'escadron jaune du lieutenant Kimura. Certains portaient le treillis gris habituel, d'autres l'armure spatiale. Ces derniers n'avaient pas eu beaucoup de chance. Quatre d'entre eux gisaient sur des brancards et un cinquième sur le sol. Mais un medic s'occupait d'eux sans affolement. Le pire était visiblement passé. Ses patients allaient bientôt recevoir un traitement dans de meilleures conditions. La cryo-chambre de l'escadron jaune était maintenant occupée par la malheureuse Phillipi. Mais le diagnostic pour elle était si défavorable que Mark se demanda s'ils continueraient à la congeler à bord du *Peregrine*. En dehors d'elle, il n'y avait pas de cadavre ou de grand blessé... pas de sac fermé. L'équipe de Kimura semblait avoir accompli sa mission – quelle qu'elle ait pu être – sans trop de pertes.

La navette vira. Apparemment, ils ne se plaçaient pas en orbite. Mark gémit et se mit en quête de Quinn pour apprendre ce qui se passait.

Il se pétrifia en apercevant le prisonnier. Il était assis, les mains liées dans le dos, attaché à son siège et gardé par deux Dendariis, un type énorme et une femme maigre qui faisait irrésistiblement penser à un serpent : sinueuse, musclée, les yeux vitreux qui ne clignaient jamais. Le prisonnier, un quadragénaire assez fringant, portait une tunique marron déchirée et un pantalon. Des mèches de cheveux sombres s'échappaient d'un anneau d'or derrière son crâne et lui retombaient sur le visage. Il ne se débattait pas, attendant avec une patience glacée qui n'avait rien à envier à celle de la femme-serpent.

Bharaputra. Le seul et unique Bharaputra, le baron Bharaputra, Vasa Luigi en personne. Il n'avait pas changé d'un iota en huit ans, depuis la dernière fois que Mark l'avait rencontré.

Vasa Luigi leva les yeux. Ses pupilles se dilatèrent une fraction de seconde quand il vit Mark.

– Ah... amiral, murmura-t-il.

– Oui : *Ah*, répondit Mark imitant machinalement la phraséologie de Naismith.

Il tituba quand la navette vira une nouvelle fois, dissimulant ainsi la faiblesse de ses genoux, sa terreur et son épuisement. Il n'avait pas non plus dormi la nuit précédant le raid. *Bharaputra, ici ?*

Le baron haussa un sourcil.

– C'est qui, là, sur votre poitrine ?

Mark baissa les yeux sur sa tunique. Le sang n'avait pas encore séché. Il coulait doucement, poisseux et froid. Il eut envie de répondre *mon frère*, pour le simple plaisir de le choquer. Mais il y avait peu de chances que le Baron soit aussi impressionnable. Il ne répondit pas et s'esquiva, préférant éviter toute conversation trop poussée. *Le baron Bharaputra.* Quinn et ses amis avaient-ils l'intention de dresser ce tigre ? Mais comment ? En tout cas, il comprenait maintenant pourquoi la navette tournoyait au-dessus de la zone de combat sans crainte du feu ennemi.

Il trouva Quinn et Thorne dans le poste de commandement ainsi que Kimura, le chef de l'escadron jaune. Quinn s'était mise aux commandes du centre de communication de la navette, la cagoule repoussée sur la nuque, les cheveux trempés de sueur.

– Framingham ! Au rapport ! criait-elle dans le micro. Vous devez décoller, les renforts aériens bharaputrans vont vous tomber dessus.

En face de Quinn, Thorne manipulait un holovid tactique. Deux points aux couleurs des Dendariis, deux chasseurs, plongèrent mais furent incapables de briser le réseau de navettes ennemies passant au-dessus d'une ville fantôme, projection virtuelle de la ville qui se dressait sous eux. Mark jeta un coup d'œil par la fenêtre au-dessus de l'épaule du pilote mais ne put repérer les originaux dans la brume dorée du matin.

– On a encore un gars à récupérer, m'dame, répliqua Framingham. Encore une minute et ce sera bon.

– Vous avez tous les autres ? *Est-ce que vous avez Norwood ?* Je n'arrive pas à joindre son casque.

Un court silence régna. Les poings de Quinn se

serrèrent puis se rouvrirent : les ongles en étaient rongés jusqu'au sang.

La voix de Framingham enfin.

– Nous l'avons maintenant, m'dame. On a tout l'monde, les vivants et les morts, sauf Phillipi. Je ne veux pas laisser un seul des nôtres à ces enfoirés si je...

– Nous avons Phillipi.

– Dieu soit loué ! Alors, on n'a perdu personne. Nous mettons les voiles en vitesse, capitaine Quinn.

– Précieuse cargaison, Framingham, fit Quinn. Rendez-vous sous le parapluie de feu du *Peregrine*. Les chasseurs protégeront vos flancs.

Sur l'écran tactique, les points dendariis abandonnèrent la flotte ennemie.

– Et les vôtres, de flancs ?

– Nous serons juste derrière vous. L'escadron jaune nous a ramené un billet de retour en première classe. On se retrouve à la Station Fell.

– Et après on largue ce maudit coin ?

– Non. L'*Ariel* a subi quelques dégâts. On reste à quai. Tout est arrangé.

– Compris. A tout à l'heure.

La formation dendarii se rassembla enfin et commença à grimper vers l'orbite. Mark se laissa tomber sur une chaise et observa l'écran. Les chasseurs couraient de plus gros risques que les deux navettes de combat. L'un d'eux avait visiblement du mal à garder l'allure. Toute la formation ralentit. Leurs poursuivants bharaputrans hésitèrent – comme à regret – quand ils quittèrent l'atmosphère et atteignirent l'orbite puis firent demi-tour.

Quinn planta ses coudes dans la console et cacha son visage rouge et blanc entre ses mains. Elle se massa les paupières. Thorne restait silencieux et pâle. Quinn, Thorne, lui-même... ils portaient tous les segments brisés de cet arc de sang. Comme un ruban rouge qui les liait les uns aux autres.

Ils arrivèrent enfin à la Station Fell. C'était une immense structure, la plus grande des stations de transfert orbital de l'Ensemble de Jackson. Ici, se trouvaient le quartier général de la maison Fell et la cité qui portait son nom. Le baron Fell aimait tenir le haut du pavé. Dans le délicat réseau des grandes maisons, la maison Fell était probablement celle qui détenait la puissance la plus meurtrière, en termes de destruction. Mais les pires destructions étaient rarement profitables et, ici, chaque opération se monnayait. Quelle monnaie d'échange les Dendariis utilisaient-ils pour s'attacher l'aide de Fell ou au moins sa neutralité ? La personne du baron Bharaputra ? Et les clones ? Entraient-ils aussi dans ce troc ? Ils n'avaient sûrement pas grande valeur... Et dire qu'il avait haï les Jacksoniens parce qu'ils vendaient de la chair humaine.

La Station Fell émergeait à peine de l'éclipse de la planète. L'effet était saisissant : l'arc solaire dévoilant lentement ses immenses proportions. Ils décélérèrent vers un bras d'accostage, se laissant guider par les contrôleurs du trafic spatial de la station et par des remorqueurs lourdement armés brusquement surgis de nulle part. Soudain, le *Peregrine* apparut. Lui aussi accostait. Les quatre navettes gravitèrent autour de leur vaisseau mère avant de s'amarrer à leurs emplacements prévus. Le gros navire se glissa délicatement le long de son quai.

Clank. Les attaches venaient de se fixer, les tubes flexibles suintèrent. Ils étaient arrivés. Immédiatement, les blessés furent conduits à l'infirmerie du *Peregrine* puis, plus lentement, cédant enfin à la fatigue, les Dendariis se livrèrent à leurs tâches habituelles après un combat : enlever et nettoyer leur équipement. Quinn les dépassa à toute allure, Thorne sur ses talons. Comme entraîné par le ruban rouge, Mark les suivit.

Le but de la course folle de Quinn était le sas de l'autre navette de combat, celle de Framingham. Ils y arrivèrent au moment où les tubes flexibles étaient scellés. Ils durent s'écarter pour laisser passer les blessés dont on s'occupait en priorité. Mark se sentit mal à l'aise en reconnaissant le soldat Tonkin qui avait accompagné Norwood le medic. A présent il avait changé de rôle : il n'était plus le garde mais le patient. Son visage était sombre et calme, inconscient, tandis que des mains pressées le hissaient sur un brancard flottant.

Quinn, impatiente, dansait sur place. D'autres Dendariis commencèrent à sortir accompagnant des clones. Quinn fronça les sourcils et se lança dans le sas, les écartant rudement à coups d'épaule.

Thorne et Mark la suivirent. C'était le chaos. Il y avait des jeunes clones partout, certains pleuraient, d'autres étaient malades et vomissaient... Dans l'apesanteur de la navette, les Dendariis essayaient de les faire sortir. Un soldat écœuré pourchassait des globes flottants, le dernier repas d'un des gosses, avant que quelqu'un n'ait la mauvaise idée de les gober. Ça criait, ça hurlait, ça balbutiait et les rugissements de Framingham ne ramenaient pas le calme. Loin de là.

D'un coup de talon énergique, Quinn se propulsa vers lui et l'agrippa par la cheville.

– Framingham ! Framingham ! Où est cette foutue cryo-chambre que Norwood escortait ?

Il baissa les yeux, étonné.

– Mais vous avez dit que vous l'aviez, capitaine.

– *Quoi ?*

– Vous avez dit que vous aviez Phillipi. (Il eut un rictus féroce.) Bon Dieu, si jamais on l'a laissée en bas, je...

– Nous avons Phillipi, oui, mais elle n'était plus dans la cryo-chambre. Norwood était censé vous la ramener. Norwood et Tonkin.

– Ils ne l'avaient pas quand ma patrouille de secours les a trouvés... ou plutôt ce qui restait d'eux. Norwood était mort. Il avait pris une de ces putains de grenade antipersonnel dans l'œil. Ça lui a éclaté la tête. Mais je ne leur ai pas laissé son corps. Il est emballé là quelque part.

*Les casques de commandement attirent le feu, je le
savais...* Pas étonnant que Quinn ne soit pas parvenue
à le joindre.

– La cryo-chambre, Framingham !

Jamais Mark n'avait entendu la voix de Quinn monter aussi haut dans l'aigu.

– On n'a pas vu de cryo-chambre, Quinn ! Norwood et Tonkin ne l'avaient pas avec eux quand on
les a trouvés ! Qu'est-ce qu'elle a de si important cette
putain de boîte de conserve gelée si Phillipi n'était
pas dedans ?

Quinn lui lâcha la cheville et se mit à flotter au
hasard. Ses bras et ses jambes se rétractaient, on
aurait dit une boule. Ses yeux immenses étaient
hagards. Elle serra les dents pour retenir un flot de
jurons inutiles. Ses muscles maxillaires blêmirent.
Thorne ressemblait à une poupée de cire.

– Thorne, fit Quinn quand elle fut à nouveau capable d'articuler. Appelle Elena. Je veux que les deux
navires soient placés en black-out absolu. Pas de permission, pas de sortie, pas de communication avec la
Station Fell ou qui que ce soit sans que j'en donne
l'autorisation. Dis-lui d'amener le lieutenant Hart. Je
dois les rencontrer immédiatement et pas sur un
canal de comm. Exécution.

Thorne opina, effectua une rotation en l'air et se
dirigea vers le poste de commande.

– Qu'est-ce qu'il y a ? demanda le sergent Framingham.

Quinn respira avant de répondre.

– Framingham, nous avons laissé l'amiral en bas.

– Vous déraillez ou quoi ? Il est là devant...
(L'index de Framingham descendit vers Mark avant
de se nouer aux autres doigts. Son poing se ferma.)
Oh... (Un silence.) C'est le clone.

Derrière lui, Mark sentait les yeux de Quinn qui
brûlaient, qui lui trouaient la nuque comme deux
rayons laser.

– Peut-être pas, marmonna Quinn. Pas pour la maison Bharaputra, en tout cas.

– Ah ?

Framingham plissa les paupières, spéculant sur les chances de réussite de ce plan. Il semblait sceptique.

Non ! hurlait Mark.

En silence. Dans un absolu silence.

8

C'était comme d'être enfermé dans une cellule avec une demi-douzaine de serial killers défoncés. Mark distinguait la respiration de chacun. Ils avaient pris place autour d'une table de conférence dans la salle de tactique principale du *Peregrine*. Le souffle de Quinn était le plus léger et le plus rapide, celui du sergent Taura le plus profond et le plus sinistre. Seule Elena Bothari-Jesek à sa place de capitaine en tête de table et le lieutenant Hart à sa droite étaient impeccables et propres. Les autres n'avaient pas pris le temps de se laver et se changer. Ils puaient : Taura, le sergent Framingham, le lieutenant Kimura et Quinn à la gauche de Bothari-Jesek. Et lui, bien sûr, seul à l'autre bout de la table oblongue.

Le capitaine Bothari-Jesek fronça les sourcils et, sans un mot, fit passer un flacon de pilules analgésiques. Taura en prit six. Seul le lieutenant Kimura n'en voulut pas. Taura les tendit à Framingham par-dessus la table sans en offrir à Mark. Il contemplait ces pilules comme un homme mourant de soif dans le désert qui voit un verre d'eau se renverser et son contenu disparaître dans le sable. Le flacon remonta la table et disparut dans la poche du capitaine. Mark avait les sinus en feu et l'impression que l'arrière de son crâne avait rétréci au lavage.

Bothari-Jesek prit la parole.

– Cette réunion d'urgence a pour but de régler deux questions et le plus vite possible. Qu'est-ce qui a bien pu se passer et qu'allons-nous faire ? Les enregistreurs de ces casques vont-ils arriver ?

– Oui, ma'ame, fit Framingham. Le caporal Abromov les apporte.

– Malheureusement, il nous manque le plus intéressant, dit Quinn, n'est-ce pas, Framingham ?

– J'en ai bien peur, ma'ame. J'imagine qu'il doit être enfoui quelque part là-dessous avec les restes du casque de Norwood. Une grenade antipersonnelle.

– Merde.

Quinn se renfonça dans son siège.

La porte de la pièce glissa et le caporal Abromov entra au pas de course. Il portait quatre petits plateaux en plastique étiquetés « escadron vert », « escadron jaune », « escadron orange » et « escadron bleu ». Sur chaque plateau, se trouvaient une quinzaine de petits boutons. Les puces-enregistreuses des casques. Chaque enregistrement de chacun des soldats pour les dernières heures, contenant chaque mouvement, chaque battement de cœur, chaque initiative, tir, cible et communication. Ces événements qui s'étaient déroulés trop vite en temps réel pour qu'on les comprenne pouvaient être ralentis, analysés, décomposés. Chaque erreur de procédure serait corrigée... pour la prochaine fois.

Abromov salua et tendit les plateaux à Bothari-Jesek. Elle le congédia avec un remerciement avant de les passer à Quinn qui chargea les enregistreurs dans le simulateur. Avant toute chose, elle affecta un code secret aux rapports. Ses doigts aux ongles rongés couraient sur la console.

L'holocarte fantomatique désormais familière au centre médical bharaputran se forma sur le plateau.

– Je vais directement au moment où nous avons été attaqués dans le tunnel, annonça Quinn. Les voilà, l'escadron bleu, une partie de l'escadron vert... (Un réseau de spaghettis colorés en vert et bleu apparut tout au fond d'un bâtiment aux contours indéfinissables.) Tonkin était le numéro Six chez les bleus. Il a gardé son casque jusqu'à la fin. (Elle fit ressortir la trace de Tonkin en jaune pour une meilleure lisibilité.) Norwood portait encore le bleu numéro Dix. Mark... (Elle pinça les lèvres.)... Casque Un. (Cette ligne, bien évidemment, était manquante, aveuglément manquante.) A quel endroit avez-vous échangé vos casques avec Norwood, Mark ?

Elle ne le regarda pas en lui posant cette question.

S'il vous plaît, laissez-moi partir. Il était certain d'être malade car il frissonnait encore. Un spasme de douleur agitait un muscle derrière son cou.

— Nous sommes descendus le long de ce tube. (Le timbre de sa voix était faible et sec.) Quand... quand le casque Dix réapparaît, c'est moi qui le porte. Norwood et Tonkin sont partis ensemble et je ne les ai plus revus.

La ligne rose regrimpait effectivement le long du tube et rampait à la suite de l'entrelacs de lignes bleues et vertes. La ligne jaune continuait seule.

Quinn fit avancer à allure rapide les bandes son. La voix de baryton de Tonkin s'éleva comme un couinement d'insecte sous amphétamine.

— La dernière fois que je suis entrée en contact avec eux, ils étaient ici.

Quinn marqua l'endroit d'un point lumineux : dans un corridor au fin fond d'un autre bâtiment. Elle se tut et laissa le petit serpent jaune continuer son chemin : il emprunta un tube de descente puis un autre tunnel et ainsi de suite...

— Là, fit soudain Framingham. C'est là qu'ils se sont fait coincer. C'est là qu'on les a retrouvés.

Quinn posa un autre point lumineux.

— Dans ce cas, la cryo-chambre doit se trouver quelque part entre ces deux points. (Elle indiquait les deux points lumineux.) Il n'y a pas d'autre solution. (Elle contempla le diagramme, paupières plissées.) Deux bâtiments. Deux et demi, plutôt. Mais il n'y a pas le moindre indice dans les transmissions vocales de Tonkin pour nous mettre sur la voie.

La voix d'insecte décrivait les agresseurs bharaputrans et appelait au secours encore et encore mais ne mentionnait jamais la cryo-chambre. La gorge de Mark se contractait au fur et à mesure. *Quinn, je vous en prie, arrêtez ça...*

Le programme arriva à son terme. Tous les Dendariis autour de la table contemplaient le diagramme comme s'il allait se produire quelque chose. Mais il ne se passait rien.

La porte d'entrée glissa une nouvelle fois et le capitaine Thorne entra. Mark n'avait jamais vu un être humain dans un tel état d'épuisement. Il portait encore son treillis sale mais s'était débarrassé du paquetage contenant l'écran à plasma. Sa capuche grise était repoussée en arrière, ses cheveux bruns étaient collés sur son crâne. Un cercle de crasse sur son visage marquait la limite de la capuche. Le sien était gris comme celui de Quinn était rouge. Les gestes de Thorne étaient saccadés, trop rapides. Il semblait au bord de l'évanouissement. Il prit appui des deux mains sur la table. Sa bouche aux lèvres serrées avait la finesse d'une blessure au scalpel.

– Alors, tu as pu tirer quelque chose de Tonkin ? lui demanda Quinn. On vient de passer l'enregistrement et il ne nous a pas appris grand-chose.

– Les medics ont réussi à le réveiller mais pas longtemps, rapporta Thorne. Il a parlé. J'espérais que l'enregistrement nous aiderait à donner un sens à ce qu'il a dit mais...

– Qu'a-t-il dit ?

– D'après lui, quand ils ont atteint ce bâtiment, fit Thorne en le désignant sur le diagramme, ils ont été coupés des autres. Ils étaient dans l'incapacité de continuer vers la navette et ils n'allaient pas tarder à être encerclés. C'est alors que Norwood aurait eu une idée. Il a hurlé quelque chose comme : « On est passés devant. » Puis il a demandé à Tonkin de créer une diversion en lançant une grenade offensive et de garder l'entrée d'un couloir... Je crois que c'est celui-là. Norwood a pris la cryo-chambre avec lui et est retourné sur ses pas. Il est revenu peu après, pas plus de six minutes plus tard, affirme Tonkin et il a dit :

« Tout va bien maintenant. L'amiral sortira d'ici même sans nous. » Deux minutes plus tard, il se faisait tuer et Tonkin perdait conscience.

Framingham hocha la tête.

– Mon équipe est arrivée sur place pas plus de trois minutes après ça. Ils ont repoussé une bande de Bharaputrans qui fouillaient les corps. Pour les détrousser ou pour trouver des informations ou bien les deux... D'après le caporal Abromov, c'était difficile à dire. Ils ont ramassé les corps de Tonkin et de Norwood et ont détalé en vitesse. Aucun parmi eux n'a aperçu la moindre cryo-chambre nulle part.

Quinn mâchait d'un air absent un ongle depuis longtemps disparu. Mark se dit qu'elle ne s'en rendait même pas compte.

– C'est tout ?

– Tonkin dit que Norwood rigolait, ajouta Thorne.

– Il rigolait ? grinça Quinn. Merde.

Le capitaine Bothari-Jesek ne bronchait pas. Tout le monde autour de la table semblait digérer ce dernier détail, examinant le diagramme en trois D.

– Il a trouvé une astuce, fit Bothari-Jesek. Ou ce qu'il croyait être une astuce.

– Il n'a eu que cinq minutes à peu près. Quelle astuce pouvait-il trouver en cinq minutes ? gémit Quinn. Que l'enfer avale ce con et son astuce ! Il aurait dû faire un rapport.

– Il allait sûrement le faire, soupira Bothari-Jesek. On ne va pas perdre notre temps en reproches inutiles. Nous avons largement de quoi faire.

Thorne grimaça ainsi que Framingham, Quinn et Taura. Puis ils se tournèrent tous vers Mark. Il s'écrasa sur sa chaise.

– Ça s'est passé... (Quinn consulta sa montre.) Il y a moins de deux heures. Quoi qu'ait fait Norwood, la cryo-chambre doit encore se trouver là en bas. C'est forcé.

– Alors, on fait quoi ? s'enquit sèchement Kimura. On redescend leur faire une petite visite ?

Quinn n'apprécia pas le sarcasme.

– Vous êtes volontaire, Kimura ?

Celui-ci leva les paumes en signe de reddition et se le tint pour dit.

– Pendant ce temps, intervint Bothari-Jesek, la Station Fell nous appelle de façon de plus en plus urgente. Il va falloir commencer à traiter avec eux. J'imagine que notre otage va nous servir. (Un bref hochement de tête vers Kimura pour saluer la seule mission qui avait pleinement réussi. Kimura hocha la tête en réponse.) Quelqu'un ici a-t-il la moindre idée de ce que l'amiral comptait faire de Bharaputra ?

Tous les autres secouèrent la tête.

– Tu ne sais pas, Quinnie ? demanda Kimura, surpris.

– Non. On n'a pas vraiment eu le temps de faire la conversation. Je ne suis même pas sûre que l'amiral s'attendait vraiment que ta mission réussisse, Kimura, ou bien s'il s'agissait d'une diversion. En tout cas, ça lui ressemble. Ne jamais compter sur une seule attaque frontale. J'imagine qu'il aurait su comment utiliser le baron. (Elle soupira avant de se redresser.) Mais, en tout cas, je sais ce que moi, je vais faire. Cette fois-ci, le marché sera en notre faveur. Bharaputra peut être notre billet de sortie de ce coin pourri. Aussi bien pour nous que pour l'amiral. Mais il va falloir jouer serré.

– Dans ce cas, fit Bothari-Jesek, je serai d'avis de laisser ignorer à la maison Bharaputra la valeur du paquet que nous avons abandonné là en bas.

A nouveau, ils se tournèrent tous vers Mark, l'étudiant, le soupesant froidement.

– C'est ce à quoi j'avais pensé, moi aussi, dit Quinn.

– Non, murmura-t-il. Non ! (Son cri sortit comme un coassement.) Vous n'êtes pas sérieux. Vous ne pouvez pas m'obliger à être lui. Je ne veux plus être lui, plus jamais ! Bon Dieu, non !

Il frissonnait, tremblait. Son estomac se tordait. *J'ai froid.*

Quinn et Bothari-Jesek se regardèrent. Bothari-Jesek opina.

– Vous pouvez tous regagner votre poste. Sauf vous, capitaine Thorne. Vous êtes relevé du commandement de l'*Ariel*. Le lieutenant Hart vous remplacera.

Thorne acquiesça comme si c'était parfaitement normal et attendu.

– Suis-je aux arrêts ?

Quinn plissa les paupières de chagrin.

– Merde, on n'a pas le temps. Ni le personnel. Et on ne t'a pas encore déprogrammé et puis, d'ailleurs, j'ai besoin de ton expérience. Cette... situation peut évoluer rapidement à tout moment. Considère-toi comme étant aux arrêts mais tu es assigné à mon service. Tu te garderas tout seul. Installe-toi dans une cabine de visiteur officiel à bord du *Peregrine* et appelle-la ta cellule, si ça te soulage.

De gris, le visage de Thorne vira au blanc.

– Oui, madame, fit-il d'une voix de machine.

Quinn fronça les sourcils.

– Va te changer. Nous continuerons plus tard.

A l'exception de Quinn et de Bothari-Jesek, ils sortirent tous. Mark tenta de les imiter.

– *Pas toi*, fit Quinn comme si elle était le gardien des Enfers.

Il se laissa retomber sur sa chaise et ne bougea plus. Quand le dernier Dendarii eut quitté la pièce, Quinn débrancha tous les systèmes d'enregistrement.

Les femmes de Miles. Elena-l'amour-d'enfance devenue le capitaine Bothari-Jesek. Mark l'avait étudiée des années plus tôt quand les Komarrans l'avaient entraîné à devenir lord Vorkosigan. Pourtant, elle ne correspondait pas exactement à l'idée qu'il s'était faite d'elle. Quant à Quinn, la Dendarii, les Komarrans ne s'attendaient pas à la trouver sur leur chemin. Par une étrange coïncidence, les deux femmes se ressemblaient : mêmes cheveux sombres et courts, même teint pâle, mêmes yeux liquides. Mais était-ce vraiment une coïncidence ? Inconsciemment, Vorkosigan n'avait-il pas choisi Quinn comme un substitut à Bothari-Jesek, parce qu'il ne pouvait avoir l'originale ? Même leurs prénoms se ressemblaient : Elli et Elena.

Elena était la plus grande, d'une tête, avec de longs traits aristocratiques. Elle se montrait plus froide et réservée, une attitude soulignée en cet instant par son uniforme immaculé. Quinn, en treillis et bottes de combat, plus petite mais malgré cela dépassant Mark d'une bonne tête, était plus ronde et plus bouillante. Les deux étaient terrifiantes. Les goûts de Mark en matière de femmes, si jamais il vivait assez longtemps pour pouvoir les exprimer, le conduiraient davantage vers cette petite clone blonde qu'ils avaient trouvée sous son lit... si seulement elle avait eu l'âge de son corps. Une fille petite, douce, rose, timide, une fille qui ne le tuerait pas et ne le dévorerait pas après l'accouplement.

Elena Bothari-Jesek l'observait avec une fascination mêlée de répulsion.

– Si ressemblant... et pourtant si différent. Pourquoi frissonnez-vous ?

– J'ai froid, marmonna-t-il.

– Tu as *froid* ! répéta Quinn, outragée. Tu as froid ! Espèce de sale petit connard...

Elle fit rageusement pivoter son siège et lui tourna le dos.

Bothari-Jesek se leva et longea la table pour le rejoindre. Svelte et sûre d'elle. Elle lui toucha le front. Mark sursauta si violemment qu'on aurait pu croire que son siège venait de l'éjecter. Elle se pencha et examina ses yeux.

– Quinnie, n'insiste pas. Il est en état de choc.

– Il ne mérite pas qu'on s'occupe de lui ! s'étrangla Quinn.

– Ça n'empêche pas qu'il soit choqué. Si tu veux obtenir des résultats avec lui, il faut en tenir compte.

– Merde.

Quinn pivota à nouveau. De nouvelles traces humides couraient sous ses yeux sur son visage rouge et blanc, souillé de sang séché et à moitié brûlé.

– Tu n'as pas vu... reprit-elle. Tu n'as pas vu Miles

là-bas avec son cœur éclaté aux quatre coins de la pièce.

– Quinnie, il n'est pas encore vraiment mort. N'est-ce pas ? Il est simplement congelé et... au mauvais endroit.

– Oh, pour ça, il est mort et bien mort. Mort et congelé. Et ça ne changera pas si on n'arrive pas à lui remettre la main dessus !

Le sang sur son treillis, coagulé dans les replis de ses mains, sur son visage, avait enfin pris une teinte brune.

Bothari-Jesek respira un bon coup.

– Concentrons-nous sur ce que nous avons à faire. La question essentielle, dans l'immédiat, est : Mark peut-il tromper le baron Fell ? Fell a déjà rencontré le vrai Miles une fois.

– C'est une des raisons pour lesquelles je n'ai pas mis Bel Thorne aux arrêts de rigueur. Bel assistait à cette entrevue. Il peut nous conseiller, j'espère...

– Oui. Et ce qui est curieux... (Elle posa une fesse sur la table, laissant une longue jambe bottée pendre dans le vide.) c'est que, choqué ou pas, Mark n'a pas fichu par terre la couverture de Miles. Il n'a pas prononcé une seule fois le nom de *Vorkosigan*.

– Non, admit Quinn.

Bothari-Jesek tordit les lèvres et se tourna à nouveau vers lui.

– Pourquoi ? s'enquit-elle soudainement.

Il se ratatina un peu plus sur son siège, essayant d'amortir l'impact de son regard.

– Je ne sais pas.

Elle attendit, implacable. Il se mit à bredouiller :

– L'habitude, j'imagine.

Oui, l'habitude qu'avait Ser Galen de le dérouiller à mort dès qu'il commettait la moindre erreur. Ah, le bon vieux temps.

– Quand je joue mon rôle, je joue mon rôle. M.. Miles n'aurait pas démoli sa couverture, alors je fais comme lui.

– Qui es-tu quand tu ne joues pas ton rôle ?

Bothari-Jesek le soupesait, le *calculait*. Et, pour la première fois, elle l'avait tutoyé.

– Je... je n'en sais rien. (Il déglutit, essaya de redonner un volume normal à sa voix.) Que va-t-il arriver à mes... aux clones ?

Comme Quinn allait répondre, Bothari-Jesek l'arrêta d'un geste.

– Que veux-tu qu'il leur arrive ?

– Je veux qu'ils soient libres. Qu'on les dépose quelque part où ils seront libres et en sécurité, là où la maison Bharaputra ne pourra pas les retrouver.

– Etrange altruisme. Je ne peux m'empêcher de m'en demander la raison. Pourquoi avoir monté toute cette opération ? Qu'espérais-tu gagner ?

Il ouvrit la bouche mais aucun son n'en sortit. Il était incapable de répondre. Il était toujours poisseux, faible et tremblant. Il avait un mal de crâne abominable, comme si le sang n'y circulait plus. Il secoua la tête.

– Peuh ! ricana Quinn. Quel minable ! C'est... c'est l'*anti*-Miles parfait. Capable de transformer une victoire en défaite.

– Quinn, fit Bothari-Jesek avec calme.

Celle-ci accepta le reproche contenu dans ce simple mot et haussa les épaules.

– J'ai la nette impression que nous sommes toutes les deux débordées par ce qui nous tombe sur le crâne. Mais, poursuivit Bothari-Jesek, je connais quelqu'un qui ne le sera pas.

– Qui ça ?

– La comtesse Vorkosigan.

– Hum, soupira Quinn. Voilà autre chose. Qui va lui dire pour...(D'un geste du pouce vers le bas, elle indiqua la planète et les funestes événements qui venaient de s'y dérouler.) Et que le ciel me vienne en aide, si je suis maintenant à la tête de toute cette flotte, je vais devoir faire mes rapports à Simon Illyan. (Un silence.) Tu ne veux pas prendre le commandement, Elena ? En tant que plus ancien officier présent, maintenant que Bel est pratiquement hors course et tout ça. J'ai donné les ordres là-bas parce que j'avais pas le choix. On était au feu.

– Tu te débrouilles parfaitement, dit Bothari-Jesek avec un petit sourire. Je te soutiendrai. Tu as toujours participé aux opérations de plus près que moi. Tu es le choix logique.

Quinn grimaça.

– Oui, je sais. Tu veux bien te charger de l'annoncer à la famille, si on en arrive là ?

– Pour ça, soupira à son tour Bothari-Jesek, je suis le choix logique. Je parlerai à la comtesse, oui.

– Marché conclu.

Mais elles semblaient toutes les deux se demander qui avait gagné ou perdu.

Le regard de Bothari-Jesek se posa de nouveau sur Mark.

– Quant aux clones... serais-tu prêt à *gagner* leur liberté ?

– Elena, la prévint Quinn, ne fais aucune promesse. Nous ne savons pas encore ce qu'il nous faudra échanger pour sortir d'ici... (Un geste vers le bas.) Pour le récupérer.

– Non, chuchota Mark. Vous n'avez pas le droit... Vous ne pouvez les renvoyer là-bas, après tout ça.

– J'ai sacrifié Phillipi, fit Quinn, lugubre. Je *te* sacrifierais sans la moindre hésitation s'*il*... Sais-tu au moins pourquoi nous avons lancé cette attaque ?

Muet, il secoua la tête.

– C'était pour toi, espèce de petite merde. L'amiral avait un marché avec le baron Bharaputra. On pouvait acheter la liberté de l'escadron vert pour un quart de million de dollars de Beta. Ça ne nous serait pas revenu plus cher que cette mission, compte tenu de tout l'équipement que nous avons perdu, en plus de la navette de Thorne. Sans parler des vies. Mais le baron refusait de t'inclure dans le lot. J'ignore pourquoi il ne voulait pas te vendre. Tu n'as aucune valeur pour personne. Mais Miles n'a pas voulu t'abandonner !

Mark contemplait ses mains qui se battaient entre

elles. Il releva les yeux pour s'apercevoir que Bothari-Jesek l'examinait comme s'il était un cryptogramme essentiel.

– L'amiral ne voulait pas abandonner son frère, fit-elle lentement, tout comme Mark ne veut pas abandonner les clones. C'est ça, hein ?

Il aurait bien dégluti mais il n'avait plus de salive.

– Tu ferais n'importe quoi pour les sauver, hein ? Tu ferais même tout ce que nous te demanderions ?

La bouche de Mark s'ouvrit et se referma. Il avait dû dire *oui*.

– Tu joueras le rôle de l'amiral pour nous ? On t'aidera, bien sûr.

Il hocha à moitié la tête mais parvint à bafouiller :

– Vous promettez... ?

– D'emmener tous les clones avec nous quand nous partirons. Nous les emmènerons quelque part hors d'atteinte de Bharaputra et des siens.

– Elena ! objecta Quinn.

Cette fois-ci, il parvint à déglutir.

– Je veux... je veux la parole de la femme de Barrayar. Votre parole, dit-il à Bothari-Jesek.

Quinn se mordit la lèvre inférieure mais ne dit rien. Après un long moment, Bothari-Jesek opina.

– D'accord. Vous avez ma parole. Mais vous nous donnerez votre totale coopération, c'est compris ?

En le vouvoyant à nouveau, elle donnait à ses paroles quelque chose d'officiel. Mais Mark hésitait encore.

– Votre parole en tant que quoi ?

– Ma parole, c'est tout.

– ... D'accord.

Quinn se dressa et le toisa des pieds à la tête.

– Mais est-il simplement capable de jouer son rôle, maintenant ?

Bothari-Jesek suivit son regard.

– Pas dans cet état, non, ça semble évident. Qu'il se lave, qu'il mange et se repose. Nous verrons alors ce qui peut être fait.

– Le baron Fell ne nous accordera peut-être pas le temps de le chouchouter.

– Nous dirons au baron qu'il est sous la douche. Ce qui sera sans doute vrai.

Une douche. *Manger.* Il était affamé au point d'avoir le ventre dur, les muscles mous. Et il avait froid.

– Tout ce que je peux dire, fit Quinn, c'est qu'il est une très pâle imitation du vrai Miles Vorkosigan.

Oui, c'est exactement ce que j'ai essayé de vous dire. Visiblement d'accord avec elle, Bothari-Jesek secoua la tête, exaspérée.

– Venez, lui dit-elle.

Elle l'accompagna dans une cabine d'officier, petite mais, Dieu merci, personnelle. La pièce était inutilisée, impersonnelle, propre, austère et l'air y sentait le rassis. Thorne devait être logé dans un endroit semblable.

– Je vais vous faire chercher des vêtements propres sur l'*Ariel*. Et de la nourriture aussi.

– La nourriture d'abord... s'il vous plaît.

– D'accord.

– Pourquoi êtes-vous si gentille avec moi ?

Sa propre voix lui semblait plaintive et suspicieuse. C'était bien ce qu'il craignait : il devait avoir l'air faible et paranoïaque.

Le visage aquilin de Bothari-Jesek se fit pensif.

– Je veux savoir... qui vous êtes. Ce que vous êtes.

Depuis qu'ils étaient seuls dans cette cabine, elle le vouvoyait à nouveau.

– Vous le savez déjà. Je suis un clone. Un clone fabriqué ici sur l'Ensemble de Jackson.

– Je ne parle pas de votre corps.

Il se voûta dans un geste de défense machinal tout en sachant que cela accentuait ses difformités.

– Vous êtes très fermé, observa-t-elle. Très solitaire. Cela ne ressemble pas du tout à Miles.

– C'est pas un homme, c'est une foule. Il se balade partout avec toute son armée. (*Sans parler de son foutu harem.*) J'imagine que ça lui plaît.

De façon inattendue, elle se mit à sourire. C'était la première fois qu'il la voyait sourire. Cela la transformait.

— Oui, ça doit lui plaire. (Le sourire s'effaça.) Ça devait lui plaire.

— Vous faites ça pour lui, n'est-ce pas ? Vous me traitez ainsi parce que vous pensez que c'est ce qu'il voudrait.

Pas à cause de lui mais toujours à cause de Miles et de sa maudite obsession pour son « frère ».

— En partie.

Et voilà.

— Mais surtout, reprit-elle, parce qu'un jour la comtesse Vorkosigan me demandera ce que j'ai fait pour son fils.

— Vous comptez l'échanger contre le baron Bharaputra, n'est-ce pas ?

Les yeux d'Elena s'assombrirent. Il n'aurait su dire s'ils étaient emplis de... pitié ou d'ironie.

— Mark... c'est de vous qu'il s'agit.

Elle tourna les talons et le laissa seul dans sa cabine verrouillée.

Il se doucha en utilisant l'eau la plus bouillante que pouvait fournir la petite cabine puis il resta de longues minutes dans le souffle d'air chaud du séchoir... jusqu'à ce que sa peau rougisse. Il cessa enfin de frissonner. Quand il émergea de la petite salle de bains, il s'aperçut qu'on lui avait apporté à manger et de quoi se vêtir. Il enfila des sous-vêtements : un T-shirt noir dendarii et un caleçon de son progéniteur qui lui arrivait aux genoux puis il attaqua son dîner. Il ne s'agissait pas cette fois-ci du menu de régime spécial Naismith mais du plateau de rations standard prêtes à consommer destinées à garder en forme un bon et solide soldat. C'était loin d'être un repas de gourmet mais, pour la première fois depuis des semaines, il avait assez à manger dans son assiette. Il dévora le tout comme si la fée improbable qui lui avait apporté tout cela risquait de revenir le lui enlever. L'estomac douloureux, il roula sur le lit et se coucha sur le côté. Il ne frissonnait plus de froid, il ne transpirait plus et se sentait moins faible. Pourtant, il avait l'impression que des vagues noires déferlaient sur lui.

Au moins, tu as sorti les clones de là.

Non. C'est Miles *qui les a sortis de là.*

Merde, merde et merde...

Ce semi-désastre n'était pas la glorieuse rédemption qu'il avait espérée. Mais qu'avait-il espéré au juste ? Malgré tous ses plans acharnés, il n'avait pas envisagé autre chose que de retourner sur Escobar avec l'*Ariel*. Sur Escobar, le sourire aux lèvres, avec les clones sous son aile. Il s'était vu face à un Miles enragé mais un Miles qui aurait dû accepter le fait accompli, qui aurait dû accepter sa victoire. Il s'était à moitié attendu qu'on l'arrête mais il se serait fait arrêter de bon cœur, en sifflotant. Qu'avait-il espéré ?

Etre enfin soulagé du remords d'être vivant ? De briser la vieille malédiction ? *Aucun de ceux que tu connaissais là-bas n'a survécu...* Voilà le motif auquel il avait cru obéir. Si jamais il avait cru quelque chose. Mais peut-être que ce n'était pas aussi simple. Il avait voulu se libérer de quelque chose... Au cours de ces deux dernières années, libéré de Ser Galen et des Komarrans grâce à Miles Vorkosigan – Miles qui lui avait aussi donné sa liberté un matin dans une rue de Londres –, il n'avait pas trouvé le bonheur auquel il avait rêvé tout au long de son esclavage parmi les terroristes. Miles n'avait brisé que les chaînes physiques qui le retenaient. Les autres, les chaînes invisibles qui comprimaient sa chair, étaient toujours là, en lui.

Qu'est-ce que tu t'imaginais ? Que si tu te montrais aussi héroïque que Miles, ils te traiteraient comme lui ? Qu'ils seraient obligés de t'aimer ?

Et qui étaient ces *ils* ? Les Dendariis ? Miles lui-même ? Ou bien, derrière Miles, ces ombres sinistres et fascinantes, le comte et la comtesse Vorkosigan ?

L'image qu'il avait des parents de Miles était brouillée, incertaine. Galen le fanatique les lui avait présentés : ses pires ennemis, des monstres, le Boucher de Komarr et sa femme virago. Pourtant, dans son souci de parfaire « l'éducation » de Mark, il les lui avait fait étudier, lui avait montré des documents inédits, leurs écrits, leurs discours publics, des vids privés. A l'évidence, les parents de Miles étaient des personnages complexes, sûrement pas des saints, mais sûrement pas non plus le sodomite baveux et sadique et la putain meurtrière que Galen maudissait en permanence dans sa paranoïa enragée. Sur les vids, le comte Aral Vorkosigan apparaissait comme un homme aux cheveux gris, lourdement charpenté avec des yeux intenses enfoncés dans un visage massif. Sa voix était riche, rauque et posée. La comtesse Cordelia Vorkosigan prenait beaucoup moins souvent la parole. C'était une femme de grande taille aux yeux gris, à la chevelure rousse, trop puissante pour qu'on la dise jolie. D'ailleurs, à strictement parler, elle n'était pas belle et pourtant, elle le paraissait.

Et voilà que Bothari-Jesek menaçait de le livrer à eux...

Il s'assit et alluma la lumière. Un rapide regard circulaire ne lui révéla rien avec quoi il pourrait se suicider. Pas d'armes ni de lames – les Dendariis l'avaient désarmé dès qu'il avait mis pied à bord. Rien à quoi il pouvait se pendre, ni corde, ni ceinture, ni crochet. Se faire bouillir dans la douche serait ridicule, la cabine était équipée d'un dispositif de sécurité : le capteur arrêterait immédiatement le jet si sa température dépassait les tolérances physiologiques. Il se recoucha.

L'image d'un petit homme hurlant des ordres dont la poitrine s'ouvrait comme une fleur pour pulvériser un jet carmin repassa devant ses yeux au ralenti. Il fut stupéfait de constater qu'il pleurait. Le choc, ce devait être le choc diagnostiqué par Bothari-Jesek. *Je haïssais cette petite punaise quand elle était vivante. Pourquoi je pleure ?* C'était absurde. Peut-être était-il en train de perdre la raison.

Deux nuits sans dormir l'avaient complètement abruti, il était pourtant incapable de trouver le sommeil à présent. Il somnolait, émergeant ou sombrant dans une mélasse cauchemardesque de rêves et de souvenirs récents. A moitié halluciné, il se vit sur un radeau en caoutchouc descendant une rivière de sang, luttant et écopant frénétiquement dans le torrent rouge. Si bien que quand Quinn vint le chercher à peine une heure plus tard, il en fut en fait soulagé.

9

– Quoi que vous fassiez, dit le capitaine Thorne, ne mentionnez pas le traitement de jouvence de Beta.

Mark fronça les sourcils.

– Quel traitement de jouvence de Beta ? Ça existe ?

– Non.

– Alors, pourquoi diable en parlerais-je ?

– Peu importe, ne le faites pas, c'est tout.

Mark serra les mâchoires, pivota sur sa chaise face au plateau du vid et régla la hauteur de son siège de façon que ses pieds soient posés à plat sur le sol. Des orteils aux cheveux, il était entièrement déguisé en Naismith. Quinn l'avait habillé comme une poupée ou comme un gamin attardé. Puis, Bothari-Jesek, Thorne et Quinn lui avaient bourré le crâne d'instructions parfois contradictoires sur la meilleure façon de jouer le rôle de Miles au cours de l'entretien à venir. *Comme si je ne le savais pas.* Les trois capitaines étaient à présent perchés sur des sièges hors de vue des coms de la console de la salle de tactique du *Peregrine*, prêts à lui souffler ses répliques grâce à un minuscule écouteur dissimulé dans son oreille. Et dire qu'il avait pris Galen pour un montreur de marionnettes. Son oreille le démangeait, il se gratta, ce qui lui valut un froncement de sourcils de Bothari-Jesek. Quinn n'avait jamais arrêté de lui faire la tête.

154

Elle portait toujours son treillis maculé de sang. Le fait d'avoir hérité du commandement dans cette débâcle ne lui avait pas permis de prendre le moindre repos. Thorne s'était lavé et changé – il avait revêtu l'uniforme gris réglementaire à bord – mais, à l'évidence, n'avait pas dormi lui non plus. Leurs deux visages étaient trop pâles dans l'ombre derrière la console, leurs traits trop marqués. En l'habillant, Quinn avait trouvé Mark trop mou, trop hébété à son goût et elle l'avait obligé à prendre un stimulant. Le résultat ne l'enchantait guère : il avait la tête trop claire, le regard trop aiguisé et le corps en miettes. Tous les contours et toutes les surfaces de la pièce lui apparaissaient avec une netteté surnaturelle. Les bruits et les voix lui sciaient les tympans, aigus et brouillés en même temps. Quinn en avait pris elle aussi, comprit-il, en la voyant grimacer quand un couinement s'éleva de la comconsole.

(Ça y est, à toi de jouer), lui dit-elle dans l'écouteur tandis que des étincelles se mettaient à danser sur le plateau. Tout le monde se tut. Les étincelles commencèrent à se ranger en bon ordre.

L'image du baron Fell se matérialisa. Lui aussi fronçait les sourcils. Georish Stauber, baron de la maison Fell, avait un aspect inhabituel pour un chef d'une grande maison jacksonienne car il avait gardé son corps originel. Le corps d'un vieil homme. Le baron était massif et rose. Son crâne dégarni brillait sous une couronne de cheveux blancs coupés court. Dans sa tunique de soie verte, il ressemblait à un elfe souffrant d'une insuffisance de la thyroïde. Mais le regard froid et pénétrant n'avait rien d'un elfe. Miles ne serait pas intimidé par la puissance d'un baron jacksonien, se rappela Mark. Il en fallait énormément plus que cela pour intimider Miles. Son père, le Boucher de Komarr, pouvait avaler les grandes maisons jacksoniennes au petit déjeuner.

Evidemment, il n'était pas Miles.

Et merde ! Je suis Miles pendant un quart d'heure.

– Ainsi, amiral, gronda le baron, nous nous retrouvons.

– Ainsi, oui.

Mark parvint à articuler cela d'une voix à peu près normale.

– Je vois que vous êtes toujours aussi présomptueux. Et toujours aussi mal informé.

– Toujours.

(Parle, bon Dieu), siffla la voix de Quinn dans son oreille.

Mark déglutit.

– Baron Fell, il n'était pas dans mes intentions de mêler la Station Fell à ce raid. Je suis aussi anxieux de décamper avec mes troupes que vous l'êtes de nous voir partir. C'est dans ce but que je requiers votre aide en tant qu'intermédiaire. Vous... n'ignorez pas, j'imagine, que nous avons kidnappé le baron Bharaputra ?

Un tic agita une des paupières de Fell.

– C'est ce qu'on m'a dit. Vous avez épuisé tous vos renforts, n'est-ce pas ?

Mark haussa les épaules.

– Croyez-vous ? La maison Fell a bien quelques comptes à régler avec la maison Bharaputra ?

– Pas exactement. La maison Fell était en train d'apurer ses comptes avec la maison Bharaputra. Ces derniers temps, nos petits différends devenaient de moins en moins profitables. Maintenant, me voilà soupçonné de complicité dans votre raid.

Ce qui ne semblait guère l'enchanter.

– Euh...

Sa réponse fut interrompue par un chuchotement de Thorne : (Dites-lui que Bharaputra est vivant et en bonne santé.)

– Le baron Bharaputra est vivant et en bonne santé. Et je suis tout à fait disposé à ce qu'il le demeure. En tant qu'intermédiaire, vous voilà donc idéalement placé pour prouver vos bonnes intentions à l'égard de la maison Bharaputra. Aidez-les à le récupérer. Je souhaite simplement l'échanger – intact – contre un certain objet puis nous disparaîtrons.

– Vous êtes optimiste, fit sèchement Fell.

Mark ne se laissa pas démonter.

– Un simple échange, avantageux pour tout le monde. Le baron contre mon clone...

(Frère), corrigèrent à l'unisson Thorne, Quinn et Bothari-Jesek dans l'écouteur.

– ... Frère, poursuivit Mark, nerveux. (Il desserra les dents.) Malheureusement, mon... frère a été tué dans la mêlée. Heureusement, il a été congelé avec succès dans une de nos cryo-chambres d'urgence. Et... malheureusement, cette cryo-chambre a été abandonnée sur place. Un vivant contre un mort. Je ne vois pas la difficulté.

Le baron émit un rire qu'il étouffa par une toux. Mark eut l'impression d'entendre un chien aboyer. Les trois visages dendariis en face de lui étaient glacés et rigides.

– Votre visite là en bas a dû être très intéressante, amiral. Que voulez-vous faire d'un clone mort ?

(Frère), corrigea Quinn à nouveau. (Miles insiste toujours.)

(Oui), la soutint Thorne. (C'est à cause de ça que je me suis rendu compte pour la première fois que vous n'étiez pas Miles. J'ai dit que vous étiez un clone et vous ne m'avez pas égorgé.)

– Un frère, répéta Mark avec lassitude. Il n'a pas été blessé à la tête et le traitement de cryogénie a été entamé immédiatement. Il a de bonnes chances de revivre.

(Seulement si on le récupère), gronda Quinn.

– J'ai un frère, remarqua le baron Fell. Il ne m'inspire pas de tels sentiments.

Je suis exactement comme vous, baron.

Thorne se manifesta. (Il parle de son demi-frère, le baron Ryoval. En fait, les problèmes entre les maisons avaient démarré entre Fell et Ryoval. Bharaputra y a été mêlé plus tard.)

Je sais qui est Ryoval, eut envie de rétorquer Mark mais c'était impossible.

– En fait, poursuivait le baron Fell, mon frère sera tout excité d'apprendre votre présence ici. Vous l'avez terriblement affaibli lors de votre dernière visite. Depuis, il en est hélas réduit à des actions de petite envergure. Laissez-moi vous suggérer de surveiller vos arrières.

– Oh ? Les agents de Ryoval opèrent donc si librement sur la Station Fell ? ronronna Mark.

Thorne approuva. (Bien joué ! Exactement le style de Miles.)

Fell se raidit.

– Sûrement pas.

Thorne murmura. (Oui, rappelez-lui que vous l'avez aidé contre son frère.)

Qu'avait bien pu fabriquer Miles ici quatre ans auparavant ?

– Baron, je vous ai aidé contre votre frère. Aidez-moi avec le mien et nous serons quittes.

– Ça m'étonnerait. Les pommes de discorde que vous avez semées derrière vous à votre dernière visite nous restent encore en travers de la gorge à tous. Ceci dit... il est vrai que vous avez infligé à Ry une punition plus sévère que je n'aurais pu le faire. (Y avait-il une petite lueur d'approbation dans son regard ? Fell se massa le menton qui avait lui aussi la forme d'une pomme.) Voilà pourquoi je vais vous donner un jour pour régler votre affaire et partir.

– Vous servirez d'intermédiaire ?

– Oui. Ça me permettra de garder les deux parties à l'œil.

Mark donna la localisation approximative de la cryo-chambre, sa description et son numéro de série.

– Dites aux Bharaputrans que nous pensons qu'elle a pu être cachée ou camouflée d'une manière ou d'une autre. S'il vous plaît, insistez sur le fait que nous souhaitons la récupérer en bon état. Il en ira de même avec leur baron.

(Bien), l'encouragea Bothari-Jesek. (Qu'ils sachent qu'elle a trop de valeur pour être détruite sans qu'ils se doutent qu'ils pourraient nous soutirer une rançon.)

Fell pinçait ses lèvres.

– Amiral, vous êtes un homme brillant mais j'ai l'impression que vous ne vous rendez pas compte comment nous traitons nos affaires dans l'Ensemble de Jackson.

– Ce qui n'est pas votre cas, baron. Voilà pourquoi nous aimerions vous avoir de notre côté.

– Je ne suis pas de votre côté. Voilà une première chose que vous ne comprenez pas.

Mark hocha la tête, lentement. *C'est ce qu'aurait fait Miles*, pensait-il. L'attitude de Fell était bizarre. Vaguement hostile. *Pourtant, on dirait qu'il me respecte.*

Non. Il respectait *Miles*. *Merde.*

– Votre neutralité me suffira amplement.

Fell lui adressa un regard aigu.

– Et les autres clones ?

– Que voulez-vous dire ?

– La maison Bharaputra s'intéressera à eux.

– Ils n'entrent pas dans cette transaction. La vie de Vasa Luigi devrait largement leur suffire.

– Oui, le marché semble inégal. En quoi votre ex-clone a-t-il autant de valeur ?

Trois voix s'élevèrent en chœur. (Frère !) Mark extirpa l'écouteur de son oreille et le fracassa sur le plateau. Quinn faillit s'étrangler.

– Je ne puis échanger des bouts du baron Bharaputra, rétorqua Mark. Même si la tentation est de plus en plus grande.

Le baron Fell leva une grosse main apaisante.

– Du calme, amiral. Je doute qu'il soit nécessaire d'aller aussi loin.

– Je l'espère. (Mark tremblait.) Ce serait désolant si je devais le renvoyer chez lui sans son cerveau. Comme les clones.

Apparemment, le baron Fell fut pleinement

convaincu de la sincérité de cette menace car il leva les deux mains.

– Je vais voir ce que je peux faire, amiral.

– Merci, murmura Mark.

Le baron hocha la tête. Son image se dissipa. Par un étrange effet de l'holovid ou bien du stimulant, les yeux semblèrent flotter dans l'air un peu plus longtemps. Mark resta figé jusqu'à ce qu'il soit certain qu'ils avaient disparu.

– Bon, fit Bothari-Jesek, visiblement surprise, vous vous êtes plutôt bien débrouillé.

Il ne prit pas la peine de répondre à ça.

– Intéressant, dit Thorne. Pourquoi Fell n'a-t-il pas exigé une commission ou un service ?

– Pouvons-nous lui faire confiance ? demanda Bothari-Jesek.

Quinn se passa l'index entre deux rangées de dents très blanches.

– Confiance, sûrement pas. Mais nous avons besoin de sa coopération pour utiliser le point de saut numéro Cinq. Nous ne devons pas l'offenser, en tout cas pas pour des questions d'argent. Je pensais que notre petite descente chez Bharaputra l'aurait ravi mais la situation stratégique semble avoir changé depuis notre dernière visite, Bel.

L'hermaphrodite soupira en signe d'acquiescement.

Quinn reprit la parole.

– Je veux que tu nous trouves le maximum d'informations sur ce qui se passe ici : relations entre les maisons, rapports de puissance, tout ce qui pourrait nous aider. Occupe-toi de Fell, Bharaputra, Ryoval et de tous ceux auxquels nous ne pensons pas encore. Il y a quelque chose dans cette histoire qui me rend complètement parano. Mais c'est peut-être les drogues que j'ai avalées. Et je suis trop crevée pour avoir les idées claires.

– Je vais voir ce que je peux faire, fit Thorne.

Dès que la porte se fut refermée derrière lui, Bothari-Jesek se tourna vers Quinn.

– Tu as transmis un rapport sur tout ça à Barrayar ?

– Non.

– *Rien* du tout ?

– Non. Je ne tiens pas à envoyer ça même codé par les canaux commerciaux. Illyan possède sûrement des agents postés ici mais je ne les connais pas et je n'ai aucun moyen de les contacter. Miles aurait su... Et puis...

– Et puis ?

Bothari-Jesek haussa un sourcil.

– Et puis j'aimerais foutrement récupérer cette cryo-chambre avant.

– Pour la glisser sous la porte avec ton rapport ? Quinnie, il n'y a pas la place.

Pour se défendre, Quinn haussa une épaule.

Au bout d'un moment, Bothari-Jesek se porta à son secours.

– Je suis d'accord avec toi qu'il ne faut rien envoyer par le courrier jacksonien.

– D'après Illyan, il est infesté d'espions et pas seulement ceux des grandes maisons se surveillant l'une l'autre. De toute manière, en un jour, il n'y a rien que Barrayar puisse faire pour nous.

– Combien de temps... (Mark ravala sa salive.) Combien de temps vais-je devoir me faire passer pour Miles ?

– J'en sais rien ! répliqua Quinn brutalement avant de faire un effort pour se maîtriser. Un jour, une semaine, deux semaines... en tout cas, jusqu'à ce qu'on puisse te remettre ainsi que la cryo-chambre au Q.G. des affaires galactiques de la SecImp sur Komarr. A ce moment-là, ce ne sera plus mon affaire.

– Et vous vous imaginez que vous allez garder votre petit secret bien tranquillement ? s'enquit Mark, méprisant. Des douzaines de gens savent ce qui s'est vraiment passé.

– « On peut garder un secret à deux, si l'un des deux est mort », cita Quinn avec un rictus. Je n'en sais rien. Les Dendariis se tairont, ils ont de la discipline. Quant aux clones, ils sont interdits de communication. De toute manière, on sera tous coincés dans ce vaisseau jusqu'à Komarr. Après, on verra.

– Je veux voir mes... les... mes clones. Ce que vous avez fait d'eux, demanda soudain Mark.

Quinn était sur le point d'exploser mais Bothari-Jesek intervint.

– Je l'emmène en bas, Quinnie. Moi aussi, j'ai envie de jeter un coup d'œil à mes passagers.

– Ouais... à condition que tu le ramènes dans sa cabine après. Et poste un garde à sa porte. On ne peut pas lui permettre de se balader dans le navire.

– D'accord.

Bothari-Jesek l'éjecta de la pièce avant que Quinn ne décide qu'il fallait aussi le ligoter et le bâillonner.

Les clones avaient été hébergés dans trois cales à marchandises débarrassées en hâte. Deux étaient assignées aux garçons et l'une aux filles. Mark se pencha pour franchir une porte à la suite de Bothari-Jesek et contempla la pièce autour de lui. Trois rangées de lits de camp emplissaient tout l'espace. Des latrines de campagne étaient fixées dans un coin et une cabine de douche dans l'autre. Oui, on veillait à ce que les clones ne se promènent pas dans le navire. L'endroit, mi-prison, mi-camp de réfugiés, était surpeuplé. Quand il s'engagea dans une rangée entre les lits de camp, les visages des garçons se levèrent vers lui. Des visages hantés de prisonniers.

Je vous ai libérés, bon sang. Vous rendez-vous compte que je vous ai libérés ?

A la vérité, cette libération avait été pénible. Durant cette hideuse nuit de siège, les Dendariis avaient abusé des pires menaces pour garder le contrôle de la situation. Certains clones, épuisés, dormaient maintenant. Ceux qui avaient reçu une décharge de neutralisateur se réveillaient malades et désorientés. Une medic dendarii circulait parmi eux, leur administrant de la synergine et des paroles apaisantes. Tout était...

sous contrôle. Ils étaient silencieux, comme étouffés. Pas jubilants ni reconnaissants. *S'ils ont cru nos menaces, pourquoi ne croient-ils pas nos promesses ?* Même ceux qui avaient coopéré avec enthousiasme dans l'excitation du combat le fixaient à présent avec un air suspicieux.

Le garçon blond était l'un d'entre eux. Mark s'arrêta près de sa couche. Bothari-Jesek attendit, les observant.

– Tout cela, fit Mark avec un geste vague pour désigner la pièce, est temporaire, vous savez. Tout ira bien mieux, bientôt. Nous allons vous sortir d'ici.

Le garçon, appuyé sur son coude, eut un infime geste de recul. Il se mâchait les lèvres.

– Lequel êtes-vous ? demanda-t-il, méfiant.

Le vivant, voulut-il répondre mais il n'osa pas devant Bothari-Jesek. Elle risquait de prendre cela pour de la désinvolture.

– Peu importe. Nous allons quand même vous sortir d'ici.

Etait-ce la vérité ? Il n'avait aucun pouvoir sur les Dendariis maintenant, et encore moins sur Barrayar si telle était effectivement leur nouvelle destination comme l'avait annoncé Quinn. Une accablante déprime le submergea tandis qu'il suivait Bothari-Jesek dans le quartier des filles de l'autre côté du couloir.

L'installation était identique : lits de camp, latrines et douche mais, avec quinze filles seulement, l'endroit paraissait plus accueillant, moins surpeuplé. Un Dendarii faisait passer alentour des repas emballés. Tout autour, les filles se rassemblaient, positives et intéressées. Il s'agissait du sergent Taura. Sa silhouette, même vue de dos, était trop reconnaissable. Elle portait la tenue grise réglementaire et était assise en tailleur afin de réduire sa taille intimidante. Les filles, triomphant de leur peur, se glissaient jusqu'à elle et même la touchaient avec une évidente fascination. Taura était la seule parmi tous les Dendariis qui n'avait jamais – même dans les pires moments

– adressé aux clones autre chose que des requêtes polies. A présent, on aurait dit l'héroïne d'un conte de fées essayant de domestiquer des animaux sauvages.

Et elle y parvenait. Alors que Mark approchait, deux filles se glissèrent derrière le sergent pour le dévisager à l'abri de ces larges épaules. Taura ne parut pas enchantée de le voir et consulta Bothari-Jesek du regard. *Ça va. Il est avec moi.*

– Je... je suis surpris de vous voir ici, sergent, parvint-il à articuler.

– Je me suis portée volontaire pour le baby-sitting, gronda Taura. Je voulais pas qu'on les embête.

– Vous... vous pensez que cela... pourrait arriver ?

Quinze belles jeunes vierges... oui, pourquoi pas. *Toi aussi, tu es vierge,* fit une voix aigrelette sous son crâne.

– Pas maintenant, dit Bothari-Jesek avec fermeté.

– Bien, fit-il faiblement.

Il circula un moment parmi les lits de fortune. Etant donné les circonstances, tout ceci était aussi sécurisant et confortable que possible. Il aperçut la petite clone aux cheveux platine, endormie sur le côté. Les molles masses de son corps sculpté jaillissaient de sa tunique rose. Embarrassé par sa propre fascination, il s'agenouilla et tira la couverture jusque sous son menton. Malgré lui, sa main frôla une mèche de cheveux soyeux au passage. En proie à une culpabilité gênante, il demanda à Taura :

– Elle a eu une dose de synergine ?

– Oui. Vaut mieux qu'elle dorme. Ça ira mieux au réveil.

Il prit l'un des plateaux-repas scellé dans son emballage et le posa près du visage de la blonde. Son souffle était calme et régulier. Il ne pouvait pas faire grand-chose de plus. Il se redressa pour voir l'Eurasienne qui le contemplait, moqueuse et lubrique. Il détourna les yeux.

Bothari- Jesek acheva son inspection et sortit. Il la

suivit. Elle s'adressa à un garde armé d'un neutralisateur dans le couloir.

– ... dispersion maximale, disait-elle. Tirez d'abord, vous poserez les questions après. Ils sont tous jeunes et en bonne santé, vous n'avez donc pas à vous soucier de problèmes cardiaques ou autres avec eux. Mais ça m'étonnerait qu'ils vous posent trop de problèmes.

– Il y a une exception, intervint Mark. Cette fille aux cheveux noirs, mince, très jolie... Il semble qu'elle ait subi un conditionnement spécial. Elle a l'air un peu... dérangée. Faites attention à elle.

– Oui, monsieur, répondit machinalement le soldat avant de se reprendre et de consulter Bothari-Jesek du regard. Euh...

– Le sergent Taura est du même avis sur cette fille, fit Bothari-Jesek. De toute manière, je veux qu'aucun d'entre eux ne se promène sur mon navire. Ils n'ont reçu aucun entraînement. Leur ignorance pourrait être aussi dangereuse que de la malveillance. Vous n'êtes pas là pour faire de la figuration. Soyez sur vos gardes.

Ils échangèrent un salut. Le soldat, maîtrisant ses réflexes, se débrouilla pour ne pas inclure Mark dans son geste courtois. Celui-ci se mit à trotter pour rester à hauteur de Bothari-Jesek.

– Eh bien, fit-elle au bout d'un moment, la façon dont nous traitons vos clones reçoit-elle votre approbation ?

Il n'aurait su dire si elle était ironique.

– J'imagine qu'on ne peut guère faire plus pour l'instant. (Il se mordit la langue mais en vain : il explosa.) Bon sang, c'est pas juste !

Sans ralentir l'allure, Bothari-Jesek haussa les sourcils.

– Qu'est-ce qui n'est pas juste ?

– J'ai *sauvé* ces gosses... ou nous l'avons fait, vous l'avez fait... et ils se comportent comme si nous étions des salauds, des kidnappeurs, des monstres. Ils ne sont pas heureux du tout.

– Il faudra sans doute vous contenter de les avoir sauvés. Exiger que cela les rende heureux, c'est peut-être un peu trop demander... mon cher petit héros.

Cette fois-ci, son ton était sans aucun doute ironique mais néanmoins étrangement dépourvu de mépris.

– Ils pourraient au moins se montrer un peu reconnaissants. Nous croire. Se rendre compte. Nous témoigner... je ne sais pas...

– De la confiance ? dit-elle d'une voix calme.

– Oui, de la confiance ! Au moins de la part de certains d'entre eux. Est-ce qu'ils ne se rendent pas compte que nous sommes comme eux ?

– Ils ont subi une épreuve assez traumatisante. A votre place, je n'en espérerais pas tant. En tout cas, pas avant qu'ils aient vu en quoi leur sort allait s'améliorer. (Elle s'interrompit un moment puis se retourna brusquement vers lui.) Mais si vous y parvenez... si vous parvenez à ce qu'un gosse stupide, ignorant, traumatisé et paranoïaque vous fasse confiance, dites-le à Miles. Il a un urgent besoin de savoir comment s'y prendre.

Mark se figea, interloqué.

– Vous... vous parlez de moi ? s'enquit-il, la bouche sèche.

Avec un sourire amer, gênant, elle lança un regard par-dessus son épaule dans le couloir vide.

– Vous êtes chez vous. (Elle indiqua la porte de sa cabine.) Restez-y.

Il put enfin dormir même si quand Quinn le réveilla il trouva que ce n'était pas assez. Il n'aurait su dire si elle avait dormi ne serait-ce que quelques minutes mais elle s'était enfin changée et lavée. Il s'était vaguement imaginé qu'elle s'était fait le vœu de garder sa tenue de combat maculée de sang jusqu'à ce qu'ils retrouvent la cryo-chambre. Malgré son uniforme propre, il émanait d'elle un malaise et une nervosité dérangeants. Elle avait les yeux rouges.

– Debout, grogna-t-elle. Il faut que tu parles à Fell

encore une fois. Il me fait lanterner. Je me demande s'il n'est pas complice des Bharaputrans. J'y comprends rien, ça n'aurait aucun sens.

Elle le traîna à nouveau dans la salle de tactique mais cette fois préféra ne pas compter sur l'écouteur et se posta, agressive, à son coude. Pour un œil extérieur, c'était là la place d'un garde du corps et d'un fidèle chef des opérations. Mark, quant à lui, se disait qu'elle était idéalement placée pour l'attraper par les cheveux et lui trancher la gorge.

Le capitaine Bothari-Jesek se trouvait là, lui aussi, occupant la même place que lors de la précédente communication avec Fell, calme et attentive. La fébrilité de Quinn l'inquiétait visiblement mais elle ne dit rien.

Le visage de Fell apparut sur le plateau, plus rose que jamais. Ce n'était pas un rose de bonne chair ou de joyeuse humeur mais un rose de fureur.

– Amiral Naismith, j'ai dit au capitaine Quinn que si j'avais des renseignements précis, c'est à vous que j'en rendrai compte.

– Baron, le capitaine Quinn est... à mon service. Je vous prie d'excuser son impatience. Elle ne fait que refléter loyalement mes propres... anxiétés. (Le vocabulaire fleuri de Miles coulait naturellement de sa bouche comme du miel. Les doigts de Quinn lui mordirent cruellement l'épaule : avertissement silencieux et douloureux pour qu'il ne se laisse pas emporter trop loin.) Auriez-vous... comment dire... quelque renseignement imprécis à nous communiquer ?

Fell se renfonça dans son siège, grimaçant mais apaisé.

– Soyons brefs : les Bharaputrans disent qu'ils ne retrouvent pas votre cryo-chambre.

– Elle ne peut pas ne pas y être, siffla Quinn.

– Allons, allons, Quinnie, fit Mark en lui tapotant la main.

Cinq vis lui trouvèrent l'épaule. Les narines de Quinn frémirent, meurtrières, mais elle offrit un mince sourire à l'holovid. Mark se retourna vers Fell.

– Baron... selon vous, les Bharaputrans mentent-ils ?

– Je ne le pense pas.

– Disposeriez-vous de moyens indépendants pour corroborer cette opinion ? Disons, des agents sur place ou quelque chose de ce genre ?

Les lèvres du baron se tordirent.

– Vraiment, amiral, je ne puis vous le dire.

Evidemment.

Il se massa le visage : le geste indiquant la réflexion chez Naismith.

– Pouvez-vous nous dire quelque chose de particulier sur ce que font les Bharaputrans actuellement ?

– Ils sont en train de mettre leur complexe médical sens dessus dessous. Tous les employés, toutes les forces de sécurité envoyées pour affronter votre raid sont utilisés à cette tâche.

– Pourrait-il s'agir d'une gigantesque feinte destinée à nous tromper ?

Une hésitation du baron.

– Non, dit-il enfin. Ils fouillent vraiment. Les moindres recoins. Vous rendez-vous compte... (une aspiration et il se décida :) des conséquences du kidnapping du baron Bharaputra sur l'équilibre des forces au sein des grandes maisons ? Si, par malheur, cette... disparition venait à durer...

– Non, quelles sont-elles ?

Le baron haussa le menton. Il étudia avec attention le visage de Mark y cherchant des signes de sarcasme. Les rides sur son front se creusèrent.

– Vous devez comprendre que la valeur de votre otage diminuera avec le temps. Un vide au sommet d'une grande maison – ou d'une maison mineure – ne peut durer trop longtemps. Il y a toujours des factions, des hommes plus jeunes qui attendent, peut-être en secret, le bon moment pour s'installer sur le trône. Même en supposant que Lotus parvienne à convaincre le plus fidèle lieutenant de Vasa Luigi de lui garder sa place... celui-ci ne tardera pas à comprendre que le retour de son maître lui vaudra une récompense et la rétrogradation à son rang antérieur. Une grande maison est comme l'hydre de la mythologie. Coupez-lui la tête, il en pousse sept autres... qui aussitôt essayent de se dévorer les unes les autres. Au bout du compte, il n'en reste qu'une. Mais, dans l'intervalle, la maison est affaiblie et toutes ses alliances sont mises en doute. Ce tumulte est contagieux, de façon centrifuge, et risque de contaminer les maisons voisines. De tels changements abrupts ne sont pas les bienvenus ici. Pour personne.

Et encore moins pour le baron Fell, songea Mark.

– Sauf peut-être pour certains de vos jeunes lieutenants, suggéra Mark.

Un revers de la main de Fell chassa ces jeunes coqs. Ce geste était éloquent : s'ils voulaient le pouvoir, ils pouvaient comploter, trahir et tuer autant qu'ils le désiraient, tout comme lui l'avait fait. A leurs risques et périls.

– Eh bien, je n'ai nullement l'envie de garder le baron Bharaputra jusqu'à l'âge de la retraite, fit Mark. Il n'a aucune utilité pour moi, en dehors du contexte présent. Demandez, s'il vous plaît, aux Bharaputrans d'accélérer les recherches concernant mon frère.

– Ils n'ont pas besoin qu'on le leur demande. (Fell le dévisageait froidement.) Comprenez, amiral, que si cette... situation n'évolue pas rapidement de façon satisfaisante, la Station Fell ne sera plus en mesure de vous abriter.

– Heu... qu'entendez-vous par rapidement ?

– Très bientôt. D'ici un autre jour-cycle.

La Station Fell disposait sûrement d'assez de puissance pour chasser quand ça lui chantait les deux petits navires dendariis. Et chasser était l'option la plus optimiste.

– C'est compris. Euh... et à propos de l'accès au point de saut numéro Cinq ?

Si les choses empiraient...

– Cela exigera peut-être un nouvel accord.

– Un accord de quelle sorte ?

– Si vous détenez toujours votre otage... je ne tiens pas à ce que vous emmeniez Vasa Luigi hors de l'espace local jacksonien. Et je suis en position de veiller à ce que cela n'arrive pas.

Le poing de Quinn s'écrasa sur le plateau.

– Non ! s'écria-t-elle. Pas question ! Le baron Bharaputra est la seule carte dont nous disposons pour récupérer Mmmm... pour récupérer la cryo-chambre. Nous ne le donnerons pas !

Fell se raidit.

– Capitaine ! fit-il sur un ton de reproche.

– Si on nous force à partir, nous l'emmènerons avec nous, menaça Quinn, et vous pouvez tous aller vous faire pendre ailleurs. Nous pourrons même vous l'expédier à travers le point de saut sans combinaison pressurisée. Si nous ne récupérons pas cette cryo-chambre... Nous avons d'autres alliés plus puissants que vous. Et beaucoup moins inhibés. Ils se fichent pas mal de vos profits, de vos alliances et de votre équilibre. La seule question qu'ils se poseront c'est s'il faut brûler cette planète en commençant par le pôle Sud ou le pôle Nord !

Fell eut un rictus furieux.

– Ne soyez pas absurde, capitaine Quinn. Vous parlez d'une puissance planétaire.

Quinn se pencha vers le micro et gronda :

– Baron, je parle d'une puissance *multiplanétaire* !

Bothari-Jesek sursauta et fit le geste de se trancher la gorge. *Quinn, la ferme !*

Les yeux de Fell devinrent vitreux et luisants.

– Vous bluffez, fit-il enfin.

– Je ne bluffe pas. Et vous feriez bien de me croire !

– Personne ne ferait cela pour un seul homme. Et encore moins pour un cadavre.

Quinn hésita. La main de Mark serra la sienne toujours plantée dans son épaule. *Maîtrisez-vous, bon sang.* Elle était sur le point de révéler l'identité du cadavre. Et dire que, pour ça, elle l'avait menacé de mort.

– Vous avez peut-être raison, baron, dit-elle finalement. Priez pour avoir raison.

Après un long silence, Fell demanda :

– Et qui est au juste cet allié si peu inhibé, amiral ?

Observant une pause aussi longue, Mark leva les yeux et annonça d'une voix douce :

– Le capitaine Quinn bluffait, baron.

Fell les gratifia d'un sourire glacial.

– La vérité est un mensonge, dit-il doucement.

Sa main bougea pour éteindre le comm. Son image disparut dans l'habituel brouillard d'étincelles. Cette fois-ci, ce fut son sourire glacial qui parut s'attarder. Un sourire sans visage.

– Bien joué, Quinn, ricana Mark dans le silence. Vous venez de lui expliquer la valeur de cette cryochambre. Il a peut-être même compris pour qui nous travaillons. A présent, nous avons deux ennemis.

Quinn respirait avec difficulté, comme si elle venait de courir.

– Il est notre ennemi, pas notre ami. Fell ne sert que Fell. Ne l'oubliez pas, lui ne l'oubliera pas.

– Mais mentait-il ou bien ne faisait-il que répéter les mensonges des Bharaputrans ? s'enquit lentement Bothari-Jesek. Quel bénéfice pourrait-il retirer de tout ceci ?

– Et s'ils mentaient tous ? fit Quinn.

– Et si personne ne mentait ? demanda Mark avec irritation. Y avez-vous réfléchi ? Rappelez-vous ce que Norwood...

Le bip du comm l'interrompit. Quinn brancha la console.

– Quinn, c'est Bel. Ce contact que j'ai trouvé est d'accord pour nous rencontrer sur le quai près de l'*Ariel*. Si tu veux assister à l'entrevue, tu ferais bien de te ramener en vitesse.

– Oui, d'accord, j'arrive. Quinn, terminé. (Elle pivota, hagarde, et se dirigea vers la porte.) Elena, veille à ce qu'*il*... (un geste du pouce) reste confiné dans ses quartiers.

– Ouais, mais après cet entretien avec Bel, essaye

de te reposer un peu, Quinnie, hein ? Tu es au bord de la rupture. Tu as failli tout gâcher tout à l'heure.

Quinn les abandonna avec un geste ambigu : elle reconnaissait sa fatigue mais ne faisait aucune promesse. Bothari-Jesek brancha la console et donna quelques ordres.

Mark se leva pour errer dans la salle de tactique, les mains prudemment enfoncées dans ses poches. Une douzaine de consoles à hologrammes, d'analyseurs en temps réel attendaient là, muets et noirs. Tous les systèmes de communication et de codes restaient silencieux. Il s'imagina ce centre tactique en pleine activité, illuminé et chaotique, décortiquant la bataille. Il eut la vision du feu ennemi faisant éclater le navire comme une noix, toute vie à l'intérieur cramée, réduite en bouillie ou bien éjectée dans le vide spatial. Ce qui pourrait fort bien arriver aux abords du point Cinq si la maison Fell se décidait à les attaquer. Une écœurante nausée le saisit, il frissonna.

Il s'immobilisa devant la porte scellée de la salle de conférence. Bothari-Jesek donnait toujours ses instructions dans un micro. Il l'entendit vaguement parler des forces de sécurité postées autour du navire sur l'embarcadère. Curieux, il posa sa paume sur la serrure à empreinte. Il fut surpris de voir la porte s'ouvrir. Quelqu'un allait avoir à retoucher quelques programmes si le centre nerveux dendarii acceptait un mort en son sein. Et ce quelqu'un allait avoir pas mal de boulot car Miles avait sûrement tout arrangé pour pouvoir se balader dans son navire sans la moindre entrave. Ce serait bien son style.

Bothari-Jesek leva les yeux mais ne dit rien. Prenant cela pour une permission tacite, Mark pénétra dans la salle de conférence et contourna la grande table. Les lumières s'allumaient pour lui à mesure qu'il avançait. Les paroles de Thorne, prononcées ici, lui revinrent en mémoire. *Norwood a dit : même sans nous, l'amiral sortira d'ici.* Les Dendariis avaient-ils examiné les enregistrements de la mission avec assez de soin ? Quelqu'un avait sûrement dû se les repasser plusieurs fois. Que pouvait-il voir qu'ils n'avaient pas vu ? Ils connaissaient leurs hommes, leur équipement. *Mais je connais le complexe médical. Je connais l'Ensemble de Jackson.*

Jusqu'où sa paume le conduirait-elle ? Il se glissa dans la chaise de Quinn. Cette fois-ci, il ne fut pas étonné de voir les machines ronronner sous ses doigts comme jamais aucune femme ne l'avait fait. Il trouva les enregistrements de la mission. Celui de Norwood était perdu mais Tonkin l'avait accompagné pratiquement tout le temps. Qu'avait vu Tonkin ? Pas des spaghettis colorés sur un hologramme mais des choses réelles avec ses propres yeux ; il avait entendu des bruits réels avec ses propres oreilles. Cela était-il enregistré quelque part ? Les casques de commandement disposaient de ce système, si les casques des soldats étaient aussi bien équipés... ah-ah. L'enregistrement vidéo et audio de Tonkin se mit à défiler sous ses yeux fascinés.

Essayer de les suivre lui donna aussitôt la migraine. Ça n'avait rien d'un holovid joliment filmé avec de beaux mouvements parfaitement coordonnés, etc. Les images bougeaient et sautaient suivant les mouvements de la tête du possesseur du casque. Il ralentit le défilement pour se voir sortir du tube de descente : un petit bonhomme agité, en treillis gris, les yeux luisants. *Je ressemble vraiment à ça ?* Les difformités de son corps étaient moins apparentes qu'il l'aurait cru sous ces vêtements amples.

Il s'assit derrière les yeux de Tonkin et marcha avec lui à travers le dédale de couloirs et autres tunnels serpentant sous les bâtiments du complexe. Il le suivit jusqu'au feu d'artifice final. Thorne avait cité Norwood avec exactitude. Ses paroles étaient là, gravées dans le vid. Mais il s'était trompé sur le temps. Norwood avait disparu pendant onze minutes si l'on se fiait à l'imperturbable horloge du casque. Quand il réapparaissait, congestionné, haletant, son rire éclata dans les haut-parleurs. Quelques instants plus tard, la grenade explosait. Mark faillit plonger sous la console puis il s'examina comme s'il s'attendait à être à nouveau aspergé de sang et de chair humaine. Par réflexe de défense, il avait débranché la console.

S'il y a un indice, ce doit être avant. Il repassa le programme depuis leur séparation à côté du tube de descente. A la troisième fois, il le ralentit et le fit dérouler pas par pas, examinant chaque détail à chaque image. Cette recherche patiente, cette immersion méticuleuse était presque plaisante. Rien que de petits détails... on pouvait se perdre, s'oublier enfin... dans les petits détails.

– *Gagné.*

C'était passé si vite que si on visionnait le programme à vitesse normale, ce devait être une image subliminale. Un infime coup d'œil vers un panneau au mur à un croisement. Une flèche et les mots *Réceptions et Expéditions.*

Il leva les yeux pour s'apercevoir que Bothari-Jesek l'observait. Depuis combien de temps était-elle assise là, affalée, ses longues jambes croisées aux chevilles, ses longs doigts noués ?

– Qu'avez-vous gagné ? demanda-t-elle calmement.

Il rappela l'hologramme des bâtiments fantomatiques où les lignes de Norwood et de Tonkin étaient allumées.

– Pas ici, montra-t-il, mais *là.*

Il marqua un complexe situé bien à l'écart de la route empruntée par les Dendariis avec la cryo-chambre.

– C'est là qu'est allé Norwood. A travers ce tunnel. J'en suis sûr ! Je connais cet endroit... j'ai traîné dans tout ce bâtiment. Bon sang, j'avais l'habitude d'y jouer à cache-cache jusqu'à ce que les baby-sitters viennent nous chercher. Je le vois dans ma tête aussi bien que si j'avais l'enregistrement de Norwood là sur la table. Il a emporté la cryo-chambre au département des Réceptions et Expéditions et il l'a *expédiée* !

Bothari-Jesek se redressa.

– Est-ce possible ? Il a eu si peu de temps !

– Pas simplement possible. Facile ! La chaîne

174

d'emballage et de préparation est entièrement automatisée. Tout ce qu'il a eu à faire, c'est de placer la cryo-chambre dans le caisson de départ et d'actionner la commande. Les robots ont ensuite emporté le paquet. Il y a beaucoup d'activité là-bas : ils reçoivent sans arrêt des fournitures pour le complexe et ils envoient de tout. Ça va des disques de données à des organes ou des membres congelés pour des transplantations, des fœtus artificiels ou bien des équipements d'urgence pour des équipes de recherche et de développement. Comme par exemple des cryo-chambres. Des tas de trucs ! Ce centre fonctionne vingt-quatre heures sur vingt-quatre et il a certainement dû être évacué quand nous avons débarqué. Pendant que l'emballage était effectué, Norwood a largement eu le temps d'enregistrer l'expédition à bord d'un navire. Il a attendu qu'un robot de transport vienne prendre son paquet et, s'il était aussi malin que je le pense, il a effacé toute trace de l'expédition sur l'ordinateur. Puis il a couru comme un fou rejoindre Tonkin.

– Alors, la cryo-chambre se trouve encore quelque part sur un quai d'embarquement là en bas ! Attendez que je le dise à Quinn ! J'imagine qu'il vaut mieux dire aux Bharaputrans où orienter leurs...

Il leva une main.

– Je... je pense...

Elle le contempla et retomba sur sa chaise, les yeux plissés.

– Quoi ?

– Cela fait presque un jour entier depuis que nous sommes partis et plus d'une demi-journée que nous avons demandé aux Bharaputrans de chercher la cryo-chambre. Si elle était encore sur un quai, ils l'auraient déjà trouvée. Le système d'expéditions automatiques est *efficace*. Je crois que la cryo-chambre est déjà partie, peut-être même dès la première heure. Je crois que les Bharaputrans et Fell nous disent la vérité. Ils doivent être en train de devenir cinglés. Non seulement il n'y a pas de cryo-chambre là-bas mais, en plus, il n'y a aucune trace d'elle !

A mesure qu'il parlait, Bothari-Jesek se raidissait.

— Nous ne sommes pas mieux lotis ! Seigneur... Si vous avez raison... elle peut être n'importe où. Expédiée sur n'importe laquelle des deux douzaines de stations de transfert orbital... Elle a même peut-être fait un *saut* à l'heure qu'il est ! Simon Illyan va avoir une attaque quand on va lui annoncer ça.

— Non. Pas n'importe où, corrigea Mark avec force. Elle n'a pu être envoyée que dans un endroit que connaissait le medic Norwood. Un endroit dont il se souvenait encore alors qu'il était dans une situation très critique.

Elle se mordit les lèvres, considérant ce point d'un air sceptique.

— D'accord, dit-elle enfin. Presque n'importe où. Mais on peut au moins commencer à jouer aux devinettes en examinant le dossier personnel de Norwood. (Elle le considéra soudain avec un air grave.) Vous savez, vous vous débrouillez plutôt bien seul, dans une pièce tranquille. Vous n'êtes pas stupide. D'ailleurs, je ne comprenais pas comment vous pouviez l'être. Simplement, vous n'êtes pas un officier de combat.

— Je ne suis pas un officier, un point c'est tout. Je hais l'armée et tout ce qui a un rapport avec les militaires.

— Miles adore ça. Le front, la première ligne. Il est shooté à l'adrénaline.

— Je déteste ça. Je déteste avoir peur. Je n'arrive pas à réfléchir quand j'ai peur. Je me pétrifie sur place quand on me crie après.

— Et pourtant, vous *savez* réfléchir... Avez-vous souvent peur ?

— La plupart du temps, admit-il, morose.

— Alors, pourquoi... (Elle hésita comme si elle cherchait ses mots très soigneusement.)... Pourquoi essayez-vous encore d'être Miles ?

— Ce n'est pas moi, c'est vous qui me faites jouer son rôle !

– Je ne parlais pas de maintenant. Je pensais en général.

– Je ne vois vraiment pas de quoi vous voulez parler.

10

Vingt heures plus tard, les deux navires dendariis se séparèrent de la Station Fell et se dirigèrent vers le point de saut numéro Cinq. Ils n'étaient pas seuls. Une escorte d'une demi-douzaine de vaisseaux de la sécurité de la maison Fell les accompagnait. Les navires de Fell étaient des bâtiments de guerre locale ; ils n'étaient pas équipés de tringle de Necklin, n'avaient pas la capacité d'effectuer des sauts. La puissance ainsi économisée était affectée à un formidable armement. Des vaisseaux-muscles.

Le convoi était filé à distance discrète par un croiseur bharaputran qui tenait plus du yacht que du navire de guerre. Il était là pour accueillir le transfert final du baron Bharaputra, qui aurait lieu comme prévu aux abords du point de saut. Malheureusement, la cryo-chambre de Miles ne se trouvait pas à son bord.

Quinn avait failli faire une dépression nerveuse, avant d'accepter l'inévitable. Bothari-Jesek l'avait collée au mur lors de leur dernière conférence privée dans la salle de conférence.

– Je n'abandonnerai pas Miles ! grondait Quinn. Je jetterai dans le vide ce salaud de Bharaputra avant !

– Ecoute, chuchota Bothari-Jesek, les revers de la veste de Quinn tordus dans ses poings tandis que Mark se faisait tout petit – encore plus petit – dans sa chaise. Ça ne me plaît pas plus qu'à toi mais la situation nous échappe complètement. Miles n'est sûrement plus aux mains des Bharaputrans. Dieu sait où il se trouve. Nous avons besoin de renforts. Pas des navires de guerre mais des analystes entraînés. Une montagne d'analystes. Nous avons besoin d'Illyan, de la SecImp, et nous avons besoin d'eux aussi vite que possible. Il faut foutre le camp en quatrième vitesse. Plus tôt nous sortirons d'ici, plus tôt nous reviendrons.

– Je reviendrai, jura Quinn.

– Tu verras ça avec Simon Illyan. Mais, crois-moi, il tiendra autant que nous à récupérer cette cryochambre.

– Illyan n'est qu'un Barrayaran. (Elle chercha le mot exact.) *Un bureaucrate*. Il ne réagira pas comme nous, il n'a pas de cœur.

– Ne parie pas ta tête là-dessus, murmura Bothari-Jesek.

Finalement, Bothari-Jesek, le sens du devoir de Quinn à l'égard des autres Dendariis et la logique de la situation avaient prévalu. Et voilà comment Mark se retrouvait – pour ce qu'il espérait être sa dernière apparition publique en tant qu'amiral Naismith – revêtu de l'uniforme gris, afin d'assister au transfert de leur otage sur une navette de la maison Fell. Ce qui arriverait par la suite à Vasa Luigi dépendait uniquement de Fell. Mark espérait de tout son cœur que ce serait déplaisant.

Bothari-Jesek l'escorta personnellement de sa cabine-prison au sas auquel la navette Fell viendrait s'arrimer. Elle paraissait lasse et aussi froide qu'à l'ordinaire. A la différence de Quinn, elle ne critiqua guère la façon dont il avait boutonné son uniforme, se contentant de redresser son insigne sur son col. La veste était ample et assez longue pour dissimuler la morsure de la ceinture de son pantalon. Son ventre commençait à bourgeonner par-dessus. Il tira la veste vers le bas et suivit le capitaine du *Peregrine* à travers son navire.

– Pourquoi faut-il qu'on m'oblige à faire ceci ? demanda-t-il d'une voix plaintive.

– C'est notre dernière chance de prouver – de façon certaine – à Vasa Luigi que vous êtes Miles Naismith et que... ce qui se trouve dans la cryo-chambre n'est qu'un clone. Juste au cas où la cryo-chambre n'aurait pas quitté la planète et juste au cas où, par je ne sais quel hasard, Bharaputra la trouve avant nous.

Ils arrivèrent au sas en même temps qu'un couple de techs dendariis lourdement armés qui prirent position près du poste de contrôle d'arrimage. Le baron Bharaputra apparut peu après escorté par une Quinn circonspecte et deux gardes nerveux. Ceux-ci, décida Mark, n'étaient là que pour le décor. La réelle puissance, la réelle menace, les pièces les plus importantes de ce jeu d'échecs étaient le point de saut et les navires Fell. Il se les imagina flottant dans l'espace autour des vaisseaux dendariis. Echec. Bharaputra était-il un roi ? Mark avait l'impression d'être un pion qu'on essayait de faire passer pour un cavalier. Vasa Luigi ignorait les gardes, gardait un œil sur Quinn, la reine blanche, mais surveillait surtout la porte du sas.

Quinn salua Mark.

– Amiral.

Il lui rendit son salut.

– Capitaine.

Il adopta la posture de repos réglementaire comme s'il supervisait cette opération. Etait-il censé faire la conversation avec le baron ? Il préféra attendre que Vasa Luigi prenne la parole le premier. Mais celui-ci se contentait d'attendre, avec une patience agaçante.

Malgré leur infériorité en armement, les Dendariis étaient tout proches de leur salut. Dès le transfert terminé, le *Peregrine* et l'*Ariel* pourraient effectuer le saut, mettant ainsi les clones hors d'atteinte de la maison Bharaputra. Cela, au moins, Mark l'avait accompli, malgré toutes les erreurs commises et les pertes irréparables. Maigre victoire.

Enfin retentit le claquement des crochets de la navette se nouant au navire et le sifflement des tubes-flex. Les Dendariis surveillèrent la dilatation du sas et attendirent. Sur le seuil, un homme arborant l'uniforme vert d'un capitaine de la maison Fell et flanqué de deux gardes tout aussi inutiles que les Dendariis, salua sèchement et déclina son identité et le nom de son vaisseau d'origine.

Il s'adressait à Mark en tant qu'officier du plus haut rang présent.

— Avec les compliments du baron Fell, monsieur, qui vous renvoie quelque chose que vous avez accidentellement oublié derrière vous.

Quinn blêmit d'espoir. Mark aurait juré que le cœur de la jeune femme avait cessé de battre. Le capitaine s'écarta. Mais ce ne fut pas la cryo-chambre tant désirée qui franchit le sas. Trois hommes et deux femmes apparurent. Un des hommes boitait et était soutenu par les deux autres. Ils avaient l'air furieux, gênés et abattus.

Les espions de Quinn. Le groupe de volontaires dendariis qu'elle avait envoyés enquêter sur Fell. Quinn rougit de dépit mais elle haussa le menton et dit d'une voix claire :

— Remerciez le baron Fell de cette délicate attention.

Le capitaine enregistra le message avec un hochement de tête et un sourire aigre.

— A tout de suite en salle de réunion, souffla Quinn à la petite bande.

Ils disparurent. Bothari-Jesek les accompagna.

Le capitaine reprit la parole.

— Nous sommes prêts à accueillir notre passager.

Pointilleux, il veillait à ne pas poser un pied à bord du *Peregrine*, restant de l'autre côté du sas. Tout aussi pointilleux, les gardes dendariis et Quinn se tenaient à l'écart du baron Bharaputra qui commença à avancer avec son arrogance habituelle.

— Monseigneur ! Attendez-moi !

Le cri avait retenti derrière eux. Mark, en se retournant, vit que le baron était aussi surpris que lui.

L'Eurasienne, les cheveux flottants, se ruait vers eux. Elle tenait par la main la petite clone à la chevelure platine. Elle se glissa comme une anguille entre les deux Dendariis qui eurent la présence d'esprit de ne pas dégainer leurs armes dans un moment aussi délicat mais ne furent pas assez prompts pour l'attraper. La petite blonde n'était pas aussi vive, ni athlétique. En déséquilibre, elle haletait, les yeux écarquillés de peur, un bras soutenant ses seins incroyables.

Mark la vit alors allongée sur une table d'opération. On l'avait délicatement scalpée. Il entendit le sifflement d'une scie chirurgicale qui attaquait les os, qui tranchait lentement le tissu cervical... il vit enfin le cerveau qu'on enlevait, l'esprit, la mémoire, la personne, telle une offrande faite à quelque sombre divinité par les mains gantées d'un monstre masqué...

Il la plaqua aux genoux. La main fine et délicate échappa à la poigne de la fille aux cheveux noirs et elle s'effondra. Elle se mit à hurler puis à pleurer et à le frapper, roulant sur elle-même. Terrifié à l'idée qu'elle risquait de lui échapper, il la chevaucha et la cloua au sol de tout son poids. Elle se tortilla sous lui, sans grande efficacité, sans même songer à essayer de lui flanquer un coup de genou dans le bas-ventre.

– Arrête. Au nom du Ciel, arrête, je ne te veux aucun mal, marmonna-t-il près de son oreille dans une mèche de cheveux à l'odeur délicieuse.

Pendant ce temps, l'autre fille était parvenue à plonger à travers le sas. Troublé par son arrivée, le capitaine de la maison Fell réagit néanmoins très vite : il dégaina son brise-nerfs, empêchant les Dendariis de se lancer à sa poursuite.

– On ne bouge plus. Baron Bharaputra, que signifie ceci ?

– Monseigneur ! s'écria l'Eurasienne. Prenez-moi avec vous, s'il vous plaît ! Je veux être unie à ma dame. Il le faut !

– Reste de ce côté, lui conseilla calmement le baron. Ils ne peuvent pas te toucher là-bas.

– Vous croyez ça... commença Quinn en esquissant un pas en avant.

Le baron leva une main, les doigts à moitié pliés.

Ce n'était ni un poing ni une obscénité mais ce n'en était pas moins insultant.

– Capitaine Quinn, vous ne tenez sûrement pas à créer un incident maintenant qui retarderait votre départ, n'est-ce pas ? Il est clair que cette fille a fait son choix toute seule.

Quinn hésita.

– Non ! hurla Mark.

Il se releva aussi vite que possible, confia la blonde au plus costaud des Dendariis.

– Gardez-la.

Il passa devant le baron Bharaputra.

– Amiral ? fit celui-ci en haussant un sourcil ironique.

– Vous habitez un cadavre, gronda Mark. Ne m'adressez pas la parole.

Il se posta devant l'entrée du sas, face à la fille aux cheveux noirs, ne franchissant pas cette porte si minuscule, si importante...

– Ma fille... (Il ne connaissait pas son nom. Il ne savait pas quoi dire.) Ne pars pas. Tu n'y es pas obligée. Ils vont te tuer.

De plus en plus certaine de sa sécurité même si elle restait prudemment derrière le capitaine de la maison Fell, l'Eurasienne lui adressa un sourire triomphant et rejeta une mèche de cheveux lisses en arrière. Ses yeux brillaient.

– J'ai sauvé mon honneur. Toute seule. Ma dame est mon honneur. *Tu* n'as pas d'honneur. Porc ! Ma vie est une offrande... plus importante que tout ce que tu peux imaginer. Je suis une fleur sur son autel.

– Tu es complètement cinglée, fleur en pot, fut le commentaire de Quinn.

La fille leva le menton, ses lèvres s'amincirent.

– Baron, venez, ordonna-t-elle froidement.

Dans un geste théâtral, elle lui tendit la main.

Le baron Bharaputra haussa les épaules comme pour dire *que voulez-vous ?* et se dirigea vers le sas. Aucun Dendarii ne leva une arme. Quinn ne leur en avait pas donné l'ordre. Mark n'avait pas d'arme. Affolé, il se tourna vers elle.

– *Quinn...*

Elle haletait.

– Si on ne saute pas maintenant, on risque de tout perdre. *Ne bouge pas.*

Vasa Luigi s'arrêta sur le seuil, un pied dans le tube-flex, un pied sur le *Peregrine* et se tourna pour faire face à Mark.

– Au cas où vous vous le demanderiez, amiral... elle est la clone de mon épouse, susurra-t-il.

Il leva la main droite, se lécha l'index qu'il posa sur le front de Mark. C'était froid.

– Commençons les comptes, reprit-il. Une pour moi. Quarante-neuf pour vous. Si vous osez revenir ici un jour, je vous promets de rétablir ce score d'une telle façon que vous supplierez qu'on vous accorde la mort. (Il franchit le sas.) Bonjour, capitaine, merci pour votre patience...

Le diaphragme du sas se referma, étouffant le reste de ses salutations.

Le silence fut brisé par le désarrimage de la navette et les sanglots inutiles et désespérés de la clone blonde. Sur le front de Mark, un glaçon se coagulait. Il se le frotta d'un revers de manche.

Des pas assez lourds pour faire vibrer le corridor retentirent. Le sergent Taura apparut. Quand elle aperçut la petite clone, elle cria par-dessus son épaule :

– En voilà une autre ! Il n'en reste plus que deux.

Un nouveau soldat la rejoignit, le souffle court.

– Que s'est-il passé, Taura ? soupira Quinn.

– Cette fille, la meneuse. Celle qui est vraiment maligne, commença Taura sans jamais cesser de fouiller du regard les corridors alentour. Elle a raconté aux autres filles une histoire à la con comme quoi nous étions des marchands d'esclaves. Elle en a persuadé dix de tenter une sortie. Le garde en a neutralisé quatre, les sept autres se sont éparpillées dans le navire. On en a retrouvé quatre. Elles ne savaient pas quoi faire d'autre que se cacher. Mais je pense que la brune avait un plan cohérent : elle voulait atteindre les capsules personnelles juste avant qu'on fasse le saut. J'ai posté un garde devant chacune d'entre elles.

Quinn poussa un juron très cru.

— Bien pensé, sergent. Elle a dû renoncer en voyant vos gardes car elle est venue ici. Malheureusement, elle a débarqué en plein milieu du transfert de Bharaputra. Elle est partie avec lui. Nous avons pu arrêter l'autre avant qu'elle passe de l'autre côté. (Quinn hocha la tête vers la blonde qui pleurnichait encore.) Vous n'en avez plus qu'une à trouver.

Les yeux du sergent s'arrêtèrent sur le sas. Taura semblait abasourdie.

— Comment... comment avez-vous pu laisser faire ça, m'dame ?

Le visage de Quinn était totalement inexpressif.

— J'ai préféré ne pas déclencher la bagarre pour elle.

Les grosses mains griffues du sergent se crispèrent de stupéfaction mais aucune critique envers sa supérieure ne franchit ses énormes lèvres.

— On ferait bien de trouver la dernière, alors...

— Exactement, sergent. Vous quatre... (Quinn fit un geste vers les gardes inutiles désormais.)... Aidez-la. Faites-moi votre rapport en salle de conférence dès que vous aurez terminé, Taura.

Celle-ci opina, dispersa les gardes à travers les différents couloirs avant de se glisser dans le plus proche tube de descente. Ses narines frémissaient : on aurait dit qu'elle flairait la piste de sa proie.

Quinn tourna les talons, marmonnant.

— Je dois aller en salle de conférence. Voir ce qui s'est passé...

— Je... je vais la ramener dans ses quartiers, Quinn, proposa Mark en désignant la blonde.

Quinn le considéra d'un air incertain.

— S'il vous plaît, insista-t-il. Je voudrais le faire.

Elle contempla le sas par où avait disparu l'Eurasienne puis Mark à nouveau. Elle eut une étrange grimace.

– Vous savez... (Ce fut au tour de Mark de grimacer : elle le vouvoyait.) J'ai revisionné les enregistrements une ou deux fois depuis que nous avons quitté la Station Fell. Je... je n'ai pas eu l'occasion de vous le dire. Quand vous vous êtes placé devant moi au moment de monter à bord de la navette de Kimura, vous saviez à quel point votre écran était affaibli ?

– Non. Je veux dire, je savais que j'avais déjà reçu plusieurs décharges dans le tunnel.

– Si votre écran avait reçu une seule décharge supplémentaire, il se serait éteint. Deux et vous étiez cuit.

– Oh...

Elle le considéra en fronçant les sourcils, essayant visiblement de décider s'il avait été courageux ou simplement stupide.

– Je me suis dit que c'était intéressant. Que vous auriez voulu le savoir. (Elle hésita encore.) Quant à mon écran, il était mort. Donc si vous tenez vraiment à comparer votre score avec celui de Bharaputra, vous avez marqué cinquante points et pas quarante-neuf.

Que répondre à ça ? Finalement, Quinn soupira.

– D'accord. Vous pouvez la ramener. Si ça vous amuse.

L'air anxieux, elle s'en fut vers la salle de conférence.

Il se retourna pour prendre la blonde par le bras... très doucement. Elle sursauta. Ses immenses yeux bleus emplis de larmes clignèrent. Même s'il savait parfaitement – mieux que quiconque – dans quelle intention ses traits et sa silhouette avaient été sculptés, l'effet n'en restait pas moins saisissant : beauté et innocence, sensualité et peur mêlées qui exerçaient sur lui une attraction affolante. On lui donnait vingt ans, un âge qui correspondait parfaitement au sien. Elle était dans la plénitude de sa forme physique et ne le dépassait en taille que de quelques centimètres. Un scénariste généticien aurait pu la fabriquer pour jouer le rôle de l'héroïne dans son drame sauf qu'il n'y avait pas de drame, simplement un immense gâchis où il devait se contenter du statut de sous-héros minable. Pas de récompense pour lui, rien que des punitions.

– Quel est ton nom ? demanda-t-il avec une fausse gaieté.

Elle le dévisagea, méfiante.

– Maree.

Les clones n'avaient pas de nom de famille.

– C'est joli. Viens, Maree. Je vais te ramener à ton... euh, dortoir. Tu te sentiras mieux en te retrouvant parmi tes amies.

Elle n'eut pas d'autre choix que de l'accompagner.

– Le sergent Taura est très bien, tu sais. Elle veut vraiment prendre soin de vous. C'est juste que vous lui avez fait peur à vous enfuir comme ça. Elle avait peur que vous ne soyez blessées. Tu n'as pas vraiment peur du sergent, n'est-ce pas ?

Ses jolies lèvres se comprimèrent pour exprimer sa confusion.

– Je... ne sais pas.

Sa démarche avait quelque chose de délicat et d'incertain mais chacun de ses pas faisait, de façon très troublante, trembler ses seins contenus à grand-peine par sa tunique rose. On devrait lui offrir un traitement de diminution mais l'infirmerie du *Peregrine* ne disposait sans doute pas du matériel chirurgical adéquat. Et si son existence sur Bharaputra avait ressemblé un tant soit peu à ce qu'il avait enduré là-bas, elle devait éprouver une peur bleue de tout ce qui avait de près ou de loin rapport à une table d'opération. Après toutes les déformations corporelles qu'ils lui avaient infligées, la simple idée d'une intervention chirurgicale le terrorisait.

– Nous ne sommes pas des marchands d'esclaves, reprit-il, sincère. Nous vous emmenons... (Barrayar la brutale n'était pas un endroit très rassurant.)... à Komarr. Mais tu ne seras pas obligée de rester là-bas.

Il ne pouvait lui faire aucune promesse quant à son

ultime destination. Aucune. Ici, il était un prisonnier tout comme elle.

Elle toussa et se frotta les yeux.

– Tu te sens bien ?

– Je voudrais un verre d'eau.

Après cette course et tous ces cris, sa voix était enrouée.

– Je vais t'en chercher un, offrit-il.

Sa propre cabine ne se trouvait qu'à un couloir de là. Il l'y conduisit.

La porte s'ouvrit quand il posa sa paume sur la serrure.

– Entre. Je n'ai pas encore eu l'occasion de parler avec toi. Si je l'avais fait... cette fille ne t'aurait peut-être pas trompée.

Il la guida à l'intérieur et la fit s'asseoir sur le lit. Elle tremblait légèrement. Lui aussi.

– Tu comprends qu'elle t'a trompée ? insista-t-il.

– Je... ne sais pas, amiral.

Il ricana avec amertume.

– Je ne suis pas l'amiral. Je suis un clone, comme toi. J'ai grandi sur Bharaputra à l'étage en dessous du tien.

Passant dans la salle de bains, il versa de l'eau dans un gobelet et le lui ramena. Il avait envie de se mettre à genoux pour le lui offrir.

– Il faut que tu comprennes... que tu comprennes qui tu es, ce qui t'est arrivé. Afin qu'on ne puisse plus jamais te tromper. Tu as beaucoup à apprendre, pour ta propre protection. (Avec un corps pareil, c'était évident.) Tu devras aller à l'école.

Elle avala l'eau.

– Veux pas aller à l'école, dit-elle dans le gobelet.

– Les Bharaputrans ne t'ont-ils pas fait suivre les programmes d'éducation virtuelle ? Quand j'y étais, c'était ce que je préférais. Plus que les jeux. Mais j'aimais bien les jeux aussi. Tu as joué au Zylec ?

Elle hocha la tête.

– C'était drôle, reprit-il. Mais l'histoire, les projections d'astronomie c'était encore mieux. Ça, c'étaient des programmes. Il y avait ce drôle de vieux bonhomme aux cheveux blancs dans ses habits du vingtième siècle : cette veste avec les pièces aux coudes... je me suis toujours demandé s'ils se sont basés sur une personne réelle.

– Je ne les ai jamais vus.

– Que faisais-tu toute la journée ?

– On bavardait toutes ensemble. On se coiffait. On nageait. Les surveillants nous faisaient faire de l'exercice tous les jours...

– Nous aussi.

– ... jusqu'à ce qu'ils me mettent ça. (Elle toucha un de ses seins.) Après, ils voulaient juste que je nage. C'était assez logique.

– Ta dernière sculpture corporelle est récente ?

– Il y a un mois à peu près. (Une pause.) Vous êtes vraiment certain... que ma mère n'allait pas venir me chercher ?

– Je suis navré. Tu n'as pas de mère. Moi non plus. C'est l'horreur qui serait venue te chercher. Une horreur inimaginable.

Sauf qu'il ne l'imaginait que trop bien.

Elle le dévisagea d'un air morose, ne tenant visiblement pas à abandonner si vite ses rêves d'avenir.

– Nous sommes tous beaux. Si tu es vraiment un clone, pourquoi n'es-tu pas beau, toi aussi ?

– Je suis heureux de constater que tu commences à réfléchir, fit-il prudemment. Mon corps a été sculpté de façon à être l'exacte réplique de mon progéniteur. Il était infirme.

– Mais si c'est vrai... tous ces trucs de transplantation de cerveau... pourquoi pas toi ?

– Je... on m'a fabriqué pour faire partie d'un complot. On avait besoin de moi vivant. Ce n'est que plus tard que j'ai appris la vérité, de façon certaine, à propos de Bharaputra.

Il s'assit à ses côtés sur le lit. Son odeur – avaient-ils induit génétiquement un subtil parfum dans ses cellules ? – était enivrante. Le souvenir de son corps

188

doux se débattant sous le sien devant le sas le perturba. Il aurait pu se dissoudre dans ce corps.

– J'avais des amis... Et toi ?

Silencieuse, elle hocha la tête.

– Avant... Bien avant que je puisse faire quoi que ce soit pour eux, ils avaient disparu. Tous tués. Alors, c'est vous que j'ai sauvés à leur place.

Elle l'étudiait, dubitative. Il n'aurait su dire ce qu'elle pensait.

La cabine trembla et une vague de nausée qui ne devait rien à ses pulsions érotiques réprimées lui tordit l'estomac.

– Qu'est-ce que c'était ? hoqueta Maree, roulant de gros yeux.

Inconsciemment, elle lui avait saisi la main. Il eut l'impression qu'on la lui brûlait.

– Tout va bien. Et mieux que ça même. Tu viens d'effectuer ton premier saut dans un couloir galactique. (Il se voulait rassurant.) Nous sommes loin maintenant. Les Jacksoniens ne peuvent plus nous rattraper.

Voilà qui était rassurant. Il était persuadé que le baron Fell jouerait double jeu : qu'il les pulvériserait dans l'espace après avoir récupéré Vasa Luigi. C'était juste le délicieux petit malaise dû au saut.

– Tu es en sécurité. Nous sommes tous en sécurité maintenant.

Il pensa à l'Eurasienne. *Presque tous.*

Il désirait tant que Maree le croie. Les Dendariis, les Barrayarans – il ne s'attendait pas vraiment qu'ils comprennent. Mais cette fille... si seulement il pouvait briller à ses yeux. Il ne voulait pas d'autre récompense qu'un baiser. Il déglutit. *Tu es sûr de ne vouloir qu'un baiser ?* Quelque chose de chaud et d'inconfortable croissait sous sa ceinture trop serrée. Quelque chose qui se raidissait de façon gênante. Avec un peu de chance, elle ne le remarquerait pas. Ne comprendrait pas. Ne jugerait pas.

– Veux-tu... m'embrasser ? demanda-t-il humblement, la bouche sèche.

Il lui prit le gobelet et avala les dernières gouttes d'eau qui s'y trouvaient. Cela ne suffit pas à dénouer sa gorge serrée.

– Pourquoi ? demanda-t-elle, haussant les sourcils.

– Pour... faire semblant.

C'était un appel qu'elle comprenait. Elle cligna des yeux mais, avec une assez bonne volonté, se pencha en avant pour toucher ses lèvres avec les siennes. Sa tunique bougea...

– Oh, souffla-t-il.

Il passa la main derrière son cou pour qu'elle ne le quitte pas tout de suite.

– S'il te plaît, encore...

Il l'attira à nouveau. Elle ne résista pas et ne répondit pas non plus mais sa bouche était hallucinante. *Je voudrais, je voudrais*... Il ne lui ferait aucun mal. Il se contenterait de la toucher, rien que la toucher. Machinalement, elle l'enlaça. Il sentait chacun de ses doigts frais, chacun de ses ongles. Elle écarta les lèvres. Il fondit. Le sang battait ses tempes. Brûlant, il se débarrassa de sa veste.

Arrête-toi. Arrête-toi tout de suite, bon sang. Mais elle aurait pu être son héroïne. Miles avait bien tout son harem. Lui... permettrait-elle plus qu'un baiser ? Pas une pénétration, sûrement pas. Rien qui pourrait la blesser, lui faire du mal. Rien qui pourrait ressembler de près ou de loin à un viol. Mais si elle l'autorisait à se frotter entre ces deux vastes seins, ça ne lui ferait sûrement aucun mal. Elle risquait juste d'être un peu étonnée. Il pourrait s'enfouir dans cette chair si douce, trouver sa délivrance aussi sûrement, plus sûrement qu'entre ses cuisses. Elle penserait sûrement qu'il était cinglé mais elle n'aurait pas mal. Il chercha à nouveau sa bouche, affamé. Il toucha sa peau. *Oh oui*. Il fit glisser sa tunique sur son épaule dénudant son corps pour ses mains avides. Sa peau avait la douceur de la soie. Il se débrouilla pour défaire en même temps sa propre ceinture. Ce fut un soulagement. Il était incroyablement, cruellement excité. Mais il ne la toucherait pas sous la taille, non...

Il la renversa sur le lit, la clouant au matelas, l'embrassant frénétiquement sur tout le corps. Elle émit un cri de surprise étranglé. Mark haletait. Soudain un spasme atroce le saisit. Une main invisible lui tordit les poumons. Quelque chose se referma sur lui.

Non ! Pas ça ! Ça recommençait, exactement comme l'an dernier quand il avait essayé...

Suffoquant, il roula sur lui-même abandonnant Maree. Une sueur glacée jaillit de chacun de ses pores. La main à la gorge, il essayait de respirer, d'avaler au moins une gorgée d'air. Il aurait voulu s'arracher la trachée-artère pour la brandir à l'air libre. Il parvint à prendre une inspiration asthmatique, faiblarde. Les souvenirs lui perforèrent le crâne avec une telle clarté qu'on aurait dit des hallucinations.

Les cris coléreux de Galen. Lars et Mok, lui obéissant, qui l'immobilisaient, lui arrachaient ses vêtements comme si la raclée qu'ils venaient de lui infliger ne suffisait pas. Ils avaient renvoyé la fille avant de commencer ; elle avait couru comme un lapin. Il crachait du sang : un goût salé, métallique. La vibromatraque qui s'approchait, qui le touchait là, *là*, le petit sursaut et le claquement. Galen, de plus en plus congestionné, l'accusant de trahison et de bien pire, déblatérant comme un malade sur les penchants sexuels supposés d'Aral Vorkosigan... Galen qui augmentait beaucoup trop la puissance de son engin. « Touche-toi. » La terreur qui se nouait au plus profond de lui, le souvenir viscéral de la douleur, de l'humiliation, des brûlures, des crampes... de son membre dressé à coups de décharges électriques et de l'éjaculation abominablement avilissante malgré tout cela. L'odeur de chair brûlée...

Il repoussa les visions et faillit s'évanouir avant de réussir à respirer une deuxième fois. Ouvrant les yeux, il découvrit qu'il n'était plus assis sur le lit mais par terre, enfoui entre ses bras et ses jambes tremblants.

La blonde, stupéfaite, à moitié nue, était couchée sur le matelas et le regardait.

– Qu'est-ce qui vous arrive ? Pourquoi avez-vous arrêté ? Vous êtes en train de mourir ?

Non, mais j'aimerais bien. Ce n'était pas *juste*. Il connaissait parfaitement l'origine de ce réflexe conditionné. Ce n'était un souvenir enfoui dans son subconscient, ce n'était pas quelque chose qui remontait à sa prime enfance. Cela s'était passé quatre ans auparavant. Une telle conscience, une telle lucidité n'étaient-elles pas censées vous délivrer des démons du passé ? Allait-il s'infliger ces spasmes à chaque fois qu'il tenterait de faire réellement l'amour avec une fille ? Ou bien était-ce simplement dû à l'extrême tension de ce moment particulier ? Si jamais la situation était moins tendue, moins culpabilisante, si jamais il avait le temps de faire vraiment l'amour et pas une petite branlette à la sauvette, alors peut-être qu'il pourrait triompher de ses souvenirs et de sa folie... *Ou peut-être pas.* Il lutta pour respirer encore. Ses poumons se remettaient prudemment à fonctionner. Courait-il vraiment le risque de suffoquer à mort ? Il était probable qu'une fois évanoui, les réflexes de son système respiratoire reprendraient le dessus.

La porte de la cabine glissa. Les silhouettes de Bothari-Jesek et Taura emplirent l'ouverture. Ce qu'elles virent fit jurer Bothari-Jesek. Taura se rua dans la pièce.

Maintenant. Il voulait s'évanouir *maintenant.* Mais son démon intérieur ne collabora pas. Il continua à haleter, replié sur lui-même, son pantalon autour des genoux.

– Qu'est-ce que vous faites ? gronda le sergent Taura.

Une voix de loup. Ses crocs luisaient aux coins de sa bouche dans la lumière tamisée. Il l'avait vue plusieurs fois déchirer la gorge d'un homme d'une seule main.

La petite clone s'assit à genoux sur le lit, l'air terriblement inquiet. Comme d'habitude ses mains essayaient de couvrir et de soutenir en même temps ses appendices corporels les plus notables. Comme d'habitude, ces appendices attiraient l'attention.

– Je voulais simplement boire un peu d'eau, geignit-elle. Je suis désolée.

Du haut de ses deux mètres quarante, le sergent Taura s'agenouilla aussitôt et lui montra les paumes de ses mains pour lui indiquer qu'elle n'était pas furieuse après elle. Mark se demanda si Maree pouvait comprendre une telle subtilité.

– Que s'est-il passé ? demanda Bothari-Jesek, la voix dure.

– Il m'a demandé de l'embrasser.

Le regard de Bothari-Jesek revint vers lui et sa tenue éloquente. Elle était aussi rigide qu'un arc bandé. Elle vint jusqu'à lui. Sa voix se fit presque inaudible :

– Avez-vous essayé de la violer ?

– Non ! Je ne sais pas. Je voulais juste...

Taura se leva, l'attrapa par les revers de sa chemise, le souleva et le cloua au mur de la chambre. Le sol se trouvait à un bon mètre sous ses doigts de pieds tremblants.

– Réponds clairement, espèce de... gronda-t-elle.

Il ferma les yeux et reprit son souffle. Il répondrait. Oui. Mais pas parce que les femmes de Miles le menaçaient. Pas pour elles. Il répondrait à cause de la deuxième humiliation que lui avait fait subir Galen, un viol d'une certaine façon plus mortifiant encore que le premier. Quand Lars et Mok, inquiets, avaient finalement persuadé Galen d'arrêter, Mark était dans un tel état de choc qu'il avait eu un arrêt cardiaque. Au beau milieu de la nuit, Galen avait dû amener son clone si important à son chirurgien personnel : cet homme qu'il avait forcé à accomplir ses desseins, cet homme qui avait administré drogues et hormones à Mark afin que sa croissance soit identique à celle de Miles. Galen avait expliqué les brûlures en annonçant au médecin que Mark se masturbait en secret avec une vibro-matraque, dont il avait accidentellement mal réglé la puissance. En raison des spasmes musculaires causés par les décharges électriques, avait expliqué Galen, Mark avait été incapable de le débrancher. Ses cris avaient finalement attiré l'attention. Le docteur s'était mis à ricaner. Plus tard, alors même qu'il se trouvait seul avec lui, Mark n'avait pas osé démentir la version de Galen. Pourtant le docteur avait vu les traces de coups, les ecchymoses, il avait dû comprendre que cette histoire n'était pas vraie. Mais il n'avait rien dit. Rien fait. Et Mark avait accepté ses soins. C'était cette acceptation, sa propre faiblesse et ce ricanement qui lui avaient fait le plus mal. Il ne pouvait, ne voulait pas laisser Maree quitter cette chambre en emportant un fardeau similaire.

Avec des phrases courtes, hachées, il décrivit exactement ce qu'il venait d'essayer de faire. A mesure qu'il le racontait, tout cela semblait terriblement laid alors que c'était la beauté de Maree qui l'avait bouleversé. Il garda les yeux fermés. Il ne mentionna pas son accès de panique et n'essaya pas d'expliquer Galen. En lui, tout se contractait mais il disait la vérité la plus dépouillée. Lentement, à mesure qu'il parlait, le mur lui écrasa moins le dos, ses pieds retrouvèrent le contact avec le sol. La pression sur sa chemise disparut et il osa ouvrir les yeux.

Il faillit les refermer immédiatement tant le mépris de Bothari-Jesek lui fit mal. Voilà, il y était arrivé. La seule qui avait été presque sympathique avec lui, presque gentille, la seule qui avait failli devenir une amie, le contemplait avec rage. Il venait de s'aliéner la seule personne qui aurait pu parler en sa faveur. Ça faisait mal, atrocement mal, d'avoir si peu et de le perdre.

– Quand Taura a annoncé qu'il lui manquait encore une clone, cracha Bothari-Jesek, Quinn nous a dit que vous avez insisté pour raccompagner celle-ci. Maintenant, nous savons pourquoi.

– *Non*. Je n'avais pas l'intention... de... Elle voulait vraiment boire un verre d'eau et c'est tout.

Il montra le gobelet vide.

Taura lui tourna le dos, s'agenouilla à nouveau près du lit et s'adressa à la blonde avec gentillesse.

– As-tu mal ?

– Je vais bien, fit-elle d'une voix chevrotante en remontant sa tunique sur son épaule. Mais cet homme était vraiment malade.

Elle le contempla avec une inquiétude étonnée.

– Ça paraît évident, maugréa Bothari-Jesek.

Elle haussa le menton et son regard cloua Mark à la paroi.

– Vous êtes confiné dans vos quartiers, monsieur. Vous avez à nouveau droit à un garde devant votre porte. N'essayez même pas de sortir.

Je n'essaierai pas.

Elles emmenèrent Maree. La porte glissa derrière elles et se ficha dans ses taquets comme le couperet d'une guillotine. Il roula sur son lit étroit, tremblant.

Deux semaines encore jusqu'à Komarr... Il aurait vraiment voulu être mort.

11

Mark passa ses trois premiers jours de réclusion à déprimer au lit. Il avait entamé sa mission héroïque pour sauver des vies. Elle en avait détruit. Il compta et recompta les cadavres, un par un. Le pilote de la navette. Phillipi. Norwood. Le soldat de Kimura. Sans parler des huit qui avaient été gravement blessés. Des gens qui n'avaient pas eu de noms quand il avait imaginé tout ça. Et puis, il y avait aussi tous les Bharaputrans anonymes. Le garde de sécurité moyen sur l'Ensemble de Jackson n'était qu'un pauvre gars qui essayait de gagner sa vie. Il se demanda, de plus en plus morose, si, parmi les morts, il n'y en avait pas certains avec qui il avait plaisanté ou discuté à l'époque où il était à la crèche. Comme toujours, les petites gens ne formaient qu'un tas de viande anonyme.

Ceux qui détenaient le pouvoir, ceux qui pouvaient être tenus pour vraiment responsables, ceux-là s'en sortaient libres et intacts, comme le baron Bharaputra.

Les vies des quarante-neuf clones valaient-elles celles des quatre morts dendariis ? Apparemment, les Dendariis ne le pensaient pas. *Ils n'étaient pas volontaires pour cette mission. Tu les as trompés pour les envoyer à la mort.*

Soudain, une évidence terrible l'ébranla. Les vies ne s'additionnaient pas, ne se retranchaient pas comme des chiffres. Chacune était un infini.

Je ne voulais pas que ça se passe ainsi.

Et les clones. La blonde. Lui plus que tout autre savait qu'elle n'était pas la femme mature qu'elle paraissait être... malgré son physique extravagant ou justement à cause de ce physique extravagant. Le cerveau de soixante ans qui aurait sans nul doute été transplanté dans un tel corps aurait sûrement su comment l'utiliser. Mais Mark avait une vision beaucoup trop nette de la fille de dix ans qui vivait dans ce corps. Il n'avait pas voulu l'effrayer ou la blesser. C'était pourtant exactement ce qu'il avait fait. Il aurait voulu lui plaire, faire que son visage s'illumine. *Comme ils s'illuminent pour Miles ?* se moqua sa voix intérieure.

Attendre des clones qu'ils soient heureux de ce qu'il avait fait pour eux était ridicule. Il devait oublier ce fantasme. Dans dix ans, dans vingt ans, ils le remercieraient peut-être d'être en vie. Ou pas. *J'ai fait tout ce que j'ai pu. Je suis désolé.*

Le deuxième jour, une idée fixe commença à l'obséder : il était le réceptacle idéal pour le cerveau de Miles. Etrangement, mais de façon assez logique, il ne craignait pas une décision pareille de la part de Miles. Mais Miles n'était pas vraiment en position d'opposer son veto à ce plan. Quelqu'un pouvait avoir l'idée qu'il serait plus facile de transplanter le cerveau de Miles dans le corps vivant et chaud de Mark plutôt que d'essayer péniblement de réparer une poitrine explosée. Sans parler des traumatismes dus à la cryogénisation. Cette perspective le terrifia à un point tel qu'il eut envie de se porter volontaire juste pour qu'on n'en parle plus.

Une seule chose lui évita de sombrer dans la débilité : tant qu'on ne retrouvait pas la cryo-chambre, cette menace restait assez vague. Mais ils finiraient bien par la récupérer un jour. Dans l'obscurité de sa cabine, la tête enfouie sous l'oreiller, il lui vint à l'esprit qu'il aurait aimé qu'une personne au moins ait du respect pour lui, pour sa tentative de sauvetage des clones. Et cette personne était Miles.

Voilà une possibilité que tu as éliminée, non ?

Le seul sursis à cette incessante torture mentale lui était apporté par la nourriture et le sommeil. S'empiffrer d'un plateau-ration entier l'hébétait assez pour qu'il se mette à somnoler pendant un temps plus ou moins long. Désirant par-dessus tout l'inconscience, il supplia le Dendarii qui lui passait ses plateaux trois fois par jour de lui donner du rab. La demande semblait inoffensive, l'homme accepta sans trop de difficultés.

Un autre Dendarii lui avait apporté un assortiment de vêtements propres appartenant sans doute à la garde-robe personnelle de Miles. Cette fois-ci, tous les insignes avaient été soigneusement enlevés. Le troisième jour, Mark renonça à boutonner le pantalon d'uniforme de Naismith et se contenta de porter un treillis ample. Ce fut à cet instant qu'il eut son inspiration.

Ils ne pourront pas me faire jouer le rôle de Miles si je ne ressemble pas à Miles.

Après cela, les événements s'embrouillèrent dans sa tête. L'un des gardes s'irrita tellement de ses incessantes demandes de nourriture qu'il amena une caisse entière de rations qu'il jeta dans un coin en disant grossièrement à Mark de ne plus l'emmerder avec ça. Une fois seul, l'imagination débordante de Mark se déclencha. Il avait entendu parler de prisonniers qui s'étaient échappés de leur cellule en creusant un tunnel avec une cuillère. Pourquoi pas lui ?

Ainsi, malgré *l'énormité* de cette tentative – énormité dont il était conscient à un certain niveau –, celle-ci lui donnait un but. L'interminable voyage vers Komarr lui parut soudain trop court ; les longues heures passées dans la solitude de sa cabine ne suffisaient plus. Il lut les fiches de nutrition. S'il maintenait une inactivité maximale, un seul plateau fournissait la ration nécessaire pour une journée. Tout ce qu'il consommait après cela se transformait automatiquement en non-Miles. Quatre plateaux devaient produire un bon kilo de masse corporelle, s'il comprenait ce qu'il lisait. Un seul point noir : c'était toujours le même menu...

Il n'avait pas suffisamment de temps pour mener à bien son projet. Néanmoins, dans son corps ratatiné, chaque kilo supplémentaire ne pouvait se cacher. Vers la fin du voyage, paniqué à l'idée que le temps lui manquait, il mangea continuellement, jusqu'à ce que la douleur le force à arrêter. Cette douleur lancinante se mêlait au plaisir, à la rébellion et à la punition, se combinait à eux pour se transformer en une expérience étrangement satisfaisante.

Quinn entra sans frapper et fit passer d'un vif revers de main les lumières à pleine puissance.

– Arggh...

Mark sursauta et se couvrit les yeux. Tiré de façon déplaisante d'un sommeil déplaisant, il roula dans le lit. Il risqua un œil vers le chrono mural. Quinn était venue un demi-cycle plus tôt que prévu. S'ils se trouvaient déjà en orbite autour de Komarr, cela signifiait que les Dendariis avaient poussé leurs navires à la vitesse maximale. *Oh, au secours.*

– Debout, dit Quinn avant de plisser le nez. Va te laver et mets cet uniforme.

Elle étala avec révérence quelque chose d'un vert de forêt avec des brocarts dorés au pied du lit. Elle aurait dû le lui jeter au visage. Mark en déduisit qu'il devait s'agir d'un uniforme de Miles.

– Je vais me lever, fit-il, et me laver. Mais je ne mettrai pas cet uniforme, ni aucun autre uniforme.

– Vous ferez ce qu'on vous dira, monsieur.

– Ceci est un uniforme barrayaran. Il représente un réel pouvoir. Ils *pendent* les gens qui portent de faux uniformes.

Rejetant les couvertures, il s'assit... et fut pris d'un léger vertige.

– *Mon Dieu*, s'étrangla Quinn, choquée. Qu'est-ce que tu t'es fait ?

– Vous pouvez encore essayer de me tasser dans cet uniforme mais l'effet ne vous plaira pas.

Il tituba jusqu'à la salle de bains.

Tout en se lavant et s'épilant, il considéra les résultats de sa tentative d'évasion. Le temps lui avait manqué. Ce qui ne l'avait pas empêché de regagner les kilos perdus pour jouer l'amiral Naismith sur Escobar, avec en plus un léger bonus. Ceci en à peine quatorze jours alors qu'il lui avait fallu une année pour grossir la première fois : un double menton, un torse et un abdomen notablement épaissis, au prix d'une copieuse douleur. *C'est pas encore assez, pas assez pour être vraiment en sécurité.*

Quinn étant Quinn, elle devait se convaincre elle-même. Elle lui fit quand même essayer l'uniforme. Il se dilata de son mieux. L'effet était saisissant... fort peu militaire. Ronchonnant, elle abandonna et le laissa s'habiller comme il l'entendait. Il choisit un caleçon mi-long, des espadrilles souples et une ample tunique civile barrayarane de Miles avec de larges manches et une ceinture brodée. Il prit un bon moment pour juger s'il valait mieux la nouer sous sa bedaine ou bien en plein milieu. A en juger par la moue de dégoût de Quinn, c'était pire dessous. Il la noua dessous.

Elle ne fut pas dupe.

– Tu t'amuses bien ?

– Je ne risque pas de m'amuser beaucoup aujourd'hui, non ?

Elle acquiesça sèchement.

– Où m'emmenez-vous ? Et d'ailleurs, où sommes-nous ?

– Sur orbite autour de Komarr. On va utiliser une capsule pour se rendre secrètement à bord d'une base militaire spatiale barrayarane. Là nous aurons une entrevue très privée avec le chef de la Sécurité Impériale, le capitaine Simon Illyan. Il est venu par courrier rapide tout droit du Quartier Général de la SecImp sur Barrayar après avoir reçu un message codé très ambigu de ma part. Il ne va pas être ravi d'avoir dû interrompre sa routine. Il va exiger de savoir ce qui était assez urgent pour ça. Et, fit-elle enfin dans un soupir, il va falloir que je le lui dise.

Elle l'escorta hors de sa cabine à travers le *Peregrine*. Le garde à la porte avait disparu. En fait, tous les couloirs semblaient déserts. Non, pas déserts. Vidés.

Ils arrivèrent au sas menant à la capsule. Bothari-Jesek était aux commandes. Il n'y avait personne d'autre. Oui, la petite fête allait être très privée.

Quand elle jeta un coup d'œil vers lui par-dessus son épaule, elle écarquilla les yeux et ses sombres sourcils s'affaissèrent en signe de désapprobation. Bothari-Jesek n'appréciait pas sa nouvelle silhouette.

– Bon sang, Mark. Vous avez l'air d'un cadavre qui vient de remonter à la surface après avoir passé huit jours dans l'eau.

C'est exactement ce que je ressens.

– Merci, répliqua-t-il, narquois.

Elle ricana, amusée ou écœurée, avant de fixer son attention sur les commandes de la capsule. Celle-ci prit son essor et ils se détachèrent en silence du *Peregrine*. Les accélérations successives lui distendirent douloureusement l'estomac et il déglutit encore pour combattre la nausée qui le gagnait.

– Pourquoi le grand patron de la SecImp ne porte-t-il que le grade de capitaine ? s'enquit-il pour éviter de penser à son malaise.

– Encore une tradition barrayarane, dit Bothari-Jesek. (Elle avait mis une légère amertume dans le mot *tradition*. Mais, au moins, elle lui adressait la parole.) Le prédécesseur d'Illyan à ce poste, feu le célèbre capitaine Negri, n'a jamais accepté de promotion au-delà du poste de capitaine. Ce genre d'ambition était apparemment incongru dans l'entourage de l'empereur Ezar. Tout le monde savait que Negri était la voix de l'empereur et ses ordres valaient pour tous, du plus humble au plus puissant. J'imagine qu'Illyan n'a pas osé se donner un rang plus élevé que son ancien patron. Ce qui ne l'empêche pas de toucher le salaire d'un vice-amiral. Quel que soit le pauvre crétin qui dirigera la SecImp à la retraite d'Illyan, il ne dépassera probablement jamais le grade de capitaine, lui non plus.

Ils approchaient d'une station orbitale de moyenne importance. Mark put enfin apercevoir Komarr, tournant loin au-dessous d'eux, réduite par la distance à une demi-lune. Bothari-Jesek obéit strictement aux instructions d'un contrôleur spatial particulièrement laconique. Elle donna toute une série de codes et de preuves de son identité puis un silence nerveux régna. Ils furent enfin autorisés à se poser.

Deux gardes muets et inexpressifs, arborant l'impeccable uniforme vert barrayaran, les attendaient à la sortie du sas. Ils les conduisirent à travers la station jusqu'à une pièce dépourvue de fenêtres aménagée en bureau. Il y avait là une comconsole, trois chaises et rien d'autre.

– Merci. Laissez-nous, dit l'homme derrière le bureau.

Les gardes sortirent, toujours aussi silencieux.

L'homme parut se détendre un tout petit peu. Il hocha la tête vers Bothari-Jesek.

– Salut, Elena. Content de te revoir.

Sa voix légère possédait une chaleur inattendue comme celle d'un oncle accueillant sa nièce préférée.

En dehors de cela, il ressemblait parfaitement au personnage que Mark avait étudié dans les dossiers de Galen. Simon Illyan était un homme mince, déjà âgé, aux tempes grises et aux cheveux châtains. Le visage rond au nez retroussé était creusé de rides. Il portait, sur cette base militaire, un uniforme d'officier identique à celui que Quinn avait voulu faire enfiler à Mark : le vert impérial avec l'œil d'Horus sur le col, insigne de la SecImp.

Mark se rendit compte qu'Illyan le contemplait d'un air étrange.

– Bon Dieu, Miles, tu... commença-t-il d'une voix étranglée puis une lueur de compréhension passa dans ses yeux. Il se renfonça sur sa chaise. Ah ! (Sa bouche se tordit d'un côté.) Lord Mark. Madame votre mère vous salue. Et je suis ravi de vous rencontrer enfin.

Il semblait parfaitement sincère.

Vous ne le serez pas longtemps, songea Mark au désespoir. *Lord Mark ? Il plaisante !*

– Je suis aussi ravi de savoir à nouveau où vous êtes. J'en déduis, capitaine Quinn, que le message de mon département à propos de la disparition de lord Mark a fini par vous arriver ?

– Pas encore. Il doit... probablement nous suivre.

Illyan haussa les sourcils.

– Ainsi donc, lord Mark a réapparu de lui-même ou alors est-ce mon cher lieutenant qui me l'envoie ?

– Ni l'un ni l'autre, monsieur.

Quinn semblait avoir du mal à parler. Bothari-Jesek n'essayait même pas.

Illyan se pencha en avant, se faisant un peu plus sérieux mais gardant son ironie.

– Allez, dites-moi ce qu'a encore imaginé ce petit morveux ? Je l'entends d'ici : je pensais que vous seriez ravi de me voir utiliser mon initiative, monsieur. A combien se monte la facture, cette fois-ci ?

– Il n'a rien imaginé, marmonna Quinn. Mais la facture va être énorme.

L'air froidement amusé disparut tandis qu'il examinait le visage gris de Quinn.

– Oui ? dit-il au bout d'un moment.

Quinn posa les deux mains sur le bureau, pas pour

donner de l'emphase à son propos, se dit Mark, mais parce qu'elle avait besoin de se soutenir.

– Illyan, nous avons un problème. Miles est mort.

Illyan accueillit ceci dans un silence de plomb. Soudain, il fit brusquement pivoter sa chaise. Les trois autres ne voyaient plus que l'arrière de son crâne. Quand il se retourna, les rides de son visage avaient changé : ce n'étaient plus des sillons en creux mais en plein. On aurait dit une multitude de cicatrices.

– Ce n'est pas un problème, Quinn, murmura-t-il. C'est un *désastre*.

Il posa avec beaucoup de soin ses mains à plat sur le bureau noir. *Ainsi, voilà où Miles a piqué ce geste,* songea absurdement Mark.

– Il est congelé dans une cryo-chambre.

Quinn se lécha les lèvres : elles étaient aussi sèches que du papier.

Illyan ferma les yeux. Ses lèvres bougèrent. Marmonnait-il des prières ou des jurons ? Mark n'aurait su le dire. Il reprit la parole avec douceur :

– C'est ce que vous auriez dû dire d'abord. J'en aurais déduit le reste logiquement. (Il rouvrit les yeux.) Bon, que s'est-il passé ? Ses blessures sont-elles très graves ? La tête n'a pas été touchée au moins ? A-t-il été bien préparé ?

– J'ai aidé à faire la préparation moi-même. Dans des conditions de combat. Je... je *pense* qu'elle a été bonne. On ne peut rien savoir jusqu'à ce que... Il a reçu une très vilaine blessure à la poitrine. D'après ce que j'ai pu voir, il est intact à partir du cou.

Illyan respira, avec soin.

– Vous avez raison, capitaine Quinn. Ce n'est pas un désastre. Juste un problème. Je vais alerter l'Hôpital Militaire Impérial à Vorbarra Sultana afin qu'ils se préparent à recevoir leur patient vedette. Nous pouvons transférer la cryo-chambre sur mon courrier rapide immédiatement.

Babillait-il autant par soulagement ?

– Euh... fit Quinn. Non.

Illyan se toucha délicatement les tempes comme si la migraine le gagnait.

– Finissez votre histoire, Quinn, dit-il d'une voix étouffée et menaçante.

– Nous avons perdu la cryo-chambre.

– Comment peut-on perdre une cryo-chambre ?

– C'était une portable. (Le regard assassin d'Illyan lui fit poursuivre son rapport à toute allure.) Elle a été abandonnée en bas dans la pagaille. Chaque navette pensait que c'était l'autre qui l'avait. Un problème de communication. *J'ai vérifié*, pourtant, je le jure. Le medic qui convoyait la cryo-chambre a été coupé de sa navette par les forces ennemies. Il s'est débrouillé pour avoir accès à un service d'expédition commercial. Nous pensons qu'il a expédié la cryo-chambre.

– Vous *pensez* ? Dans un moment, je vous demanderai de quelle mission il s'agissait. Dans un moment... Où l'a-t-il expédiée ?

– C'est là le problème : nous n'en savons rien. Il a été tué avant de pouvoir faire son rapport. La cryo-chambre peut être à peu près n'importe où maintenant.

Illyan se renfonça sur sa chaise et se frotta les lèvres.

– Je vois. Quand ceci s'est-il passé ? Et où ?

– Il y a deux semaines et trois jours sur l'Ensemble de Jackson.

– *Je* vous avais envoyés sur Illyrica via la Station Vega. Par quel tour de passe-passe vous êtes-vous retrouvés sur l'Ensemble de Jackson ?

Debout, en posture de repos réglementaire, Quinn fit un résumé bref et gêné des événements survenus au cours des quatre dernières semaines depuis leur séjour sur Escobar.

– Il y a un rapport complet avec tous nos enregistrements et le journal personnel de Miles là-dedans, monsieur.

Elle posa un cube de données sur le bureau.

Illyan le contempla comme un serpent. Il n'esquissa pas le moindre geste pour s'en saisir.

– Et les quarante-neuf clones ?

– Toujours à bord du *Peregrine*, monsieur. Nous aimerions les débarquer.

Mes clones. Qu'est-ce qu'Illyan allait faire d'eux ? Mark n'osa pas le demander.

– Le journal personnel de Miles est, si j'en crois mon expérience, un document parfaitement inutile, observa Illyan. Ce garçon n'aime pas laisser de traces derrière lui.

Là-dessus, il se tut et se leva pour arpenter la petite pièce. La façade réservée craqua subitement : un sale rictus aux lèvres, il pivota soudain et écrasa son poing à s'en briser les os sur le mur en hurlant.

– Quel petit con ! Faire de ses funérailles une foutue farce !

Il leur tournait le dos. Quand il reprit sa place derrière le bureau, son visage était blafard et dur. Il s'adressa à Bothari-Jesek.

– Elena, il est clair que je vais devoir rester ici à Komarr, pour l'instant, afin de coordonner les recherches de la SecImp. Je ne peux pas me permettre de perdre encore les cinq jours de voyage de retour sur Barrayar. Bien sûr, je... rédigerai le rapport de disparition au combat du lord lieutenant Vorkosigan et je l'enverrai immédiatement au comte et à la comtesse Vorkosigan. Je ne supporte pas l'idée qu'un subalterne va le leur transmettre mais il n'y a pas d'autre moyen. Accepterais-tu, et c'est une faveur personnelle que je te demande, d'escorter lord Mark à Vorbarr Sultana et de le conduire chez eux ?

Non, non, non, hurlait Mark silencieusement.

– Je... préférerais ne pas aller sur Barrayar, monsieur.

– Le Premier ministre aura des questions auxquelles seul quelqu'un qui était là-bas pourra répondre. Tu es le messager idéal pour un problème d'une telle... délicatesse. Je peux t'assurer que ce ne sera pas une partie de plaisir.

Bothari-Jesek semblait prise au piège.

– Monsieur, je dirige un vaisseau. Je ne puis abandonner le *Peregrine*. Et, à franchement parler, je n'ai guère envie d'accompagner lord Mark.

– Je te donnerai tout ce que tu désires en échange.

Elle hésita.

– Tout ?

Il opina.

Elle jeta un regard à Mark.

– J'ai donné ma parole que tous les clones de la maison Bharaputra seraient emmenés dans un endroit sûr... et humain, là où les Jacksoniens ne pourront pas leur mettre la main dessus. Etes-vous prêt à faire cela pour moi ?

Illyan se mâcha les lèvres.

– La SecImp peut leur procurer de nouvelles identités, évidemment. Aucun problème là-dessus. Mais leur trouver un endroit sûr risque d'être un peu plus compliqué. Mais oui, nous nous occuperons d'eux.

Nous nous occuperons d'eux. Que voulait dire Illyan ? Malgré tous leurs autres vices, les Barrayarans ne pratiquaient pas l'esclavage.

– Ce sont des enfants ! s'exclama Mark. Vous devez vous souvenir que ce ne sont que des enfants.

Ce n'est pas si facile de s'en souvenir, aurait-il voulu ajouter mais le regard de Bothari-Jesek l'arrêta.

Illyan le regarda à peine.

– Dans ce cas, je demanderai conseil à la comtesse Vorkosigan. Rien d'autre ?

– Le *Peregrine* et l'*Ariel*...

– ... doivent rester en orbite autour de Komarr pour l'instant. Ils seront en quarantaine. Pas de communications, rien. Mes excuses à vos troupes mais elles devront s'en accommoder.

– Vous couvrirez les frais de cette pagaille ?

Illyan grimaça.

– Oui, hélas.

– Et... vous chercherez Miles du mieux possible ?

– Oh oui, souffla-t-il.

– Dans ce cas, j'irai, annonça Bothari-Jesek, la voix faible, le visage blême.

– Merci, dit calmement Illyan. Mon courrier rapide est à ta disposition. Il sera prêt à partir dès que vous le pourrez. (Son regard tomba comme à regret sur Mark. Cela faisait un bon moment qu'il évitait de le voir.) Combien de gardes souhaites-tu prendre avec toi ? demanda-t-il à Bothari-Jesek. Je leur ferai comprendre qu'ils sont sous tes ordres jusqu'à ce que vous soyez arrivés chez le comte.

– Je n'en veux pas mais il me faudra bien dormir un peu. Deux, décida Bothari-Jesek.

Et voilà comment il devenait officiellement prisonnier du gouvernement impérial de Barrayar, songea Mark. *Fin du voyage*.

Bothari-Jesek se leva et lui intima d'un geste d'en faire autant.

– Allons-y. Je dois prendre quelques effets personnels à bord du *Peregrine*. Dire à mon second d'assurer le commandement et expliquer à mes hommes la quarantaine. Trente minutes.

– Bien. Capitaine Quinn, s'il vous plaît, restez.

– Oui, monsieur.

Illyan se leva à son tour pour accompagner Bothari-Jesek à la porte.

– Dis à Aral et à Cordelia... commença-t-il puis il se tut.

Un long moment passa.

– Je leur dirai, dit finalement Bothari-Jesek.

Illyan hocha la tête.

La porte s'ouvrit devant elle et elle s'en fut à grands pas. Elle ne chercha même pas à voir si Mark la suivait. Il dut courir pour ne pas se faire distancer.

Sa cabine à bord du courrier rapide de la SecImp se révéla encore plus petite que celle qu'il avait occupée à bord du *Peregrine*. Bothari-Jesek l'y enferma et l'abandonna. Il n'y avait ni horloge ni même le moindre contact humain : la cabine possédait son propre système informatique de livraison des repas, connecté par quelque réseau aux cuisines du vaisseau. Il dévora de façon obsessionnelle, sans plus savoir vraiment à quoi cela lui servait. Le confort procuré par la nourriture se mêlait à un vague sentiment d'autodestruction. Mais la mort par obésité prenait des années et il n'avait que cinq jours.

Le dernier jour, son corps refusa sa stratégie : il fut violemment malade. Il parvint à garder cela secret jusqu'au transfert sur la planète dans la navette. Là, on attribua son malaise à l'apesanteur et au mal de l'espace. Un garde de la SecImp se montra étonnamment sympathique avec lui. Il devait sans doute souffrir lui aussi du mal de l'espace. L'homme lui colla une pastille antinausée sur le cou.

Cette pastille possédait aussi des effets sédatifs. Le cœur de Mark ralentit. L'effet apaisant dura jusqu'à ce qu'ils atterrissent et grimpent à bord d'une voiture. Un garde et un chauffeur prirent place dans le compartiment avant. Mark s'assit en face de Bothari-Jesek à l'arrière pour ce qui allait être la dernière partie de ce voyage au bout du cauchemar. Ils quittèrent le spatioport militaire pour se rendre à Vorbarr Sultana. Le cœur de l'empire barrayaran.

Ce ne fut que quand il parut être en proie à une attaque d'asthme que Bothari-Jesek, abandonnant sa sombre introspection, se manifesta.

– Qu'avez-vous, nom de Dieu ?

Elle se pencha et lui prit le pouls qui s'affolait. Il était en nage.

– Malade, bafouilla-t-il.

Elle lui lança un regard irrité qui signifiait ça-je-m'en-suis-aperçu-toute-seule. Il se corrigea et admit :

– J'ai peur.

Il pensait avoir connu la pire des peurs sous le feu bharaputran mais ce n'était rien comparé à cette terreur rampante, cette crampe qui lui raidissait tout le corps, le faisait suffoquer à l'idée que son destin lui échappait à jamais.

– De quoi avez-vous peur ? demanda-t-elle, méprisante. Personne ne va vous faire de mal.

– Capitaine, ils vont me tuer.

– Qui ça ? Lord Aral et dame Cordelia ? Ça m'étonnerait. Si, pour une raison quelconque, nous ne parvenons pas à retrouver Miles, vous pourriez devenir le prochain comte Vorkosigan. Vous avez sûrement déjà trouvé ça tout seul.

Ce fut alors qu'il satisfit une vieille curiosité. Il s'évanouit et ses poumons fonctionnèrent effectivement automatiquement. Il ne resta inconscient que quelques secondes. Dans un brouillard noir, il se débattit tandis que Bothari-Jesek essayait de déboutonner sa chemise et lui ouvrait la bouche pour vérifier qu'il n'avait pas avalé sa langue. Elle avait emporté, par habitude, deux capsules antinausée, et en tenait une, incertaine. D'un geste urgent, il lui indiqua de la lui appliquer. Cela lui fit du bien.

– Pour qui prenez-vous ces gens ? demanda-t-elle avec colère quand ses battements de cœur se firent plus réguliers.

– Je ne sais pas. Mais je suis certain qu'ils ne vont pas être contents de me voir.

Le pire était de savoir que cela aurait pu nettement mieux se passer. Si seulement il avait débarqué ici avant cette débâcle sur l'Ensemble de Jackson... pour dire bonjour, par exemple. Mais il avait voulu être en position de force pour rencontrer Barrayar. Il avait voulu nettoyer l'Enfer. Il n'avait réussi qu'à apporter l'Enfer ici avec lui.

Elle se renfonça dans son siège et le considéra avec stupéfaction.

– Vous êtes vraiment terrorisé à ce point ? demanda-t-elle comme si elle venait de faire une découverte essentielle.

Il eut envie de hurler.

– Mark, lord Aral et Dame Cordelia vous soutiendront quoi qu'il ait pu se passer. J'en suis certaine. Mais vous devez faire votre part.

– C'est-à-dire ?

– Je... ne sais pas trop, admit-elle.

– Merci. Votre aide est précieuse.

Et ils arrivèrent. La voiture franchit un portail et pénétra dans une cour d'une immense résidence en pierre. Elle avait été bâtie avant la Période d'Isolement, avant l'électricité et cela lui donnait un aspect aussi fabuleusement ancien. A Londres, Mark avait vu une architecture similaire qui datait d'un bon millénaire. Cette bâtisse n'avait que cent cinquante ans. La résidence Vorkosigan.

La bulle de la voiture s'ouvrit et il sortit en trébuchant à la suite de Bothari-Jesek. Cette fois-ci, elle l'attendit. Elle l'attrapa fermement par le bras par crainte qu'il ne s'effondre ou qu'il ne s'enfuie. Le soleil brilla plaisamment jusqu'à ce qu'ils pénètrent dans un hall frais pavé de dalles noires et blanches. Un immense escalier circulaire grimpait à l'étage. Combien de fois Miles avait-il franchi ce seuil ?

Bothari-Jesek était comme la sorcière d'un méchant conte de fées : elle avait volé le Miles chéri et l'avait remplacé par cette imitation grotesque et lourdaude. Il étouffa un gloussement hystérique tandis qu'une voix sardonique se mettait à chanter sous son crâne. *Salut, M'man, salut, P'pa, j'suis r'venu à la maison...* Oui, un sale conte de fées.

12

Ils furent accueillis dans le hall d'entrée par deux serviteurs en livrée havane et argent, les couleurs des Vorkosigan. L'un d'entre eux emmena Bothari-Jesek vers la droite. Mark eut envie de pleurer. Elle le méprisait mais, au moins, il la connaissait. Dépouillé de tout soutien, se sentant encore plus effroyablement seul que dans l'obscurité de la cabine, il suivit l'autre domestique sous les voûtes d'un petit couloir vers une rangée de portes.

A l'époque de Galen, il avait mémorisé le plan de la résidence Vorkosigan, il y avait bien longtemps de cela. Il savait par conséquent qu'ils pénétraient dans une pièce qualifiée de premier parloir, une antichambre à la vaste bibliothèque qui courait sur toute la largeur de la maison depuis la façade jusqu'à l'arrière. Selon les standards en vigueur ici, il s'agissait d'une pièce relativement intime même si son plafond très haut lui donnait une austérité froide et vaguement réprobatrice. Son intérêt pour les détails architecturaux disparut à l'instant où il aperçut la femme qui l'attendait tranquillement assise dans le divan.

Grande, ni forte ni mince, c'était une femme d'âge mûr, solidement bâtie. Ses cheveux roux parsemés de mèches grises naturelles étaient relevés en un nœud compliqué à l'arrière du crâne, libérant le visage, les pommettes, les mâchoires et les yeux gris clair. Sa posture était contenue, posée, plutôt que reposante. Elle avait un chemisier de soie beige, une ceinture brodée main qui, se rendit-il soudain compte, était identique à celle qu'il portait, une longue jupe de cuir tanné et des bottes. Pas de bijoux. Il s'était attendu à quelque chose de plus ostentatoire, plus élaboré, intimidant... quelque chose qui ressemblerait à l'icône officielle de la comtesse Vorkosigan dont il avait déjà une idée à travers les vids des réceptions et dîners officiels. Mais peut-être le sentiment de sa puissance était-il si profondément enraciné en elle qu'elle n'avait pas besoin d'en arborer les signes extérieurs ? Elle *était* la puissance, le pouvoir. Par ailleurs, il ne voyait aucune similarité physique entre eux. Bon, peut-être la couleur des yeux. Et la pâleur de leurs peaux. Le dessin du nez, aussi. La ligne de la mâchoire...

— Lord Mark Vorkosigan, madame, annonça le serviteur d'une voix de stentor qui le fit sursauter.

— Merci, Pym.

Elle le renvoya d'un signe de tête. L'homme – à n'en pas douter, il assumait aussi le rôle d'aide de camp – fit de son mieux pour dissimuler sa curiosité déçue et ferma les portes derrière lui. Au moment où elles se rejoignaient, il ne put s'empêcher de lancer un dernier regard vers Mark.

– Bonjour, Mark. (La voix de la comtesse Vorkosigan avait un timbre doux d'alto.) S'il te plaît, assieds-toi.

Elle le tutoyait d'emblée.

Normal, je fais partie de la famille, n'est-ce pas ?

Il se dirigea vers le fauteuil indiqué situé non loin du divan : un siège qui semblait parfaitement inoffensif, sans bracelets qui se refermeraient sur lui... et qui n'était pas trop près d'elle. Il obéit avec maladresse. Curieusement, il n'était pas trop haut : ses pieds touchaient le sol. Avait-il été fabriqué sur mesure pour Miles ?

– Je suis contente de te rencontrer enfin, annonça-t-elle, même si je suis désolée que ce soit en de telles circonstances.

– Moi aussi, marmonna-t-il.

Etaient-ils contents ou désolés ? Qui étaient ces deux personnes assises là qui se mentaient poliment à propos de leurs joies et de leurs peines ? *Qui sommes-nous, madame ?* Il regarda autour de lui avec crainte de peur de trouver le Boucher de Komarr.

– Où est... votre mari ?

– Il a tenu ostensiblement à accueillir Elena. En fait, il s'est défilé et il m'a envoyée en première ligne. Ce qui ne lui ressemble vraiment pas.

– Je... ne comprends pas, ma'ame.

Il ne savait pas comment l'appeler.

– Depuis deux jours, il ingurgite des remèdes pour l'estomac comme si c'était de la bière de luxe... Essaye de comprendre comment nous est apparue la situation. Nous avons su que quelque chose clochait pour la première fois il y a quatre jours de cela. Un officier du QG de la SecImp nous a remis un bref message standard d'Illyan annonçant que Miles était porté manquant, détails à suivre. Tout d'abord, nous n'avons pas paniqué. Miles a été souvent déjà porté manquant, parfois pour des périodes très longues. Ce ne fut que plusieurs heures plus tard, quand le deuxième message d'Illyan – beaucoup plus long celui-là – a été décodé que nous avons commencé à y voir clair. Depuis, nous avons eu trois jours pour y penser.

Mark resta muet. Il avait du mal à accepter un tel concept : le grand amiral comte Aral Vorkosigan, le terrifiant Boucher de Komarr, cédant à la panique. Ce monstre tapi dans l'ombre qu'il répandait autour de lui pouvait éprouver de la panique comme un simple mortel... Difficile à admettre.

– Illyan n'utilise jamais un mot pour un autre, poursuivait la comtesse, mais il s'est débrouillé pour rédiger tout son rapport sans jamais employer les termes « mort », « tué » ou un quelconque synonyme. Les rapports médicaux lui donnent tort. Exact ?

– Hum... la cryogénisation semble avoir réussi.

Qu'attendait-elle de lui ?

– Et voilà comment on se retrouve perdu dans les limbes, soupira-t-elle. Émotionnellement et légalement. Ce serait presque plus facile si... (Elle fronça les yeux d'un air féroce vers son propre ventre. Ses mains se crispèrent... pour la première fois.) Tu comprends, nous allons devoir évoquer un tas d'éventualités. La plupart d'entre elles te concernent. Mais je ne tiendrai pas Miles pour mort jusqu'à ce qu'il soit mort et *pourri*.

Il revit la mare de sang sur le béton.

– Hum... fit-il, impuissant.

– Le fait que tu puisses éventuellement jouer le rôle de Miles a constitué une belle distraction pour certaines personnes. (Elle le détailla avec surprise des pieds à la tête.) Tu dis que les Dendariis t'ont accepté...

Il se tassa dans son siège, péniblement conscient de son obésité sous ces yeux gris trop perçants. Il sentit la chair qui roulait sur son torse, qui tendait la chemise de Miles, la ceinture de Miles, le pantalon de Miles.

– Je... j'ai pris du poids depuis.

– Tout ça ? En trois semaines seulement ?

– Oui, maugréa-t-il, rougissant.

Elle haussa un sourcil.

– Volontairement ?

– Plus ou moins.

– Ha... (Elle parut étonnée.) Voilà qui était *extrêmement* intelligent de ta part.

Il en resta bouche bée. Puis, comprenant que ce geste ne faisait que souligner son double menton, il la referma promptement.

– Ton statut a fait l'objet de bien des débats. J'ai voté contre toutes les démarches visant à cacher la situation de Miles en te faisant passer pour lui. Primo, c'est ridicule. Le lieutenant lord Vorkosigan est souvent absent pendant des mois. Il était d'ailleurs rarement ici ces derniers temps. Stratégiquement, il est plus important de t'établir en tant que toi-même, en tant que lord Mark... si jamais tu deviens effectivement lord Mark.

Il déglutit avec peine.

– Ai-je le choix ?

– Tu en auras un mais il sera limité, après que tu auras eu le temps d'assimiler tout ça.

– Vous n'êtes pas sérieuse. Je suis un *clone*.

– Je viens de la Colonie Beta, petit, rétorqua-t-elle, acerbe. Les lois betanes sont extrêmement sensibles et claires au sujet des clones. Il n'y a que les coutumes barrayaranes pour les considérer comme des rebuts. Les Barrayarans ! (Elle avait prononcé ce mot comme une insulte.) Barrayar manque d'expérience en ce qui concerne les variantes technologiques de la reproduction humaine. Ils n'ont pas de précédents légaux. Et si ce n'est pas dans la *tradition*... (Elle avait mis dans ce terme la même amertume que Bothari-Jesek.)... ils ne savent plus comment réagir.

– Que suis-je, selon vous, en tant que Betan ? demanda-t-il, inquiet et fasciné.

– Soit mon fils, soit mon beau-fils – c'est le terme légal, expliqua-t-elle très vite. Non enregistré mais que je reconnais comme mon héritier.

– Ce sont vraiment des catégories légales sur votre monde ?

– Tu peux me croire. Cela dit, si *j'avais* ordonné à ce qu'on te clone à partir de Miles, après avoir obtenu une licence d'enregistrement d'enfant, tu serais mon fils, point final. Si Miles, en tant qu'adulte, en avait fait autant, il serait ton parent légal et je serais ta belle-mère, ce qui équivaudrait, plus ou moins, au niveau de nos rapports à une grand-mère. Miles n'était pas, bien évidemment, adulte quand tu as été cloné. Et ta naissance a été effectuée sans licence. Si tu étais encore mineur, nous pourrions, Miles et moi, consulter un Adjudicateur. Celui-ci accorderait ton tutorat à l'un de nous deux selon son jugement, selon ce qu'il penserait être le mieux pour toi. Mais tu n'es plus mineur, pas plus au regard du droit betan que barrayaran. (Elle soupira.) Nous avons donc perdu ce recours légal. Ton héritage devra se faire dans la jungle des lois barrayaranes. Aral discutera avec toi des problèmes de succession barrayarans quand le moment sera venu. Ce qui nous laisse à considérer notre relation émotionnelle.

– Nous en avons une ? demanda-t-il prudemment.

Ses deux plus grandes craintes – qu'elle cherche à lui arracher les yeux et à le tuer ou qu'elle se jette à son cou dans un paroxysme d'amour maternel – semblaient ne pas devoir s'accomplir. Il se trouvait face à un mystère qui s'exprimait d'une voix absolument neutre.

– Nous en avons une même s'il nous reste à la découvrir. Mais tu dois bien comprendre ceci. La moitié de mes gènes se balade dans ton corps et mon génome égoïste est largement préprogrammé pour rechercher ses copies. L'autre moitié provient de l'homme que j'admire le plus au monde, mon intérêt est donc doublement éveillé. La combinaison vivante des deux devrait... au moins m'attirer.

Formulé ainsi, ça paraissait sensé, logique et nullement menaçant. Il s'aperçut que son estomac se dénouait, que sa gorge lui faisait moins mal. Soudain, il eut à nouveau faim pour la première fois depuis qu'ils étaient arrivés en orbite.

– Cela dit, ce qu'il y a entre toi et moi n'a rien à voir avec ce qu'il y a entre Barrayar et toi. Ceci concerne Aral et il devra t'en parler en son nom. Rien n'a été décidé sauf une chose. Tant que tu es ici, tu es toi-même, Mark, le frère jumeau de Miles, de six ans son cadet. Tu n'es ni une imitation ni un substitut pour Miles. Ainsi, plus tu pourras te distinguer de Miles dès le début, mieux ce sera.

– Oh, fit-il dans un souffle, s'il vous plaît, oui.

– Je me doutais que tu avais déjà compris cela. Tant mieux, nous sommes entièrement d'accord. Mais ne-pas-être-Miles, ça revient à peu près au même que d'être son imitation. Je veux savoir : Qui est Mark ?

– Madame... je ne sais pas.

Sa sincérité avait quelque chose d'angoissé.

Elle l'étudia avec un calme rassurant.

– Le temps ne manque pas, dit-elle. Tu sais... Miles... tenait à ce que tu viennes ici. Il parlait de te faire visiter. Il voulait t'apprendre à monter à cheval.

Elle eut un furtif haussement d'épaule.

– Galen a essayé de me faire apprendre à Londres, se souvint Mark. Ça coûtait effroyablement cher et je n'étais pas très doué. Il a fini par me dire d'éviter les chevaux quand je serais ici.

– Ah ? (Elle sembla retrouver un peu de gaieté.) Hum... Miles est... était... est un enfant unique. Il a une conception assez romantique à propos des frères et sœurs. Moi qui ai un frère, je ne me fais pas autant d'illusions. (Elle s'arrêta, contempla la pièce autour d'eux avant de se pencher en avant. Elle baissa soudain la voix comme pour une confidence.) Tu as un oncle, une grand-mère et deux cousins sur la Colonie Beta. Ils sont autant tes parents qu'Aral ou moi-même ou ton cousin Ivan ici à Barrayar. N'oublie pas que tu n'as pas qu'un seul choix. J'ai donné un fils à Barrayar. Et pendant vingt-huit ans j'ai dû regarder Barrayar essayer de le détruire. J'ai peut-être assez donné à Barrayar comme cela, non ?

– Ivan est ici, *en ce moment* ? demanda Mark, distrait et horrifié.

– Il ne se trouve pas à la résidence Vorkosigan, si c'est ce que tu veux dire. Il est à Vorbarr Sultana, assigné au Quartier Géneral de l'Armée Impériale. Peut-être... (Une lueur dansa dans ses yeux gris.)... Peut-être qu'il pourrait te faire visiter et te montrer certaines des choses que Miles voulait te montrer.

– Ivan risque d'être encore furieux de ce que je lui ai fait à Londres, fit Mark, nullement rassuré.

– Ça lui passera, prédit la comtesse avec confiance. Je dois admettre que Miles aurait jubilé à l'idée de mettre certaines personnes mal à l'aise grâce à toi.

Un trait de caractère qu'il avait visiblement hérité de sa mère.

– J'ai vécu près de trois décennies sur Barrayar, poursuivit-elle, pensive. Nous avons accompli un si long chemin. Et pourtant, il y a encore tant à faire. Même la volonté d'Aral commence à s'épuiser. Peut-être que nous ne pourrons pas tout faire en une seule génération. A mon avis, le temps de la relève est... bah...

Pour la première fois, Mark se laissa aller contre le dossier de son fauteuil. Il commençait à observer et à écouter, n'était plus uniquement obnubilé par l'idée de se protéger. Une alliée. Il semblait bien qu'il avait une alliée, même s'il ne savait pas encore pourquoi. Galen, obsédé par son vieil ennemi, le Boucher, n'avait pas passé beaucoup de temps avec la comtesse Cordelia Vorkosigan. A l'évidence, il l'avait largement sous-estimée. Elle avait survécu vingt-neuf ans ici... pourrait-il en faire autant ? Pour la première fois, cela lui semblait humainement possible.

Un bref coup sur la grande double porte retentit. Au « oui » de la comtesse, elles s'ouvrirent. Un homme passa la tête par l'ouverture et lui adressa un sourire un peu forcé.

– M'est-il possible de me joindre à vous maintenant, mon cher capitaine ?

– Oui, je le pense, répondit la comtesse Vorkosigan.

Il entra et referma les portes derrière lui. La gorge de Mark se serra. Il déglutit et inspira, déglutit et inspira, luttant comme un dément pour garder un trop fragile contrôle sur lui-même. Il ne s'évanouirait *pas* devant cet homme. Ne vomirait pas. D'ailleurs, son estomac ne devait pas contenir plus d'une cuillère à thé de bile en ce moment. C'était lui. Pas d'erreur possible. Le Premier ministre amiral comte Aral Vorkosigan, autrefois régent de l'Empire et, de facto, dictateur de trois mondes, conquérant de Komarr, génie militaire, maître politicien... accusé de meurtre, torture, folie et de tant d'autres choses insensées qu'il semblait impossible qu'elles soient toutes contenues dans ce corps trapu qui venait vers lui.

Mark avait étudié des vids de lui à tous les âges ; sa première pensée cohérente fut : *Il est plus vieux que je m'y attendais*. Le comte Vorkosigan avait dix années standard de plus que son épouse betane, il en paraissait vingt ou trente de plus. Ses cheveux étaient d'un gris plus blanc que sur les vids le montrant à peine deux ans plus tôt. Son visage était lourd, intense et marqué. Il portait son pantalon d'uniforme vert mais pas la veste... juste une chemise crème aux longues manches retroussées et au col déboutonné. Si c'était une tentative pour avoir l'air décontracté, c'était complètement raté. La tension avait submergé la pièce dès son entrée.

— Elena est installée, annonça-t-il en prenant place sur le divan aux côtés de la comtesse.

Sa posture était ouverte, les mains sur les genoux mais il ne se laissa pas aller confortablement en arrière.

— Cette visite, reprit-il, semble faire resurgir pour elle trop de vieux souvenirs. Elle est assez troublée.

— J'irai lui parler dans un moment, promit la comtesse.

— Bien.

Le regard du comte inspecta Mark. Etonné ? Ecœuré ?

— Bien, répéta-t-il.

Le fameux diplomate dont le boulot consistait à convaincre trois planètes de s'engager sur la voie du progrès restait sans voix, comme s'il était incapable de s'adresser directement à Mark.

– Ils *l'ont* pris pour Miles ?

Une étincelle amusée passa dans les yeux de la comtesse.

– Il a pris un peu de poids depuis, dit-elle, neutre.

– Je vois.

Le silence s'effondra sur eux.

Mark explosa.

– La première chose que je devais faire en vous voyant, c'était essayer de vous tuer.

– Oui. Je sais.

Le comte s'enfonça sur le divan, les yeux enfin posés sur le visage de Mark.

– Ils m'ont fait pratiquer à peu près vingt méthodes différentes, jusqu'à ce que je sois capable de les exécuter pendant mon sommeil. Mais celle qu'ils auraient préféré me voir utiliser, c'était une capsule collante qui diffuse une toxine paralysante. A l'autopsie, on aurait conclu à une crise cardiaque. Je devais me retrouver seul avec vous et la poser sur n'importe quelle partie de votre corps. L'effet était étrangement lent, pour une drogue mortelle. Je devais attendre, devant vous, une bonne vingtaine de minutes jusqu'à ce que vous mouriez en vous laissant croire que j'étais Miles et que je vous avais tué.

Le comte sourit d'un air lugubre.

– Je vois. Une excellente vengeance. Très artistique. Ça aurait pu marcher.

– En tant que nouveau comte Vorkosigan, j'aurais alors tenté de prendre la tête de l'Empire.

– *Ça*, ça n'aurait pas marché. Ser Galen le savait. En fait, il désirait surtout provoquer un gigantesque chaos de façon que Komarr se soulève. Pour lui, tu n'étais qu'un autre Vorkosigan bon à sacrifier.

Il semblait soudain plus à l'aise à discuter de ces complots grotesques. Il avait l'air plus... professionnel.

– Vous tuer était l'unique raison de mon existence. Il y a deux ans, c'était la seule chose qui me faisait vivre. J'ai enduré toutes ces années avec Galen dans cet unique but.

– Rassure-toi, conseilla la comtesse, la plupart des gens n'ont aucune raison d'exister.

– La SecImp, reprit le comte, a rassemblé un énorme tas de renseignements sur toi dès que le complot a été démasqué. Cela couvre une longue période : depuis l'instant où tu n'étais qu'une lueur de folie dans le regard de Galen jusqu'à ta dernière disparition de la Terre il y a deux mois. Mais, il n'y a rien là-dedans qui suggère que ta... euh, dernière aventure sur l'Ensemble de Jackson était le résultat d'une programmation latente qui te conduirait à mener à bien mon assassinat. Il n'y a pas le moindre doute là-dessus, non ?

Une infime incertitude s'entendait dans sa voix.

– Non, dit Mark avec fermeté. J'ai été assez conditionné pour savoir quand je le suis ou pas. Ce n'est pas quelque chose qu'on peut ignorer. En tout cas, pas avec la façon dont Galen s'y prenait.

– Je ne suis pas d'accord, intervint alors la comtesse. Tu as été conduit à faire ça, Mark. Mais pas par Galen.

Le comte haussa un sourcil inquisiteur. Il semblait aussi surpris que Mark.

– Par Miles, j'en ai bien peur, expliqua-t-elle. De façon bien involontaire.

– Je ne comprends pas, dit le comte.

Mark non plus.

– Je n'ai été en contact avec Miles que pendant quelques jours sur Terre.

– Je ne suis pas certaine que tu sois prêt pour ça mais voilà ce que je pense. Tu as eu exactement trois modèles pour apprendre à devenir un être humain. Les trafiquants de corps jacksoniens, les terroristes komarrans et... Miles. Tu t'es *nourri* de Miles. Et, j'en suis désolée, mais Miles se prend pour un chevalier errant. Un gouvernement rationnel ne l'autoriserait même pas à posséder un couteau de poche, sans parler d'une flotte spatiale. Et voilà comment, Mark, quand tu as finalement été forcé de faire un choix entre deux monstres assassins et un cinglé... tu as choisi le cinglé.

– Je trouve que Miles fait du très bon travail, objecta le comte.

– Aarh. (La comtesse s'enfouit brièvement le visage dans les mains.) Mon amour, nous parlons d'un jeune homme sur qui Barrayar a fait peser une telle tension, lui a causé de telles douleurs qu'il a dû de toutes pièces créer une nouvelle personnalité pour s'y réfugier. Il a alors persuadé plusieurs milliers de mercenaires galactiques de soutenir sa névrose et, pour couronner le tout, il s'est débrouillé pour que l'empire barrayaran paye la facture. L'amiral Naismith est beaucoup plus qu'un simple agent secret de la SecImp et tu le sais. Je veux bien t'accorder que c'est un génie mais n'essaye pas de me dire qu'il est sain d'esprit. (Une pause.) Non. Ce n'est pas juste. Sa soupape de sécurité fonctionne. Je commencerai vraiment à me faire du souci pour sa santé mentale quand il sera coupé du petit amiral. En fait, il a trouvé une façon extraordinaire de garder son équilibre. (Elle regarda Mark.) Mais c'est aussi quelque chose que personne ne peut imiter.

Mark n'avait jamais pensé une seule seconde que Miles puisse être fou. Pour lui, il était la perfection incarnée. Tout ceci était très troublant.

– Les Dendariis fonctionnent réellement comme le bras armé et caché de la SecImp, fit le comte qui paraissait lui aussi quelque peu troublé. Et souvent, d'une façon spectaculairement efficace.

– Bien sûr. Tu ne laisserais pas Miles les garder si ce n'était pas le cas, alors il se débrouille pour que ça marche. Je ne fais que souligner le fait que leur fonction officielle n'est pas leur fonction unique. Et... si Miles décide un jour qu'il n'a plus besoin d'eux, il ne se passera pas un mois avant que la SecImp trouve une bonne raison pour rompre les ponts avec eux. Et vous serez tous absolument persuadés d'agir en parfaite logique.

Pourquoi ne l'accusaient-ils pas... ? Il rassembla son courage pour le demander à haute voix.

— Pourquoi ne m'accusez-vous pas d'avoir tué Miles ?

D'un regard, la comtesse confia la réponse à son mari qui acquiesça d'un signe de tête. Parlait-il en leur nom à tous les deux ?

— Le rapport d'Illyan indique que Miles a été descendu par un soldat bharaputran.

— Mais il ne se serait pas trouvé dans sa ligne de tir si je n'avais...

Le comte Vorkosigan l'interrompit d'un geste.

— S'il n'avait pas choisi d'une façon complètement idiote de s'y trouver. N'essaye pas de camoufler tes fautes réelles en t'accusant de celles dont tu n'es pas responsable. J'ai, moi-même, commis suffisamment d'erreurs mortelles pour ne pas me laisser abuser par celle-ci. (Il regarda ses bottes.) Nous avons aussi considéré le long terme. Alors que ta personnalité et ta personne sont clairement distinctes de celles de Miles, les enfants que vous engendrerez seront génétiquement identiques. Tu ne seras peut-être pas ce dont Barrayar a besoin mais ton fils peut l'être.

— Tout cela afin de perpétuer le système vor, intervint sèchement la comtesse. Voilà un objectif bien douteux, mon amour. Ou bien est-ce que tu te vois déjà jouant le grand-père du fils hypothétique de Mark comme ton père l'a fait avec Miles ?

— Dieu m'en préserve, grommela le comte avec ferveur.

— Tu dois être conscient de ton propre conditionnement. (Elle s'adressait à Mark.) Le problème... (Son regard se perdit avant de revenir sur lui.)... Si nous ne retrouvons pas Miles, tu n'auras pas simplement à assumer une relation. Tu auras un travail à accomplir. Au minimum, tu seras responsable du bien-être de deux millions de personnes, ici, dans ton district. Tu seras leur voix au Conseil des comtes. C'est un travail pour lequel Miles a été entraîné depuis sa naissance. Je ne suis pas certaine qu'il soit possible d'y envoyer un remplaçant de dernière minute.

Sûrement pas, oh, sûrement pas.

– Je ne sais pas, fit le comte, pensif. *J'ai* été un remplaçant. Jusqu'à l'âge de onze ans, je ne servais à rien, je n'étais pas l'héritier. J'admets qu'après la mort de mon frère, les événements m'ont forcé à changer. Nous étions tous assoiffés de vengeance durant la Guerre de Yuri le Fou. Quand j'ai enfin pu rouvrir les yeux et respirer un peu, j'avais déjà pleinement assimilé le fait que je serai comte un jour. Même si je ne me rendais pas compte qu'il faudrait attendre encore cinquante ans. Il est possible que toi aussi, Mark, tu bénéficies d'un grand nombre d'années pour étudier et t'entraîner. Mais il est aussi possible que mon comté soit tien dès demain.

Le bonhomme avait soixante-douze ans, un âge moyen pour un galactique, un vieil homme sur Barrayar la rude. Le comte Aral s'était dépensé sans compter. S'était-il déjà épuisé ? Son père, le comte Piotr, avait vécu vingt années de plus que ça : une vie entière.

– Barrayar acceptera-t-elle un clone à votre place ? s'enquit-il, dubitatif.

– Eh bien, il est plus que temps de commencer à faire passer quelques lois, d'une manière ou d'une autre. Tu serviras de test. En pesant de tout mon poids, je pourrai sans doute leur faire avaler ça...

Là-dessus, Mark n'avait aucun doute.

– ... Mais démarrer une guerre législative est un peu prématuré tant que nous ne saurons pas à quoi nous en tenir avec cette cryo-chambre. Pour l'instant, la version officielle, c'est que Miles est absent pour raison professionnelle et que tu nous rends visite pour la première fois. Ce qui est l'exacte vérité. Je n'ai nul besoin de souligner que les détails sont classés top secret.

Mark secoua puis hocha la tête en signe d'approbation. Ça tournait un peu dans son crâne.

– Mais... est-ce nécessaire ? Imaginez que je

n'existe pas et que Miles se soit fait tuer quelque part. Ivan Vorpratil serait votre héritier.

— Oui, dit le comte, et ce serait la fin des Vorkosigan, après onze générations.

— En quoi serait-ce un problème ?

— Ce serait un problème parce que ce n'est pas le cas. Tu existes. Le problème est... que j'ai toujours voulu que le fils de Cordelia soit mon héritier. Note, si tu veux bien, que nous sommes en train de discuter d'une propriété assez considérable selon les normes standard.

— Je croyais que la plupart de vos terres ancestrales luisent la nuit après la destruction nucléaire de Vorkosigan Vashnoi.

Le comte haussa les épaules.

— Il en reste quelques morceaux. Cette résidence, par exemple. Mais mon héritage ne se résume pas à des terres. Comme Cordelia l'a dit, il s'agit d'un boulot à temps complet. Si nous t'accordons tes droits, tu dois aussi accepter tes devoirs.

— Vous pouvez tout garder, fit Mark avec sincérité. Je renonce à tout. Je signerais n'importe quoi.

Le comte grimaça.

— Ce n'est pas tout à fait aussi simple, Mark, dit la comtesse. Tu ne veux peut-être pas y penser mais certains y penseront pour toi. Tu dois juste être conscient de tous les non-dits.

Le comte acquiesça d'un air absent. Il émit un léger soupir comme un sifflement. Quand il leva à nouveau les yeux, il paraissait effroyablement grave.

— C'est la vérité. Et, à propos de non-dits, il y en a un particulièrement important. A tel point que ce n'est plus un non-dit mais un non-dicible. Tu dois être prévenu.

Ça semblait effectivement indicible puisque le comte Vorkosigan lui-même avait du mal à cracher le morceau.

— Qu'est-ce qu'il y a encore ? s'inquiéta Mark.

— Il existe une... théorie généalogique assez aléatoire. Une des six lignées possibles me met en position

224

d'hériter de l'empire si l'empereur Gregor meurt sans héritier.

– Oui, fit Mark avec impatience, je le sais, bien sûr. Le complot de Galen comptait utiliser cet argument. Vous, puis Miles, puis Ivan.

– Oui, eh bien, maintenant c'est moi, puis Miles, puis toi, puis Ivan. Et Miles est – techniquement – mort pour l'instant. Ce qui fait qu'il n'y a plus que moi avant qu'on ne te prenne pour cible. Pas en tant qu'imitation de Miles mais en tant que Mark.

– C'est *débile* ! explosa Mark. C'est encore plus cinglé que l'idée de faire de moi le comte Vorkosigan !

– Accroche-toi à ça, conseilla la comtesse. Accroche-toi bien et ne laisse jamais personne s'imaginer que tu penses autrement.

Je suis tombé dans un asile de fous.

– Si qui que ce soit tente d'avoir avec toi une conversation à ce sujet, rapporte-le immédiatement à Cordelia, à Illyan ou à moi, ajouta le comte.

Mark avait battu en retraite dans son fauteuil aussi loin qu'il le pouvait.

– Oui...

– Tu es en train de lui faire peur, chéri, remarqua la comtesse.

– Sur ce sujet, la paranoïa est la clé d'une bonne santé, gronda le comte, lugubre. (Il observa Mark un moment.) Tu sembles fatigué. Nous allons te montrer ta chambre. Tu pourras te laver et te reposer un peu.

Ils se levèrent tous en même temps. Mark les suivit dans le hall d'entrée. La comtesse hocha la tête en direction d'une voûte.

– Je vais prendre le tube et monter voir Elena.

– Bien, fit le comte.

Mark n'eut pas d'autre choix que de le suivre dans l'escalier. Deux étages plus haut, il ne se faisait plus d'illusion sur sa condition physique : il était aussi essoufflé que le vieil homme. Le comte s'arrêta devant la troisième porte dans le couloir.

Comme dans un rêve, Mark demanda :

– Vous ne me mettez pas dans la chambre de Miles, hein ?

– Non. Mais cette chambre a été la mienne, autrefois, quand j'étais enfant.

Avant la mort de son frère, bien sûr. La chambre du second fils. C'était presque aussi énervant.

– Ce n'est qu'une chambre d'ami, maintenant.

Le comte poussa une nouvelle porte en bois, elle aussi montée sur de simples gonds. La pièce était claire, ensoleillée. L'antique mobilier en bois fait main et d'une immense valeur comprenait un lit et plusieurs coffres. Une console domestique contrôlait la lumière et des fenêtres électroniques avaient été installées de façon incongrue derrière des persiennes en bois sculpté.

Mark pivota et entra en collision avec le regard interrogateur du comte. C'était mille fois pire qu'avec les Dendariis et la façon dont leurs yeux proclamaient : « J'aime Naismith. » Il se serra les tempes entre les mains.

– Miles n'est pas là-dedans !

– Je sais, dit calmement le comte. C'est... moi que je cherchais. Et Cordelia. Et toi.

Ensorcelé malgré lui, Mark chercha à son tour ce qui dans le comte lui ressemblait. Il n'était sûr de rien. Peut-être les cheveux... avant. Miles et lui partageaient la même chevelure sombre que le jeune amiral Vorkosigan dans les vids. Intellectuellement, il savait qu'Aral Vorkosigan était le fils cadet du comte Piotr mais son frère aîné était mort depuis soixante ans. Il était stupéfait que le vieux comte se soit immédiatement souvenu de son frère pour faire le rapport avec lui. C'était étrange et effrayant. *Je devais tuer cet homme. Je pourrais encore le faire. Il ne se protège absolument pas.*

– Vos gens de la SecImp n'ont même pas pris la peine de me passer au thiopenta. Vous ne craignez pas que je ne sois encore programmé pour vous assassiner ?

Ou alors représentait-il une menace si infime ?

– Je pensais que tu avais déjà tué l'image de ton père. Que la catharsis suffisait.

Une grimace incurva les lèvres du comte.

Mark se souvint de la stupéfaction de Galen au moment où le rayon du brise-nerfs l'avait touché en pleine tête. Mark se dit qu'il y avait peu de chances qu'au moment de mourir, Aral Vorkosigan ait l'air surpris.

– Tu as sauvé la vie de Miles, à cet instant, d'après la description qu'il m'a faite, reprit le comte. Tu as choisi ton camp, sur Terre, il y a deux ans. D'une façon particulièrement efficace. J'ai beaucoup de craintes à ton sujet, Mark, mais que tu me donnes la mort n'en fait pas partie. Tu ne le crois sans doute pas mais tu as su susciter – et mériter – le respect de ton frère. A mon avis, vous êtes à égalité là-dessus.

– Mon progéniteur. Pas mon frère, dit Mark, raide et congelé.

– Cordelia et moi sommes tes progéniteurs, affirma le comte avec fermeté.

Tout le corps difforme de Mark hurlait le contraire.

Le comte haussa les épaules.

– Quoi que soit Miles, nous l'avons fait. Tu as sans doute raison de nous approcher avec prudence. Il se peut que nous ne soyons pas bons pour toi, non plus.

Le ventre de Mark frémit d'un abominable désir refréné par une terreur tout aussi abominable. Des progéniteurs. *Des parents*. Il n'était pas certain de vouloir des parents si tard. C'était trop énorme. Ils étaient trop énormes. Il se sentait invisible dans leur ombre, brisé comme du verre, annihilé. Soudain, il eut l'étrange envie d'être avec Miles. Quelqu'un de son âge et de sa taille. Quelqu'un à qui il pouvait parler.

Le comte détailla à nouveau la chambre à coucher.

– Pym a sûrement dû ranger tes affaires.

– Je n'ai pas d'affaires. Juste les vêtements que je porte... monsieur.

Il avait été incapable de retenir ce titre honorifique.

– Tu devais bien en avoir d'autres !

– Ce que j'ai ramené de la Terre se trouve dans un placard de consigne sur Escobar. Se trouvait... Comme je n'ai plus payé depuis un bout de temps, ça a dû être confisqué.

Le comte l'examina.

– J'enverrai quelqu'un prendre tes mesures et te fournir tout ce dont tu as besoin. Dans des circonstances plus normales, nous te ferions visiter la ville. On te présenterait à quelques amis. On te ferait faire quelques tests d'aptitude afin d'approfondir ton éducation. On fera sans doute ça un jour.

Une école ? De quel genre ? Se retrouver à l'académie militaire barrayarane équivalait pour Mark à une véritable descente aux enfers. L'obligeraient-ils... ? Il y avait moyen de résister. Il était bien parvenu à ne pas utiliser la garde-robe de Miles.

– Si tu désires quoi que ce soit, sonne Pym sur ta console.

Des serviteurs humains. Vraiment très étrange. La peur physique qui lui fouillait les tripes commençait à se dissiper, remplacée par une angoisse générale assez indéfinissable.

– Puis-je avoir quelque chose à manger ?

– Ah... s'il te plaît, dîne avec nous dans une heure. Pym te montrera où se trouve le salon jaune.

– Je sais où il est. A l'étage inférieur, un couloir vers le sud, troisième porte à droite.

Le comte haussa un sourcil.

– Correct.

– Je vous ai étudiés, vous voyez.

– Tant mieux. Nous t'avons étudié, nous aussi. On a tous appris notre petite leçon.

– A quand l'examen ?

– C'est bien là le hic. Il n'y a pas d'examen. C'est la vraie vie.

Et la vraie mort.

– Je suis désolé, s'exclama soudain Mark.

Pour Miles ? Pour lui-même ? Il n'en savait rien.

Le comte parut lui aussi se poser cette question. Un bref sourire ironique lui tordit une lèvre.

– Eh bien... D'une certaine façon, c'est presque un soulagement de savoir que ça ne peut pas être pire. Avant, quand Miles disparaissait, on ne savait pas où il était, ce qu'il pourrait faire pour, euh... accroître la pagaille. Au moins, cette fois-ci, nous savons qu'il ne peut pas se fourrer dans un pire merdier.

Après un bref salut de la main, le comte s'en fut. Il n'avait pas une seule seconde franchi le seuil de la chambre de Mark, il n'avait jamais tenté de s'imposer. En le suivant des yeux, trois façons de le tuer traversèrent l'esprit de Mark. Mais cet entraînement semblait dater de la préhistoire. De toute manière, il n'était pas en état en ce moment. Grimper les escaliers l'avait épuisé. Il referma la porte et se laissa tomber dans le lit. Il tremblait.

13

Ostensiblement, pour lui permettre de récupérer de la fatigue du voyage, le comte et la comtesse n'imposèrent pas la moindre obligation à Mark pendant deux jours. En fait, à l'exception des repas plutôt guindés, Mark ne rencontra pas le comte. Il errait dans la maison et dans le parc, sans autre surveillance apparente que l'attention discrète de la comtesse. Il y avait des gardes en uniforme aux entrées. Il n'avait pas encore assez de nerfs pour tenter une sortie et voir s'ils allaient l'arrêter.

Il avait effectivement étudié la résidence Vorkosigan mais y vivre exigeait quelques efforts : il fallait s'habituer. Tout semblait en léger décalage par rapport à ses attentes. L'endroit était surpeuplé de serviteurs et autres gardes ; malgré toutes les antiquités qui y foisonnaient, chaque fenêtre originale avait été remplacée par du verre moderne hautement blindé et des volets automatiques, y compris les soupiraux de la cave. C'était comme une coquille, énorme, de protection : un palais-forteresse-prison. Pourrait-il s'immiscer dans cette coquille ?

J'ai été en prison toute ma vie. Je veux être libre.

Le troisième jour, ses nouveaux vêtements arrivèrent. La comtesse vint l'aider à les déballer. L'air frais et léger d'une belle matinée d'automne s'engouffrait dans la chambre par la fenêtre qu'il laissait obstinément ouverte sur les dangers, les mystères, les inconnues du monde extérieur.

Il ouvrit une housse sur un cintre révélant un costume d'aspect militaire : une tunique au col haut, un pantalon galonné sur le côté, le tout aux couleurs des Vorkosigan, terre et argent, tout à fait comme les livrées des serviteurs, sauf que ça brillait un peu plus aux épaulettes et au col.

– Qu'est-ce que c'est que ça ? demanda-t-il, suspicieux.

– C'est discret, hein ? plaisanta la comtesse. Il s'agit de ton uniforme de cadet de la maison Vorkosigan.

Le sien, pas celui de Miles. Tous ses nouveaux vêtements avaient été généreusement coupés sur ordinateur. Il eut un malaise en calculant tout ce qu'il devrait manger pour échapper à *celui-là*.

Les lèvres de la comtesse s'étirèrent devant sa mine déconfite.

– Il n'y a que deux endroits où tu seras amené à le porter : le Conseil des comtes ou la cérémonie d'anniversaire de l'empereur. Ce qui risque d'arriver sous peu : elle a lieu dans quelques semaines. (Elle hésita tandis que son index suivait le dessin du logo des Vorkosigan brodé sur le col de la tunique.) L'anniversaire de Miles a lieu peu de temps après.

Eh bien, où qu'il se trouvât, Miles ne vieillissait plus pour le moment.

– Les anniversaires et les dates de naissance sont des concepts qui ne veulent rien dire pour moi. Comment appelle-t-on ça quand on sort d'un réplicateur utérin ?

– Quand j'ai été sortie de *mon* réplicateur utérin,

230

mes parents ont appelé ça mon jour de naissance, répliqua-t-elle sèchement.

Elle était betane. D'accord.

– Je ne sais même pas la date du mien.

– Vraiment ? Elle est dans ton dossier.

– Quel dossier ?

– Ton dossier médical bharaputran. Tu ne l'as donc jamais vu ? Je t'en ferai parvenir une copie. C'est une lecture, hum... fascinante si on apprécie les romans d'horreur. Ton anniversaire était le dix-sept du mois dernier.

– Bon, je l'ai donc raté. (Il referma la housse et pendit le cintre tout au fond du placard.) Ça n'a aucune importance.

– Il est essentiel que quelqu'un célèbre notre existence, le contredit-elle paisiblement. Les gens sont le seul miroir dans lequel nous devons nous voir. Ils sont le domaine où tout prend un sens. Le bien, le mal tout cela n'existe que parmi les autres. Personne dans l'univers n'existe par lui-même. Le confinement dans la solitude est une punition dans toutes les cultures humaines.

– C'est... vrai, admit-il, se souvenant de son récent emprisonnement. Hum...

Le vêtement suivant convenait à son humeur : il était entièrement noir. Après examen, il se révéla être quasi identique à l'uniforme de cadet, à cette différence que les broderies et autres dessins étaient en soie noire, pratiquement invisibles sur le tissu noir.

– Celui-là est pour les funérailles, commenta la comtesse.

Sa voix avait soudain changé.

– Oh...

Saisissant à quoi elle pensait, il rangea ce costume derrière l'autre. Finalement, il choisit la tenue la moins militaire possible : un ample pantalon, des bottines sans boucle ni décoration agressives, une veste et une chemise. Le tout dans des couleurs sombres : des bleus, des verts, des marron. Il se sentait déguisé mais extrêmement bien déguisé. Un camouflage ?

L'habit faisait-il le moine ou le moine faisait-il l'habit ?

– C'est moi ? demanda-t-il à la comtesse en émergeant de la salle de bains pour inspection.

Elle rit à moitié.

– Profonde question à propos d'un simple vêtement. Même moi, je suis incapable d'y répondre.

Le quatrième jour, Ivan Vorpratil apparut au petit déjeuner. Il portait l'uniforme de lieutenant de l'empire qui lui donnait fort belle prestance : il avait la taille et la carrure pour. Avec son arrivée, le salon jaune parut soudain rempli par la foule. Mark se tassa sur lui-même tandis que son cousin putatif embrassait sa tante sur la joue et saluait son oncle d'un hochement de tête assez formel. Puis il s'empara d'une assiette sur la desserte et y empila des œufs, de la viande, et des petits pains sucrés. Il se servit aussi une tasse de café, recula une chaise avec son pied et s'assit en face de Mark.

– Salut, Mark. (Il prenait enfin note de son existence.) Tu as une sale tête. Depuis quand es-tu aussi bouffi ?

Il s'enfourna de la viande frite dans la bouche et se mit à mâcher.

Mark se réfugia derrière un sarcasme.

– Merci, Ivan. Vous n'avez pas changé.

Ce qui s'entendait, il l'espérait très fort, comme : *Tu ne t'es pas amélioré.*

Les yeux bruns d'Ivan étincelèrent. Il voulut répliquer mais sa tante l'interrompit sur un ton de froid reproche.

– Ivan...

Ce n'était sûrement pas parce qu'il allait parler la bouche pleine. Mais Ivan déglutit avant de répondre à la comtesse, pas à Mark.

– Pardonnez-moi, tante Cordelia. Mais j'ai encore un problème avec les petites pièces et les endroits clos et sombres, à cause de lui.

– Désolé, marmonna Mark en se voûtant un peu plus.

Mais quelque chose en lui refusait de se laisser intimider par Ivan.

– J'ai proposé à Galen de vous kidnapper dans l'unique but d'attirer Miles.

– Ainsi, c'était *ton* idée.

– Elle était bonne puisqu'elle a marché. Il a foncé droit dans le panneau pour te porter secours.

Ivan serra les dents.

– Une sale habitude qu'il n'a pas perdue, à ce qu'on m'a dit, rétorqua-t-il.

Ce fut au tour de Mark de rester silencieux. Pourtant, d'une certaine façon, c'en était presque réconfortant. Ivan, au moins, le traitait comme il le méritait. Une petite punition était la bienvenue. Arrosé de mépris, il se sentait revivre comme une plante trop sèche sous la pluie. Défier Ivan de si bon matin, c'était comme se lever du bon pied.

– Pourquoi êtes-vous là ? s'enquit-il.

– Ce n'était pas mon idée, crois-moi, fit Ivan. Je suis là pour te sortir. Te faire prendre l'air.

Mark se tourna vers la comtesse mais elle fixait son mari.

– Déjà ? demanda-t-elle.

– On me l'a demandé, dit le comte.

– Ah-ah, fit-elle comme si elle comprenait.

Mark ne comprenait rien. Il n'avait rien demandé.

– Bien, reprit-elle. Ivan pourra peut-être un peu lui montrer la ville sur le chemin.

– C'est plus ou moins l'idée, dit le comte. Ivan étant officier, un garde du corps est inutile.

Quoi, ils en parlaient donc si franchement ? C'était terrible. Et qui allait le protéger d'Ivan ?

– Il y aura un garde à distance, j'imagine, dit la comtesse.

– Oh, oui.

Le garde à distance était celui que personne n'était censé voir, pas même ceux qu'il protégeait. Mark se demanda ce qui empêchait un tel garde de prendre

233

sa journée et de proclamer ensuite qu'il était resté là. L'homme invisible. Ce devait être un bon boulot en temps de paix.

Le lieutenant possédait sa propre voiture de surface. Mark la découvrit juste après le petit déjeuner : un modèle de sport recouvert d'un tas de fioritures en émail rouge. A regret, il se glissa aux côtés d'Ivan.

— Donc, dit-il d'une voix incertaine, vous voulez toujours me tordre le cou ?

Ivan démarra sur les chapeaux de roues et lança la voiture à travers le portail dans la circulation de Vorbarr Sultana.

— Personnellement, oui. Pratiquement, non. Plus il y a de corps entre moi et le boulot d'oncle Aral, mieux je me porte. Je souhaite que Miles ait une douzaine d'enfants. Il aurait pu déjà les avoir... si seulement il s'y était mis. D'une certaine façon, tu es un don du Ciel. Sans toi, ils m'auraient déjà catalogué héritier officiel.

Il hésita mais pas dans sa conduite : accélérant à une intersection, il frôla quatre autres véhicules qui faillirent s'emboutir.

— Jusqu'à quel point Miles est-il mort ? Oncle Aral est resté assez vague là-dessus quand je l'ai eu au vid. Je ne sais pas si c'était pour raison de sécurité ou bien... je ne l'avais jamais vu aussi tendu.

La circulation était pire qu'à Londres et, si c'était possible, encore plus chaotique. La règle semblait uniquement la survivance des plus habiles. Mark agrippa les rebords de son siège avant de répondre :

— Je ne sais pas. Il a pris une grenade à fragmentation dans la poitrine. Il n'a pas été coupé en deux mais presque.

Ivan avait-il eu une moue d'horreur ? Si oui, son beau visage avait aussitôt repris son masque fermé.

— Il faudra les meilleures installations pour lui refaire un torse, reprit Mark. Quant au cerveau... Impossible de savoir tant que le processus de réanimation n'est pas terminé. (*Et à ce moment-là, ce qu'on dévouvre, on ne peut plus le changer.*) Mais ce n'est pas le problème. Pas encore.

– Ouais, fit Ivan en grimaçant. Tu nous as mis dans une sacrée merde, hein ? Comment as-tu pu...

Il tourna si brutalement qu'une aile de la voiture frotta contre le trottoir. Des étincelles jaillirent. Puis il émit une bordée de jurons à l'intention d'un gigantesque camion qui faillit bien les aplatir du côté de Mark. Celui-ci se recroquevilla sur son siège et ne dit plus rien. S'il tenait à survivre à cette balade, mieux valait ne pas distraire le chauffeur. Sa première impression de la ville natale de Miles était que la moitié de la population allait se faire tuer en voiture avant la tombée de la nuit. Ou, au mieux, simplement ceux qui se trouveraient sur la route d'Ivan. Celui-ci effectua un violent demi-tour sur place et plongea dans un parking, coupant la route à deux autres véhicules qui ne lui avaient rien fait. Il s'immobilisa si violemment que Mark faillit passer à travers la bulle.

– Le château Vorhartung, annonça Ivan avec un hochement de menton en coupant le moteur. Le Conseil des comtes n'est pas en session aujourd'hui, le musée est donc ouvert au public. Même si nous ne sommes pas le public.

– Ah... du tourisme, fit Mark, circonspect en contemplant l'édifice à travers la bulle.

Ça ressemblait vraiment à un château : antique empilage de pierres informes s'élevant au-dessus de la cime des arbres. Il était perché sur une hauteur au-dessus des rapides qui traversaient Vorbarr Sultana. Le domaine avait été transformé en parc : des fleurs délicatement soignées poussaient désormais là où hommes et chevaux avaient en vain traîné dans la boue glacée des engins de guerre.

– Pourquoi suis-je ici ?

– Tu dois rencontrer quelqu'un. Et je n'ai pas le droit d'en parler avec toi.

Ivan leva la bulle et s'extirpa de la voiture. Mark le suivit avec plus de mal.

Par précaution ou par perversité, Ivan l'amena

effectivement au musée qui occupait toute une aile du château. Consacré aux Vors de la Période d'Isolement, il présentait des armes, des armures et autres reliques précieuses. Portant son uniforme de soldat, Ivan y fut admis gratuitement mais il veilla scrupuleusement à régler le modique prix d'entrée pour Mark. Sans doute pour lui établir une couverture, se dit celui-ci, car les membres de la caste vor n'avaient pas à payer, lui chuchota Ivan. Rien, aucun panneau n'indiquait cela : quand on était vor, on savait ces choses-là.

Il allait donc rencontrer quelqu'un. Qui ça ? S'il s'agissait d'une nouvelle entrevue avec les gens de la SecImp, pourquoi n'avait-elle pas eu lieu à la résidence Vorkosigan ? S'agissait-il d'un membre du gouvernement ou d'un membre du parti de la coalition du Premier ministre, Aral Vorkosigan ? Lui aussi aurait pu se déplacer. Ivan ne le conduisait sûrement pas à son assassinat : les Vorkosigan auraient pu le faire tuer en toute quiétude ces deux dernières années. Mais peut-être allait-on l'accuser d'un crime ? D'autres idées de complot encore plus farfelues lui traversèrent l'esprit.

Il contempla un mur entièrement tapissé d'épées de duel classées par ordre chronologique, montrant l'évolution des armuriers barrayarans pendant plus de deux siècles. Il se dépêcha de rejoindre Ivan devant un placard vitré contenant des armes à projectiles mécaniques ou chimiques : superbement ouvragées, certaines avaient appartenu, proclamait une étiquette, à l'empereur Vlad Vorbarra. Les balles offraient cette particularité d'être en or massif. Il s'agissait de sphères aussi grosses que le pouce. A bout portant, elles devaient avoir un effet dévastateur ; à longue portée, elles n'avaient aucune chance d'atteindre leur cible. Quel pauvre paysan, quel malheureux écuyer avait hérité de cette sinistre besogne ? Récupérer les balles perdues comme celles qui avaient atteint leur cible ? Plusieurs d'entre elles étaient déformées par l'impact. Mark lut avec stupeur une étiquette lui apprenant que telle balle avait tué lord Vor-machin au cours de la bataille de truc... « Retirée de son cerveau. » *Après sa mort*, se dit-il. Espéra-t-il. *Beurk*. De façon assez étonnante, si on considérait les goûts macabres de ces gens, ils avaient pris soin de la nettoyer, d'enlever du globe d'or aplati tout résidu de sang ou de chairs. Non loin de là, se trouvait exposé le scalp de l'empereur fou, Yuri : don d'une collection privée.

– Lord Vorpratil.

Ce n'était pas une question. L'homme qui s'était adressé à eux était apparu si soudainement, avec une telle discrétion, que Mark n'aurait su dire d'où il venait. Il était habillé avec tout autant de discrétion. D'âge mûr, on aurait pu le prendre pour un des conservateurs du musée.

– Suivez-moi, s'il vous plaît.

Sans autre commentaire, Ivan lui emboîta le pas, faisant signe à Mark de le précéder. Pris en sandwich, Mark n'eut d'autre ressource que de trotter derrière l'inconnu, partagé entre la curiosité et une angoisse diffuse.

Ils franchirent une porte marquée « Entrée Interdite », que l'homme déverrouilla avec une clé mécanique et qu'il referma soigneusement derrière eux. Ils grimpèrent deux escaliers puis s'engagèrent dans un long couloir au parquet de bois bruyant sous leurs pas jusqu'à une pièce disposée au sommet d'une tour circulaire au coin du bâtiment. Il s'agissait autrefois d'un poste de garde. Elle servait à présent de bureau, les étroites meurtrières ayant été élargies en fenêtres. Un homme les attendait, perché sur un tabouret, le regard perdu vers le parc et la rivière qui s'étalaient sous le château. Quelques promeneurs richement vêtus y déambulaient.

Il était mince, âgé d'une trentaine d'années, les cheveux bruns. Ses habits sombres, entièrement dépourvus de tout insigne militaire, soulignaient la pâleur de sa peau. Il adressa un bref sourire à leur guide.

– Merci, Kevi.

Celui-ci hocha la tête et ressortit aussitôt.

Ivan s'inclina.

– Sire.

Ce fut seulement à cet instant que Mark reconnut leur hôte.

L'empereur Gregor Vorbarra. Merde. Ivan se trouvait entre lui et la porte : impossible de s'enfuir. Mark réprima un accès de panique. Gregor n'était après tout qu'un homme, seul et apparemment sans arme. Tout le reste n'était que... de la propagande. Une illusion. Son rythme cardiaque qui s'affolait n'était pas du même avis.

– Salut, Ivan, fit l'empereur. Merci d'être venu. Pourquoi n'irais-tu pas étudier l'exposition un moment ?

– Déjà vue, fit Ivan, laconique.

– Revois-la.

Gregor fit un geste vers la porte.

– Je ne veux pas avoir l'air d'insister, dit Ivan, mais il ne s'agit pas de Miles. Ils n'ont rien à voir. Et, en dépit des apparences, il a été entraîné pour être un assassin. Ne serait-ce pas aller un peu vite en besogne ?

– Eh bien, fit doucement Gregor, on ne va pas tarder à le savoir. Voulez-vous m'assassiner, Mark ?

– Non, gémit celui-ci.

– Tu vois. Va faire un tour, Ivan. J'enverrai Kevi te chercher dans un moment.

Frustré, Ivan grimaça. Il s'en fut avec un salut sarcastique comme pour dire : *C'est toi qui l'auras voulu.*

– Bien, lord Mark, dit Gregor, quelle est votre première impression de Vorbarr Sultana ?

– Je n'ai pas vraiment eu le temps de regarder, fit Mark avec prudence.

– Seigneur Dieu, ne me dites pas que vous avez laissé *Ivan* conduire ?!

– J'ignorais que j'avais le choix.

L'empereur s'esclaffa.

– Asseyez-vous.

Il indiqua le fauteuil placé derrière la comconsole. La petite pièce était chichement meublée, à l'exception des antiques cartes militaires imprimées, placardées aux murs. Elles auraient été autant à leur place dans le musée.

Détaillant son invité, l'empereur retrouva son air pensif. Cet examen rappela un peu à Mark celui du comte Vorkosigan. Il y avait dans ses yeux cette même question : « *Qui es-tu ?* », mais sans l'effroyable intensité du comte. Sa curiosité était beaucoup plus supportable.

– C'est votre bureau ? s'enquit Mark en s'installant prudemment dans le fauteuil impérial.

La pièce semblait bien petite et austère pour un tel homme.

– Un parmi d'autres. Tout ce château est bourré de bureaux, parfois situés dans les endroits les plus bizarres. Le comte Vorvolk a installé le sien dans le vieux donjon. Ce n'est pas mon bureau officiel. Je l'utilise comme une retraite discrète en attendant les sessions du Conseil des comtes ou quand j'ai une affaire à régler ici.

– En quoi suis-je une affaire ? J'imagine bien que je ne suis pas là pour le plaisir. Est-ce personnel ou officiel ?

– Même quand je crache, c'est une affaire officielle. Sur Barrayar, les deux aspects ne peuvent être séparés. Miles... était... (il trébucha sur l'imparfait)... entre autres, un pair de ma caste, un officier à mon service, le fils d'un homme extrêmement – pour ne pas dire suprêmement – important et un ami personnel depuis toujours. Il était aussi l'héritier d'un comté. Et les comtes sont le mécanisme par lequel une personne (il se toucha la poitrine) se multiplie par soixante puis en une multitude. Les comtes sont les premiers officiers de l'empire. Je suis le capitaine. Mais comprenez-moi bien : je ne suis pas l'empire. L'empire, en tant que réalité physique, est un simple objet géographique. En tant que réalité au sens le plus large du terme, c'est une société. La multitude, la foule – qui, au bout du compte, est constituée de chaque individu – voilà ce qu'est l'empire. Et je n'en suis qu'une partie.

Une pièce interchangeable... Avez-vous remarqué le scalp de mon grand-père, là en bas ?

– Euh, oui. On peut... difficilement ne pas le remarquer.

– Ceci est le lieu qui abrite le Conseil des comtes. Celui qui manipule le levier pourrait être tenté de s'imaginer comme tout-puissant mais il n'est rien sans le levier lui-même. Yuri le Fou a oublié cette donnée essentielle. Le comte du district Vorkosigan est une autre de ces pièces vivantes. Lui aussi est interchangeable.

– Un... maillon dans une chaîne, proposa Mark avec précaution pour montrer qu'il était attentif.

– Disons plutôt un maillon dans une cotte de mailles. Dans une toile. Si l'un d'entre eux cède, ce n'est pas fatal. Il faudrait que beaucoup cèdent en même temps pour que le désastre survienne. Cependant, il vaut mieux s'assurer que le plus grand nombre de maillons est fiable.

– Evidemment.

Pourquoi me regardez-vous ainsi ?

– Bien. Dites-moi ce qui s'est passé sur l'Ensemble de Jackson. J'aimerais entendre votre version.

Perché sur son tabouret, Gregor semblait en équilibre parfait tel un faucon sur une branche.

– C'est une longue histoire qui commence sur Terre.

– Je ne suis pas pressé.

Et il paraissait sincère.

Avec un débit heurté, Mark raconta son histoire. Gregor ne lui posait pas beaucoup de questions, intervenant seulement quand il avait du mal à enchaîner. Si elles étaient rares, elles n'en étaient pas moins précises. Il n'était pas à la recherche de faits, ne tarda pas à comprendre Mark. Il avait, à l'évidence, déjà lu et relu le rapport d'Illyan. L'empereur cherchait autre chose.

– Je ne puis remettre en cause vos bonnes intentions, dit soudain Gregor. Ce trafic de cerveau est une entreprise écœurante. Mais vous comprenez sûrement que votre effort, ce raid, ne va sûrement pas y mettre un terme. La maison Bharaputra va nettoyer la casse et recommencer comme avant.

– Mais ça fera une sacrée différence pour les quarante-neuf clones, grogna Mark avec obstination. Tout le monde me donne ce foutu argument. « Ça ne changera rien, donc ne faisons rien. » Et personne ne fait rien. Et ça continue, encore et encore. De toute manière, si j'avais pu rejoindre Escobar comme je l'avais prévu, ça aurait eu un drôle de retentissement. Bharaputra aurait peut-être même tenté de récupérer les clones par voie légale et alors, il y aurait *vraiment* eu un énorme scandale public. Vous pouvez me croire, j'aurais tout fait pour. Même si on m'avait placé en détention sur Escobar. Où, cela dit, la maison Bharaputra aurait eu bien du mal à faire valoir ses vues. Et peut-être... peut-être que quelques personnes se seraient intéressées au problème.

– Ah ! dit Gregor. Un truc publicitaire.

– Ce n'était pas un truc, grinça Mark.

– Pardonnez-moi. Ce n'est pas ce que je voulais dire. Votre effort ne me semble pas méprisable, au contraire. Et vous *aviez effectivement* une stratégie à long terme.

– Ouais... mais elle est tombée dans le désintégrateur dès que j'ai perdu tout contrôle sur les Dendariis. Dès qu'ils ont su qui j'étais en réalité.

Sur l'insistance de Gregor, Mark poursuivit son récit en racontant à nouveau la mort de Miles, les circonstances de la perte de la cryo-chambre, leurs efforts inutiles pour la récupérer et, finalement, leur humiliante éjection de l'espace local jacksonien. Il se rendait compte qu'il en disait sur lui-même et ses états d'âme beaucoup plus qu'il n'en avait eu l'intention... Curieusement, il se sentait à l'aise avec Gregor. Comment était-ce possible ? Cet homme doux, à l'allure presque effacée, se révélait un meneur d'hommes redoutablement habile. Pour finir, Mark bafouilla une description de l'incident avec Maree puis de l'enfermement débilitant qui avait suivi. Il s'interrompit enfin au milieu d'une phrase inutile.

Toujours aussi pensif, Gregor fronçait les sourcils et gardait le silence. Bon sang, ce type ne s'énervait donc jamais ?

– Il me semble, Mark, que vous vous dévaluez. Vous avez pris part au combat et prouvé votre courage physique. Vous êtes capable de prendre des initiatives, parfois très audacieuses. Vous ne manquez pas d'intelligence mais plutôt... de renseignements. Ce n'est pas si mal pour un début de la part de quelqu'un qui prendra un jour les rênes d'un comté.

– Ni un jour ni jamais. Je ne veux pas être comte sur Barrayar, affirma Mark avec emphase.

– Ce pourrait être la première marche vers mon trône, suggéra Gregor avec un sourire en coin.

– Non ! C'est mille fois pire. Ils me mangeraient tout cru. Mon scalp irait rejoindre la collection là en bas.

– C'est très possible. (Le sourire de Gregor disparut.) Oui, je me suis souvent demandé où finiraient les différents morceaux de mon corps. Et pourtant... d'après ce que je sais, c'était ce que vous deviez tenter de faire il y a à peine deux ans. En commençant par le comté d'Aral.

– Je devais faire semblant, oui. A présent, vous parlez d'une réelle possibilité. Pas d'une tentative ou d'une imitation. (*Je suis une imitation, vous n'avez pas oublié ?*) On m'a fait étudier un rôle dont je ne connais que la surface. Je n'ai aucune idée de ce qui se passe à l'intérieur.

– Mais, voyez-vous, fit Gregor, on commence tous comme ça. En faisant semblant. Le rôle est un simulacre. Mais, à force de le jouer, on devient le personnage. Il dévore notre chair.

– Et on devient la machine ou mieux : le vampire ?

– Certains le deviennent. C'est la version pathologique du comte et il y en a quelques-uns. Les autres deviennent... plus humains. La machine, le rôle, le vampire sont alors des prothèses habilement fabriquées qui servent l'homme. Quant à moi, pour atteindre mes buts, j'ai besoin des deux genres. Il faut simplement être assez perspicace pour se rendre compte à qui on a affaire.

Oui, la comtesse Cordelia avait sûrement apporté sa touche à l'éducation de cet homme. Mark voyait sa patte aussi clairement que des traces de pas phosphorescentes dans la nuit.

– Quels sont vos buts ?

Gregor haussa les épaules.

– Préserver la paix. Empêcher les diverses factions de s'entre-tuer. M'assurer de façon absolument certaine qu'aucun envahisseur galactique ne reposera le pied sur le sol de Barrayar. Entretenir le progrès économique. La paix est le premier otage sacrifié quand les problèmes économiques s'étendent. Pour l'instant, mon règne est incroyablement béni, avec le défrichement du deuxième continent et l'ouverture de Sergyar à la colonisation. Et ils ont enfin trouvé la parade à ce maudit virus de la peste du vers. L'installation sur Sergyar devrait absorber le trop-plein d'énergie de plusieurs générations. Ces derniers temps, j'ai étudié plusieurs histoires coloniales, afin d'essayer de déterminer combien d'erreurs nous pouvons éviter... voilà. En gros.

– Je ne veux toujours pas devenir le comte Vorkosigan.

– Sans Miles, vous n'avez pas tout à fait le choix.

– Foutaises. (Il espérait que c'étaient des foutaises.) Vous venez de dire que c'est un rôle interchangeable. Ils trouveront sûrement quelqu'un de parfait si nécessaire. Ivan, par exemple.

Gregor sourit tristement.

– J'avoue avoir moi-même utilisé ce même argument. Même si, dans mon cas, cela concerne surtout ma progéniture. Les cauchemars portant sur le devenir des différentes parties de mon corps ne sont rien comparés à ce que je ressens quand je songe à mes hypothétiques descendants. Et il n'est pas question que j'épouse la fleur de quelque vieux Vor dont l'arbre généalogique croise le mien une quinzaine de fois au cours des six dernières générations.

Il fit un effort violent pour se contenir et lui adressa un sourire d'excuse. Mais... cet homme possédait un tel contrôle sur lui-même que Mark se demanda s'il ne s'était pas laissé emporter volontairement.

Il commençait à avoir la migraine. Si Miles était là... Ce serait lui qui ferait face à tous ces dilemmes barrayarans. Et Mark serait libre d'affronter... ses propres problèmes. Ses propres démons. Et non ceux qu'on lui imposait maintenant.

– Je n'ai aucun... don pour ça. Ou pas le talent, l'intérêt, l'envie... quelque chose, je ne sais pas.

Il se massa le cou.

– La passion ? proposa Gregor.

– Oui, c'est ça. Un comté ne me passionne pas.

Au bout d'un moment, Gregor demanda avec curiosité :

– Quelle est votre passion, Mark ? Si ce n'est ni gouverner ni atteindre le pouvoir, la richesse... Jusqu'ici, vous n'avez jamais mentionné la richesse.

– Je ne serai jamais à la tête d'une fortune telle qu'elle me permette de détruire la maison Bharaputra... cela semble impossible. Je... je... Certains hommes sont des cannibales : la maison Bharaputra, ses clients... Je veux arrêter les cannibales. *Voilà* ce que j'aimerais faire, voilà ce qui vaudrait la peine de sortir de mon lit tous les matins.

Il s'aperçut que sa voix avait enflé. Il se laissa retomber dans son siège.

– En d'autres termes... vous avez la passion de la justice. Ou, oserais-je le dire, de la sécurité. Un étrange écho de votre progéniteur.

– Non, non ! (*Euh... eh bien, peut-être, d'une certaine façon.*) J'imagine qu'il existe aussi des cannibales sur Barrayar mais ils ne m'intéressent pas. Ils ne me concernent pas. Je ne pense pas en termes de justice ou de droit car le trafic de transplants n'est pas illégal sur l'Ensemble de Jackson. Donc, un policier ne réglerait rien. Ou alors... il faudrait que ce soit un policier assez extraordinaire.

Quelqu'un comme un agent secret de la SecImp ? Pour une raison qu'il ignorait, l'image de son progéniteur ne cessait de revenir s'imposer à lui. Maudit soit Gregor qui l'avait évoqué. *Pas un policier ou un détective. Un chevalier errant. La comtesse savait ce qu'elle disait.* Mais il n'y avait plus de place pour les chevaliers errants : ils se faisaient arrêter par les flics.

Gregor semblait vaguement et étrangement satisfait.

– Voilà qui est très intéressant.

A nouveau, il se perdit dans ses pensées. Il quitta son tabouret pour se coller à la fenêtre et observer le parc sous un angle différent. Sans se retourner, il remarqua :

– J'ai bien l'impression que vous ne pourrez vous consacrer à votre passion qu'à la condition qu'on retrouve Miles, reprit-il.

Mark râla. Voilà bien ce qui le frustrait.

– Je ne peux rien y faire. Ils ne me laisseront jamais... Que pourrais-je faire de plus que la SecImp ? Ils le retrouveront peut-être. D'ici peu, j'espère.

– En d'autres termes, fit lentement Gregor, vous n'avez aucun moyen d'affecter ce qui, dans votre vie, vous semble le plus essentiel. Vous avez ma plus profonde sympathie.

Malgré lui, Mark se montra franc.

– Je suis, virtuellement, prisonnier ici. Je ne peux rien faire et je ne peux pas partir !

Gregor tourna la tête.

– Avez-vous essayé ?

Mark hésita.

– Eh bien... non, pas encore...

– Ah...

Gregor quitta la fenêtre et sortit une petite carte en plastique de sa poche. Il la tendit à Mark par-dessus le bureau.

– Mon pouvoir ne s'étend qu'en deçà des frontières de Barrayar. Quoi qu'il en soit... voici mon numéro personnel. Vos appels ne seront relayés que par une seule personne. Vous serez sur leur liste. Contentez-vous de donner votre nom et on vous mettra en communication avec moi.

– Euh... merci, dit Mark, prudent et perdu.

La carte ne portait qu'un code : aucune autre identification. Il la rangea très soigneusement.

Gregor brancha un communico dans sa veste et parla à Kevi. Quelques secondes plus tard, un coup retentit à la porte et Ivan fit son entrée. Mark, qui se balançait dans le fauteuil à bascule de Gregor – il ne couinait pas –, s'en extirpa.

Gregor et Ivan échangèrent un salut laconique puis Ivan devança Mark dans le couloir. Comme ils arrivaient au coin, Mark se retourna en entendant des pas : Kevi introduisait déjà un nouveau visiteur dans le bureau de l'empereur.

– Alors, comment ça s'est passé ? s'enquit Ivan.

– Je suis vidé, admit Mark.

Ivan sourit.

– Oui, Gregor peut vous faire cet effet quand il est l'empereur.

– Quand il est ou quand il joue ?

– Oh, il ne joue pas.

– Il m'a donné son numéro personnel.

Et je pense qu'il a le mien.

Ivan haussa les sourcils.

– Bienvenue au club. C'est un club très privé. Il y en a qui font des pieds et des mains pour y être admis.

– M... Miles faisait-il partie du club ?

– Bien sûr.

14

Ivan, obéissant apparemment à un ordre – sans doute de la comtesse – l'emmena déjeuner dehors. Ivan obéissait souvent à des ordres, remarqua Mark dans un vague élan de sympathie. Ils se rendirent dans un vieux quartier nommé le Caravansérail, situé non loin du château Vorhartung. Ce qui leur évita un nouveau voyage en voiture.

L'endroit offrait une curieuse perspective de l'évolution sociale sur Barrayar. Le vieux cœur du quartier avait été restauré, rénové et converti en un plaisant dédale de rues et de ruelles où les boutiques, les cafés et les petits musées étaient fréquentés par un mélange de travailleurs de la capitale et de touristes provinciaux en visite dans ce site historique.

Partie des bords de la rivière où étaient édifiés la plupart des bâtiments officiels comme le château Vorhartung, cette transformation avait peu à peu gagné le centre-ville. Au sud, la rénovation était nettement moins achevée : le quartier y était moins coquet, plus touffu et avait longtemps gardé une sinistre réputation. Ce qui avait valu au Caravansérail son nom et son charme trouble. Sur le chemin, Ivan désigna fièrement une maison dans laquelle il proclama être né durant la Guerre de Succession de Vordarian. C'était à présent une échoppe vendant des tapis faits main à des prix prohibitifs ainsi que d'autres objets artisanaux, censés provenir de la Période d'Isolement. A la façon dont Ivan annonçait ça, Mark s'attendait plus ou moins à voir une plaque sur le mur commémorant l'événement. Mais il n'y en avait pas : il vérifia.

Après le déjeuner avalé dans un café, Ivan fut soudain pris du désir de lui montrer l'endroit précis où son père, lord Padma Vorpratil, avait été assassiné par les forces de sécurité de Vordarian durant cette même guerre. Pour ne pas rompre le fil de cette lugubre leçon d'histoire qui avait duré toute la matinée, Mark se sentit obligé de ne pas refuser. Ils repartirent à pied vers le sud. Petit à petit, l'architecture se transformait, le stuc du premier siècle de la Période d'Isolement laissait la place aux grosses briques rouges plus tardives. Ils s'engageaient dans le Caravansérail proprement dit.

Cette fois, Seigneur, il y avait bien une plaque, un

carré de bronze serti dans le macadam : les voitures roulaient dessus.

– Ils auraient pu au moins la mettre sur le trottoir, nota Mark.

– Ma mère a insisté pour qu'elle soit posée à l'endroit précis.

Par décence, Mark attendit un moment pour laisser Ivan se recueillir. Celui-ci ne tarda pas à lever les yeux et à annoncer gaiement :

– Un dessert ? Il y a une délicieuse petite pâtisserie vers Keroslav. Mère m'y emmenait toujours quand on venait ici brûler les offrandes chaque année. On dirait un trou dans le mur mais les gâteaux sont excellents.

Mark n'avait pas encore digéré son repas mais l'endroit se révéla aussi délectable à l'intérieur qu'il était lamentable à l'extérieur. Il se retrouva avec un sac en papier contenant des beignets ronds et des tartes aux myrtilles. Pendant qu'Ivan choisissait un assortiment de douceurs devant être livrées à lady Vorpratil et engageait une douce négociation avec la jolie serveuse – difficile à dire, d'ailleurs, s'il était sérieux ou si seuls ses réflexes de séducteur agissaient – Mark sortit l'attendre dehors.

Galen avait autrefois installé dans ce quartier un couple d'espions komarrans, se souvenait-il. Le cas échéant, ils devaient lui servir de contact. Ils avaient sans nul doute été découverts depuis deux ans par la sécurité barrayarane mais Mark se demandait s'il aurait été capable de les retrouver si les rêves de vengeance de Galen étaient devenus réalité. La planque devait être tout près d'ici : à droite dans cette rue-là... Ivan bavardait toujours avec la fille. Mark se mit en marche.

Il eut la satisfaction inutile de trouver l'adresse moins de deux minutes plus tard et préféra ne pas vérifier à l'intérieur. Il repartit sur ses pas et emprunta une ruelle qui semblait être un raccourci jusqu'à la rue principale et la pâtisserie. Elle se révéla être un cul-de-sac. Il fit demi-tour vers l'entrée de l'impasse.

Une vieille femme et un gamin maigre étaient assis sur les marches devant l'une des maisons. Ils ne l'avaient pas lâché des yeux depuis son entrée dans la ruelle. A présent qu'il se rapprochait à nouveau d'elle, le regard morne de la vieille s'emplit d'hostilité.

– C'est pas un gamin. C'est un *mutant*, un *avorton*, persifla-t-elle vers le gosse (son petit-fils ?). Un avorton qui se promène dans *notre* rue.

Cet énoncé fit se dresser le garçon qui se posta devant Mark. Celui-ci s'arrêta. Le garçon était plus grand que lui – qui ne l'était pas ? – mais pas beaucoup plus lourd. Ses cheveux graisseux accentuaient la pâleur de son teint. Les jambes écartées, il lui bloquait agressivement le passage. Ô Seigneur, des indigènes. Dans toute leur sale gloire.

– Tu d'vrais pas t'balader par là, avorton, cracha le gosse, jouant les terreurs.

Mark faillit éclater de rire.

– Tu as raison, acquiesça-t-il en abandonnant l'accent barrayaran pour le patois traînant des Terriens de Londres. Cet endroit est un trou.

– Un ippy[1] ! couina la vieille avec une hargne décuplée. Va faire un saut en enfer, ippy !

– C'est déjà fait, à ce que je vois, répliqua Mark sèchement.

Mauvaises manières mais il était de mauvaise humeur. Si ces paumés le cherchaient, ils allaient le trouver.

– Les Barrayarans ! reprit-il. Il n'y a pas pire que les Vors sinon les imbéciles qui sont sous leurs ordres. Pas étonnant que dans toute la galaxie on considère cette planète comme un tas d'ordures.

La facilité avec laquelle sa rage s'exprimait le surprenait... et lui faisait du bien. Mais mieux valait ne pas aller trop loin.

– Je vais te faire la peau, l'avorton, promit le gamin de son air le plus menaçant.

---

1. Ippy vient ici d'*Extra-Planetarian*, extra-planétaire : E.P. prononcé à l'américaine : Ippy. *(N.d.T.)*

La sorcière, pour l'inciter à passer aux actes, adressa un geste obscène à Mark. Etrange association : les vieilles dames et les voyous étaient normalement des ennemis naturels mais ces deux-là s'entendaient à merveille. Des citoyens de l'empire, unis contre l'ennemi commun.

— Mieux vaut un avorton qu'un abruti, fit Mark sur un ton cordial.

Les sourcils du gamin se nouèrent.

— Hein ? C'est de moi qu'tu causes ? Hein ?

— Tu vois un autre abruti ici, toi ? (Suivant le regard du gamin, il jeta un coup d'œil par-dessus son épaule.) Oh... Excuse-moi. En voilà deux autres. J'comprends qu't'aie eu du mal à comprendre.

L'adrénaline qui ruisselait en lui gâchait irrémédiablement son repas. Deux autres garçons. Plus grands, plus lourds, plus vieux... Mais ils restaient quand même des adolescents : vicieux, sûrement, mais peu ou pas entraînés. Hum... où était Ivan maintenant ? Où était ce maudit garde invisible censé veiller sur lui ? Il faisait peut-être lui aussi la pause déjeuner.

— Vous devriez pas être à l'école ? Vous allez manquer votre cours sur la morve.

— Comique, l'avorton, fit un des nouveaux venus.

Il ne riait pas.

L'attaque fut soudaine et faillit surprendre Mark. Il s'imaginait que l'étiquette exigeait qu'ils échangent encore quelques insultes et il était justement en train d'en chercher de nouvelles. L'excitation se mêlait étrangement avec l'attente de la douleur. Ou alors, c'était l'attente de la douleur qui l'excitait. Le plus costaud essaya de le frapper au bas-ventre. Lui attrapant le pied au passage, Mark le fit lourdement chuter sur le dos. L'autre en eut le souffle coupé. Le deuxième tenta un coup de poing. Mark lui saisit le bras. Ils tournoyèrent et le voyou se retrouva éjecté vers le plus jeune. Malheureusement, ils se trouvaient à présent tous les deux entre lui et la sortie de l'impasse.

Eberlués et outragés, ils se relevèrent tant bien que

mal. Mais qu'espéraient-ils, bon Dieu ? *Foutre une raclée à un nain*. Ses réflexes s'étaient émoussés depuis deux ans et il avait déjà le souffle court. D'un autre côté, ses kilos supplémentaires lui donnaient une meilleure assise. *Trois contre un ippy minuscule et grassouillet ? Ça vous paraît pas trop inégal, hein ? Venez, venez à moi, mes petits cannibales*. Il serrait toujours dans son poing le sac de gâteaux. Absurde. Il ricana en ouvrant les bras en signe d'invite.

Ils bondirent tous en même temps. Leurs attaques étaient téléphonées et, pendant un bon moment, les *katas* purement défensifs suffirent. Ils se jetaient sur lui puis se retrouvaient éjectés, s'écrasant au sol en secouant la tête pour retrouver leurs esprits, victimes de leur propre agression. Mark remua sa mâchoire qui avait reçu un poing maladroit mais pas assez appuyé pour lui faire perdre ses esprits. Le round suivant ne fut pas autant couronné de succès. Il finit par se mettre hors de leur portée en effectuant une roulade, perdant finalement son sac de gâteaux qui fut aussitôt écrasé par un pied rageur. Il n'avait plus de souffle. Il ne pourrait plus tenir très longtemps ainsi. Il envisagea un bras d'honneur et un bon sprint jusqu'à la rue : une bonne façon d'en finir, ils auraient eu un peu d'exercice et voilà tout. Mais l'un de ces idiots eut la mauvaise idée en se relevant de sortir une vibro-matraque et de la brandir dans sa direction.

Mark faillit le tuer sur le coup. Au dernier moment, il retint son pied qui le frappait à la gorge. L'impact se fit à quelques millimètres du point mortel. A travers sa botte, il sentit les cartilages se déchirer, s'écraser et une sensation nauséeuse l'envahit. Il recula, horrifié, tandis que le gamin s'effondrait en gargouillant. *Non, je n'ai pas été entraîné pour me battre. J'ai été entraîné pour tuer. Oh, merde*. Il s'était néanmoins débrouillé pour ne pas lui briser le larynx. Il pria le Ciel pour qu'il n'y ait pas d'hémorragie interne. Les deux autres agresseurs se figèrent, choqués.

Ivan apparut au coin de la ruelle.

– Qu'est-ce que tu fous, bon Dieu ?

– J'en sais rien, hoqueta Mark.

Il se plia en deux, les mains sur les genoux. Le sang coulant de son nez salissait sa nouvelle chemise. Il commençait à trembler.

– Ils m'ont sauté dessus.

Je les ai provoqués. Pourquoi avait-il fait ça ? Tout était arrivé si vite...

– Le mutant est avec *toi*, soldat ? s'enquit le gamin maigre, surpris et craintif à la fois.

Mark lut sur le visage d'Ivan son envie de désavouer tout lien entre eux.

– Oui, dit-il enfin comme si ce mot l'étouffait.

Le plus âgé des gamins, qui était encore intact, tourna les talons et s'enfuit en courant. L'autre, le plus jeune, était collé sur place par la présence du blessé et de la vieille. Visiblement, il avait lui aussi grande envie de disparaître. La sorcière qui clopinait vers son champion abattu hurlait des menaces et des accusations à l'encontre de Mark. Ivan et son uniforme ne la perturbaient pas le moins du monde. Des gardes municipaux arrivèrent enfin.

Dès qu'il fut certain qu'on allait soigner le blessé, Mark ne dit plus un mot, laissant Ivan régler cette histoire. Ivan mentit comme un... soldat, évitant de prononcer le nom de Vorkosigan. Les gardes, se rendant compte qu'Ivan était une légume un peu trop grosse pour eux, calmèrent l'hystérie de la vieille et les sortirent de là en vitesse. Mark, avant même qu'Ivan ne l'incite à le faire, déclina toute intention de porter plainte. Une demi-heure plus tard, ils étaient dans la voiture. Cette fois, Ivan conduisit beaucoup plus lentement. Il venait de se payer une bonne frayeur, songea Mark : il avait failli perdre celui qu'on avait confié à sa garde.

– Mais où était ce foutu garde invisible qui était censé me protéger ? s'enquit Mark en se tâtant le visage avec précaution.

Son nez ne saignait plus. D'ailleurs, Ivan n'avait pas voulu le laisser monter dans sa voiture tant que le sang coulait. Et il lui avait plusieurs fois demandé s'il avait envie de vomir.

– A ton avis, qui a appelé les flics ? Cette protection doit rester discrète.

– Oh... (Les côtes lui faisaient mal, mais il n'avait rien de cassé. A la différence de son progéniteur, Mark ne s'était jamais brisé un os. *Mutant.*) Co... comment Miles s'en serait-il sorti ?

Bon sang, il n'avait fait que passer devant ces gens. Si Miles avait porté les mêmes vêtements que lui, s'il avait été seul comme lui, l'auraient-ils attaqué lui aussi ?

– D'abord, *Miles* n'aurait pas été assez stupide pour se balader dans ce coin tout seul !

Mark fronça les sourcils. Au contact de Galen, il avait pourtant acquis l'impression que le rang de Miles l'immunisait contre les préjugés des Barrayarans à l'encontre des mutants. Devait-il donc toujours songer à sa survie, toujours calculer où il pouvait aller et où il ne le pouvait pas ?

– Et s'il l'avait fait, poursuivait Ivan, il se serait débrouillé pour s'en sortir en douceur. En discutant. Pourquoi t'es-tu colleté avec ces trois types ? Si tu cherches quelqu'un pour te coller une raclée, adresse-toi à moi. J'en serai ravi.

Mal à l'aise, Mark haussa les épaules. Est-ce cela qu'il avait secrètement désiré ? Une punition ?

– Comment ça ? Vous autres, les grands Vors, vous êtes obligés de discuter ? Vous ne vous contentez pas d'écraser la racaille ?

Ivan gémit.

– Non. Je suis bien content de ne pas être *ton* garde du corps permanent.

– Moi aussi, rétorqua Mark. Si c'est comme ça que vous faites votre travail.

Ivan se contenta de grogner. Mark se renfonça dans son siège, se demandant dans quel état se trouvait le gamin à la gorge abîmée. Les gardes l'avaient aussitôt conduit à l'hôpital. Il n'aurait pas dû se battre avec lui. Un centimètre plus bas et il le tuait. Il aurait pu les tuer tous les trois. Ces tarés n'étaient que de *petits* cannibales, après tout. Voilà pourquoi, comprit Mark, Miles aurait essayé de s'en sortir en douceur. Pas par crainte et pas parce que *noblesse oblige*, mais simplement parce que ces gamins ne... tiraient pas dans sa catégorie. Mark se sentit mal. *Barrayar ! Que Dieu me vienne en aide !*

Ivan passa par son appartement dans une tour située dans un des meilleurs quartiers de la ville, pas très loin des bâtiments ultramodernes abritant le quartier général du Commandement Militaire Impérial. Cela permit à Mark de se nettoyer et d'enlever toute trace de sang de ses vêtements avant de retourner à la résidence Vorkosigan. En extirpant sa chemise du séchoir, Ivan remarqua :

— Ton torse va être de toutes les couleurs demain. Après un truc pareil, Miles aurait passé trois semaines à l'hôpital. J'aurais dû le sortir de cette ruelle sur un brancard.

Mark baissa les yeux vers ses hématomes qui commençaient à virer au violet. Il se sentait raide de partout. Il avait une bonne demi-douzaine de muscles déchirés. Tout cela, il pouvait le dissimuler mais son visage portait des stigmates qu'il allait devoir expliquer. Raconter au comte et à la comtesse qu'ils avaient eu un accident de voiture avec Ivan aurait été parfaitement crédible mais il se doutait que le mensonge ne tiendrait pas longtemps.

D'ailleurs, ce fut Ivan qui se chargea des explications, les rendant à la comtesse avec une déclaration très succincte :

— Ah, il a fait un petit tour et s'est fait un peu bousculer par quelques types mais je l'ai retrouvé avant que rien de grave n'arrive. Salut, tante Cordelia...

Mark ne le retint pas.

Mais, plus tard, à l'heure du dîner, le comte et la comtesse avaient eu droit à un récit plus complet. Mark sentit la tension qui planait dans l'air au moment où il prenait sa place en face d'Elena

Bothari-Jesek, enfin revenue du QG de la SecImp : Elle avait sûrement dû leur raconter des tas de choses.

Le comte attendit que le premier plat fût servi et le départ du domestique pour remarquer :

– Cette petite aventure, aujourd'hui, a dû être pleine d'enseignements, Mark. Content qu'elle n'ait pas été mortelle.

Mark se débrouilla pour avaler sa bouchée sans gargouiller et répondit d'une voix sourde :

– Pour moi ou pour lui ?

– Les deux. Tu veux savoir comment se porte... ta victime ?

Non.

– Oui, s'il vous plaît.

– Les médecins de l'hôpital pensent pouvoir le laisser sortir dans deux jours. Il sera au régime liquide pendant une semaine. Il retrouvera sa voix.

– Oh, tant mieux...

Je ne voulais pas... A quoi bon s'excuser, protester ?

– J'ai voulu régler sa facture médicale mais ce cher Ivan m'avait devancé. Après réflexion, j'ai décidé de le laisser payer.

– Oh...

Devait-il proposer de rembourser Ivan ? Avait-il de l'argent ? Avait-il droit à de l'argent ? Légalement ? Moralement ?

– Demain, annonça la comtesse, Elena te servira de guide. Et Pym vous accompagnera.

Elena ne semblait pas vraiment ravie.

– J'ai parlé avec Gregor, reprit le comte Vorkosigan. Tu l'as, apparemment, suffisamment impressionné pour qu'il me donne son approbation : je vais te présenter officiellement comme mon héritier, en tant que cadet de la maison Vorkosigan, délégué au Conseil des comtes. Quand le moment sera venu, si la mort de Miles se trouve confirmée. Pour l'instant, c'est un peu prématuré. J'ignore s'il vaudrait mieux t'imposer aux comtes avant qu'ils te connaissent ou bien leur laisser le temps de s'habituer à toi. Les prendre par surprise, foncer et frapper, ou bien entamer un long siège. Pour une fois, je préfère le siège. Si on gagne, la victoire sera plus sûre.

– Peuvent-ils me rejeter ? s'enquit Mark.

Serait-ce une lumière que j'aperçois au bout de ce tunnel ?

– En ce qui concerne la charge de comte, ils doivent t'approuver par un vote à la majorité simple. Mes biens personnels ne rentrent pas en ligne de compte. Normalement, une telle approbation est routinière pour le fils aîné ou – au cas où il n'y aurait pas de fils – pour le premier parent mâle assez compétent que le comte puisse trouver. Techniquement, d'ailleurs, il n'est pas nécessaire que ce soit un parent même si ça l'est presque toujours. Il y a eu une fois ce cas fameux d'un des comtes Vortala. C'était pendant la Période d'Isolement, le comte s'était brouillé avec son fils. Le jeune lord Vortala s'était allié avec son beau-père durant la guerre de Zidiarch. Vortala déshérita son fils et se débrouilla au cours d'une curieuse session du conseil pour faire accepter son cheval, Minuit, comme son héritier. D'après lui, son cheval était aussi intelligent que son fils et ne l'avait jamais trahi.

– Quel... excellent précédent pour moi, s'étrangla Mark. Et comment s'est débrouillé le comte Minuit ? Si on le compare à un comte moyen ?

– Lord Minuit. Hélas, personne n'a pu le savoir. Le cheval est mort avant Vortala. La guerre se termina et, finalement, le fils hérita du comté. Mais ça a été un des grands moments zoologiques de l'histoire du Conseil. Presque aussi grand que l'infâme Complot du Chat Incendiaire. (Les yeux du comte Vorkosigan brillaient d'un enthousiasme louche tandis qu'il racontait tout ça. Puis son regard tomba sur Mark et son animation s'évapora.) Nous avons eu plusieurs siècles pour accumuler toutes sortes de précédents. Ça va de l'absurde aux pires horreurs. Il y a eu aussi quelques instants de grâce.

Le comte ne posa pas d'autres questions sur la journée de Mark et celui-ci n'avait pas envie de lui fournir le moindre détail supplémentaire. Le dîner s'acheva dans un silence de plomb. Il s'esquiva dès que ce fut décemment possible.

Il se traîna jusqu'à la bibliothèque, une longue pièce au bout d'une aile dans la plus ancienne partie de la maison. La comtesse l'avait encouragé à passer du temps ici. En plus d'un lecteur donnant accès à des banques de données publiques et d'une énorme comconsole codée, la pièce était tapissée de vrais livres imprimés dont certains, datant de la Période d'Isolement, étaient même calligraphiés à la main. Cette bibliothèque lui rappelait le château Vorhartung, avec son équipement moderne coincé dans les endroits les plus étranges d'une architecture archaïque qui n'avait pas été prévue pour ça.

Tandis qu'il songeait au musée, un grand volume sur les armes et armures attira son regard. Il le sortit avec précaution de son logement et l'emporta vers une des alcôves encadrant la vaste baie vitrée qui donnait sur le jardin. Ces alcôves étaient luxueusement meublées et une petite table située devant un fauteuil à large dossier fournissait le support idéal pour le lourd volume. Mark le feuilleta, fasciné. Il découvrit cinquante différentes sortes de couteaux et épées. Il y avait un nom différent pour chacun ainsi que pour chaque partie de chaque ustensile... Une terminologie aussi précise et fractionnée était hallucinante. Elle avait été créée pour répondre à un évident besoin mais Mark se demandait si, à son tour, elle n'avait pas participé à la création d'une caste aussi fermée que les Vors...

La porte de la bibliothèque s'ouvrit et des pas résonnèrent sur le marbre puis sur le tapis. C'était le comte. Mark se tassa dans son fauteuil dans l'alcôve, serrant les jambes de façon qu'elles soient hors de sa vue. Il n'allait peut-être pas rester. Il était peut-être simplement venu chercher quelque chose. Mark ne tenait pas à être forcé d'avoir une conversation privée avec lui. Il était enfin parvenu à dominer sa terreur initiale du comte mais sa présence le mettait encore atrocement mal à l'aise.

Malheureusement, le comte s'installa derrière une comconsole. Quand il la brancha, des reflets colorés jouèrent sur le verre de la fenêtre en face de Mark. Plus il attendait, se tapissant ici comme un assassin, plus ça allait être difficile. *Alors, dis bonjour. Mouche ton nez, fais quelque chose.* Il venait à peine de rassembler tout son courage pour oser s'éclaircir la gorge quand les gonds de la porte grincèrent à nouveau. Des pas plus légers retentirent : la comtesse. Mark se roula en boule dans le fauteuil.

– Ah, fit le comte.

Les reflets dans la fenêtre moururent tandis qu'il éteignait la machine pour faire face à son épouse. Se penchait-elle pour l'embrasser ? Mark entendit du tissu se froisser tandis qu'elle s'asseyait à son tour.

– Eh bien, Mark est en train de prendre un cours accéléré sur Barrayar, remarqua-t-elle.

Si Mark avait encore eu la vague intention de se montrer, cette phrase lui en ôta l'envie.

– C'est ce qu'il lui faut, soupira le comte. Il a vingt années à rattraper pour être opérationnel.

– Mais doit-il l'être ? Je veux dire, tout de suite ?

– Non, pas tout de suite.

– Tant mieux. Je craignais que tu ne lui imposes une tâche impossible. Et, comme nous le savons tous les deux, l'impossible demande un peu plus de temps.

Un bref rire du comte.

– Au moins, il vient d'avoir un aperçu de l'une de nos pires tares sociales. Nous devons faire en sorte qu'il apprenne l'histoire des désastres mutagènes afin qu'il comprenne les raisons de cette violence. Jusqu'où la terreur et l'immonde sont enfouis en nous et qui expliquent ce que vous autres, Betans, appelez nos mauvaises manières.

– Je ne suis pas certaine qu'il parviendra un jour à imiter la facilité avec laquelle Miles se promène dans ce champ de mines.

– Il semble plutôt disposé à foncer droit dedans, murmura le comte sèchement. (Il hésita.) Son apparence... Miles se donnait un mal énorme pour ne pas être vu tel qu'il était. Sa façon de bouger, d'agir, de s'habiller. Il se débrouillait pour que sa personnalité prenne le pas sur l'évidence. Comme s'il faisait un tour de passe-passe avec son corps. Mark... semble exagérer volontairement.

– De quoi parles-tu ? De son air constamment déprimé ?

– De ça et... je le confesse, je suis troublé par son poids. Particulièrement, si j'en juge d'après les rapports d'Elena, la vitesse à laquelle il a pris ces kilos. On devrait peut-être le faire suivre médicalement. Ça ne peut pas être bon pour lui.

La comtesse ricana.

– Il n'a que vingt-deux ans. Sa santé ne risque rien pour l'instant. Non, ce n'est pas ça qui te trouble, mon chéri.

– Peut-être... pas complètement.

– Il t'embarrasse. Mon bon ami barrayaran si fier de son robuste corps.

– Humm...

Le comte ne niait pas, remarqua Mark.

– Tu peux lui accorder un point.

– Tu voudrais bien m'éclairer ?

– Les actes de Mark sont un langage. Un langage désespéré, la plupart du temps. Ils ne sont pas toujours faciles à interpréter. Mais *celui-là* me semble assez évident.

– Pas à moi. Explique, s'il te plaît.

– C'est une équation à trois inconnues. La première concerne uniquement le côté physique. Tu n'as pas dû lire les rapports médicaux aussi soigneusement que moi.

– J'ai lu le résumé de la SecImp.

– J'ai lu chaque dossier. Absolument tous. Pour obliger Mark à garder la même taille que Miles, les techniciens jacksoniens n'ont pas agi génétiquement sur son métabolisme. Au lieu de ça, ils ont concocté une mixture d'hormones et de stimulants qu'ils lui injectaient chaque mois, changeant leur formule selon leurs besoins. Ça coûtait moins cher, c'était plus simple et ils pouvaient mieux contrôler le résultat. Bon, maintenant, pense à Ivan comme à un échantillon phénotypique de ce qu'aurait pu donner le génotype de Miles sans l'empoisonnement à la soltoxine. Ce que nous avons avec Mark c'est un homme réduit physiquement à la taille de Miles mais qui est génétiquement programmé pour le poids d'Ivan. Et quand les traitements komarrans ont cessé, son corps a à nouveau essayé d'atteindre son destin génétique. Si tu veux bien te convaincre de le regarder tel qu'il est, tu verras qu'il n'est pas seulement plus gras. Ses os et ses muscles sont plus lourds eux aussi, comparés à ceux de Miles. Ou même à lui-même, il y a deux ans. S'il atteint un jour son nouvel équilibre, il aura sûrement l'air assez trapu.

Vous voulez dire sphérique, pensa Mark, écoutant avec horreur et effroyablement conscient d'avoir trop mangé au dîner. Héroïquement, il ravala un rot.

— Comme un petit tonneau, suggéra le comte nourrissant à l'évidence une vision un tout petit peu moins accablante.

— Peut-être. Cela dépend des deux autres inconnues de... cette équation.

— Qui sont ?

— La rébellion et la peur. La rébellion : toute sa vie, ce sont les autres qui se sont accordé la liberté de jouer avec son intégrité physique. Ils ont choisi son corps pour lui. A présent, c'est enfin son tour. Et la peur : de Barrayar, de nous, mais la pire de toutes ses peurs, franchement, est celle d'être envahi, écrasé par Miles... Qui sait être drôlement envahissant et écrasant même pour ceux qui ne sont pas ses petits frères. Mark a raison. Il s'est donné tout seul un avantage. Aucun serviteur, aucun de nos gardes n'éprouve la moindre difficulté à le reconnaître. Pour eux, c'est simple, il est lord Mark. Cette histoire de kilos pris à toute allure implique un esprit brillant mi-lucide, mitéméraire... qui me rappelle quelqu'un que nous connaissons bien tous les deux.

– Mais où cela s'arrêtera-t-il ?

Le comte imaginait lui aussi à présent quelque chose de sphérique, jugea Mark.

– Quand il le décidera. Il peut très bien se prendre par la main et demander à un médecin d'ajuster son métabolisme au poids qu'il désire. Il choisira sans doute un corps normal quand il n'aura plus besoin de se rebeller et quand il n'éprouvera plus de peur.

Le comte émit un bruit cynique.

– Je connais Barrayar et ses paranoïas. On ne s'y sent jamais en sécurité. Que ferons-nous s'il décide de grossir indéfiniment ?

– On lui paiera un plateau flottant et un couple de serviteurs musclés. *Ou...* on peut l'aider à vaincre ses peurs.

– Si Miles est mort... commença-t-il.

– Si Miles n'est pas retrouvé et ranimé, corrigea-t-elle aussitôt.

– Alors, Mark est tout ce qui nous reste de Miles.

– Non !

Sa jupe bruissa quand elle se dressa et commença à arpenter la pièce. *Seigneur, faites qu'elle ne vienne pas par ici !*

– C'est là où tu te trompes, Aral. Mark est tout ce qui nous reste de *Mark.*

Le comte hésita.

– D'accord, je te concède ce point. Mais si Mark est tout ce qui nous reste... Sera-t-il aussi le prochain comte Vorkosigan ?

– Pourras-tu l'accepter comme ton fils même s'il *n'est pas* le prochain comte Vorkosigan ? Ou bien est-ce là l'épreuve qu'il doit passer pour être reconnu ?

Le comte restait silencieux. La voix de la comtesse se fit plus grave.

– Est-ce un écho de la voix de ton père que j'entends dans la tienne ? Est-ce lui que je vois, qui me regarde derrière tes yeux ?

– C'est... impossible qu'il... ne soit pas là. (La voix du comte était elle aussi très sourde, troublée mais sans la moindre trace d'excuse.) Quelque part. Malgré tout.

– Je... oui. Je comprends. Je suis désolée. (Elle se rassit au grand soulagement de Mark.) Pourtant ce n'est sûrement pas si dur que ça d'être comte de Barrayar. Pense un peu à certains débiles qui siègent au Conseil en ce moment. Ou qui oublient d'y siéger. Ça fait combien de temps que le comte Vortienne n'a pas pris part à un vote ?

– Son fils est désormais en âge de tenir sa place, dit le comte. Heureusement pour nous. La dernière fois que nous avons eu besoin d'un vote unanime, il a fallu que l'huissier de la Chambre aille le chercher personnellement à sa résidence où il a assisté à une scène extraordinaire... Le comte avait trouvé une utilisation assez unique pour son garde du corps.

– Qui possédait une qualification assez unique, à ce que j'ai cru comprendre.

Il y avait un sourire dans la voix de la comtesse.

– Où as-tu appris *ça* ?

– Alys Vorpratil.

– Je... refuse de demander comment elle l'a su.

– Très sage de ta part. Mais, le fond du problème n'est pas là. Il faudrait vraiment que Mark s'y mette de tout son cœur pour être le pire comte du Conseil. Ces gens-là ne sont pas aussi extraordinaires qu'ils le prétendent.

– Tu n'es pas juste. Vortienne est un horrible exemple. C'est seulement grâce à l'extraordinaire dévotion de la plupart des comtes que le Conseil existe et fonctionne. Il consume les hommes. Mais... les comtes ne représentent que la moitié du combat. L'autre moitié – et elle est sacrément plus ardue – concerne le district lui-même. Le peuple l'acceptera-t-il ? Acceptera-t-il pour comte le clone perturbé d'un original déformé ?

– Ils ont fini par accepter Miles. Je crois même qu'ils sont devenus assez fiers de lui. Mais ça... c'est l'œuvre de Miles. Il irradie une telle loyauté qu'ils ne peuvent pas s'empêcher de lui en rendre un peu.

— Je ne sais ce que Mark irradie, fit le comte, pensif. Il me fait l'effet d'un trou noir humain. La lumière y entre et rien ne ressort.

— Donne-lui un peu de temps. Il a encore peur de toi. Sans doute à cause de sa culpabilité. Il a été ton assassin programmé pendant tant d'années.

Mark, qui respirait par la bouche, pour faire le moins de bruit possible, se crispa. Cette satanée bonne femme avait des rayons X dans les yeux. Elle était une alliée passablement énervante. Si elle était bien une alliée.

— Ivan, commença lentement le comte, n'aurait aucun problème de popularité dans le district. Et, même si ça ne l'enchanterait pas plus que moi, je pense pouvoir le convaincre d'accepter le défi. Il ne serait ni le meilleur ni le pire des comtes. Dans la moyenne.

— C'est exactement ainsi qu'il s'est frayé un chemin depuis l'école, l'Académie Militaire et même dans sa carrière. L'homme invisible, celui qui ne fait pas de vague, dit la comtesse.

— C'est assez frustrant à observer. Il est capable de bien plus.

— Se trouvant si près du trône, crois-tu qu'il oserait briller un peu plus ? Pour attirer les complots comme une lampe attire les moustiques ? Il serait une figure de proue idéale pour des conspirateurs. Il ne fait que jouer les idiots. En fait, il se pourrait bien qu'il soit le moins idiot de nous tous.

— Voilà une théorie optimiste mais si Ivan est si calculateur, comment se fait-il qu'il l'ait été avant même de savoir parler ? s'enquit le comte d'un ton plaintif. Tu serais prête à faire de lui un bambin machiavélique, mon cher capitaine ?

— Je n'insiste pas là-dessus, dit tranquillement la comtesse. Revenons à l'essentiel. Si Mark choisissait de vivre sa vie, disons, sur la Colonie Beta, Barrayar devra bien se débrouiller sans lui. Et ton district aussi. Et Mark n'en serait pas moins ton fils pour cela.

– Mais j'aurais tant voulu laisser... tu n'arrêtes pas de revenir à cette idée. La Colonie Beta.

– Oui. Tu te demandes pourquoi ?

– Non. (Sa voix faiblissait.) Mais si tu l'emmènes sur la Colonie Beta, je n'aurai jamais l'occasion de le connaître mieux.

La comtesse resta muette un moment avant de répondre avec fermeté :

– Voilà une complainte à laquelle j'aurais été très sensible si tu avais montré le moindre désir de le voir *maintenant*. Tu l'évites avec autant d'assiduité qu'il te fuit.

– Je ne peux pas laisser tomber tous mes devoirs gouvernementaux pour une crise personnelle, répliqua le comte avec raideur. Même si j'en ai envie.

– Tu le faisais pour Miles, si je m'en souviens bien. Repense à tout le temps que tu passais avec lui ici ou à Vorkosigan Surleau... tu piquais du temps comme un voleur pour le lui donner, tu en prenais ici et là, une heure, une matinée, une journée, sans pour autant délaisser la régence, sans pour autant mener un train d'enfer et triompher, si je compte bien, de six crises politiques et militaires majeures. Tu ne peux pas refuser à Mark les avantages que tu as accordés à Miles pour ensuite te plaindre de son incapacité à égaler Miles.

– Ô Cordelia, soupira le comte, j'étais plus jeune alors. Je ne suis plus le gentil papa du Miles d'il y a vingt ans. Cet homme s'est vaporisé. Il a été consumé.

– Je ne te demande pas d'être le gentil papa que tu étais à l'époque. Ce serait grotesque. Je te demande seulement d'être le père que tu es maintenant.

– Cher capitaine...

Sa voix s'arrêta comme épuisée.

Après un moment, la comtesse remarqua :

– Tu aurais plus de temps et d'énergie si tu *prenais ta retraite*. Démissionne du poste de Premier ministre. Tu l'as tenu assez longtemps.

– Maintenant ? Cordelia, réfléchis ! Il n'est pas question que j'abandonne tout contrôle en ce moment. En tant que Premier ministre, Illyan et la SecImp me doivent des comptes. Si je me contente d'être un comte parmi d'autres, je n'aurai plus aucun contrôle sur eux. Je perdrai le pouvoir d'accroître les recherches.

– Ridicule. Miles est un officier de la SecImp. Fils du Premier ministre ou pas, ils le chercheront tout autant. La loyauté envers ses hommes est l'un des rares charmes de la SecImp.

– Ils chercheront dans les limites du raisonnable. En tant que Premier ministre, je peux les forcer à faire plus.

– Je ne crois pas. Je crois que Simon Illyan serait encore prêt à se couper en quatre dans le sens de la longueur pour toi même après que tu seras mort et enterré, mon amour.

Quand le comte reprit la parole, Mark crut qu'il parlait d'une autre pièce.

– J'étais prêt à arrêter, il y a trois ans, et à confier ça à Quintillan.

– Oui. J'étais tout excitée.

– Si seulement il ne s'était pas tué dans ce stupide accident d'aéro. Quelle inutile tragédie ! Ce n'était même pas un meurtre !

Le rire lugubre de la comtesse lui répondit.

– Un *vrai* gâchis, selon les normes de Barrayar. Redevenons sérieux. Il est temps d'arrêter.

– Plus que temps, approuva le comte.

– Alors, fais-le.

– Dès qu'il n'y aura plus aucun risque.

Un silence.

– Tu seras mort avant, mon amour. Fais-le maintenant.

Mark était figé sur place, les jambes croisées, piquées par un milliard d'épingles. Il avait l'impression d'être passé dans un désintégrateur, la rencontre avec les trois voyous n'était qu'une aimable plaisanterie à côté de ça. La comtesse était une lutteuse scientifique. Aucun doute là-dessus.

Le comte rit à moitié. Mais, cette fois-ci, il ne répondit pas. Enfin, ils se levèrent et quittèrent la pièce. Dès que la double porte se fut refermée derrière eux, Mark roula hors de son fauteuil. Il s'effondra à terre, essayant de remuer bras et jambes, de les décoller de son corps noué. Il tremblait et frissonnait. Sa gorge était bloquée et il toussa encore et encore pour y faire passer enfin un filet d'air. Il ne savait pas s'il avait envie de pleurer ou de rire ou les deux en même temps. Il se contenta de respirer tel un asthmatique, prenant un immense plaisir à voir sa poitrine se soulever et s'affaisser. Il se sentait obèse. Il se sentait fou. Il avait l'impression que sa peau était transparente et que tous les passants pouvaient y jeter un coup d'œil et montrer ses organes internes.

Mais ce qu'il ne ressentait pas, comprit-il soudain, c'était la peur. En tout cas, pas la peur du comte et de la comtesse. Leurs personnages publics et privés étaient étonnamment semblables. Il avait l'impression qu'il pouvait leur faire confiance, non parce qu'ils ne lui feraient aucun mal, mais parce qu'ils étaient ce qu'ils semblaient être. Tout d'abord, il eut du mal à mettre un mot là-dessus, sur cette étrange unité. Puis il s'imposa à lui. *Oh... C'est donc ça qu'on appelle l'intégrité. Je ne savais pas.*

15

La comtesse tint sa promesse, ou sa menace, d'envoyer Mark faire du tourisme avec Elena. Les quelques semaines qui suivirent furent ponctuées de fréquentes excursions dans Vorbarr Sultana et dans les districts voisins. Dans un but culturel et historique, il eut même droit à une visite du palais impérial. Au grand soulagement de Mark, Gregor n'était pas chez lui ce jour-là. Ils fréquentèrent à peu près tous les musées de la ville. Elena, obéissant sans doute à ses instructions, le traîna même dans deux douzaines de collèges, académies et autres écoles techniques. Mark fut ragaillardi d'apprendre que tout l'enseignement sur cette planète n'était pas purement militaire. En fait, l'université la plus importante de la capitale était l'Institut des Sciences Appliquées et Agricoles.

Elena, en présence de Mark, se comportait de façon parfaitement impersonnelle. Quels que puissent être ses propres sentiments en revoyant sa planète maternelle pour la première fois depuis une décennie, elle ne les laissait pas paraître. Son masque d'ivoire se fendait à l'occasion quand une exclamation de surprise lui échappait devant un changement imprévu : des nouveaux bâtiments, des rues transformées. Mark la soupçonnait de les mener à un tel train d'enfer pour ne pas avoir à lui parler. Elle comblait les silences par des exposés. Mark commença à regretter Ivan : avec son cousin, ils auraient sûrement traîné dans tous les pubs de la ville.

Enfin, un soir, le comte revint plus tôt que prévu à la résidence pour annoncer qu'ils se rendaient tous à Vorkosigan Surleau. Moins d'une heure plus tard, Mark se retrouva embarqué avec ses affaires dans une vedette en compagnie d'Elena, du comte Vorkosigan et de Pym, l'aide de camp. Ils s'élancèrent dans la nuit vers le sud, vers la résidence d'été des Vorkosigan. La comtesse ne les accompagnait pas. Pendant le voyage, la conversation se réduisit au minimum : à l'occasion, Pym et le comte aux commandes échangeaient quelques laconiques paramètres de vol. Les monts Dendariis surgirent enfin à l'horizon, masse sombre tapie sous les nuages et les étoiles. Ils survolèrent un lac qui miroitait faiblement avant d'atterrir à mi-hauteur d'une colline devant une maison en pierre à l'architecture alambiquée. Ils furent à nouveau accueillis par des serviteurs humains. Les gardes de la SecImp affectés au service du Premier ministre débarquèrent discrètement d'une autre vedette.

Minuit approchant, le comte se contenta d'expliquer vaguement à Mark comment s'orienter dans la demeure et le déposa dans une chambre au deuxième étage avec vue sur le lac. Mark, seul enfin, s'accouda à la fenêtre pour contempler l'obscurité. Des lumières se reflétaient sur les eaux noires et soyeuses : elles provenaient d'un village et de quelques demeures isolées sur des plages toutes situées à l'autre bout du lac. *Pourquoi m'a-t-il amené ici ?* Vorkosigan Surleau était le repère le plus secret des Vorkosigan, le cœur du royaume du comte. Avait-il réussi à quelque épreuve pour être admis ici ? Ou bien Vorkosigan Surleau était-elle l'épreuve ? Il se coucha et s'endormit, la tête farcie de questions.

Le soleil du matin le réveilla. Il avait oublié de fermer les volets. Il cligna des yeux et se leva. Un serviteur avait rangé ses quelques affaires dans un placard. Il s'habilla, trouva une salle de bains dans le couloir et se lava. Il s'engagea enfin dans l'escalier, à la recherche prudente d'un spécimen d'humanité. Une gouvernante dans la cuisine lui expliqua comment retrouver le comte dehors sans, hélas, lui proposer le moindre petit déjeuner.

Un chemin pavé de pierres conduisait à un petit bosquet d'arbres importés depuis la Terre. Leur feuillage vert si particulier commençait à prendre les teintes du début d'automne. C'étaient de grands arbres, très vieux. Le comte et Elena se trouvaient près du bosquet dans un jardin muré qui servait à présent de cimetière de famille pour les Vorkosigan. La maison elle-même était autrefois le baraquement des gardes du château dont les ruines se délabraient au bord du lac.

Mark haussa les sourcils. Dans son uniforme de parade rouge et bleu, le comte était une tache de couleur incongrue. La tenue tout aussi officielle d'Elena, velours gris orné de boutons argentés, restait plus discrète. Elle était accroupie derrière un petit brasier de bronze posé sur un trépied. De petites flammes orange s'en échappaient et de la fumée s'élevait dans l'air humide et doré du matin. Ils brûlaient une offrande aux morts, comprit-il soudain. Incertain, il s'immobilisa devant le portail en fer forgé. Personne ne l'avait invité.

Elena se leva. Elle bavarda paisiblement avec le comte tandis que l'offrande – quoi qu'elle puisse être – brûlait et se réduisait en cendres. Au bout d'un moment, Elena plia un bout de tissu, s'en servit pour saisir le brasier sur le trépied et répandit son contenu, des flocons gris et blancs, sur une tombe. Elle vida entièrement le récipient de bronze avant de le ranger ainsi que le trépied pliant dans un sac brodé havane et argent. Le comte se tourna vers le lac, remarqua Mark et lui adressa un signe pour lui signifier qu'il l'avait aperçu. Il ne l'invitait pas mais ne le congédiait pas non plus.

Après un dernier échange avec le comte, Elena quitta le jardin muré. Le comte la salua. Elle gratifia Mark d'un hochement de tête courtois en passant à sa hauteur. Son visage était solennel mais Mark crut la sentir moins tendue, moins sur la défensive que depuis son arrivée sur Barrayar. A présent, le comte lui faisait signe de le rejoindre. Un peu gêné mais curieux, Mark s'engagea dans l'allée de gravier.

– Qu'est-ce... qui se passe ? s'enquit-il finalement.

C'était un peu irrévérencieux mais le comte ne s'offusqua pas. Il hocha la tête vers la tombe qui s'étalait à ses pieds : *Sergent Constantine Bothari* et les dates. *Fidelis.*

– J'ai découvert qu'Elena n'avait jamais brûlé d'offrandes pour son père. Il a été mon aide de camp pendant dix-huit ans et, avant ça, il avait servi sous mes ordres dans les forces spatiales.

– Le garde du corps de Miles, je sais. Mais il a été tué avant que Galen ne démarre mon entraînement. Galen ne lui a pas consacré beaucoup de temps.

– Il aurait dû. Le sergent Bothari a été très important pour Miles. Et pour nous tous. Bothari était un homme... difficile. J'ai l'impression qu'Elena a toujours du mal à l'admettre. Elle aurait besoin de, comment dire... d'accepter un peu plus son père pour être en paix avec elle-même.

– Difficile ? Criminel, à ce qu'on m'a dit.

– Voilà qui est très...

Le comte hésita. Mark s'attendait à l'entendre dire *injuste* ou *inexact* mais le mot qu'il choisit finalement fut :

– ... Incomplet.

Ils déambulèrent parmi les tombes, le comte en expliquant certaines. Des amis, des parents... qui était le major Amor Klyeuvi ? Cela faisait penser à un musée. Depuis la Période d'Isolement, l'histoire des Vorkosigan était intimement liée à l'histoire de Barrayar. Le comte lui montra les tombes de son père, sa mère, son frère, sa sœur, ses grands-parents. Avant eux, les membres de la famille avaient été enterrés dans le cimetière de la vieille capitale du district Vorkosigan : Vashnoi. Et leur dernière demeure avait dû fondre avec le reste de la ville lors de l'invasion cetagandane.

– Je tiens à être enterré ici, commenta le comte en scrutant le lac paisible et les collines qui le surplombaient. Eviter cette foule au cimetière impérial de Vorbarr Sultana. Ils voulaient mettre mon pauvre père là-bas. J'ai dû me disputer avec eux malgré ses derniers vœux.

Il montra la pierre tombale. *Général Comte Piotr Pierre Vorkosigan* et les dates. Le comte avait, visiblement, eu gain de cause.

– J'ai passé ici certains des meilleurs moments de ma vie, quand j'étais petit. Et plus tard, c'est ici que je me suis marié et que nous avons passé notre lune de miel. (Un sourire incertain brouilla ses traits.) Miles a été conçu ici. Donc, dans un certain sens, toi aussi. Regarde autour de toi. Voilà d'où tu viens... Je prends le petit déjeuner, je me change et on ira faire un tour.

– Ah... alors, personne n'a mangé.

– On doit jeûner avant une offrande aux morts. Ce

doit être pour ça qu'on les effectue en général à l'aube.

Le comte ne plaisantait qu'à moitié.

Voilà pourquoi il avait amené son uniforme d'apparat et pourquoi Elena avait pris le sien. Ils étaient venus ici dans ce but. Mark se regarda dans les bottes impeccablement polies du comte. La surface convexe lui donnait des proportions grotesques. Un jour, il ressemblerait peut-être à ça...

– C'est pour cela que nous sommes venus ? Pour qu'Elena accomplisse cette cérémonie.

– Entre autres.

Bizarre. Obscurément troublé, Mark suivit le comte jusqu'à la maison.

Le petit déjeuner fut servi par la gouvernante dans un patio ensoleillé situé à un bout de la demeure. Les collines et quelques haies de fleurs lui donnaient une intimité apaisante. Là aussi, ils avaient vue sur le lac. Le comte réapparut, portant un vieux pantalon de treillis noir et une ample tunique de paysan fermée par une ceinture à la taille. Elena ne se joignit pas à eux.

– Elle avait envie de marcher, expliqua brièvement le comte. On va marcher nous aussi.

Prudemment, Mark reposa un troisième beignet.

Peu de temps après, il ne regretta pas cette prudence. Le comte lui fit grimper la colline. Arrivés au sommet, ils s'arrêtèrent pour se reposer un peu. La vue sur le lac, longue langue d'argent qui léchait les collines, valait le déplacement. Sur l'autre versant, moins abrupt, on avait cultivé des pâturages d'herbe verte, en provenance de la Terre elle aussi. Il y avait là quelques écuries en pierre et des chevaux traînaient çà et là, inemployés. Le comte descendit jusqu'à une barrière et s'y accouda, pensif.

– Ce grand rouan là-bas est le cheval de Miles. Il a été un peu négligé ces dernières années. Miles n'avait pas toujours le temps de monter quand il revenait à la maison. Il avait l'habitude d'arriver au galop quand Miles l'appelait. C'était très bizarre de voir ce grand paresseux dresser les oreilles avant de se mettre à courir. (Un silence.) Tu pourrais essayer.

– Quoi ? Appeler le cheval ?

– Je serais curieux de voir ça. Si le cheval arrive à faire la différence. Pour moi... vous avez la même voix.

– J'ai été conditionné pour.

– Il s'appelle... Ninny. (Devant le regard de Mark, il ajouta :) C'est un surnom.

En réalité, il s'appelle Gros Ninny. Mais tu ne veux pas le dire. Ha !

– Alors, je fais quoi ? Je reste ici et je me mets à hurler : Ninny, Ninny, viens ici ?

Il se sentait déjà idiot.

– Trois fois.

– Hein ?

– Miles répétait toujours son nom trois fois.

Le cheval se tenait à l'autre bout du pâturage, les oreilles dressées, les regardant. Mark respira un bon coup. Son meilleur accent barrayaran reprit le dessus.

– Ici, Ninny, Ninny, Ninny ! Ici, Ninny, Ninny, Ninny !

Le cheval hennit et trotta jusqu'à la barrière en bois. Il ne galopa pas vraiment même si, une fois, il fit effectivement l'effort de soulever ses sabots. Il arriva en haletant, aspergeant le comte et Mark de son haleine humide et chaude. La clôture gémit et plia quand il s'y frotta. Vu de près, il était énorme. Il passa sa grosse tête au-dessus de la barrière. Mark battit vivement en retraite.

– Salut, mon vieux. (Le comte lui flatta l'encolure.) Miles lui donnait toujours du sucre, annonça-t-il par-dessus son épaule.

– Pas étonnant qu'il vienne au galop ! s'indigna Mark.

Et dire qu'il s'était imaginé que c'était encore une victime du syndrome « j'aime-Naismith ».

– Oui, mais Cordelia et moi lui donnons aussi du

272

sucre et il ne court jamais vers nous. Il se contente de venir tranquillement en prenant son temps.

L'animal le fixait avec – Mark l'aurait juré – une réelle stupéfaction. Encore un qu'il trahissait parce qu'il n'était pas Miles. A leur tour, deux autres chevaux les rejoignirent bien décidés à ne rien manquer. Ça commençait à faire beaucoup. C'était monstrueux, ces bêtes-là.

Intimidé, Mark demanda d'un ton plaintif :

– Vous n'avez pas apporté du sucre ?

– En fait, si, dit le comte.

Il extirpa une demi-douzaine de cubes blancs de sa poche et les donna à Mark. Prudent, celui-ci en plaça deux sur sa paume ouverte qu'il tendit le plus loin possible de lui. Poussant un cri aigu, Ninny rejeta ses oreilles en arrière et flanqua un bon coup de tête d'un côté puis de l'autre pour chasser ses rivaux. Il attrapa ensuite les deux morceaux de sucre entre ses grosses lèvres molles, laissant une bonne dose de salive verdie par l'herbe sur la main de Mark. Celui-ci s'essuya sur la barrière sans beaucoup de succès, considéra son pantalon, puis frotta sa main sur l'encolure de Ninny. Une vieille cicatrice faisait une grosse bosse sous la fourrure. Ninny essaya de lui donner un nouveau coup de tête. Mark battit précipitamment en retraite. Le comte restaura un peu d'ordre dans la horde avec quelques cris et deux ou trois bonnes claques – *Ah, voilà comment on pratique la politique sur Barrayar*, songea Mark avec insolence – avant de s'assurer que les deux autres chevaux obtenaient eux aussi leur part de sucre. Il ne parut pas être gêné de s'essuyer les mains sur son pantalon.

– Tu veux essayer de le monter ? proposa-t-il. Comme ça fait un moment qu'il n'a pas été sellé, il risque d'être un peu nerveux.

– Non, merci, s'étrangla Mark. Une autre fois, peut-être.

– Ah.

Ils longèrent la barrière, Ninny les accompagnant de l'autre côté. Ses espoirs furent brisés par le coin.

Il hennit quand ils s'éloignèrent. On aurait dit un cri d'agonie. Les épaules de Mark se voûtèrent comme s'il venait de recevoir un coup. Le comte sourit. L'effort dut lui coûter car son sourire disparut aussi vite qu'il était apparu. Il jeta un regard en arrière.

– Le pauvre vieux a vingt ans, maintenant. C'est beaucoup pour un cheval. Je commence à m'identifier à lui.

Ils se dirigeaient vers les bois.

– Il y a une piste... Elle décrit un grand cercle jusqu'à un endroit où on a vue sur la maison. On avait l'habitude de pique-niquer là-bas. Tu veux y aller ?

Une promenade. Mark n'avait aucune envie de se promener mais il venait de refuser au comte de monter à cheval. Il n'osait pas refuser deux fois de suite. Le comte risquait de le trouver... déprimé.

– D'accord.

Pas de garde du corps ou d'hommes de la SecImp en vue. Le comte s'était débrouillé pour qu'ils soient seuls ensemble. Mark se contracta. Le moment des confessions intimes était arrivé.

Quand ils atteignirent l'orée du bois, les premières feuilles mortes crissèrent sous leurs pas. Cela faisait un bruit sec mais plaisant. Comme une diversion. Mais cela ne remplissait pas vraiment le silence. Le comte, malgré son air de campagnard tranquille, était tendu, nerveux. Mal à l'aise. Ce qui ne contribuait nullement à calmer Mark qui finit par s'exclamer :

– C'est à cause de la comtesse que vous faites ça, hein ?

– Pas vraiment... Oui.

Une réponse confuse et probablement sincère.

– Pardonnerez-vous jamais aux Bharaputrans d'avoir descendu le mauvais Naismith ?

– Probablement pas, répondit le comte sur un ton égal.

Il n'était pas offensé.

– Si ça avait été le contraire, si ce Bharaputran avait atteint l'autre petit bonhomme, la SecImp serait-elle en train de chercher ma cryo-chambre maintenant ?

Et Miles aurait-il éjecté le soldat Phillipi pour mettre Mark à sa place ?

– Dans la mesure où, dans ce cas, Miles aurait été avec la SecImp dans ce coin-là, murmura le comte, j'imagine que la réponse est oui. Ne t'ayant jamais rencontré, mon propre intérêt aurait été, comment dire... académique. Mais ta mère aurait exigé les mêmes efforts, ajouta-t-il, pensif.

– Soyons, si possible, honnêtes l'un envers l'autre, fit Mark avec amertume.

– Rien de durable ne pourra exister entre nous sans cela, répliqua sèchement le comte.

Mark rougit mais grogna en signe d'approbation.

La piste longeait tout d'abord une rivière avant de s'enfoncer dans un ravin. De gros rochers leur barraient la route ici et là. Le sol était en pente et glissant. Dieu merci, il redevint assez vite plat, s'enfonçant parmi les arbres. Quelques bûches et fourrés avaient été délibérément disposés en travers du chemin pour servir d'obstacles de saut aux chevaux. On pouvait soit passer dessus, soit les contourner. Mark avait la certitude que Miles quand il montait devait toujours choisir de sauter. Il devait l'admettre mais il y avait quelque chose de profondément apaisant dans ces bois, avec ces alternances d'ombre et de soleil, ces immenses arbres terrestres. On avait l'illusion d'une intimité sans fin. On pouvait s'imaginer que toute la planète était ainsi, sauvage, offerte... à condition de ne rien savoir de la politique d'aménagement des terres. Ils arrivèrent sur une piste plus large où ils pouvaient marcher de front.

Le comte s'humecta les lèvres.

– A propos de cette cryo-chambre...

La tête de Mark se redressa comme celle du cheval quelques instants plus tôt. La SecImp ne lui disait rien, le comte ne lui adressait guère la parole. Rendu à moitié fou par le manque d'information, il avait fini par craquer et était allé trouver la comtesse. Ce faisant, il avait eu l'impression de se rendre à l'abattoir. Mais, même elle n'avait rien à lui apprendre. La SecImp connaissait à présent quatre cents endroits où la cryo-chambre ne se trouvait pas. C'était un début. L'infini moins quatre cents ça faisait... quoi ? C'était impossible, inutile, futile.

– La SecImp l'a retrouvée.

Le comte se massait le visage.

Mark se pétrifia.

– Quoi ! Ils l'ont retrouvée ? Bon Dieu ! C'est fini ! Où l'ont-ils... Pourquoi ne m'avez-vous... (Il se tut car il y avait sans doute une bonne raison pour laquelle le comte ne lui avait encore rien dit.)

– Elle était vide.

– Oh. (*Oh*. C'était tout ce qu'il trouvait à dire ? Il avait imaginé un tas de scénarios mais pas celui-là. *Vide ?*) Où ?

– Un agent l'a trouvée dans l'inventaire des ventes d'une compagnie de matériel médical du Moyeu de Hegen. Nettoyée et reconditionnée.

– Ils sont sûrs que c'est la même ?

– Si les identifications données par le capitaine Quinn et les Dendariis sont exactes, c'est la même. L'agent, qui est un de nos meilleurs hommes, l'a achetée tout tranquillement. Elle est actuellement en route par courrier rapide pour le quartier général de la SecImp afin de l'analyser en détail. Apparemment, il n'y a pas grand-chose à analyser.

– Mais c'est une piste, un indice enfin ! Cette compagnie doit avoir des dossiers. La SecImp devrait être capable de remonter la piste jusqu'à...

Jusqu'à quoi ?

– Oui et non. Leurs dossiers ne nous permettent de remonter qu'un cran en arrière. Le transporteur indépendant à qui ils l'ont achetée se livrait au recel de marchandises volées.

– Elle a bien été volée quelque part ! On doit pouvoir restreindre la zone des recherches !

– Hum... Il faut se souvenir que le Moyeu de Hegen est un moyeu. Il est possible que la cryo-chambre ait

276

été envoyée, par exemple, de l'Ensemble de Jackson dans l'Empire cetagandan puis ait été réexpédiée via le Moyeu de Hegen. Peu problable mais possible.

– Non. Ils n'ont pas eu le temps.

– C'était un peu juste mais ça a pu se faire. Illyan a fait les calculs. En fait, ce laps de temps limite les recherches à... neuf planètes, dix-sept stations et tous les navires qui circulent entre tout ça. (Le comte fit la moue.) Je souhaiterais presque avoir affaire aux Cetagandans. On peut faire confiance aux ghem-lords : aucune chance qu'ils ne devinent pas la valeur du colis. J'ai une vision atroce. Apprendre un jour que cette cryo-chambre est tombée entre les mains d'un petit truand jacksonien. Un minable qui se sera débarrassé de son contenu pour revendre l'équipement. Nous paierions vingt fois, cent fois la valeur de cette cryo-chambre pour récupérer le corps qui s'y trouve. Pour un Miles préservé et, si possible, réanimable. Ça me rend malade de penser qu'il puisse être en train de pourrir quelque part *par erreur*.

Mark se pressa les tempes : quelque chose lui perforait le crâne.

– Non... c'est fou ! C'est trop fou. Nous avons les deux bouts de la corde à présent, il ne nous manque que le milieu. Il suffit de tirer ou de se laisser guider. Norwood... Norwood était loyal envers l'amiral Naismith. Et il était malin. Je l'ai rencontré. Brièvement. Bien sûr, il ne prévoyait pas d'être tué mais il n'aurait sûrement pas expédié la cryo-chambre dans un endroit risqué. Ni même au hasard.

Etait-ce si certain ? Norwood espérait sans doute récupérer la cryo-chambre à peine un jour plus tard. Si elle était arrivée... Dieu savait où, avec un petit mot collé dessus du genre attendez-qu'on-vienne-me-chercher et que personne n'était venu...

– A-t-elle été reconditionnée avant ou après que la compagnie de Hegen l'a achetée ?

– Avant.

– Ce qui signifie qu'il y a un centre médical planqué quelque part sur cette piste. Peut-être même un centre équipé en cryogénisation. Peut-être... peut-être que Miles a été transféré dans une chambre permanente.

Un corps anonyme ? Sur Escobar, une telle charité était envisageable. Sur l'Ensemble de Jackson, ça tenait de l'impossible espoir.

– Je prie pour qu'il en soit ainsi. De tels centres n'existent pas en nombre infini. On peut les vérifier tous. La SecImp y travaille. Cela dit, seuls les morts congelés nécessitent un tel niveau d'équipement. Nettoyer et reconditionner une cryo-chambre portable peut se faire dans n'importe quelle infirmerie de n'importe quel navire. Ou même dans une salle des machines. Une tombe anonyme serait extrêmement difficile à localiser. Et, sans parler de tombe, il a peut-être été purement et simplement vaporisé comme un sac d'ordures...

Le regard du comte se planta dans les arbres.

Mark aurait parié qu'il ne les voyait pas. Il aurait parié qu'il contemplait lui aussi cette vision-là : un petit corps gelé à la poitrine éclatée – on n'avait même pas besoin d'une poignée anti-grav pour le soulever... un employé insouciant qui le prenait pour le flanquer à la poubelle désintégrante... Se demanderaient-ils seulement qui avait été le petit homme ? Et qui étaient-*ils* ?

Et depuis combien de temps le comte ruminait-il ces idées noires ? Et combien de temps, nom d'un cheval, allait-il encore parler et marcher en même temps ?

– Quand avez-vous appris tout ça ?

– Hier après-midi. Tu comprends donc... à quel point il est important que je sache ce que tu comptes faire. Par rapport à Barrayar.

Il repartit le long de la piste avant de bifurquer sur un étroit sentier qui grimpait gaillardement entre les arbres.

Jouant des talons, Mark le suivit avec peine.

– Il faudrait avoir complètement perdu la raison

pour garder des rapports avec Barrayar. Le seul rapport qu'on peut avoir avec Barrayar, c'est la fuir.

La comte sourit par-dessus son épaule.

– Tu as trop parlé avec Cordelia, à ce que je vois.

– Pas étonnant. Elle est la seule ici qui ait accepté de me parler.

Il rattrapa le comte qui avait ralenti. Le vieil homme grimaça.

– C'est juste. (Il accéléra à nouveau le pas. La pente était rude.) Je suis désolé.

Au bout de quelques mètres, il ajouta avec un humour noir :

– Je me demande si les risques que je prenais mettaient mon père dans des états pareils. Si c'est le cas, il est justement vengé. (*Plus de noirceur que d'humour*, jugea Mark.) Mais il est plus que jamais nécessaire... de savoir...

Le comte s'arrêta soudain et s'assit par terre, dos à un arbre.

– C'est drôle, murmura-t-il.

Son visage qui, jusque-là, avait été rouge et moite était soudain blême et moite.

– Quoi ? demanda Mark, haletant.

Il se reposait, les mains sur les genoux en fixant cet homme qui venait si subitement de se mettre à son niveau. Le comte semblait absorbé... non, distrait.

– Je crois... que je ferais mieux de me reposer un moment.

– Je suis d'accord.

Mark s'assit à son tour sur un rocher. Le comte ne reprenait pas la conversation. Une sensation extrêmement déplaisante noua le ventre de Mark. *Que lui arrive-t-il ? Il n'a pas l'air dans son assiette. Oh, merde...* Le ciel était bleu et très beau, une douce brise faisait soupirer les arbres, quelques feuilles dorées planaient autour d'eux. Le frisson glacé qui lui fouillait le dos n'avait rien à voir avec la météo.

– Ce n'est pas, déclara le comte sur un ton détaché, académique (comme il l'avait si bien dit), un ulcère perforé. J'en ai déjà eu un mais ça n'a rien à voir.

Il croisa les bras sur sa poitrine. Sa respiration devenait plus rapide et plus irrégulière. Depuis qu'il s'était assis, elle ne se calmait pas comme celle de Mark.

Il ne va vraiment pas bien. Un homme brave qui faisait de son mieux pour ne pas paraître effrayé : Mark avait rarement vu spectacle plus effrayant. Brave mais pas stupide. Le comte ne faisait pas semblant de croire que tout allait bien. Il ne se lançait pas à l'assaut du sentier pour le prouver.

– Vous n'avez pas l'air bien.

– Je ne suis pas bien.

– Que sentez-vous ?

– Euh... une douleur dans la poitrine, j'en ai peur, admit-il, embarrassé. Plus qu'une douleur. Une... sensation... très... bizarre. C'est arrivé d'un coup.

– Ça ne pourrait pas être une indigestion, n'est-ce pas ?

Comme celle qui faisait bouillir de l'acide dans l'estomac de Mark en ce moment ?

– J'ai peur que non.

– Vous feriez peut-être mieux d'appeler des secours avec votre communico, suggéra Mark.

Si c'était bien une urgence médicale et ça en avait tout l'air, il ne pouvait pas faire grand-chose.

Le comte ricana. Cela fit un bruit sec pas vraiment réconfortant.

– Je ne l'ai pas pris.

– Quoi ? ! Mais, bon sang, vous êtes le Premier ministre, vous pouvez pas vous balader sans...

– Je voulais que notre conversation ne soit pas interrompue. Pour une fois. Pas envie d'entendre la moitié des sous-ministres de Vorbarr Sultana me demander si je savais où ils ont mis leur agenda. Je faisais ça... pour Miles. De temps en temps... quand ça devenait trop dur. Ça les rendait à moitié fous mais... ils finissaient... toujours... par se calmer.

Sa voix se faisait de plus en plus aiguë. Il s'allongea dans les feuilles mortes.

– Non... constata-t-il. C'est pire...

Il tendit une main que Mark, dont le cœur cognait de terreur, saisit pour l'aider à se rasseoir.

Une toxine paralysante... une attaque cardiaque... je devais être seul avec toi... je devais attendre, que tu me voies sans cesse... ça devait durer vingt minutes avant que tu meures.

Comment avait-il fait ? Comment avait-il causé cela ? Par magie noire ? Peut-être était-il vraiment programmé ? Peut-être certaines parties de lui accomplissaient des choses dont il n'avait pas conscience... comme ces cinglés qui ont différentes personnalités. *Ai-je fait cela ? Ô Dieu. Oh, merde.*

Le comte réussit à lui sourire.

– N'aie pas peur, mon garçon, chuchota-t-il. Tu n'as qu'à rentrer à la maison chercher mes hommes. Ce n'est pas si loin. Je te promets que je ne bougerai pas.

Un gloussement ridicule.

Je n'ai pas fait attention au chemin en venant. Je vous suivais. Et s'il le portait... ? Non. Sans être un med-tech, Mark avait la certitude glaçante que bouger cet homme serait une très mauvaise idée. De toute manière, le comte était beaucoup trop lourd pour lui.

– D'accord. (Il n'y avait pas dix mille chemins dans ce bois, non ?) Vous... vous...

Je vous interdis de mourir comme ça, bon Dieu. Pas maintenant !

Mark tourna les talons et partit en courant. Il ne tarda pas à arriver sur la grande piste. A gauche ou à droite ? A gauche, là sur la grande piste. Mais où avaient-ils tourné pour la rejoindre ? Ils avaient dû écarter quelques fourrés... Là, ces buissons. Oui, c'étaient ceux-là. Mais il y en avait bien une demi-douzaine. Ah, là-bas, les obstacles pour les chevaux ! Etait-ce bien les mêmes ? Ils se ressemblaient tous. *Bon Dieu, je vais me perdre dans cette putain de forêt... Je vais tourner en rond pendant... vingt minutes, jusqu'à ce qu'il soit mort et bien mort, jusqu'à ce que son cerveau s'arrête et ils vont tous dire que je l'ai fait exprès...* Il trébucha, cogna un arbre et lutta pour garder son équilibre. Il avait l'impression d'être le chien d'un holovid qui courait pour aller chercher de l'aide. En arrivant, il serait tout juste capable d'aboyer, de geindre et de se rouler sur le dos et personne ne comprendrait... Il s'accrocha à un arbre et regarda autour de lui. La mousse était censée pousser seulement sur la partie nord des arbres, non ? Ou bien cela était-il vrai uniquement sur Terre ? Ceux-là étaient presque tous des arbres de la Terre. Sur l'Ensemble de Jackson, une espèce de lichen baveux poussait sur le côté sud de tout, y compris des bâtiments et il fallait le gratter des glissières des portes et des fenêtres... Ah ! La rivière ! Mais avaient-ils remonté ou descendu le courant ? *Imbécile, imbécile, imbécile.* Il avait un point de côté. Il tourna à gauche et courut.

Alléluia ! Une grande silhouette féminine dévalait le chemin devant lui. Elena qui rentrait au bercail. Non seulement il se trouvait sur la bonne route mais il avait trouvé de l'aide. Il cria. Un coassement lui sortit de la gorge mais cela suffit pour attirer son attention. Elle jeta un coup d'œil derrière elle, l'aperçut et s'arrêta. Il tituba jusqu'à elle.

– Qu'est-ce qui vous prend ?

Sa froideur et son irritation initiales cédaient devant sa curiosité et un début d'alarme.

Mark haleta :

– Le comte... il est malade... dans les bois. Vous pouvez... faire venir ses hommes... là-bas ?

Aussitôt suspicieuse, elle fronça les sourcils.

– Malade ? Comment ça ? Il était en parfaite santé, il y a une heure de ça.

– Bon Dieu ! Il est *très* mal ! Dépêchez-vous !

– Si *tu* as... commença-t-elle avant de s'interrompre. (L'angoisse évidente de Mark triompha de ses doutes.) Il y a un comm dans l'écurie. C'est le plus proche. Où l'as-tu laissé ?

Mark agita vaguement la main derrière lui.

– Quelque part... Je ne sais pas comment ça s'appelle. Sur le chemin d'un coin pour pique-niquer. Ça vous dit quelque chose ? Ces putains de gardes de la SecImp n'ont-ils pas de scanners ? (Sa lenteur l'exaspérait.) Vous courez plus vite que moi. Partez !

Elle le crut enfin et courut non sans lui jeter un dernier regard. Il eut l'impression d'être passé au lance-flammes.

Je n'ai pas... Il tourna les talons et repartit vers l'endroit où il avait laissé le comte. Il se demandait s'il ne ferait pas mieux de courir se réfugier au fin fond de ces montagnes. S'il volait une vedette, il pourrait gagner la capitale. Il y aurait peut-être une ambassade galactique qui lui accorderait l'asile politique ? *Elle pense que j'ai... Ils vont tous penser que j'ai...* Bon Dieu, lui-même ne se faisait pas confiance. Comment les Barrayarans le pourraient-ils ? Il devrait peut-être épargner du travail à tout le monde et se tuer tout de suite, ici dans cette forêt débile. Mais il n'avait pas d'arme et, aussi tourmenté que soit le terrain, il n'avait pas vu de falaise assez haute d'où il aurait pu se jeter avec la certitude de mourir.

Il eut à nouveau l'impression de s'être trompé de chemin. Le comte n'avait sûrement pas pu se lever et aller faire un tour... non. Il était là, gisant sur le dos, près d'une grosse branche morte. Il respirait par petits à-coups pénibles, séparés par des intervalles beaucoup trop longs. Ses bras étaient crispés autour de lui. Il souffrait visiblement beaucoup plus. Mais il n'était pas mort. Pas encore.

– Salut... mon garçon, souffla-t-il.

– Elena amène de l'aide, promit Mark, angoissé.

Il leva les yeux, tendit l'oreille. *Mais ils ne sont pas encore arrivés.*

– Bien.

– Ne... parlez pas trop.

Ce qui eut pour effet de faire ricaner le comte : c'était encore plus horrible que sa respiration.

– Cordelia... est la seule... qui parvient... à me faire taire.

Mais il se tut après cela.

Prudent, Mark lui laissa le dernier mot.

Vis, bon sang. Ne me laisse pas comme ça.

Un vrombissement familier lui fit lever les yeux. Elena avait résolu le problème du transport à travers les arbres en prenant une aéromoto. Un type de la SecImp en uniforme vert était assis derrière elle, la tenant par la taille. Elle descendit l'engin avec habileté parmi les branches qui craquèrent. L'une d'elles lui lacéra le visage mais elle n'y prêta aucune attention. L'homme sauta de selle alors qu'ils étaient encore à un mètre de haut.

– Recule, gronda-t-il à l'adresse de Mark. (Au moins, il avait un med-kit.) Que lui as-tu fait ?

Mark battit en retraite aux côtés d'Elena.

– C'est un médecin ?

– Non, juste un medic.

Elle était à bout de souffle, elle aussi.

L'homme leva les yeux et annonça :

– C'est le cœur. Mais j'ignore ce que c'est et la cause. Inutile de faire venir le médecin du Premier ministre ici, qu'il nous retrouve à Hassadar. Sans délai. Je pense que nous aurons besoin d'une unité de soins intensifs.

– Bien.

Elena aboya des ordres dans un comm.

Mark voulut les aider à porter le comte jusqu'à la moto où ils comptaient l'installer entre eux deux. Le medic le fusilla du regard.

– Ne le touche pas !

Le comte, que Mark avait cru inconscient, ouvrit les yeux et murmura :

– Hé... Le petit est bien, Jasi. (Jasi le medic s'inclina.) Ça ira bien, Mark.

Il est en train de crever et pourtant il continue à penser à plus tard. Il essaie de me laver de tout soupçon.

– La vedette nous rejoint à la clairière la plus proche. (Elena montra une direction.) Retrouve-nous làbas si tu veux venir.

La moto s'éleva lentement et prudemment.

Mark ne se le fit pas répéter. Il dévala le sentier, intensément conscient de l'ombre qui bougeait au-dessus des arbres. Ils le semèrent très vite. Il accéléra, s'accrochant aux arbres pour tourner. Il arriva à la grande piste, les paumes en sang, à l'instant où Jasi, Elena et Pym finissaient d'étaler le comte sur un des sièges du compartiment arrière d'un aérocar noir. Mark s'effondra aux côtés d'Elena au moment où la bulle du compartiment se rabattait. Ils étaient dans le sens contraire de la marche, face au comte. Pym prit les commandes à l'avant. Ils décollèrent en spirale avant de fuser comme une balle. Le medic était agenouillé auprès de son patient, effectuant les premiers soins : un masque à oxygène et une hypospray de synergine contre le choc.

Mark suffoquait davantage que le comte, à tel point que le medic finit par lui lancer un coup d'œil. A la différence du comte, Mark ne tarda pas à retrouver sa respiration normale. Il était en nage et tout tremblant à l'intérieur. La dernière fois qu'il avait éprouvé cela, les troupes de sécurité bharaputranes lui tiraient dessus. *Les aérocars sont-ils censés aller aussi vite ?* Il pria le Ciel pour que leurs prises d'air n'avalent rien de plus gros qu'un moustique.

Malgré la synergine, les yeux du comte restaient dans le vague. Il essaya d'attraper son petit masque à oxygène, repoussa faiblement la main du medic qui essaya de le retenir et fit un signe à Mark. Il tenait tant à dire quelque chose qu'il aurait été stupide et dangereux de l'en empêcher. Mark glissa à genoux à côté de la tête du comte.

Celui-ci se mit à chuchoter avec la plus totale assurance :

– La seule... vraie richesse... est biologique.

Le medic lança un regard hagard à Mark. Il voulait une interprétation. Impuissant, Mark ne put que hausser les épaules.

Le comte ne tenta de parler qu'une seule autre fois au cours de ce voyage éclair. Il griffa son masque pour s'en débarrasser et dire : « cracher », ce que le medic l'aida à faire en lui tenant la tête de côté. La glaire coula sur sa chemise. Mais son souffle resta aussi rauque.

Les dernières paroles du Grand Homme, se dit Mark sombrement. Toute cette vie monstrueuse, stupéfiante qui s'achevait par *cracher*. Oui, c'était assez biologique. Il s'enveloppa dans ses bras et resta assis en boule par terre, se mâchant les joues sans s'en rendre compte.

Quand ils arrivèrent sur l'aire d'atterrissage de l'hôpital de district d'Hassadar, une petite armée de personnel médical se rua sur eux et leur enleva le comte. On conduisit Mark et Elena dans une petite salle d'attente où ils furent bien forcés d'attendre.

Un peu plus tard, une femme munie d'un enregistreur passa la tête par la porte pour demander à Mark :

– Vous êtes le plus proche parent ?

Il ouvrit la bouche mais rien n'en sortit. Il était littéralement incapable de répondre. Elena se porta à son secours.

– La comtesse Vorkosigan est en vol. Elle vient de Vorbarr Sultana. Elle devrait arriver d'ici quelques minutes.

Cela parut satisfaire la femme qui disparut.

Elena ne se trompait pas. Moins de dix minutes plus tard, un vacarme de bottes envahit le couloir. La comtesse précédait deux hommes d'armes en livrée. Elle passa devant Mark et Elena en leur adressant un bref sourire rassurant mais ne s'arrêta pas. Elle franchit une double porte. Un docteur distrait tenta de l'arrêter :

– Excusez-moi, m'dame, mais les visites sont inter...

Elle gronda.

– Pas de ça avec moi, petit. Tu *m'appartiens*.

Ses protestations se noyèrent dans un gargouillis au fond de sa gorge quand il remarqua enfin la livrée des deux hommes et en déduisit la conclusion correcte.

– Par ici, milady.

Leurs voix s'éloignèrent.

– Elle ne plaisantait pas, commenta, sardonique, Elena à l'intention de Mark. Le développement des infrastructures médicales dans le district Vorkosigan est son projet chéri. La moitié du personnel ici est liée à elle par serment en échange des bourses qui leur ont permis de suivre leurs études.

Le temps passait. Mark se rendit jusqu'à la fenêtre qui dominait la capitale du district Vorkosigan. Hassadar était une ville nouvelle, fille de Vashnoi la détruite. Presque toutes les constructions ici avaient été érigées après la Période d'Isolement. Pour la plupart, elles n'avaient pas plus de trente ans. L'architecture avait été conçue autour des moyens de transport les plus modernes et non pour permettre le passage de chariots tirés par des chevaux. Elle s'étalait en largeur comme n'importe quelle autre ville galactique développée. Sa taille était accentuée par les quelques tours qui s'élançaient vers le soleil du matin. Le matin ? Il avait l'impression qu'un siècle s'était écoulé depuis l'aube. Cet hôpital était identique à ce qu'on trouvait, par exemple, sur Escobar. La résidence officielle du comte était une des rares villas entièrement modernes figurant sur l'inventaire de ses biens immobiliers. La comtesse prétendait l'aimer mais ils l'utilisaient uniquement lors de leurs séjours officiels à Hassadar la capitale : c'était plus un hôtel qu'une demeure. Curieux.

Midi. Les ombres des tours se faisaient toutes petites quand la comtesse vint les retrouver. Mark scruta anxieusement son visage. Les traits tirés, elle marchait lentement mais elle n'avait pas les yeux rouges, sa bouche n'était pas tordue par le chagrin. Il sut que le comte vivait encore avant qu'elle ne parle.

Elle serra Elena dans ses bras et hocha la tête vers Mark.

– Son état est stabilisé. Ils vont le transférer à l'Hôpital Militaire de Vorbarr Sultana. Son cœur est foutu. Notre homme dit qu'il lui faut absolument une greffe ou une pompe mécanique.

– Où étiez-vous ce matin ? lui demanda Mark.

– Au QG de la SecImp. (Logique.) Nous nous étions partagé le travail. On n'avait pas besoin d'être deux à envoyer des messages codés. Aral t'a bien annoncé la nouvelle, hein ? Il m'a juré de le faire.

– Oui, juste avant son malaise.

– Que faisiez-vous ?

Ce qui valait mieux que l'habituel : « *Que lui as-tu fait ?* » Mark résuma brièvement sa matinée.

– Le cimetière, le petit déjeuner et l'escalade dans les collines, marmonna la comtesse. Je parie qu'il imposait la cadence.

– Au pas de course, confirma Mark.

– Ha...

– Etait-ce une occlusion ? s'enquit Elena. Ça y ressemblait.

– Non. C'est pour ça que j'ai été si surprise. Je savais que ses artères étaient propres... il suivait un traitement. Sans lequel, son horrible régime l'aurait tué depuis des années. C'était un anévrisme artériel, à l'intérieur du cœur lui-même. Un vaisseau sanguin qui a éclaté.

– Le stress, hein ? fit Mark, la bouche sèche. Sa pression sanguine devait être élevée ?

Elle plissa les yeux.

– Oui, énormément. Mais le vaisseau était fragile. Ça serait arrivé un jour ou l'autre, de toute manière.

– La SecImp... ne vous a pas communiqué de nouvelles informations ? demanda-t-il timidement. Pendant que vous étiez là-bas.

– Non. (Elle se dirigea vers la fenêtre pour regarder sans les voir les tours et la toile d'araignée d'Hassadar. Mark la suivit.) Retrouver la cryo-chambre dans ces conditions... nous a un peu accablés. Mais, au moins, cela a incité Aral à faire des efforts vers toi. (Un silence.) A-t-il réussi ?

– Non... je ne sais pas. Il m'a fait visiter, montré des choses. Il a essayé. Il a tellement essayé que j'en avais mal pour lui.

Oui et ça faisait encore mal. Un nœud douloureux

derrière le plexus solaire. Selon une ancienne mythologie, c'était là le siège de l'âme.

– Il a réussi, souffla-t-elle.

C'était trop. La vitre de la fenêtre était à l'épreuve
des chocs, pas sa main. Son poing s'y écrasa, recula
et frappa à nouveau.

Cette fois-ci, il heurta la main ouverte de la
comtesse.

– Pas de ça, lui conseilla-t-elle froidement.

16

Un grand miroir dans un cadre ouvragé était pendu
au mur du couloir menant à la bibliothèque. Nerveux,
Mark se planta devant pour une dernière vérification
avant l'inspection par la comtesse.

L'uniforme havane et argent de cadet de la maison
Vorkosigan ne transformait guère son corps. Vieilles
et nouvelles distorsions étaient péniblement évidentes
même si, en se tenant bien droit, il avait presque l'air
normal. Petit, certes, mais costaud. Malheureusement, quand il s'affaissait, la tunique en faisait autant.
Elle lui allait bien, ce qui était étrange car, huit semaines plus tôt, elle était un peu trop grande pour lui.
Un analyste de la SecImp avait-il calculé son gain de
poids ? Fallait-il qu'il s'arrête de grossir ?

Huit semaines seulement ? Il avait l'impression
d'être prisonnier ici depuis toujours. D'accord, on le
traitait avec gentillesse... comme ces anciens officiers
qui, après avoir donné leur parole, étaient autorisés
à se promener comme bon leur semblait dans la forteresse. On ne lui avait pas demandé sa parole. Elle
n'avait peut-être aucune valeur ici. Il abandonna son
image et se glissa dans la bibliothèque.

La comtesse était assise sur le divan de soie. Pour
ne pas la froisser, sa robe longue était soigneusement
étalée autour d'elle. C'était une chose beige et vapo-

reuse au col haut, brodée de motifs argentés et cuivrés qui soulignaient la couleur de sa chevelure relevée en boucles sur l'arrière du crâne. Pas une once de noir ou de gris qui aurait suggéré un deuil quelconque : elle était d'une élégance arrogante. Par cette tenue, elle proclamait : *Regardez-nous, nous sommes les Vorkosigan et tout va parfaitement bien.* A son entrée, elle se tourna vers Mark. Un bref sourire lui vint spontanément aux lèvres. Malgré lui, il le lui rendit.

– Ça te va bien, remarqua-t-elle.

– A vous aussi, répondit-il et comme cela semblait trop familier, il ajouta : madame.

Elle haussa un sourcil devant cet ajout mais ne fit aucun commentaire. Il gagna une chaise près d'elle mais, trop gêné pour s'asseoir, il préféra s'accouder sur le dossier.

– Alors, à votre avis, comment vont réagir vos amis vors ce soir ?

– Ce qui est sûr, c'est qu'ils vont te dévorer des yeux, soupira-t-elle. Tu peux en être certain.

Elle lui tendit un petit sac marron sur lequel était brodé en fil d'argent le blason des Vorkosigan.

– Quand tu offriras ceci à Gregor tout à l'heure lors de la cérémonie en tant que représentant d'Aral, cela signifiera deux choses : primo, que nous annonçons de façon officielle que nous te reconnaissons comme notre héritier et deuxièmement... que tu acceptes cette charge. C'est la première étape. Il y en aura beaucoup d'autres.

Avec, au bout du chemin, le titre de comte ? Mark grimaça.

– Quels que soient tes sentiments, quelle que soit l'issue finale de cette crise... ne leur laisse pas voir tes doutes, conseilla la comtesse. C'est tout dans la tête, ce système vor. La conviction est contagieuse. Le doute aussi.

– Pour vous, le système vor est une illusion ?

– C'est ce que je pensais autrefois. A présent, je dirais plutôt qu'il s'agit d'une création qui, comme toute chose vivante, doit être en permanence recréée.

Le système barrayaran peut être tout à la fois maladroit, beau, corrompu, stupide, honorable, frustrant, débile ou hallucinant. La plupart du temps, il permet en gros que le gouvernement soit assuré. C'est à cela, en somme, que sert un système.

– Mais... l'approuvez-vous ? demanda-t-il, perplexe.

– Je ne suis pas certaine que mon approbation ait une importance quelconque. L'Impérium est comme une immense symphonie décousue, composée par un comité. Et qui dure depuis trois cents ans. Elle est jouée par une bande de volontaires amateurs. Elle possède une énorme inertie et reste fondamentalement fragile. Elle ne change ni ne peut être changée. Elle peut vous écraser comme un éléphant aveugle.

– Voilà qui est réconfortant.

Elle sourit.

– Ce soir, tu ne vas pas complètement plonger dans l'inconnu. Ivan et ta tante Alys seront présents ainsi que les jeunes lady et lord Vortala. Et des tas d'autres que tu as déjà rencontrés au cours de ces dernières semaines.

Au prix d'abominables dîners privés. Depuis près de deux mois, il y avait eu un défilé constant de visiteurs à la résidence : on venait le voir. Et la comtesse avait méthodiquement continué à recevoir malgré le malaise du comte une semaine plus tôt. En prévision de cette soirée.

– Ils vont sûrement essayer de te soutirer des renseignements sur l'état d'Aral, ajouta-t-elle.

– Que dois-je leur dire ?

– Il est toujours plus facile de se souvenir de la vérité. Aral est à l'hôpital attendant qu'un cœur ait poussé et soit prêt à être transplanté. C'est un patient exécrable. Son chirurgien le menace soit de l'attacher au lit, soit de démissionner s'il ne se tient pas mieux. Inutile de donner les détails médicaux.

Détails qui auraient révélé à quel point le Premier ministre était en mauvais état. Bien.

– ... Et si on m'interroge à propos de Miles ?

– Tôt ou tard (elle reprit son souffle), si la SecImp ne retrouve pas son corps, il faudra faire une déclaration de décès officielle. Tant qu'Aral vit, je préférerais que ça se fasse le plus tard possible. Seules quelques personnes au sommet de la hiérarchie de l'empire, Gregor et quelques membres du gouvernement, savent que Miles est bien plus qu'un officier de rang subalterne dans la SecImp. Il est parfaitement exact qu'il est absent pour raison professionnelle. La plupart de ceux qui t'interrogeront seront persuadés que la SecImp n'a pas jugé bon de te révéler le lieu de sa mission.

– Une fois, Galen a dit... commença Mark avant de s'arrêter.

La comtesse le dévisagea.

– Tu penses beaucoup à Galen ?

– Ça m'arrive, admit-il. Il m'a aussi entraîné pour ce qui va se passer ce soir. Nous avons répété toutes les grandes cérémonies : il fallait bien que je sache comment m'y comporter. L'Anniversaire de l'empereur, la Fête de l'été, celle de l'hiver... toutes. Je ne peux pas aller là-bas ce soir sans penser à lui et à quel point il haïssait Barrayar.

– Il avait ses raisons.

– Il disait que... l'amiral Vorkosigan était un meurtrier.

La comtesse soupira.

– Et ?

– L'était-il ?

– Tu as eu l'occasion de le rencontrer, de l'observer. Qu'en penses-tu ?

– Milady... *Je* suis un meurtrier. Et je ne sais que penser de moi.

Elle plissa les yeux.

– Voilà qui est exact et lucide. Bon. Sa carrière militaire a été longue, complexe et sanglante. Mais tout cela est du domaine public. J'imagine, cependant, que le point essentiel pour Galen était le Massacre du Solstice au cours duquel sa sœur Rebecca a trouvé la mort.

Muet, Mark hocha la tête.

– C'est l'officier de la propagande de Barrayar qui a ordonné cette atrocité et non Aral. Aral l'a exécuté de ses propres mains quand il a appris ça. Sans, malheureusement, prendre le temps de le faire passer en cour martiale. Pour répondre à ta question : oui, il est un meurtrier. Mais pas dans le sens où Galen l'entendait.

– Galen disait qu'il l'a tué pour éliminer un témoin gênant. L'officier de la propagande aurait obéi à un ordre verbal.

– Dans ce cas, comment Galen en aurait-il eu connaissance ? C'est sa parole contre celle d'Aral. Je crois Aral.

– Galen disait qu'il l'a torturé.

– Non, répliqua sèchement la comtesse. Ça, c'est Ges Vorrutyer et le prince Serg. Ces gens-là ont été éliminés, conclut-elle avec une satisfaction visible.

– Il disait que c'était un fou.

– Nul, sur Barrayar, selon des critères betans, n'est sain d'esprit. (Elle lui lança un regard amusé.) Pas même toi ou moi.

Moi, certainement pas. Il reprit très vite son souffle.

– Un sodomite.

Elle pencha la tête.

– Cela a-t-il une importance pour toi ?

– Cela a joué un rôle... essentiel dans mon conditionnement.

– Je sais.

– Vous savez ? Bon sang...

Etait-il donc fait de verre pour ces gens ? Une sorte de spécimen conçu pour leur amusement ? Sauf que la comtesse ne semblait nullement amusée.

– Un rapport de la SecImp, évidemment, ajouta-t-il, amer.

– Ils ont passé un des sbires de Galen au thiopenta. Un homme nommé Lars, si cela te rappelle quelque chose.

– Oui, ça me rappelle quelque chose.

Il serra les dents. Ils ne lui accordaient pas la moindre chance de garder une once de dignité.

– Si on oublie Galen, les penchants privés d'Aral ont-ils vraiment une importance pour toi ?

– Je ne sais pas. La vérité a de l'importance.

– Exact. Bien, la vérité... D'après moi, il est bisexuel mais, inconsciemment, plus attiré par les hommes que par les femmes. Ou pour être plus précis : par les soldats. Pas les hommes en général. C'est ce que je crois. Je suis, selon les critères barrayarans, un... vrai garçon manqué. Ce qui a fait de moi la solution idéale à son dilemme. La première fois qu'il m'a vue, j'étais en uniforme au beau milieu d'un combat assez vilain. Il a cru que c'était le coup de foudre. Je n'ai jamais pris la peine de lui expliquer qu'il s'agissait simplement de l'explosion brutale de son refoulement.

Ses lèvres s'étirèrent.

– Pourquoi pas ? Votre refoulement n'a pas explosé lui aussi ?

– Non. Il m'a fallu, oh, quatre ou cinq jours de plus, pour exploser à mon tour. Enfin, trois au moins. (Ses yeux brillaient : le souvenir devait être excitant.) Si seulement tu avais pu le voir à quarante ans. Au sommet de sa forme.

Dans cette même bibliothèque, la comtesse avait verbalement disséqué Mark. Il y avait quelque chose de bizarrement consolant dans le fait que son scalpel ne lui était pas uniquement destiné. *Ce n'est pas moi. Elle fait ça avec tout le monde. Argh.*

– Vous êtes très... précise, madame. Que pensait Miles de tout ceci ?

Elle devint pensive.

– Il ne m'a jamais rien demandé. Il est possible qu'il ait eu un écho de cette période malheureuse de la jeunesse d'Aral à travers les médisances des ennemis politiques de son père. Et qu'il ait décidé de ne pas en tenir compte. De ne pas prêter l'oreille à des ragots.

– Pourquoi me le dire à moi ?

– Tu as demandé. Tu es adulte. Et... tu as peut-être plus que lui besoin de savoir. A cause de Galen. Si, un jour, Aral et toi entretenez des rapports plus normaux... il serait bon que ta vision de lui ne soit ni exagérément exaltée ni exagérément dégradée. Aral est un grand homme. C'est moi, une Betane, qui le dis. Mais je ne confonds pas la grandeur avec la perfection. La grandeur, c'est ce qu'on peut atteindre de plus... grand. (Elle lui adressa un sourire taquin.) Ça te laisse de l'espoir, non ?

– Hon... Ça ne me laisse pas le choix, plutôt. Seriez-vous en train de me dire que, malgré toutes mes tares, vous espérez encore que je fasse des merveilles ?

Ahurissant. Et effrayant.

Elle réfléchit.

– Oui, dit-elle enfin sereinement. En fait, puisque personne n'est parfait, il s'ensuit que toutes les grandes œuvres sont nées de l'imperfection. Ce qui ne les a pas empêchées d'être accomplies.

Miles n'était pas cinglé uniquement à cause de son *père*, décida Mark.

– Je ne vous ai jamais entendue vous analyser vous-même, madame, fit-il, amer.

Oui, qui arrosait l'arroseur ?

– Moi ? (Un sourire torve.) Je suis une folle, mon garçon.

Ce n'était pas une réponse. Ou alors en était-ce une ?

– Une folle d'amour ? fit-il d'un ton léger dans l'espoir de chasser la gêne soudaine que sa question avait suscitée.

– Entre autres.

Elle avait les yeux glacés.

Un crépuscule humide et brumeux tombait sur la ville tandis que la comtesse et Mark roulaient vers la résidence impériale. Pym, en grande tenue, conduisait la voiture. Une autre demi-douzaine de membres de la garde personnelle du comte les suivait dans un autre véhicule : ils étaient là plus pour le décorum que pour assurer une réelle protection. Mark les avait vaguement observés. Ils semblaient ravis de se rendre à cette soirée. Il en avait fait le commentaire à la comtesse qui avait remarqué :

– Oui, pour eux c'est presque une soirée de permission. La SecImp va quadriller la résidence en long, en large et en hauteur. Lors de ces événements, il y a tout un monde parallèle de serviteurs et de subordonnés... Il n'est pas rare qu'un aide de camp habile attire l'œil d'une jeune pousse vor et l'épouse, si son passé militaire l'en rend digne. C'est un moyen comme un autre de s'élever socialement.

Le palais impérial était bâti selon les mêmes canons architecturaux que la résidence Vorkosigan. Il était juste un peu plus grand. A peu près huit fois, se dit Mark. La brume poisseuse les fit gagner l'entrée brillamment illuminée sans perdre une seconde. Il se retrouva noué au bras de la comtesse, ce qui le rassura et l'alarma en même temps. Etait-il son cavalier ou un appendice ? Ravalant un flot de bile, il se redressa de toute – toute ! – sa hauteur.

La première personne qu'ils rencontrèrent dans le vestibule fut, à sa grande surprise, Simon Illyan. Pour l'occasion, le chef de la sécurité portait l'uniforme d'apparat rouge et bleu qui n'avait rien de discret. Mais dans cette foule d'hommes presque tous en rouge et bleu, il pouvait espérer passer inaperçu. Sauf, qu'en lieu et place des épées de duel qu'un Vor se devait de porter en telle occasion, il avait un véritable arsenal à la hanche : un brise-nerfs et un arc à plasma. Une oreillette démesurée brillait sur le côté droit de son visage.

– Milady.

D'un petit hochement de tête, il les entraîna à l'écart.

– Comment allait-il cet après-midi ? chuchota-t-il.

Inutile de préciser de qui il s'agissait. La comtesse lança un regard circulaire pour s'assurer qu'aucune oreille indiscrète ne traînait.

– Pas bien, Simon. Il est pâle, couvert d'œdèmes

et son regard devient de plus en plus vague, ce que je trouve plus effrayant que tout le reste. Le chirurgien veut lui éviter la fatigue de lui installer une prothèse mécanique en attendant que le cœur organique ait atteint la bonne taille. Mais ils ne pourront peut-être pas attendre. Il risque de passer en chirurgie à tout instant.

– Devrais-je le voir ou pas, selon vous ?

– Non. A la seconde où vous passerez cette porte, il voudra travailler. Il en est incapable et il s'en rendra compte. Ce qui sera pour lui mille fois plus éprouvant que d'avoir essayé. (Un silence.) A moins que vous ne passiez en coup de vent pour, disons, lui annoncer une bonne nouvelle ?

Illyan secoua la tête.

– Désolé.

Comme la comtesse ne reprenait pas immédiatement la parole, Mark osa intervenir.

– Je vous croyais sur Komarr, monsieur.

– Je devais revenir pour ça. La soirée d'anniversaire de l'empereur est mon cauchemar de l'année. Une seule bombe pourrait faire disparaître pratiquement tout le gouvernement. Comme vous le savez déjà. J'étais en route quand j'ai appris la... maladie d'Aral. Si ça avait pu faire avancer mon croiseur plus vite, je serais sorti le pousser.

– Alors... que se passe-t-il sur Komarr ? Qui coordonne les recherches ?

– Quelqu'un en qui j'ai toute confiance. Maintenant qu'il semble que nous ne devions trouver qu'un corps...

Illyan jeta un regard à la comtesse et s'interrompit. Elle était grise.

Pour eux, ce n'est plus une priorité. Mark avait soudain du mal à respirer.

– Combien d'agents avez-vous actuellement dans l'Ensemble de Jackson ?

– Autant qu'il m'est possible d'en laisser. Cette nouvelle crise (un geste de la main d'Illyan pour désigner l'absence forcée du comte Vorkosigan) nous soumet à rude épreuve. Avez-vous seulement idée de l'excitation malsaine que l'état du Premier ministre provoque rien que chez les Cetagandans, par exemple ?

– *Combien ?*

Sa voix était trop brutale et trop forte mais, au moins, la comtesse ne lui fit aucun reproche. Elle observait la scène avec un intérêt froid.

– Lord Mark, vous n'êtes pas encore en position de demander ou d'exiger un rapport sur les dispositions les plus confidentielles de la SecImp !

Pas encore ? Jamais, oui.

– Je demande seulement, monsieur. Mais vous ne pouvez prétendre que cette opération ne me concerne pas.

Illyan lui accorda un bref hochement de tête ambigu. Il toucha son oreillette, parut pensif un instant et se tourna vers la comtesse.

– Si vous voulez bien m'excuser, milady.

– Amusez-vous bien.

– Vous aussi.

Sa grimace était aussi ironique que la moue de la comtesse.

Mark se retrouva, au bras de sa cavalière, au sommet d'un vaste escalier qui donnait dans une longue salle de réception garnie d'un côté d'immenses miroirs et de l'autre de fenêtres tout aussi immenses. Un majordome annonça leurs noms et titres d'une voix amplifiée.

La première impression de Mark fut celle d'une nuée de taches sans visage, colorées et menaçantes, comme un jardin de fleurs carnivores. Un arc-en-ciel d'uniformes vors, où dominaient le rouge et le bleu des tenues d'apparat, faisait pâlir les robes splendides des dames. Les gens étaient agglutinés en petits groupes changeants, bavardant à qui mieux mieux. Certains avaient pris place sur des chaises alignées le long des murs, entourés par leur propre petite cour. Des serviteurs se promenaient parmi eux, offrant boissons et victuailles sur des plateaux. Etranges serviteurs. Tous ces jeunes hommes au physique impressionnant arborant la livrée de la résidence impériale appartenaient certainement à la SecImp. Les hommes plus âgés au visage fermé qui portaient l'uniforme des Vorbarra et gardaient chaque sortie étaient les hommes d'armes personnels de l'empereur.

Paranoïaque, Mark eut l'impression que tous les visages se tournaient vers eux et qu'une vague de silence parcourait la foule à leur entrée. En réalité, seuls quelques regards se posèrent sur eux et quelques conversations cessèrent autour d'eux. Ivan Vorpratil et sa mère, lady Alys, se trouvaient là. Celle-ci adressa immédiatement un signe à la comtesse et les rejoignit.

– Cordelia, ma chérie. (Un sourire contrit.) Tu dois me mettre à la page. On n'arrête pas de me poser des questions.

– Oui... je sais ce que c'est, soupira la comtesse.

Lady Vorpratil hocha la tête en grimaçant. Elle se tourna vers Ivan qui mettait un point d'honneur à reprendre sa conversation interrompue par l'arrivée des Vorkosigan.

– Sois gentil avec la fille des Vorsoisson, si l'occasion se présente. C'est la plus jeune sœur de Violetta, tu auras peut-être plus de succès avec elle. Et Cassia Vorgorov est ici. C'est son premier bal de l'empereur. Et tu pourrais au moins consacrer une danse à Irene Vortashpula, plus tard. J'ai promis à sa mère. Vraiment, Ivan, il y a tellement de jeunes filles convenables ici ce soir. Si seulement, tu voulais bien consentir à faire un petit effort...

Bras noués, les deux femmes s'éloignèrent. Un petit signe très ferme de la comtesse Vorkosigan à l'adresse d'Ivan lui signifia qu'il était à nouveau responsable de la garde de Mark. Se souvenant de ce qui s'était passé la fois précédente, celui-ci aurait préféré bénéficier de la formidable protection de la comtesse, particulièrement pour cette soirée mondaine.

– Qu'est-ce que ça voulait dire ? demanda Mark à Ivan.

Un serviteur passa avec un plateau de boissons. Imitant son cousin, Mark s'empara d'un verre. Le contenu se révéla être un vin blanc sec parfumé au citron. C'était assez plaisant.

— La foire aux bestiaux, grommela Ivan. Elle a lieu deux fois par an. C'est aujourd'hui et à la Fête de l'hiver qu'on fait défiler les héritières des grandes maisons vors. On les livre à l'inspection.

Un aspect de cette soirée que Galen n'avait jamais mentionné. Mark avala une bonne gorgée de sa boisson. Il commençait à maudire Galen non pour ce qu'il l'avait forcé à apprendre mais pour tout ce qu'il avait oublié.

— Il n'y a aucune chance pour que je fasse partie des... inspecteurs, hein ?

— A voir les crapauds que certaines de ces filles embrassent, pourquoi pas ? fit Ivan en haussant les épaules.

Merci, Ivan. A côté de ce grand jeune homme en uniforme étincelant, il devait effectivement avoir l'air d'un petit crapaud marron. En tout cas, s'il n'en avait pas l'air, il en avait l'impression.

— Je ne suis pas dans la course, affirma-t-il.

— A ta place, je ne parierais pas. Il n'y a que soixante fils héritiers mais beaucoup plus de filles à placer. Des centaines... Dès qu'on saura ce qui est arrivé à ce pauvre Miles, tout est possible.

— Vous voulez dire... que je n'aurai pas à courir après les femmes ? Que je n'aurai qu'à rester là et qu'elles viendront à moi ?

Plus précisément : à son nom, à sa position et à son argent. Cette idée s'accompagnait d'une joie triste. Mieux valait être aimé pour son rang que ne pas être aimé du tout. Ceux qui prétendaient le contraire étaient des crétins fiers qui ne crevaient pas, comme lui, du fait que jamais une femme ne les touchait.

— En tout cas, ça marchait pour Miles, fit Ivan avec un inexplicable ennui dans la voix. Je n'ai jamais réussi à le convaincre d'en profiter. Bien sûr, il ne supportait pas d'être rejeté. Il fallait qu'il essaie encore et encore. Résultat, il se faisait esquinter un peu plus chaque fois et il s'enfermait dans sa coquille pendant des jours. Les aventures, c'était pas son truc. Il avait tendance à se braquer sur une seule femme. D'abord Elena et puis après elle, Quinn. Cela dit je comprends très bien pourquoi il s'est fixé sur Quinn.

Ivan avala d'un trait le reste de son verre et l'échangea contre un plein sur un plateau qui passait.

Miles, se souvint Mark, possédait une autre personnalité. Il était probable que son cousin ne savait pas grand-chose des penchants sexuels de l'amiral Naismith.

– Oh-oh, remarqua Ivan en jetant un regard pardessus le rebord de son verre, voilà une des élues de ma chère mère. Elle vient droit sur nous.

– Je ne comprends pas, fit Mark, perdu, vous cherchez une femme, oui ou non ?

– Ça ne sert à rien d'en chercher une *ici*. Ici, c'est on regarde mais on ne touche pas. Aucune chance.

Par chance, il était clair qu'Ivan entendait sexe. Comme beaucoup de cultures arriérées qui dépendaient toujours de la reproduction biologique au lieu de la technologie du réplicateur utérin, les Barrayarans séparaient le sexe en deux catégories : la licite, dont le but était de produire une progéniture et, par conséquent, l'illicite qui englobait toutes les autres formes de rapports sexuels. Mark en éprouva un réel soulagement. Cette soirée était-elle une zone protégée ? Le sexe y était-il prohibé ? Pas de tension, pas de terreur ?

La jeune femme repérée par Ivan les rejoignait. Elle portait une longue robe d'un vert pastel. Ses cheveux sombres étaient emberlificotés sur sa tête en nattes et boucles savantes parsemées de vraies fleurs.

– Que lui reprochez-vous, à celle-là ? chuchota Mark.

– Tu plaisantes ? murmura Ivan en réponse. Cassia Vorgorov ? Une crevette avec une tête de jument, plus plate qu'un mur... (Il s'interrompit quand elle fut à portée de voix et s'inclina poliment.) Salut, Cass.

Il était presque parvenu à chasser tout ennui de sa voix.

– Bonsoir, lord Ivan, fit-elle, essoufflée.

Des étoiles dans les yeux, elle lui souriait de toutes ses dents. Effectivement, son visage était un peu long et sa silhouette mince mais Mark trouva Ivan bien difficile. Elle avait une peau douce et de jolis yeux. D'accord, toutes les femmes ici présentes avaient de jolis yeux : c'était le maquillage. Sans parler des parfums et du reste. Elle n'avait guère plus de dix-huit ans. Son sourire timide lui donnait envie de pleurer : pourquoi l'adressait-elle si exclusivement et si inutilement à Ivan ? *Personne ne m'a jamais regardé comme ça. Ivan, tu es un sale ingrat !*

– Vous attendez le bal ? demanda-t-elle à Ivan avec un espoir transparent.

Ivan haussa les épaules.

– Pas particulièrement. Tous les ans, c'est pareil.

Elle se fana sur place. C'était sûrement sa première soirée ici, se dit Mark avec des envies de meurtre à l'égard d'Ivan. Il s'éclaircit la gorge. Le regard de son cousin tomba sur lui et s'éclaira sous le coup d'une inspiration.

– Cassie, ronronna-t-il, tu n'as pas encore rencontré mon nouveau cousin, lord Mark Vorkosigan ?

Elle parut le remarquer pour la première fois. Mark lui adressa un sourire hésitant. Elle le considéra d'un air dubitatif.

– Non... On disait... j'imagine qu'il n'est pas vraiment comme Miles, n'est-ce pas ?

– Non, dit Mark. Je ne suis pas Miles. Comment allez-vous, lady Cassia ?

Retrouvant un peu tard ses bonnes manières, elle répondit :

– Comment allez-vous, heu... lord Mark ?

Un tic nerveux fit trembler les fleurs dans sa chevelure.

– Pourquoi ne feriez-vous pas mieux connaissance, tous les deux ? Si vous voulez bien m'excuser, je dois voir quelqu'un...

Ivan fit un signe à un camarade en uniforme à

bonne distance de là et s'esquiva avec la promptitude d'un serpent.

– Vous attendez le bal, n'est-ce pas ? essaya Mark.

Il s'était tellement concentré sur le cérémonial de la taxation, du serment d'allégeance et du dîner, sans parler des trois cents noms tous commençant par « Vor » du Bottin mondain qu'il avait dû apprendre par cœur, qu'il n'avait guère songé au bal.

– Euh... un peu.

Ses yeux abandonnèrent à regret la silhouette d'Ivan qui se fondait avec succès dans la foule pour effleurer Mark et se détourner précipitamment.

Vous venez ici souvent ? Il s'arrêta juste à temps. Que dire ? *Vous aimez Barrayar ? Non, pas ça. Joli brouillard que nous avons là dehors. Allez, petite, aide-moi un peu ! Dis quelque chose, n'importe quoi !*

– Vous êtes vraiment un clone ?

N'importe quoi mais pas ça.

– Oui.

– Oh... eh bien...

A nouveau, le silence.

– Beaucoup de gens le sont, observa-t-il.

– Pas ici.

– Exact.

– Oh... ah ! (Le soulagement fit fondre ses traits.) Excusez-moi, lord Mark, je vois ma mère qui m'appelle...

Elle lui sacrifia un sourire crispé et se précipita pour rejoindre une douairière vor à l'autre bout de la salle. La femme leur tournait le dos et ne les voyait pas.

Mark soupira. Voilà une belle théorie qui s'écroulait : le rang ne lui conférait aucun sex-appeal. Lady Cassia n'avait aucune envie d'embrasser un crapaud. *Si j'étais Ivan, je marcherais sur les mains pour une fille qui me regarde comme ça.*

– Tu as l'air pensif, observa la comtesse Vorkosigan.

Il tressaillit.

– Ah, re-bonsoir... Oui. Ivan vient juste de me présenter à cette fille. Pour s'en débarrasser, j'en ai bien peur.

– Oui, je vous observais par-dessus l'épaule d'Alys. Je faisais de mon mieux pour qu'elle vous tourne le dos. Par charité.

– Je... ne comprends pas Ivan. Cette fille me semblait vraiment gentille.

La comtesse Vorkosigan sourit.

– Elles sont toutes gentilles. Le problème n'est pas là.

– Où est-il, alors ?

– Tu ne vois pas ? Il est vrai que tu n'as pas trop l'habitude de ce genre de choses. Alys Vorpratil est une mère sincèrement aimante mais elle ne résiste pas à la tentation d'influencer l'avenir d'Ivan. Et lui est trop bon fils ou trop paresseux pour lui résister ouvertement. Alors, il fait tout ce qu'elle lui demande, sauf la seule chose qu'elle désire par-dessus tout. C'est-à-dire se marier et lui donner des petits-enfants. Personnellement, je pense qu'il fait un mauvais calcul. S'il tient à ne plus l'avoir continuellement sur le dos, des petits-enfants seraient la meilleure diversion possible pour cette pauvre Alys. En attendant, elle est au bord de la crise de larmes à chaque fois qu'il fait une touche.

– Oui, c'est ce que j'ai cru voir, s'autorisa Mark.

– Il mériterait quelques bonnes claques pour ce petit jeu mais je ne suis même pas certaine qu'il en soit conscient. D'ailleurs, c'est aux trois quarts la faute d'Alys.

Mark nota que lady Vorpratil rejoignait son fils. Pour évaluer ses progrès dans cette soirée, sans aucun doute.

– Vous semblez vous-même capable de maintenir une certaine distance, de ne pas vous montrer trop maternelle ou trop possessive, observa-t-il distraitement.

– J'ai... peut-être tort, murmura-t-elle.

Il leva les yeux et se pétrifia intérieurement devant l'expression d'agonie qu'il lut dans son regard. *Bou-*

cle-la, merde. Mais elle retrouva son habituelle maîtrise de soi avec une telle rapidité qu'il n'osa même pas s'excuser.

– Je ne suis pas toujours aussi distante, fit-elle d'un ton léger en s'attachant à son bras. Viens, laisse-moi te montrer comment on se perpétue, ici, sur Barrayar.

Elle l'entraîna à travers la longue salle.

– Comme tu viens de t'en apercevoir, commença-t-elle gaiement, cette soirée répond à deux besoins. Les besoins politiques des hommes – la célébration annuelle de la caste vor – et les besoins génétiques des femmes. Les hommes s'imaginent être ceux qui comptent vraiment mais c'est une illusion qui ne sert qu'à préserver leur ego. Tout le système vor est fondé sur le jeu des femmes. Les vieillards des conseils gouvernementaux passent leur vie à se disputer pour ou contre tel ou tel projet de recherche militaire sur telle ou telle planète. Pendant ce temps-là, le duplicateur utérin se fraie un chemin ici, trompant leur vigilance. Ils ne se rendent même pas compte que le vrai débat qui va fondamentalement changer le futur de Barrayar se déroule actuellement entre leurs femmes et leurs filles. L'utiliser ou pas ? Il est en tout cas trop tard pour le laisser dehors. Il est déjà dans la place. Les classes moyennes se jettent dessus. Chaque mère qui aime sa fille la presse de s'en servir pour lui éviter les dangers de la grossesse. Elles ne se battent pas contre les vieillards qui ne se rendent compte de rien mais contre certaines de leurs consœurs qui proclament : « *Nous* avons souffert, donc vous aussi ! » Regarde autour de toi ce soir, Mark. Tu es témoin de ce qui restera comme la dernière génération d'hommes et de femmes de Barrayar à avoir dansé cette danse. Le système vor est en train de changer d'une façon radicale et ils ne s'en rendent pas compte. Dans une demi-génération, ils se demanderont encore ce qui s'est passé.

Mark aurait juré que sa voix calme de maîtresse d'école dissimulait une satisfaction sauvagement vengeresse. Mais son expression restait parfaitement détachée, comme toujours.

Un jeune homme en uniforme de capitaine les rejoignit et les salua tous les deux.

– Le chef du protocole requiert votre présence, milord, murmura-t-il. Par ici, s'il vous plaît.

C'était respectueusement formulé mais il semblait inconcevable de ne pas obéir. Ils le suivirent hors de l'immense salle de réception pour emprunter un escalier de marbre blanc. Un couloir les mena jusqu'à une antichambre où étaient rassemblés une demi-douzaine de comtes ou leurs représentants officiels. Sous une arche dans la pièce principale, Gregor était encerclé par une petite constellation d'hommes pour la plupart en rouge et bleu et trois qui portaient la robe sombre de ministre.

L'empereur était assis sur un simple tabouret.

– Il n'a même pas un trône ou quelque chose dans ce genre ? chuchota Mark à la comtesse.

– C'est un symbole, fit-elle à son tour à voix basse. Et comme la plupart des symboles, c'est un héritage. Il s'agit du tabouret standard d'officier de campagne.

– Ah...

Puis il dut se séparer d'elle tandis que le chef du protocole le guidait vers sa place dans la file. La place des Vorkosigan. *Nous y voilà.* Il connut un instant de terreur panique en croyant avoir perdu le sac d'or quelque part mais celui-ci était toujours attaché à sa ceinture. Les doigts glissant de sueur, il dénoua la cordelette. *Ce n'est rien qu'une cérémonie idiote. Pourquoi suis-je aussi nerveux ?*

Se tourner, avancer... il faillit oublier tous ces gestes qu'il avait soigneusement répétés quand une voix anonyme murmura quelque part derrière lui.

– Mon Dieu, les Vorkosigan vont vraiment oser... !

S'arrêter à un pas, saluer, poser le genou gauche en terre... Il tendit le sac de la main droite, la paume correctement ouverte et bafouilla la formule consacrée avec l'impression d'être transformé en passoire, comme si les yeux de ceux qui se trouvaient derrière lui étaient devenus des arcs à plasma. Il osa enfin lever son regard vers l'empereur.

Gregor sourit, prit le sac et prononça à son tour la formule rituelle d'acceptation. Il tendit l'offrande à son ministre des finances à qui il fit signe de s'éloigner.

– Vous voilà donc, après tout... lord Vorkosigan, murmura Gregor.

– Juste lord Mark, pria vivement Mark. Je ne suis pas lord Vorkosigan tant que Miles est... n'est pas... (les mots déchirants de la comtesse lui revinrent en mémoire) mort et *pourri*. Cette cérémonie ne signifie rien. Le comte et la comtesse désiraient que j'y prenne part. Le moment ne me semblait pas opportun pour les irriter.

Gregor sourit tristement.

– Exact. Et je vous en remercie. Comment vous sentez-vous ?

Gregor était la première personne qui s'inquiétait de lui et non du comte. Mark cligna des paupières. A la vérité, si l'envie lui en prenait, l'empereur pouvait lire les bulletins de santé de son Premier ministre toutes les heures.

– Je crois que ça va, fit-il en haussant les épaules. Si je compare aux autres.

– Hum, fit Gregor, vous n'avez pas encore utilisé cette carte de comm. (Devant le regard abasourdi de Mark, il ajouta avec douceur :) Je ne vous l'ai pas donnée pour en faire un souvenir.

– Je... je ne vous ai fait aucune faveur qui me permette d'abuser de votre bonté, sire.

– Votre famille dispose d'un crédit quasi illimité auprès de l'empire. Vous pouvez en user.

– Je n'ai rien demandé.

– Je sais. Voilà qui est honorable mais stupide. Vous pouvez encore trouver votre vraie place ici.

– Je ne veux aucune faveur.

– Souvent, une nouvelle entreprise démarre avec un capital emprunté. On rembourse, plus tard, avec intérêt.

– J'ai déjà essayé ça une fois, fit Mark, amer. J'ai emprunté les Mercenaires Dendariis et j'ai conduit tout le monde à la faillite.

Le sourire de Gregor vacilla. Il jeta un regard derrière Mark, à la file de courtisans qui enflait.

– Hum... nous en reparlerons. J'espère que vous apprécierez votre dîner.

Son salut se fit impérial : l'entrevue était terminée.

Les genoux de Mark craquèrent. Il salua convenablement et se retira. La comtesse l'attendait.

17

En conclusion de la longue et fastidieuse cérémonie d'allégeance, le personnel de la résidence servit un banquet à un millier de personnes réparties dans plusieurs salles selon leurs rangs. Mark se retrouva installé à la propre table de Gregor. Le vin et la nourriture élaborée lui servirent d'excuse pour ne pas entretenir de conversation trop poussée avec ses voisins. Il mâchait et buvait aussi lentement que possible. Ce qui ne l'empêcha nullement de finir le repas avec la sensation d'avoir trop mangé. Pour ne rien arranger, l'alcool lui faisait tourner la tête. Il finit par remarquer que la comtesse, en réponse à chaque toast, se contentait de mouiller ses lèvres dans son verre. Il se mit à copier sa stratégie. Si seulement il s'en était rendu compte plus tôt ! Mais au moins il n'en était pas encore à rouler sous la table et les murs ne tournoyaient pas excessivement.

Ça aurait pu être pire. J'aurais pu faire tout ça en faisant semblant d'être Miles Vorkosigan.

La comtesse le conduisit dans la salle de bal au sol de marqueterie polie. Tout était prêt pour le bal mais personne ne dansait encore. Un véritable orchestre humain, dont tous les membres portaient l'uniforme de l'armée impériale, attendait dans un coin. Pour l'instant, seule une demi-douzaine des musiciens jouait un air lent et mélodieux : une sorte de préliminaire. D'immenses baies vitrées étaient ouvertes sur l'air frais de la nuit. Mark leur trouva immédiatement une utilité pratique : elles lui permettraient plus tard de fuir. Quel soulagement de se retrouver seul dans le noir ! Il commençait à regretter sa cabine à bord du *Peregrine*.

– Allez-vous danser ? demanda-t-il à la comtesse.

– Une seule fois, ce soir.

Cette réponse reçut une explication peu après quand l'empereur Gregor apparut et, avec son sourire sérieux habituel, conduisit la comtesse Vorkosigan sur le parquet pour ouvrir officiellement le bal. Après le premier refrain, d'autres couples les rejoignirent. Les danses des Vors étaient généralement lentes et très formelles : les couples se disposaient en groupes complexes, chaque partenaire n'évoluant que rarement avec le sien. Les pas étaient bien trop précis pour qu'on les retienne sur-le-champ. Mark trouva cela vaguement allégorique de la façon dont tout se déroulait ici.

Ainsi dépouillé de sa cavalière et protectrice, il chercha refuge dans une pièce annexe où la musique ne constituait plus qu'un fond sonore. Des tables de buffet contre un mur offraient encore mets et boissons. Pendant quelques instants, il envisagea avec envie de s'assommer d'alcool. Plonger dans l'oubli... *Oui, c'est ça. Saoule-toi et vomis en public*. La comtesse avait bien besoin de ça. Déjà qu'il était à moitié ivre.

Il préféra se poster dans l'embrasure d'une fenêtre. Son air maussade suffisait visiblement à décourager toute tentative d'approche. Bras croisés, il s'adossa au mur dans l'ombre, bien décidé à endurer sa souffrance tout seul. Il pourrait peut-être persuader la comtesse de le ramener à la maison plus tôt, juste après sa danse. Mais, en la surveillant du coin de l'œil, il la vit bavarder avec d'autres invités. Jusqu'à présent, elle avait toujours paru détendue, sociable, pleine d'allant. Il ne l'avait pas entendue prononcer un seul mot qui ne soit pas utile à ses buts. Un tel contrôle de soi chez un être accablé par tant de malheurs avait quelque chose de troublant.

Les traits de Mark s'assombrirent davantage tandis qu'il se mettait à réfléchir à la signification de cette cryo-chambre vide. *La SecImp ne peut pas être partout*, avait dit la comtesse. Bon sang... la SecImp était censée tout voir. Voilà pourquoi Illyan portait ce sinistre œil d'Horus sur son col. La réputation de la SecImp n'était-elle que de la propagande ?

Une chose était certaine. Miles n'était pas sorti tout seul de son cercueil réfrigéré. Qu'il soit pourri, désintégré, ou encore congelé, un ou plusieurs témoins se trouvaient quelque part. Il devait bien exister quelque chose : un fil, un indice, une connexion. *Quelque chose. Je crois que ça va me tuer si on ne trouve rien*. Il devait y avoir quelque chose.

– Lord Mark ?

La voix était légère.

Il abandonna la contemplation aveugle de ses bottes pour se retrouver face à un très joli décolleté bordé de dentelle mauve et blanc. La ligne délicate des clavicules, les seins délicieusement enflés, la peau d'ivoire... tout cela faisait une sorte de sculpture abstraite, une topologie imaginaire et bienfaisante. Il s'imagina réduit à la taille d'un insecte marchant à travers ces douces collines et vallées, pieds nus...

– Lord Mark ? répéta la voix, plus incertaine.

Il leva la tête, espérant que l'ombre dissimulait le rouge qui lui montait aux joues. Luttant contre sa gêne, il eut au moins la courtoisie de la regarder dans les yeux. *Je n'y peux rien, c'est ma taille. Désolé*. Son visage valait lui aussi le détour : des yeux d'un bleu électrique, des lèvres pleines, ourlées. De courtes boucles d'un blond cendré pour couronner le tout. Comme cela semblait être l'usage pour les jeunes filles, de petites fleurs roses s'y accrochaient, sacrifiant leur petite vie végétale à la brève gloire de cette soirée. Quoi qu'il en soit, ses cheveux étaient trop courts pour les retenir efficacement et plusieurs n'allaient pas tarder à tomber.

– Oui ?

Trop abrupt. Maussade. Il essaya à nouveau, plus encourageant :

– Milady... ?

Elle sourit.

– Oh. Je suis milady Rien-du-tout. Je suis Kareen Koudelka.

Il haussa les sourcils.

– Seriez-vous parente avec le commodore Clement Koudelka ?

Un nom qui était au sommet de la liste des officiers d'état-major d'Aral Vorkosigan. Sur la liste de Galen, il était une des cibles à assassiner en priorité, si l'occasion se présentait.

– C'est mon père, annonça-t-elle fièrement.

– Ah... Il est ici ? s'enquit Mark, nerveux.

Le sourire se dissipa dans un bref soupir.

– Non. Il a dû se rendre au QG ce soir. A la dernière minute.

– Ah.

Bien sûr. Il serait intéressant de compter les hommes qui auraient dû être présents à cette soirée et qui ne l'étaient pas en raison de l'état du Premier ministre. Si Mark était effectivement l'agent ennemi qu'il aurait dû être – dans une autre vie – il aurait ainsi découvert de façon certaine les hommes clés du dispositif mis en place par Aral Vorkosigan. Et sans avoir à consulter le tableau d'avancement.

– Vous ne ressemblez pas vraiment à Miles, dit-elle en l'examinant d'un œil critique. (Il se raidit.) Vos os sont plus lourds. Ça doit faire quelque chose de vous voir tous les deux l'un à côté de l'autre. Il va bientôt revenir ?

Elle ne sait pas, se dit-il avec horreur. *Elle ne sait pas que Miles est mort, que je l'ai tué.*

– Non, marmonna-t-il avant de céder à une impulsion masochiste : Vous aussi, vous êtes amoureuse de lui ?

– Moi ? (Elle éclata de rire.) Je n'en ai pas eu le temps. J'ai trois sœurs aînées, toutes plus grandes que moi. Elles m'appellent la naine.

Il lui arrivait à peine à l'épaule, ce qui signifiait qu'elle avait une taille moyenne pour une Barrayarane. Ses sœurs devaient être des valkyries. Exactement le genre de Miles. Le parfum de ses fleurs, de sa peau flottait par vagues délicates vers lui.

Un désespoir abominable lui ravagea le ventre, le cœur, la gorge, le crâne. *Tout ça aurait pu être à moi. Si je n'avais pas tout foutu en l'air, cet instant aurait pu être le mien.* Elle était amicale, ouverte, souriante... parce qu'elle ne savait pas ce qu'il avait fait. Et s'il mentait ? S'il essayait ? Si, contrairement au pire rêve d'alcoolique d'Ivan, il se retrouvait avec cette fille ? Et si elle l'invitait à faire un peu d'escalade, comme Miles... Oui, et si ? Quel divertissant spectacle ce serait pour elle de le voir dans son impotente nudité s'étouffer à mort ! C'était sans espoir, sans recours, sans fin. La simple idée de vivre à nouveau cette douleur et cette humiliation lui trouait le crâne. Ses épaules se voûtèrent.

– Ô bon Dieu, fichez le camp, gémit-il.

Ses yeux bleus s'écarquillèrent de surprise.

– Pym m'avait bien dit que vous aviez vos humeurs... Bon, tant pis.

Elle haussa les épaules et pivota, relevant le menton.

Deux petites fleurs roses s'échappèrent et rebondirent sur son dos. D'un geste crispé, Mark les attrapa.

– Attendez... !

Elle se retourna.

– Quoi ?

– Vous avez fait tomber vos fleurs.

Il les lui tendit dans ses deux mains en coupe : petits machins roses écrasés. Il tenta de sourire. Il avait l'impression que ses lèvres étaient aussi abîmées que les pétales.

– Oh...

Elle les prit. Des doigts longs, propres et calmes ;

les ongles courts n'étaient pas peints : ce n'étaient pas les mains d'une femme oisive. Elle contempla les fleurs comme si elle ne savait pas trop comment les remettre en place. Puis sans autre cérémonie ni trop de précaution, elle finit par se les flanquer sous une mèche au sommet du crâne. Elle allait repartir.

Dis quelque chose ou tu vas tout perdre !

– Vous n'avez pas les cheveux longs, comme les autres ! s'exclama-t-il.

Oh non, elle allait croire qu'il la critiquait...

– Je n'ai pas trop le temps de m'en occuper.

Dans un geste inconscient, ses doigts fouillèrent ses boucles. D'autres fleurs tombèrent.

– Que faites-vous de votre temps ?

– J'étudie. (La vivacité que son impolitesse avait chassée si brutalement rejaillissait.) La comtesse Vorkosigan m'a promis, si je garde mes notes en classe, de m'envoyer à l'école l'an prochain sur la Colonie Beta ! (Ses yeux brillaient d'excitation mais ce n'était pas une lumière éclatée, dispersée : on aurait dit deux scalpels au laser.) Et je peux y arriver. Je leur montrerai. Si Miles fait ce qu'il fait, je peux arriver à ça.

– Que savez-vous des activités de Miles ? s'enquit-il, alarmé.

– Il a réussi à l'Académie Militaire Impériale, non ? (Elle haussa le menton, inspirée.) Tout le monde disait qu'il était trop petit, trop faible, que c'était du gâchis, qu'il mourrait jeune. Et après, quand il a continué à suivre les cours, ils ont dit que c'était grâce à son père. Mais il a été diplômé parmi les majors de sa promotion et je ne crois pas que son père ait quoi que ce soit à voir avec *ça*.

Satisfaite, elle hocha fermement le menton.

Mais il y a un point sur lequel ils ne se sont pas trompés : il est mort jeune. Visiblement, elle n'avait pas connaissance de la petite armée privée de Miles.

– Quel âge avez-vous ? s'enquit-il.

– Dix-huit ans standard.

– Je, euh... j'ai vingt-deux ans.

– Je sais. (Elle l'observait, toujours intéressée mais

plus prudente. Soudain, une lueur de compréhension passa dans son regard. Elle baissa la voix.) Vous vous faites du souci pour le comte Aral, c'est ça, hein ?

Une explication fort charitable à sa grossièreté.

— Le comte est mon père, lâcha-t-il. (C'était une phrase à Miles.) Entre autres choses.

— Vous vous êtes fait des amis, ici ?

— Je... ne sais pas. (Ivan ? Gregor ? Sa mère ? Etaient-ils vraiment des amis, à proprement parler ?) J'ai été trop occupé à me faire des parents. Je n'avais jamais eu de parents avant.

Elle haussa les sourcils.

— Pas un seul ami ?

— Non. (C'était bizarre de s'en rendre compte... et de s'en rendre compte si tard.) Je ne peux pas vraiment dire que ça me manque. J'ai toujours eu des problèmes plus immédiats.

Et ça continue.

— Miles semblait toujours avoir beaucoup d'amis.

— Je ne suis pas Miles, rétorqua Mark, piqué au vif.

Non, ce n'était pas sa faute à elle : il n'était qu'un énorme et tout petit point sensible.

— Ça, je le vois... (Elle s'interrompit tandis qu'un nouveau morceau de musique commençait dans la pièce voisine.) Vous dansez ?

— Je ne connais aucune de vos danses.

— C'est la danse du miroir. Tout le monde sait faire la danse du miroir. Vous n'avez qu'à suivre tout ce que fait votre partenaire.

Il jeta un coup d'œil vers la salle de bal et songea aux grandes baies vitrées qui donnaient sur le parc.

— Peut-être... peut-être, dehors ?

— Pourquoi dehors ? Vous ne me verrez plus.

— Et personne ne me verra moi non plus. (Un soupçon le frappa.) C'est ma mère qui vous a demandé de faire ça ?

— Non...

— Lady Vorpratil ?

— Non ! (Elle éclata de rire.) Pourquoi feraient-elles

une chose pareille ? Venez ou le morceau va être terminé !

Elle le prit par la main et l'entraîna avec décision jusqu'au parquet de danse, semant encore quelques fleurs derrière elle. De sa main libre, il attrapa quelques pétales qu'il glissa subrepticement dans la poche de son pantalon. *Au secours, je suis en train de me faire kidnapper par une enthousiaste... !* Il avait connu pire. Un sourire sarcastique lui tordit les lèvres.

– Ça ne vous embête pas de danser avec un crapaud ?

– Quoi ?

– Rien... un truc qu'Ivan disait.

– Oh, Ivan. (Elle haussa une blanche épaule dédaigneuse.) Faites comme nous : oubliez-le.

Lady Cassia, vous êtes vengée. L'humeur de Mark s'améliora encore : il ne faisait plus qu'à moitié la tête.

La danse du miroir se déroulait telle qu'elle l'avait décrite, les partenaires se faisant face, se trémoussant et s'agitant au rythme de la musique. Le tempo était plus vif et entraînant que pour les danses de groupe précédentes, attirant des couples plus jeunes sur le parquet.

Se sentant hideusement repérable, Mark imita Kareen, copiant ses gestes environ un demi-temps après elle. Comme elle l'avait prédit, il ne lui fallut guère plus de quinze secondes pour attraper le coup. Il commença à sourire, un peu. Les vieux couples se dandinaient avec gravité et élégance mais certains des jeunes se montraient beaucoup plus créatifs. Un jeune Vor prit avantage d'un échange de mains pour s'enfoncer un doigt dans le nez en agitant les autres vers sa dame. Elle brisa la règle et ne l'imita pas mais il singea à la perfection son air outragé. Mark éclata de rire.

– Vous n'êtes plus pareil quand vous riez, dit Kareen, étonnée.

Pour signifier sa surprise, elle pencha la tête.

Il pencha la sienne à son tour.

– Comment ça ?

– Je ne sais pas. Vous avez l'air... moins lugubre. On aurait dit que vous veniez de perdre votre meilleur ami quand vous étiez caché dans votre coin.

Si tu savais. Elle pirouetta, il pirouetta. Il la gratifia d'une révérence exagérée. Surprise mais contente, elle la lui rendit. La vision était charmante.

– Il faudra que je vous fasse rire encore, décida-t-elle fermement.

Et donc, l'air mortellement sérieux, elle lui raconta trois blagues salaces à la suite. Il éclata de rire pas tant à cause de ce qu'elle racontait mais plutôt d'entendre cette jeune fille convenable énoncer de telles cochonneries. C'était... paradoxal.

– Où avez-vous appris ça ?

Elle haussa les épaules.

– De mes grandes sœurs, bien sûr.

Quand la musique s'arrêta, il éprouva un réel regret. Cette fois-ci, il prit les commandes, l'entraînant dans une pièce voisine pour prendre quelque chose à boire avant de sortir sur le balcon. Au moment où la danse s'était achevée, il avait eu péniblement conscience du nombre de regards posés sur lui. Et, cette fois-ci, ce n'était pas de la paranoïa. Ils devaient faire un drôle de couple, la belle Kareen et son crapaud Vorkosigan.

Dehors, il ne faisait pas aussi sombre qu'il l'aurait souhaité. En plus des lumières de la résidence qui débordaient des fenêtres, de petits projecteurs colorés disséminés ici et là dans le brouillard nimbaient les jardins d'une douce illumination. Au-delà de la balustrade en pierre, on aurait presque pu se croire dans un bois. Des arbres et de vieux fourrés s'accrochaient à la pente tandis que d'étroites allées pavées zigzaguaient ici et là, parsemées de bancs de granit. La nuit était assez fraîche pour retenir la plupart des gens à l'intérieur. Au grand soulagement de Mark.

Cet endroit était beaucoup trop romantique pour qu'on vienne y gâcher son temps avec lui. *Pourquoi suis-je ici ?* A quoi servait de provoquer un désir qui ne pouvait être comblé ? A la regarder souffrir. Mais il vint encore plus près d'elle, plus enivré par son odeur que par l'alcool ou la danse. Après l'exercice, sa peau irradiait de chaleur ; elle aurait fait exploser un viseur de sniper comme une torche. Morbide pensée. Le sexe et la mort semblaient beaucoup trop liés quelque part au fond de sa cervelle. Il avait peur. *Tout ce que je touche, je le détruis. Je ne la toucherai pas.* Posant son verre sur une rambarde, il s'enfonça les mains dans les poches. Sa main gauche se mit à triturer frénétiquement les fleurs qu'il lui avait dérobées.

– Lord Mark, dit-elle après une gorgée de vin, vous êtes pratiquement un galactique. Si vous étiez marié, et sur le point d'avoir des enfants, voudriez-vous que votre femme utilise un réplicateur utérin ?

– Pourquoi ne voudrait-on pas en utiliser un ?

Ce tour subit de la conversation lui fit tourner la tête.

– Eh bien, disons, pour que la femme prouve ainsi son amour pour l'homme.

– Bon Dieu, c'est barbare ! Bien sûr que non. Je pense plutôt que ça prouverait exactement le contraire : qu'elle ne l'aime pas. (Un silence.) C'était une question purement théorique, n'est-ce pas ?

– Plus ou moins.

– Je veux dire, vous ne connaissez personne qui affronte réellement ce problème... vos sœurs ou quelqu'un d'autre ? s'inquiéta-t-il.

Pas vous, j'espère ? Si c'était le cas, il existait un barbare quelque part qui méritait qu'on lui flanque la tête dans un seau d'eau glacée et qu'on l'y maintienne un petit moment... jusqu'à ce qu'il cesse de gigoter, par exemple.

– Oh, mes sœurs ne sont pas encore mariées. Pourtant, ce ne sont pas les offres qui leur manquent. Mais P'pa et M'man préfèrent attendre. C'est une stratégie, ajouta-t-elle sur le ton de la confidence.

– Ah ?

– C'est lady Cordelia qui les y a encouragés après la naissance de leur deuxième fille. Il y a eu une époque, juste après qu'elle eut immigré ici, où la médecine galactique s'est beaucoup répandue. Il y avait cette pilule qui vous permettait de choisir le sexe de votre enfant. Tout le monde s'est mis à vouloir des garçons. Ça ne fait que quelques années que le pourcentage s'est à nouveau équilibré. Mais, mes sœurs et moi, nous sommes nées en plein milieu de la pénurie de filles. De nos jours, si un homme n'accepte pas dans son contrat de mariage de promettre de laisser sa femme utiliser un réplicateur, il aura vraiment du mal à se trouver une épouse. Aucun entremetteur ne voudra lui en chercher une. (Elle gloussa.) Celui de lady Cordelia a même dit à M'man que, si elle menait bien sa barque, chacun de ses petits-enfants naîtrait avec un Vor devant son nom.

Mark cligna des paupières.

– Je vois. Est-ce là l'ambition de vos parents ?

Elle haussa les épaules.

– Pas nécessairement. Mais ce préfixe donne un petit avantage dans la vie.

– Voilà qui est bon à savoir. J'imagine.

Mark contempla son vin mais ne but pas.

Ivan sortit de la maison, les aperçut et leur adressa un petit signe amical avant de poursuivre son chemin. Il n'avait pas de verre mais une bouteille entière qui pendait au bout de son bras. Avant de disparaître dans une des allées en contrebas, il lança un regard angoissé derrière lui. Quelques minutes plus tard, Mark aperçut vaguement le sommet de son crâne qui s'éloignait dans les fourrés.

Il se décida enfin à boire une gorgée de vin.

– Kareen... suis-je *possible* ?

– Possible pour quoi ?

Elle pencha la tête et sourit.

– Pour... pour les femmes. Je veux dire, regardez-moi. Honnêtement. J'ai vraiment l'air d'un crapaud. Je suis tout tordu et, si je n'y remédie pas très vite, je serai bientôt aussi large que haut. Et, pour couronner le tout, je suis un clone.

Sans parler de son petit problème de souffle. Sa situation ainsi résumée, il aurait été parfaitement logique qu'il se jette la tête la première par-dessus la balustrade. Histoire d'épargner pas mal de souffrances, à lui et aux autres.

– Eh bien, on ne peut pas dire le contraire, fit-elle judicieusement.

Bon sang, ma jolie, tu pourrais dire le contraire, être polie.

– Mais vous êtes le clone de *Miles*. Vous devez donc aussi posséder son intelligence.

– Parce que la cervelle, ça peut rattraper tout le reste aux yeux d'une femme ?

– Pas pour toutes, je suppose. Seulement pour les moins idiotes.

– Vous n'êtes pas idiote.

– C'est vrai mais ce n'est pas à moi de le dire.

Elle se tortilla une boucle de cheveux autour d'un doigt en souriant.

Et merde, que devait-il entendre par là ?

– Peut-être que je ne possède pas l'intelligence de Miles, fit-il, morne. Peut-être que les ingénieurs généticiens de Jackson m'ont rendu complètement stupide afin de me garder sous leur contrôle. Voilà qui expliquerait pas mal de choses.

Et voilà une nouvelle pensée morbide pénible à avaler.

Kareen gloussa.

– Je ne le pense pas, Mark.

Il lui adressa un sourire morose.

– Pas d'excuses. Pas de quartiers.

– Maintenant, on dirait Miles qui parle.

Une jeune femme apparut sur le balcon. Enveloppée d'un truc en soie bleue, redoutablement blonde et presque aussi grande qu'Ivan, elle agita la main.

– Kareen ! Maman veut nous voir.

– *Maintenant*, Delia ? fit Kareen qui ne semblait guère ravie.

– Oui.

L'immense et éblouissante blonde détailla Mark avec un intérêt alarmant avant de rentrer dans la demeure, pour obéir à quelque devoir filial.

Kareen soupira, se détacha de la balustrade sur laquelle elle était appuyée, épousseta vaguement un pli de sa robe et sourit en signe d'adieu.

– J'ai été heureuse de vous rencontrer, lord Mark.

– J'ai été moi aussi heureux de vous parler. Et de danser avec vous.

C'était vrai. Il la salua avec une insouciance qu'il était loin d'éprouver. Dès qu'il fut certain qu'elle ne le voyait pas, il s'agenouilla subrepticement pour ramasser de nouvelles fleurs qu'elle avait perdues. Il les cacha dans sa poche avec les autres.

Elle m'a souri. Pas à Miles. Pas à l'amiral Naismith. A moi, à moi, Mark. Voilà comment cela aurait pu être s'il n'avait pas tout foutu en l'air chez Bharaputra.

A présent qu'il se retrouvait seul dans le noir comme il l'avait tant désiré un peu plus tôt, cela ne lui plaisait plus trop. Il décida d'aller trouver Ivan et descendit dans le jardin. Malheureusement, les allées se séparaient et se séparaient encore, offrant une multitude de destinations possibles. Il passa devant des couples qui s'étaient réfugiés, malgré la fraîcheur, sur les bancs du parc. Il rencontra quelques passants sortis prendre l'air ou simplement discuter à l'abri des oreilles indiscrètes. Où était Ivan ? Pas ici, à l'évidence. Le chemin se terminait en cul-de-sac sur un balcon. Il fit volte-face.

Quelqu'un l'avait suivi, un homme grand en rouge et bleu. Son visage était dans l'ombre.

– Ivan ? fit Mark, incertain.

Il ne pensait pas qu'il s'agissait d'Ivan.

– C'est donc toi, le *clown* des Vorkosigan.

Ce n'était pas Ivan. Et la façon dont il avait déformé le mot clone pour en faire clown rendait l'insulte très claire.

Mark se planta sur ses jambes écartées.

– Brillante déduction, gronda-t-il. Et toi, tu es qui dans ce cirque ? Le chien savant ?

– Un Vor.

– Ça, je le vois au front bas et fuyant. Quel Vor ?

Ses cheveux se dressaient à la base de son cou. Il avait ressenti cette même exaltation mêlée à cette même sensation de nausée dans la ruelle du Caravansérail. Son cœur se mit à cogner. *Mais, pour l'instant, il n'a proféré aucune menace. Et il est seul. Attends.*

– Ippy, tu ignores tout de l'honneur d'un Vor, grinça l'homme.

– Absolument tout, approuva gaiement Mark. Je crois que vous êtes tous fous.

– Tu n'es pas un soldat.

– Encore correct. Eh bien, c'est qu'on est vif ce soir. On m'a entraîné pour être l'assassin solitaire. Je suis la mort qui rôde dans l'ombre.

Il commença à compter les secondes dans sa tête.

L'autre, qui avait fait mine d'avancer, s'immobilisa et recula même d'un pas.

– On dirait, fit-il sourdement. Tu n'as pas perdu de temps à prendre la place du comte. Pas très subtil pour un assassin de métier.

– Je ne suis pas un homme subtil.

Sans lever les mains, il se mit en garde, en équilibre parfait mais ne bougea pas. Pas de gestes brusques. Continuer à bluffer.

– Je peux te dire une chose, petit clown. (A nouveau, cette même intention blessante.) Si Aral Vorkosigan meurt, ce ne sera pas toi qui deviendras comte.

– Voilà qui est parfaitement exact, fit Mark, ironique. Alors pourquoi te mets-tu dans un tel état, mon bon Vor ?

Merde. Celui-là sait que Miles est mort. Comment a-t-il pu l'apprendre ? Est-ce un type de la SecImp ? Mais il n'y avait pas d'œil d'Horus sur son col. Il portait l'insigne d'un navire quelconque que Miles ne connaissait pas. L'insigne d'un service actif.

– Après tout, reprit-il, je ne suis qu'un autre petit rejeton de Vor qui vit des rentes de sa famille. N'en fais pas une maladie. Il y en a des tas d'autres ici ce soir qui se trémoussent là-haut.

– Tu te crois malin, hein ?

– Compte tenu des circonstances, fit Mark, exaspéré, tu ne tenteras pas de me tuer ici. Cela embarrasserait la SecImp. Et je doute que tu veuilles embarrasser Simon Illyan... qui que tu sois.

Il continuait à compter.

— Si tu t'imagines que la SecImp est à ta botte... commença l'inconnu avec fureur.

Mais il fut interrompu. Un serviteur souriant, arborant la livrée impériale descendait l'allée avec un plateau de boissons. C'était un jeune homme très costaud.

— Un verre, messieurs ? proposa-t-il.

Le Vor anonyme lui lança un regard venimeux.

— Non, merci.

Il fit volte-face et s'en fut.

— J'en prendrai un, merci, dit Mark gaiement.

Le serviteur lui présenta le plateau en s'inclinant. Pour le salut de son estomac et la préservation de l'équilibre universel, Mark se contenta du même vin blanc qu'il avait ingurgité toute la soirée. Il préférait éviter les mélanges.

— Quatre-vingt-cinq secondes. Vous n'êtes vraiment pas pressé. Il avait largement le temps de me tuer trois fois. Et, en plus de ça, vous nous interrompez au moment où la conversation devenait passionnante. Cela dit, comment avez-vous fait, les gars ? Il est impensable que vous soyez assez nombreux là-haut dans vos planques pour écouter les conversations de chaque invité. C'est une recherche automatique sur des mots clés ?

— Un petit four, monsieur ?

Impavide, le bonhomme avait tourné son plateau pour lui présenter l'autre côté.

— Merci encore. Qui était ce fier Vor ?

Le serviteur jeta un coup d'œil vers l'allée à présent déserte.

— Le capitaine Edwin Vorventa. Il est en permission. Son navire est à quai orbital.

— Il n'est pas de la SecImp ?

— Non, monsieur.

322

– Oh ? Dans ce cas, dites à votre patron que j'aimerais lui parler dès que possible.

– Lord Voraronberg, le responsable de l'approvisionnement du palais, est très occupé en ce moment.

Mark sourit.

– Mais, bien sûr. Allez-vous-en, je suis assez soûl comme ça.

– Très bien, milord.

– Ce sera encore mieux demain matin. Ah ! une dernière chose. Vous n'auriez pas une idée de l'endroit où se trouve Ivan Vorpratil actuellement ?

Le regard du jeune homme se perdit dans le vague, comme s'il écoutait quelque chose. Son oreillette n'était pourtant pas visible.

– Il y a une espèce de petite tonnelle au bout du prochain chemin à gauche, près d'une fontaine. Vous pourriez essayer là-bas.

– Merci.

Mark suivit ses instructions. La nuit était de plus en plus humide, des gouttes de rosée s'accrochaient aux buissons et à ses manches d'uniforme, brillantes comme de petits diamants. Il ne tarda pas à entendre une fontaine. Une petite construction apparut : pas de murs, juste des arches qui soutenaient le toit. A l'intérieur, régnait une totale obscurité.

Ce bout de jardin était si calme qu'il percevait la respiration de l'homme qui se trouvait là. Il était seul. Tant mieux : il ne tenait pas à perdre les lambeaux de popularité qui lui restaient encore en interrompant un rendez-vous galant. Mais cette respiration était étrangement heurtée.

– Ivan ?

Un long silence. Il commençait à regretter d'être venu quand un grognement hargneux retentit.

– Quoi ?

– Je... voulais juste savoir ce que vous faisiez.

– Rien.

– Vous évitez votre mère ?

– ... Ouais.

– Je, heu... ne lui dirai pas où vous êtes.

– Tu es trop bon, fut la réponse amère.

– Eh bien... à plus tard.

Il se tourna pour partir.

– Attends.

Il attendit, perplexe.

– Tu veux boire un coup ? proposa Ivan au bout d'un moment.

– Euh... oui.

– Viens te servir alors.

Mark se glissa dans la tonnelle et attendit que ses yeux s'habituent à l'obscurité. Le banc de pierre attendu et l'ombre d'Ivan vautrée dessus. L'ombre leva une bouteille luisante et Mark tendit son verre à moitié plein. Il s'aperçut trop tard qu'Ivan ne buvait pas du vin mais un cognac. Ce mélange avait un goût atroce. Il s'assit sur les marches, adossé à une arche et posa son verre un peu plus loin. Ivan se passait de verre.

– Vous êtes sûr que vous allez pouvoir conduire ? demanda Mark.

– J'en ai pas l'intention. Le personnel de la résidence me ramassera demain matin avec les ordures.

– Ah... (Il y voyait de mieux en mieux et distinguait à présent les machins brillants sur l'uniforme d'Ivan, le reflet poli de ses bottes, celui vitreux de ses yeux. Et deux traînées humides sur ses joues.) Ivan, tu... (Mark se mordit la langue, ravala *pleures* ? et le changea en :) vas bien ?

– J'ai décidé, affirma Ivan avec force, de me soûler comme il faut.

– Je vois ça. Pourquoi ?

– Je ne l'ai jamais fait... à l'anniversaire de l'empereur. C'est une sorte de défi traditionnel. Comme de baiser dans les jardins.

– Ça arrive ?

– Parfois. Faut oser.

– Ça doit être passionnant pour la SecImp.

Ivan ricana.

– Ouais...

– Et tu as osé ?

– Pas ce soir.

Mark était à court de questions et Ivan ne semblait guère disposé à l'aider. Pourtant...

– Miles et moi, déclara soudain Ivan, on avait l'habitude de rester ensemble à cette soirée. Ça m'a étonné... de me rendre compte à quel point il me manque, ce petit morpion à la langue de vipère. Il me faisait rire.

Ivan rit. Cela fit un bruit caverneux pas drôle du tout. Il s'arrêta d'un coup.

– Ils t'ont dit qu'ils ont retrouvé la cryo-chambre vide, n'est-ce pas ? demanda Mark.

Il se rendit compte qu'il s'était mis à le tutoyer naturellement. Ivan ne paraissait pas s'en formaliser.

– Ouais.

– Quand ?

– Il y a deux jours. Depuis, j'y pense sans arrêt. C'est pas bon.

– Non. (Mark hésita. Ivan frissonnait.) Tu veux... rentrer chez toi te coucher ?

En tout cas, c'est ce que je veux.

– J'arriverai pas à regrimper là-haut.

– Je peux t'aider.

– Pourquoi pas ?

Cela n'alla pas sans mal mais il parvint à hisser Ivan à travers le jardin. Son cousin s'appuyait sur ses deux épaules. Un ange gardien charitable de la SecImp avait dû passer le mot car ils retrouvèrent au dernier virage la tante d'Ivan. Et non sa mère.

– Il est, euh...

Mark ne trouvait pas le mot juste. Ivan lançait des regards hagards autour de lui.

– Je vois ça, fit la comtesse.

– On pourrait peut-être mettre à sa disposition un de nos hommes pour le ramener chez lui ? (Ivan tituba, les genoux de Mark ployèrent.) Deux, plutôt.

– Oui. (La comtesse toucha un micro décoré sur son corsage.) Pym... ?

On ne tarda pas à les débarrasser d'Ivan. Mark poussa un soupir de soulagement. Soulagement qui se transforma en gratitude quand la comtesse annonça qu'il était grand temps de rentrer pour eux aussi. Quelques minutes plus tard, Pym amenait la voiture des Vorkosigan devant l'entrée. La soirée était terminée.

Sur le chemin du retour – et contrairement à son habitude – la comtesse ne parla guère. Les yeux clos, elle resta enfoncée dans son fauteuil, sans lui poser la moindre question.

Dans le hall pavé en noir et blanc, elle tendit son manteau à une servante et se dirigea vers la bibliothèque.

– Si tu veux bien m'excuser, Mark. Je vais appeler l'HôpImp.

Elle semblait si fatiguée.

– Ils vous auraient sûrement appelée, madame, si un changement quelconque s'était produit.

– Je vais appeler l'HôpImp, répéta-t-elle, les yeux comme des meurtrières. Va te coucher, Mark.

Il ne discuta pas. Péniblement, il escalada l'escalier menant à sa chambre.

Il s'arrêta devant sa porte. Il était très tard. Le couloir était désert. Le silence de la grande maison lui bouchait les oreilles. Sur une impulsion, il fit demi-tour et se dirigea vers la chambre de Miles. Arrivé devant la porte, il s'immobilisa à nouveau. Depuis qu'il était arrivé sur Barrayar, des semaines auparavant, il ne s'y était jamais aventuré. On ne l'y avait pas invité. Il essaya l'antique loquet. La porte n'était pas verrouillée.

Hésitant encore, il entra et régla les lumières d'un ordre vocal. C'était une pièce spacieuse, selon les possibilités de l'architecture archaïque de la demeure. Une pièce contiguë, autrefois réservée à un écuyer, avait été transformée depuis fort longtemps en salle de bains privée. Au premier regard, la chambre semblait très dépouillée, presque nue, nette et propre. Tous les souvenirs d'enfance avaient dû être enfermés dans un grenier quelconque. Les greniers de la résidence Vorkosigan devaient être stupéfiants.

Pourtant, cette chambre gardait la trace de la personnalité de son occupant. Il en fit lentement le tour, les mains dans les poches, tel un visiteur dans un musée.

Assez normalement, les rares souvenirs qui se trouvaient là rappelaient des succès. Le diplôme de Miles de l'Académie Impériale... Sa promotion au poste d'officier... cependant Mark se demanda pourquoi un vieux manuel de météorologie en piteux état avait lui aussi été encadré et placé entre les deux documents précédents. Une boîte remplie de trophées de courses d'obstacles remontant à sa jeunesse laissait penser qu'elle n'allait pas tarder à grimper au grenier. La moitié d'un mur était réservée à une bibliothèque de disquettes et à une holothèque. Des milliers de titres. Combien de ces livres Miles avait-il vraiment lus ? Curieux, il prit le vidéo-lecteur et essaya trois livres au hasard. Tous portaient au moins quelques notes dans les marges, quelques réflexions de Miles. Mark rangea les trois livres.

Il connaissait déjà personnellement un des objets : une dague à la garde incrustée, léguée à Miles par le vieux général Piotr. Il osa la décrocher pour tester son tranchant et son équilibre. Deux ans plus tôt, Miles la portait toujours sur lui. Depuis quand et pourquoi avait-il décidé de la laisser ici ? Il la replaça avec soin sur son socle dans son fourreau.

Un des objets avait été suspendu au mur dans une intention clairement ironique : une vieille jambière en métal fracassée et une épée vor qu'on avait disposées en croix. Mi-blague, mi-défi. Une mauvaise reproduction photonique d'une page d'un ancien livre était montée dans un cadre d'argent qui avait dû coûter une fortune. Le texte semblait être une de ces élucubrations religieuses datant d'avant les sauts : ça parlait de pèlerins, d'une colline et d'une cité dans les nuages. Mark ne voyait pas ce que ça faisait là. Personne n'avait jamais soupçonné Miles d'être du genre religieux. Pourtant, cet écrit était visiblement important pour lui.

Ces trucs ne sont pas que des trophées, comprit-il soudain. *Ce sont aussi des leçons*.

Une holoboîte de portfolios était posée sur la table de nuit. Mark s'assit et la fit démarrer. Il s'attendait à voir le visage d'Elli Quinn mais le premier holoportrait qui se matérialisa était celui d'un homme extraordinairement laid portant l'uniforme des hommes d'armes de Vorkosigan : le sergent Bothari, le père d'Elena. Il continua son examen. Le second hologramme était celui de Quinn. Après, venaient Bothari-Jesek, ses parents, bien sûr, son cheval, Ivan, Gregor... et après cela une foule de visages et de formes. Il égrenait les portraits de plus en plus vite et n'en reconnaissait pas le tiers. Au cinquantième, il s'arrêta.

Il se massa les tempes. *C'est pas un homme, c'est une foule*. Exact. Il resta assis, voûté, le crâne douloureux, le visage dans les mains et les coudes sur les genoux. *Non. Je ne suis pas Miles*.

La comconsole de Miles était un modèle perfectionné pourvu de toutes les sécurités possibles, en rien moins efficace que celle qui se trouvait dans la bibliothèque du comte. Mark se leva pour l'examiner, se refusant à la toucher. Il fourra les mains dans ses poches et y trouva les fleurs abîmées de Kareen Koudelka.

Il les sortit et les étala sur sa paume. Dans un spasme de frustration, il les écrasa avec son autre main et les jeta à terre. Moins d'une minute plus tard, il était à genoux et tentait frénétiquement de récupérer le moindre bout de pétale coincé entre les poils du tapis. *Je dois être fou*. Il s'effondra sur place et se mit à pleurer.

A la différence du pauvre Ivan, personne ne vint l'interrompre, ce dont il fut profondément reconnaissant. Il adressa une excuse mentale à son cousin Vorpratil. *Pardon, pardon*... Même s'il y avait de fortes chances pour qu'Ivan ne se souvienne plus de son intrusion au matin. Il hoqueta pour retrouver son souffle. Son crâne l'élançait effroyablement.

Dix minutes de trop chez Bharaputra avaient fait

toute la différence. Si les Dendariis étaient retournés à leur navette dix minutes plus tôt, avant que les Bharaputrans n'aient pu la faire sauter, tout aurait été différent. Son avenir et celui de plusieurs personnes auraient été différents. Il avait vécu des milliers de fois dix minutes depuis sa *production*, sans que cela ne change quoi que ce soit. Mais *ces* dix minutes-là avaient suffi pour faire d'un possible héros une merde permanente. Et il ne pourrait jamais revivre ce moment.

Etait-ce donc cela le don de commander ? Etre capable de reconnaître ces instants critiques, de les extirper du fatras du temps ? Etre capable de tout risquer pour s'emparer de ces minutes dorées ? Miles possédait ce don à un degré extraordinaire. Hommes et femmes le suivaient, déposaient leur confiance à ses pieds, juste pour ça.

Sauf une fois. Une seule fois, Miles n'avait pas surgi au bon moment...

Non. Il avait hurlé en silence pour empêcher ses poumons d'exploser. Le timing de Miles avait été impeccable. C'étaient les autres qui l'avaient ralenti, qui l'avaient englué.

Mark se leva comme s'il escaladait une falaise. Il tituba jusqu'à la salle de bains, se lava le visage et revint s'asseoir devant la comconsole. Le premier niveau de sécurité exigeait son empreinte palmaire. La machine n'apprécia pas particulièrement sa paume : la croissance des os et la graisse sous-cutanée commençaient à distordre les plis de la peau. Mais pas encore complètement. Au quatrième essai, elle accepta ses empreintes et ouvrit ses fichiers pour lui. Le niveau suivant exigeait des codes et des séries de chiffres qu'il ne connaissait pas. Ce qui ne le chagrina pas : il avait déjà accès à ce qu'il désirait : une liaison sûre et brouillée avec la SecImp.

La machine de la SecImp lui répondit immédiatement. Il se retrouva nez à nez avec un opérateur.

– Je suis lord Mark Vorkosigan, annonça-t-il au caporal de service de nuit. Je veux parler à Simon

Illyan. Je suppose qu'il se trouve encore à la résidence impériale.

– S'agit-il d'une urgence, milord ?

– C'en est une pour moi, gronda Mark.

Quoi qu'il pensât de cette réponse, le caporal donna suite à sa demande. Mark dut franchir encore le barrage de deux subordonnés avant que le visage fatigué du chef de la SecImp se matérialise devant lui.

Il ravala sa salive.

– Capitaine Illyan.

– Oui, lord Mark, qu'y a-t-il ? fit celui-ci avec lassitude. La nuit a aussi été longue pour la SecImp.

– J'ai eu une intéressante conversation avec un certain capitaine Vorventa, un peu plus tôt dans la soirée.

– Je suis au courant. Vous avez proféré à son égard des menaces transparentes.

Et lui qui s'était imaginé que le serviteur-garde du corps avait été envoyé pour le protéger... Mark déglutit à nouveau. Un peu plus difficilement.

– J'ai donc une question pour vous, monsieur. Le capitaine Vorventa est-il sur la liste des gens censés savoir ce qui est arrivé à Miles ?

Les yeux d'Illyan se plissèrent.

– Non.

– Eh bien, il le sait.

– Voilà qui est... très intéressant.

– Cela vous sert-il à quelque chose ?

Illyan soupira.

– Cela me donne un nouveau problème à résoudre. Trouver où est la fuite chez nous.

– Mais... mieux vaut savoir qu'il y a une fuite, n'est-ce pas ?

– Oui.

– Puis-je vous demander une faveur en échange ?

– Peut-être. (Illyan semblait extrêmement réticent.) Quel genre de faveur ?

– Je veux participer.

– A quoi ?

– A l'enquête de la SecImp à propos de Miles. Je veux commencer par réexaminer tous les rapports.

C'est un début. Après ça, je ne sais pas. Mais je ne supporte plus d'être abandonné seul dans le noir.

Illyan le considéra avec suspicion.

– Non, dit-il enfin. Il n'est pas question que je vous lâche mes rapports les plus secrets. Bonne nuit, lord Mark.

– Attendez, monsieur ! Vous vous plaigniez de ne pas avoir assez de personnel. Vous ne pouvez refuser un volontaire.

– Parce que vous imaginez pouvoir faire quelque chose que la SecImp n'a pas fait ? aboya Illyan.

– La vérité est, monsieur, que la SecImp n'a rien fait. Vous n'avez pas retrouvé Miles. Je peux difficilement faire *moins*.

Voilà qui n'était pas formulé de la façon la plus diplomatique. Le résultat fut saisissant. Le visage d'Illyan noircit de fureur.

– *Bonne nuit*, lord Mark, répéta-t-il entre ses dents avant de couper la communication d'un revers de la main.

Mark resta figé sur la chaise de Miles. La maison était si tranquille qu'il n'entendait guère que son sang qui battait aux oreilles. Il aurait dû faire remarquer sa perspicacité à Illyan, sa présence d'esprit. Vorventa avait révélé ce qu'il savait alors que Mark n'avait en aucune façon révélé qu'il savait que l'autre savait. L'enquête d'Illyan sur cette fuite s'en trouverait avantagée : il bénéficierait de l'effet de surprise. *N'est-ce pas déjà quelque chose ? Je ne suis pas aussi stupide que vous le croyez.*

Vous n'êtes pas non plus aussi malin que je le croyais, Illyan. Vous n'êtes pas... parfait. Voilà qui était troublant. Il avait toujours cru la SecImp infaillible. C'était même une donnée essentielle. La SecImp infaillible, Miles l'était aussi. Et le comte et la comtesse aussi. Tous infaillibles, tous parfaits, tous immortels. Tous en plastique. La seule véritable souffrance : la sienne.

Il repensa à Ivan, pleurant dans l'obscurité. Au comte, agonisant dans la forêt. La comtesse avait su mieux garder son masque qu'eux tous. Elle y était forcée. Elle avait plus à cacher. Et Miles lui-même, l'homme qui avait créé une autre personnalité pour s'y réfugier...

Le problème, se dit Mark, c'est qu'il avait essayé d'être Miles Vorkosigan complètement. Même *Miles* n'y arrivait pas. Pas ainsi. Il avait appelé à sa rescousse toute une armée. Plusieurs milliers d'hommes et de femmes. *Pas étonnant que je ne sois jamais arrivé à faire jeu égal avec lui.*

Lentement, avec curiosité, Mark ouvrit sa tunique pour sortir la carte que Gregor lui avait donnée. Il la posa sur le plateau. Ce n'était qu'un bout de plastique anonyme portant quelques chiffres. Soudain, ce bout de plastique avait une importance considérable.

Tu savais. Tu savais, hein, Gregor, mon salaud. Tu attendais simplement que je m'en rende compte tout seul.

D'un geste heurté, il inséra la carte dans la console.

Pas de machine, cette fois-ci. Un homme en vêtements civils ordinaires lui répondit, sans prendre la peine de s'identifier.

– Oui ?

– Je suis lord Mark Vorkosigan. Je devrais être sur votre liste. Je veux parler à Gregor.

– Tout de suite, milord ? demanda l'homme tandis que sa main dansait vers la gauche hors du champ de vision de l'holocam.

– Oui. Tout de suite, s'il vous plaît.

– Je vous le passe.

Il s'évanouit.

Le plateau resta noir et vide mais le haut-parleur retransmit une sonnerie mélodieuse. Elle retentit un bon moment. Mark commença à paniquer. Et si... puis cela s'arrêta. Un bruit étrange résonna et la voix morne de Gregor suivit :

– Oui ?

Pas de visuel.

– C'est moi. Mark Vorkosigan. Lord Mark.

– Ouais ?

– Vous m'avez dit de vous appeler.

– Oui, mais il est... (une courte pause) cinq heures du matin, Mark ! Merde.

– Oh... Vous dormiez ?

Il se pencha pour se cogner doucement le crâne contre le rebord du plateau. *Le timing. Mon timing.*

– Seigneur ! J'ai l'impression d'entendre Miles, maugréa l'empereur.

Le plateau s'anima. L'image de Gregor apparut. Il se trouvait dans une espèce de chambre à coucher, à peine éclairée, et ne portait qu'un pantalon de pyjama en soie noire. Il scruta Mark comme pour s'assurer qu'il ne parlait pas à un rêve ou à un fantôme. Mais le bonhomme était trop corpulent pour être autre chose que Mark. L'empereur soupira lourdement puis se redressa.

– Que vous faut-il ?

Voilà qui était merveilleusement succinct. S'il répondait complètement à cette question, cela lui prendrait les six prochaines années.

– Je dois être associé à la SecImp pour rechercher Miles. Illyan ne veut pas de moi. Vous pouvez lui donner l'ordre de m'accepter.

Une minute de silence puis Gregor lâcha un bref éclat de rire, comme un aboiement.

– Lui avez-vous demandé ?

– Oui. A l'instant. Il a refusé.

– Hum, eh bien... c'est son boulot d'être prudent pour moi. De façon que mon jugement reste sans entrave.

– Si votre jugement est sans entrave, sire, laissez-moi participer !

Gregor l'étudia longuement, se frottant le menton.

– Oui... fit-il enfin d'un ton traînant. Voyons... ce qu'il en sortira.

Ses yeux n'étaient plus du tout endormis.

– Pouvez-vous appeler Illyan sur-le-champ, sire ?

– Qu'est-ce que c'est, une exigence trop longtemps refoulée ? Le barrage est en train de céder.

Je déborde comme de l'eau... D'où sortait cette citation ? On aurait dit une citation de la comtesse.

– Il est encore debout. S'il vous plaît. Sire. Et demandez-lui de me rappeler sur cette console pour confirmation. J'attendrai.

Gregor eut un sourire étrange.

– Très bien... Lord Mark.

– Merci, sire. Euh... bonne nuit.

– Bonne matinée.

Gregor coupa la communication.

Mark attendit. Les secondes s'égrenaient, chacune plus lente, plus étirée que la précédente. Il avait déjà une solide gueule de bois mais restait encore vaguement soûl. Le pire moment. L'entre-deux-mondes. Il somnolait déjà quand la comconsole émit enfin sa sonnerie. Il jaillit de son siège, se cogna à la machine et se rassit. Une de ses mains tripota les commandes.

– Oui. Monsieur ?

Le visage taciturne d'Illyan se posa sur le plateau.

– Lord Mark. (Un petit coup de menton très sec.) Si vous venez au quartier général de la SecImp à la première heure demain matin, il vous sera permis de consulter les dossiers évoqués.

– Merci, monsieur, fit Mark, sincère.

– C'est dans deux heures et demie, annonça Illyan avec – Mark en fut certain – un réel et compréhensible sadisme.

Illyan, lui non plus, n'avait pas dormi.

– J'y serai.

Un nouveau coup de menton puis Illyan disparut.

Mark médita sur la grâce de Gregor. *Il le savait. Il le savait avant moi.* Lord Mark Vorkosigan existait bel et bien. C'était une vraie personne.

18

La nuit se dissipait à peine dans une humidité dorée par la clarté de l'aube. Cette brume d'automne donnait à la cité de Vorbarr Sultana une atmosphère magique. Le Quartier Général de la Sécurité Impériale émergea soudain de cette vapeur d'or. Gigantesque cube sans fenêtre, énorme bloc de béton aux portails et barrières tout aussi énormes, il se dressait comme un rappel à l'ordre, à l'obéissance et à la démence de l'organisation humaine. L'effet était effroyablement réussi.

– Quelle atroce architecture ! dit-il à Pym qui le conduisait dans la voiture du comte.

– Le bâtiment le plus laid de la ville, approuva chaudement l'homme d'arme. Il a été conçu par l'architecte impérial de Yuri le Fou, lord Dono Vorrutyer. Un oncle du dernier vice-amiral. Il a réussi à faire construire cinq édifices majeurs avant qu'on ne l'arrête à la mort de Yuri. Si vous voyiez le Stadium. Il est presque aussi laid que celui-là et on n'a pas les moyens de le démolir. Faut qu'on fasse avec, soixante ans après.

– On dirait ce genre d'endroit avec des donjons dans les sous-sols. Peint en vert réglementaire et dirigé par des médecins fous.

– C'est arrivé, fit Pym avant de négocier avec quelques gardes leur entrée dans l'enceinte.

La voiture ralentit devant un gigantesque escalier.

– Pym... ces marches sont trop grandes, non ?

L'autre sourit.

– Oui. Vous attraperiez des crampes si vous essayiez de grimper là-haut. (Il s'arrêta un peu plus loin et ouvrit la bulle pour laisser Mark descendre.) Mais si vous faites le tour là-bas par la gauche, vous trouverez une petite porte avec un tube ascensionnel. C'est par là que tout le monde entre.

– Merci. (Mark s'extirpa de la voiture.) Qu'est-il arrivé à lord Dono après le règne de Yuri le Fou ? La

Ligue de Défense de l'Architecture l'a pendu par les pieds ?

– Non, il s'est retiré à la campagne où il a vécu aux crochets de sa fille et de son gendre avant de mourir fou à lier. Il a construit sur leur propriété une série de tours bizarres qu'ils font visiter maintenant en échange d'un droit d'entrée.

Pym le salua, fit redescendre la bulle et démarra.

Mark se dirigea vers la porte indiquée. Voilà, il était arrivé... à l'heure, c'était certain, et en pleine forme, ce qui l'était moins. Il avait pris une longue douche, enfilé de confortables vêtements sombres et s'était bourré d'analgésiques, vitamines et autres remèdes contre la gueule de bois en quantité suffisante pour se sentir artificiellement normal. Plus artificiel que normal mais il était bien décidé à ne pas se laisser décourager par Illyan.

Il se présenta au planton de la SecImp.

– Je suis lord Mark Vorkosigan. Je suis attendu.

– C'est beaucoup dire, grogna une voix dans le tube ascensionnel.

Illyan lui-même apparut. Les gardes se figèrent. Leur chef leur permit de se mettre au repos d'un signe assez vague. Lui aussi s'était changé et portait à présent son uniforme vert réglementaire. Mark n'avait pas été le seul à se goinfrer de pilules au petit déjeuner.

– Merci, sergent. Je m'en occupe.

– Quel bâtiment déprimant ! commenta Mark en s'élevant dans le tube aux côtés du chef de la SecImp.

– Oui, soupira Illyan. J'ai visité un jour le Bureau Fédéral d'Investigation sur Escobar. Quarante-cinq étages, rien que du verre... Je n'ai jamais été aussi près d'émigrer. Dono Vorrutyer aurait dû être étranglé à la naissance. Mais... tout ça est à moi maintenant.

Illyan engloba tout le bâtiment d'un regard possessif et dubitatif.

Il le conduisit dans les entrailles de la maison. Les entrailles de la SecImp. L'écho de leurs pas résonnait dans un couloir nu donnant sur de petites pièces cubiques. Jetant au passage un coup d'œil par les portes ouvertes, Mark aperçut des hommes en vert postés devant des consoles ultra-perfectionnées. Sur les plateaux s'élevaient d'improbables sculptures de lumière toujours changeante. On aurait dit une école d'art ou la section de jeux d'un asile de fous. Un gros distributeur de café montait la garde au bout du couloir. Il se dit que ce n'était pas un hasard si Illyan l'installait dans la cabine numéro Treize.

– Cette console a été chargée avec absolument tous les rapports que j'ai reçus concernant la recherche du lieutenant Vorkosigan, annonça froidement Illyan. Si vous vous croyez capable de faire mieux que mes meilleurs analystes, ne vous gênez pas.

– Merci, monsieur. (Mark se glissa dans le fauteuil et brancha la machine.) Je ne m'attendais pas à une telle générosité.

– Je tiens à ce que vous n'ayez aucun motif de vous plaindre.

Gregor avait dû sacrément lui chauffer les fesses, se dit Mark. Illyan l'abandonna non sans s'incliner avec une ironie non dissimulée. De l'hostilité ? Non. Illyan ne lui témoignait pas l'hostilité qu'il était en droit d'éprouver à son égard. *Il ne fait pas qu'obéir à son empereur*, comprit soudain Mark avec effroi. S'il l'avait vraiment désiré, Illyan aurait pu défier Gregor sur un problème de sécurité comme celui-ci. *Il est en train de perdre espoir.*

Respirant un bon coup, il se plongea dans les dossiers, lisant, écoutant, regardant. Illyan ne plaisantait pas quand il avait dit *tous* les rapports. Il y en avait des centaines, produits par plus d'une cinquantaine d'agents éparpillés à travers toute la connexion galactique. Certains étaient brefs et négatifs. D'autres longs et négatifs. Ils semblaient avoir visité toutes les unités cryogéniques sur l'Ensemble de Jackson, ses stations orbitales et de saut ainsi que sur plusieurs systèmes planétaires voisins. Il y avait même des comptes rendus récents à propos de recherches effectuées dans des endroits aussi éloignés qu'Escobar.

Ce qui manquait, remarqua Mark au bout d'un moment, c'étaient des synthèses, des vues d'ensemble. Il n'avait reçu que les données brutes. Une sacrée masse. Tout compte fait, il préférait ça.

Il lut jusqu'à ce que ses yeux lui fassent mal et que son estomac réclame du café. *C'est l'heure du déjeuner*, pensa-t-il quand on frappa à la porte.

– Lord Mark, votre chauffeur est arrivé, l'informa poliment le garde.

Bon sang... c'était l'heure du *dîner*. L'homme l'escorta à l'extérieur pour le confier aux bons soins de Pym. Il faisait nuit. *J'ai mal à la tête.*

Opiniâtre, Mark revint le lendemain matin et recommença. Et le jour suivant. Et celui d'après. De nouveaux rapports continuaient d'affluer. En fait, ils arrivaient plus vite qu'il ne pouvait les consulter. Plus il travaillait, plus il accumulait de retard. A la moitié du cinquième jour, il se laissa aller contre le dossier de son fauteuil. *C'est fou.* Illyan était en train de l'enterrer, de l'enfouir. De l'ignorance totale, il passait au trop-plein d'informations. Ce qui était tout aussi paralysant. *Je dois trier ce monceau de foutaises sinon je ne sortirai plus jamais de ce cube de béton.*

– Mensonges, mensonges, mensonges, maugréa-t-il avec colère à l'intention de sa console qui continua, imperturbable, à ronronner et à afficher de nouveaux holos.

D'un coup de poing, il l'éteignit, arrêtant le flot de voix et de lumières. Il resta un moment assis dans le noir et le silence. Jusqu'à ce que ses oreilles cessent de bourdonner.

La SecImp n'y est pas parvenue. Ils n'ont pas trouvé Miles. Tous ces renseignements étaient donc inutiles. Il n'avait besoin que de trouver par où commencer. D'un départ. *Ramenons ça à des proportions raisonnables.*

Commençons par quelques hypothèses de base. Primo : on peut récupérer Miles.

Que la SecImp continue à chercher si ça lui chantait un corps décomposé, une tombe anonyme ou la trace d'une désintégration. Même en cas de succès, une telle recherche ne lui servait à rien. Surtout en cas de succès.

Seules les cryo-chambres, qu'elles fassent partie d'installations médicales ou qu'elles soient portables, avaient un intérêt. Mais la logique dégonflait son optimisme. Si Miles avait été ressuscité avec succès par des mains amies, son premier souci aurait été de prendre contact. Il ne l'avait pas fait, donc il était encore congelé. Ou, s'il était ranimé, en trop mauvais état pour donner signe de vie. Ou alors, aux mains d'ennemis. Dans tous les cas : où ça ?

La cryo-chambre dendarii avait été retrouvée dans le Moyeu de Hegen... Et alors ? Elle y avait été envoyée après avoir été vidée. S'enfonçant dans son siège, les paupières sciées par une minuscule fente, Mark réfléchit à l'autre extrémité de la piste. Ses petites obsessions privées le conduisaient-elles à croire ce qu'il avait envie de croire ? *Non, bon sang. Au diable le Moyeu de Hegen. Miles n'a jamais quitté la planète.* D'un coup, il venait de mettre à la poubelle les trois quarts de ce tas de saloperies qui lui bouchait la vue.

Il faut consulter uniquement ce qui a trait à l'Ensemble de Jackson. Bien. Et après ?

Avec quel soin la SecImp avait-elle fouillé toutes les caches possibles ? Les endroits qui n'avaient pas de liens connus avec la maison Bharaputra ? En général, les agents de la SecImp n'avaient fait que poser quelques questions, sans révéler leur identité et en promettant une récompense substantielle. Et cela, au moins quatre semaines après le raid. La piste était froide, pour ainsi dire. Cela avait laissé pas mal de temps à celui qui avait reçu le paquet-surprise pour y réfléchir. Assez de temps pour le cacher, si l'envie lui en était venue. Et dans ce cas, si la SecImp avait effectué une deuxième viste, cela n'avait fait que prouver la valeur du « paquet ». Et donc l'importance de bien le planquer.

Miles se trouve dans un endroit déjà vérifié par la SecImp, aux mains de quelqu'un qui possède un motif secret pour le garder.

Cela lui laissait encore des centaines de possibilités.

Il me faut un indice. Il doit exister un indice.

La SecImp avait épluché tous les dossiers que les Dendariis possédaient sur Norwood, au point de les avoir analysés mot à mot. Rien. Mais Norwood avait reçu une éducation médicale. Et il n'avait pas expédié la cryo-chambre de son amiral adoré au petit bonheur. Il l'avait envoyée *quelque part* à *quelqu'un*.

Si l'Enfer existe, Norwood, j'espère que vous y grillez en ce moment.

Mark soupira et ralluma la console.

Deux heures plus tard, Illyan passa le voir dans sa cellule, refermant la porte isolante derrière lui. Il s'adossa, faussement détendu, au mur et demanda :

– Comment ça se passe ?

Mark se passa les doigts dans les cheveux.

– Malgré l'amabilité avec laquelle vous avez tenté de me submerger, je crois que je fais des progrès.

– Oh ? Quel genre ?

Il ne niait pas l'accusation.

– Je suis absolument convaincu que Miles n'a jamais quitté l'Ensemble de Jackson.

– Alors, comment expliquez-vous que nous ayons retrouvé la cryo-chambre dans le Moyeu de Hegen ?

– C'est une diversion.

– Hum, commenta Illyan.

– Et ça a marché, insista Mark cruellement.

Les lèvres d'Illyan disparurent.

De la diplomatie, se dit Mark. De la diplomatie, s'il voulait obtenir ce dont il avait besoin.

– J'admets que vos ressources ne soient pas infinies, monsieur. Alors, il faut les concentrer. Toutes celles dont vous disposez sur l'Ensemble de Jackson.

L'expression sardonique d'Illyan était une réponse

éloquente. L'homme dirigeait la SecImp depuis près de trente ans. Il allait falloir un peu plus que de la diplomatie pour qu'il accepte de se voir dicter son travail par Mark.

Celui-ci essaya une autre ouverture.

– Qu'avez-vous appris sur le capitaine Vorventa ?

– Ça a été rapide et pas trop sinistre. Son jeune frère était l'adjudant de mon superviseur des Opérations Galactiques. Vous comprenez : ces hommes ne sont pas déloyaux.

– Alors... qu'avez-vous fait ?

– A l'encontre du capitaine Edwin, rien. Il est trop tard. Miles sert déjà de sujet de ragots et de commérages chez tous les Vors. Le mal est fait. Le jeune Vorventa a été transféré et déclassé. Ce qui me laisse avec un gros trou dans mon état-major. Il faisait bien son boulot.

Illyan ne débordait pas de reconnaissance.

– Oh... (Un silence.) Vorventa pensait que j'étais pour quelque chose dans la maladie du comte. Cela aussi fait partie des ragots ?

– Oui.

Mark grimaça.

– Ah... au moins, *vous* savez que ce n'est pas vrai, soupira-t-il.

Le silence lui répondit. Il leva les yeux vers le visage de pierre d'Illyan et éprouva un début de nausée.

– N'est-ce pas, monsieur ? insista-t-il.

– Peut-être que oui. Et peut-être que non.

– Comment ça, peut-être que non ? Vous avez vu les rapports médicaux !

– Hon-hon. Le malaise cardiaque semble effectivement d'origine naturelle. Mais il aurait très bien pu être provoqué chirurgicalement. Les dommages subséquents dans le cœur auraient masqué toute trace d'intervention.

Révolté et découragé, Mark frémit.

– Un sacré boulot, s'étrangla t-il. Qui exige beaucoup de précision. Comment aurais-je fait pour que le comte se tienne tranquille et ne remarque rien pendant que je l'opérais ?

– C'est ce que j'ignore, reconnut Illyan.

– Et qu'aurais-je fait de l'équipement ? Il m'aurait aussi fallu un scanner médical. Ça représente bien deux ou trois kilos de matériel.

– Enterré dans les bois ou quelque part.

– L'avez-vous trouvé ?

– Non.

– L'avez-vous cherché ?

– Oui.

Mark se massa le visage. Ses mâchoires se contractaient spasmodiquement.

– Si je comprends bien, vous avez expédié une petite armée fouiller et refouiller plusieurs kilomètres carrés de forêt à la recherche de quelque chose qui n'existe pas mais vous n'avez plus d'hommes à envoyer sur l'Ensemble de Jackson pour retrouver Miles qui, lui, se trouve bien là-bas. *Je vois.*

Non ! Il devait garder son sang-froid sinon il risquait de tout perdre. Il avait envie de hurler à la mort, d'enfoncer la tête d'Illyan dans le mur.

– Un agent galactique est un spécialiste hautement entraîné, répliqua Illyan avec raideur. Fouiller une zone pour retrouver un équipement connu peut être effectué par des soldats de base. Ceux-là ne manquent pas.

– Oui, je regrette.

C'était *lui* qui s'excusait ? *Tes buts. Souviens-toi de tes buts.* Il pensa à la comtesse et se força à respirer profondément pour se calmer. Il dut respirer un bon moment.

– Il ne s'agit pas d'une conviction, dit alors Illyan qui l'observait. Mais plutôt d'un doute.

– Merci bien, grommela Mark.

Il resta silencieux une bonne minute, essayant de rassembler ses pensées, ses meilleurs arguments.

– Ecoutez, reprit-il enfin. Vous gâchez vos moyens et l'un de ces moyens, c'est moi. Renvoyez-*moi* sur l'Ensemble de Jackson. J'en sais plus sur cet endroit que n'importe lequel de vos agents. J'ai reçu un entraînement moi aussi. Celui d'un assassin mais quand même... Il m'a permis d'échapper à vos espions trois ou quatre fois sur Terre ! Il m'a même permis de me retrouver ici. Je connais l'Ensemble de Jackson : j'y ai grandi. Il est là, en moi, jusqu'au fond de mes tripes. Et vous n'aurez même pas à me payer pour ça !

Il attendit, retenant son souffle, terrifié par son courage. *Retourner là-bas ?* Une giclée de sang aspergea sa mémoire. *Donner aux Bharaputrans une chance de corriger leur tir ?*

Illyan restait toujours aussi impassible.

– Votre liste de succès en opération n'est pas très impressionnante, lord Mark.

– Bon, je ne suis pas un brillant commandant sur le terrain. Je ne suis pas Miles. C'est une chose que nous savons tous, maintenant. Combien de vos autres agents le sont ?

– Si vous êtes aussi... incompétent qu'il le paraît, vous envoyer là-bas ne serait qu'un gâchis de plus. Mais imaginons que vous êtes plus retors que même moi je l'imagine... toute cette agitation que vous avez déployée ici serait un écran de fumée. (Illyan savait lui aussi user d'insultes voilées. Avec la précision d'un stylet : juste entre les côtes.) Et imaginons que vous récupériez Miles avant nous. Que se passe-t-il alors ?

– Que voulez-vous dire ?

– Vous pourriez nous renvoyer un cadavre – comment dire ? – chambré, bon uniquement à être enterré. Au lieu d'un corps cryogénisé qui nous laisserait quelque espoir. Comment savoir si vous l'avez effectivement retrouvé ainsi ? Et vous hériteriez de son nom, son rang, sa fortune, son avenir. Quelle tentation, Mark, pour un homme sans identité ! Quelle incroyable tentation !

Mark s'enfouit le visage dans ses mains. Il avait l'impression qu'on le clouait dans son fauteuil, très lentement, très méthodiquement.

– Ecoutez, dit-il entre ses doigts. Soit je suis

l'homme qui, selon vous, a réussi à assassiner à moitié
Aral Vorkosigan et qui est assez fort pour l'avoir fait
sans laisser de traces... ou je ne le suis pas. Vous
pouvez prétendre que je ne suis pas assez compétent
pour m'expédier là-bas. Ou alors que je ne suis pas
assez digne de confiance. Mais vous ne pouvez utiliser
les deux arguments en même temps. Choisissez-en
un !

Les yeux d'Illyan étaient comme des pierres.

– J'attends une confirmation.

– Je jure, murmura Mark, que l'excès de méfiance
nous rend encore plus idiots que l'excès de confiance.
(Dans son cas, voilà qui avait été plus que confirmé.)
Alors, passez-moi au thiopenta.

Illyan haussa les sourcils.

– Hein ?

– Passez-moi au thiopenta. Vous ne l'avez jamais
fait. Soulagez votre méfiance.

Selon tous les rapports, les interrogatoires au thiopenta pouvaient se révéler des expériences excessivement humiliantes. Et alors ? Il n'en était plus à
une humiliation près ? Sa vie n'était qu'une immense
humiliation.

– J'en ai le désir depuis très longtemps, lord Mark,
admit Illyan, mais votre... progéniteur développe une
réaction très allergique au thiopenta. Il est probable
qu'il en aille de même pour vous. En fait, il ne s'agit
pas d'une allergie ordinaire. Chez lui, cela provoque
une hyperactivité, un bavardage accéléré mais, hélas,
pas une tendance très marquée à dire la vérité. Cela
ne sert donc à rien.

– Chez Miles. (Mark se raccrochait au moindre
espoir.) Vous présumez mais vous n'en savez rien !
Mon métabolisme est différent de celui de Miles. Nous
le savons tous. Ne pourriez-vous au moins vérifier ?

– Oui, fit lentement Illyan, ça je le peux. (Il abandonna son mur et ouvrit la porte.) Continuez. Je
reviens tout de suite.

Tendu, Mark se leva pour arpenter la petite pièce.
Deux pas dans chaque sens. Le souvenir des yeux

nhumains du baron Bharaputra se planta dans sa
cervelle. *Si tu veux retrouver quelque chose, cherche
d'abord là où tu l'as perdu*. Il avait tout perdu sur
l'Ensemble de Jackson.

Illyan revint enfin.

– Asseyez-vous et relevez votre manche gauche.

Mark obéit.

– Qu'est-ce que c'est que ça ?

– Un timbre test.

Il ressentit une infime démangeaison quand Illyan
pressa le petit rectangle sur la face interne de son
avant-bras. Il l'enleva et consulta son chrono, avant
de poser une fesse sur le plateau de la console en
observant le bras de Mark.

Moins d'une minute plus tard, un point rose apparut. Encore une minute et c'était un bouton. En cinq
minutes, c'était une espèce de furoncle blanc et dur
entouré de furieuses traînées rouges qui couraient du
coude au poignet.

Illyan poussa un soupir déçu.

– Lord Mark, je vous conseille fortement d'éviter à
tout prix le thiopenta à l'avenir.

– C'est une réaction allergique ?

– Hautement allergique.

– Merde.

Mark se mit à broyer du noir. Et à se gratter. Il
baissa sa manche avant de s'arracher la peau.

– Si Miles, demanda-t-il, avait été assis ici, à lire
ces dossiers, à vous donner les mêmes arguments,
l'auriez-vous écouté ?

– Le lieutenant Vorkosigan a remporté sufffisam-
ment de succès pour que je prête attention à ses dires.
Les résultats parlent d'eux-mêmes. Et, comme vous-
même *n'avez cessé* de le répéter, vous n'êtes pas Miles.
Vous ne pouvez utiliser les deux arguments en même
temps, conclut-il, glacial. Choisissez.

– Pourquoi vous êtes-vous donné la peine de me
laisser entrer ici ? J'ai beau dire ou faire, ça ne change
rien ! explosa Mark.

Illyan haussa les épaules.

– En dehors du fait qu'il s'agissait d'un ordre direct de Gregor... au moins, je sais où vous êtes et ce que vous fabriquez.

– Une cellule de détention, hein ? Où je suis entré volontairement. Si vous pouviez aussi me priver de console, vous seriez encore plus heureux.

– Franchement, oui.

– Bien. Dans ce cas...

Mark ralluma la console. Illyan l'abandonna.

Mark bondit de sa chaise, ouvrit la porte et passa la tête dans le couloir. Le dos d'Illyan était déjà à mi-distance.

– Je possède mon propre nom, maintenant, Illyan ! cria furieusement Mark.

Illyan tourna la tête, haussa les sourcils et poursuivit son chemin.

Mark essaya de consulter un autre rapport mais tout se désagrégeait quelque part entre ses yeux et son cerveau. Il était trop excité pour poursuivre son travail d'analyse aujourd'hui. Il finit par abandonner et appela Pym pour qu'il vienne le chercher. La nuit n'était pas encore tombée. Sur le chemin du retour à la résidence Vorkosigan, il contempla le soleil qui se couchait jusqu'à s'en brûler la rétine.

C'était la première fois de la semaine qu'il revenait de la SecImp à temps pour partager le dîner de la comtesse. Il la trouva en compagnie de Bothari-Jesek dans une sorte de petite véranda donnant sur un recoin du jardin surchargé de fleurs d'automne et de plantes. Un éclairage indirect laissait cette masse colorée dans l'ombre. La comtesse portait une élégante veste verte et une longue jupe : la tenue citadine d'une Vor. Bothari-Jesek arborait une tenue similaire, visiblement empruntée à la garde-robe de son hôtesse. Une place lui avait été réservée à table malgré le fait qu'il ne s'était pas présenté aux repas depuis quatre jours. Cette attention le toucha confusément. Il se glissa dans son siège.

– Comment était le comte aujourd'hui ? demanda-t-il timidement.

– Aucun changement, soupira la comtesse.

Selon la coutume qu'elle observait, il y eut une minute de silence avant le repas, au cours de laquelle la comtesse adressait une prière silencieuse. Ces jours-ci, se dit Mark, elle avait de quoi prier. Bothari-Jesek et lui attendirent poliment, la jeune femme méditant Dieu-savait-quoi, Mark se repassant mentalement la conversation avec Illyan. Maintenant qu'il était trop tard, il trouvait des tas d'arguments intelligents à lui opposer. Un serviteur apporta la nourriture dans des plats couverts avant de disparaître. La comtesse préférait toujours dîner en privé quand ils ne recevaient pas d'invités officiels. *En famille, hein ?*

Depuis le malaise du comte, Bothari-Jesek avait apporté à la comtesse le soutien d'une fille, l'accompagnant lors de ses fréquentes visites à l'Hôpital Impérial, lui rendant quelques services pratiques, lui servant de confidente. Mark était persuadé que la comtesse s'était confiée à Bothari-Jesek plus qu'à n'importe qui d'autre et il en éprouvait une inexplicable jalousie. En tant qu'enfant unique de leur homme d'armes préféré, Elena Bothari avait été pratiquement la fille adoptive des Vorkosigan. La résidence Vorkosigan était sa maison, celle où elle avait grandi. S'il était vraiment le frère de Miles, cela faisait-il d'Elena sa demi-sœur ? Il devrait essayer de le lui demander. Un jour. En prenant soin de revêtir une armure avant.

– Capitaine Bothari-Jesek, commença-t-il après avoir avalé une ou deux bouchées, savez-vous ce qui se passe avec les Dendariis à Komarr ? A moins qu'Illyan ne vous informe de rien, vous non plus.

– Il n'a pas intérêt, répliqua-t-elle. (Evidemment, Elena possédait des alliés plus haut placés que le chef de la SecImp lui-même.) On a fait un peu de ménage. Quinn a gardé auprès d'elle tous les témoins visuels de votre... raid... (gentil à elle de ne pas utiliser un terme plus approprié comme *débâcle*). Elle a envoyé tous les autres à bord du *Peregrine* sous le commandement de mon second rejoindre le reste de la flotte. Tout le monde commençait à devenir nerveux à force d'être coincé sur orbite sans permission, ni aucune tâche à accomplir.

La perte temporaire de son commandement ne la ravissait pas.

– L'*Ariel* se trouve donc toujours à Komarr ?

– Oui.

– Avec Quinn, bien sûr... Le capitaine Thorne ? Le sergent Taura ?

– Ils sont tous là-bas, à attendre.

– Eux aussi doivent commencer à être un peu nerveux, non ?

– Oui, fit Bothari-Jesek en plantant sa fourchette si fort dans sa plâtrée de protéines que des bouts de gelée giclèrent.

Et ils ne sont pas les seuls.

– Alors, qu'as-tu appris cette semaine, Mark ? s'enquit la comtesse.

– Rien que vous ne sachiez déjà, j'en ai peur. Illyan ne vous fournit-il pas de rapports ?

– Oui, mais en raison des événements récents je n'ai eu que le temps de lire les synthèses de ses analystes. De toute manière, il n'y a qu'une seule nouvelle que j'aie vraiment envie d'entendre.

Bien. Encouragé, Mark lui expliqua ce qu'il avait fait, y compris le raisonnement qui l'avait conduit à écarter l'essentiel des rapports.

– Tu sembles avoir bien avancé, remarqua-t-elle.

Il haussa les épaules.

– Je sais, à présent, en gros tout ce que sait la SecImp, si Illyan a été honnête avec moi. Mais, dans la mesure où la SecImp ne sait pas où se trouve Miles, tout cela est complètement inutile. Je suis prêt à jurer...

– Oui ? dit la comtesse.

– ... que Miles se trouve toujours sur l'Ensemble de Jackson. Mais je n'arrive pas à convaincre Illyan de se concentrer là-dessus. Il s'attaque à tout et donc à rien à la fois. Il est obsédé par les Cetagandans.

— Il a de bonnes raisons pour ça, dit la comtesse. Et pas seulement des raisons historiques, j'en ai peur. Il a dû soigneusement éviter de te faire part de tout ce qui n'avait pas un rapport avec Miles. Dire que la SecImp et son chef viennent de passer un mauvais mois serait un euphémisme. (Elle hésita très longuement.) Mark... tu es, après tout, le clone-jumeau de Miles. Aussi proche de lui qu'un être humain peut l'être. Ta conviction à propos de l'endroit où il se trouve a quelque chose de passionné. On dirait *que tu sais*. Tu crois que... tu sais vraiment ? A un niveau quelconque ?

— Vous voulez dire... comme un lien psychique ? Quelle affreuse idée !

Elle hocha la tête. Ses joues se coloraient. Bothari-Jesek semblait horrifiée et adressa à Mark un regard étrangement suppliant. *Ne t'avise pas de te foutre d'elle, espèce de... !*

Elle est désespérée à ce point !

— Je suis désolé. Je n'ai aucun talent psychique. Je suis seulement psychotique.

Bothari-Jesek se détendit. Il avait l'impression de dégouliner sur place... jusqu'à ce qu'une nouvelle idée lui vienne :

— Mais, reprit-il, on n'aurait peut-être pas tort de le faire croire à Illyan.

La comtesse sourit tristement.

— Illyan est trop rationaliste. S'il voyait Dieu, il lui demanderait ses papiers d'identité.

— Je suis passionné parce que je suis frustré, madame. Personne ne me laisse rien faire.

— Et que voudrais-tu faire ?

Décamper au plus vite sur la Colonie Beta. La comtesse l'y aiderait probablement.

... Non. Je ne fuirai plus jamais.

Il avala une bonne gorgée d'air pour remplacer le courage qui lui manquait.

— Je veux retourner sur l'Ensemble de Jackson le

chercher. Je ne ferais pas plus mal que les agents d'Illyan. Je sais que je peux faire quelque chose. Je le sais ! J'ai essayé de le convaincre, ça n'a pas marché. S'il le pouvait, il m'enfermerait dans une cellule de haute sécurité.

– Il y a des jours comme ça où le pauvre Simon vendrait son âme pour que le monde reste tranquille juste une seconde, fit la comtesse. A force de faire attention à tout, il est en train de se disloquer. J'éprouve une réelle compassion pour lui.

– Moi pas. Je ne lui demanderai plus rien, même pas l'heure. D'ailleurs, il ne me la donnerait pas. (Mark se fit pensif. Il songeait à ses éventuels alliés.) Quant à Gregor, il me ferait comprendre de façon détournée où regarder pour trouver un chrono. Vous... (sa métaphore se développait malgré lui) vous me donneriez une pendule.

– Si j'en avais une, fils, je te donnerais une usine de pendules, soupira la comtesse.

Mark mâcha, déglutit, s'arrêta, leva les yeux.

– Vraiment ?

– Vr... commença-t-elle, affirmative, avant de se reprendre prudemment. Vraiment quoi ?

– Lord Mark est-il un homme libre ? Je veux dire, je n'ai commis aucun crime dans l'empire barrayaran, n'est-ce pas ? Il n'existe pas de loi contre la stupidité. Je ne suis pas aux arrêts.

– Non...

– Je pourrais aller sur l'Ensemble de Jackson par moi-même ! J'emmerde Illyan et ses agents. Si... (sa voix baissa d'une octave, il acheva d'un ton piteux)... si j'avais le prix du billet.

Toute sa fortune actuelle se montait à dix-sept marks impériaux : la monnaie du billet de vingt-cinq qu'elle lui avait donné pour argent de poche au début de la semaine. Cette fabuleuse richesse était empilée dans la poche de son pantalon.

Pâlissant à vue d'œil, la comtesse repoussa son assiette.

– A propos de stupidité, ça ne me paraît pas une idée très prudente.

– Bharaputra a probablement lancé un contrat contre vous, après ce que vous lui avez fait, intervint Bothari-Jesek.

– Pas contre moi... contre l'amiral Naismith, argumenta Mark. Et je ne mettrais pas les pieds sur son domaine. (Il était parfaitement d'accord avec la comtesse. Il sentait soudain un point brûlant sur son front... à l'endroit où s'était posé le doigt du baron. Il fixa la comtesse avec détresse.) Madame...

– Sérieusement... tu voudrais que je paye pour que tu risques ta vie ?

– Non... pour que je la sauve ! Je ne peux plus... (il eut un geste impuissant pour désigner la résidence Vorkosigan et toute sa situation présente)... continuer ainsi. Je marche à côté de mes bottes ici. Tout va de travers.

– Tu marcheras dans tes bottes... bientôt. Maintenant, c'est juste un peu trop tôt, dit-elle, sincère. Tout cela est trop nouveau pour toi.

– Je dois retourner là-bas. Je dois essayer de réparer ce que j'ai cassé. Si je le peux.

– Et si tu ne le peux pas ? demanda froidement Bothari-Jesek. Que feras-tu ? Détaler avec une bonne avance ?

Cette femme lisait-elle dans ses pensées ? Les épaules de Mark s'affaissèrent sous le poids de son mépris. Et de ses propres doutes.

– Je ne... fit-il dans un souffle.

Sais pas. Il était incapable de finir sa phrase à haute voix.

Les longs doigts de la comtesse se nouèrent.

– Je ne doute pas de ton cœur, dit-elle en le fixant droit dans les yeux.

Merde, elle pouvait briser ce cœur plus facilement avec sa confiance qu'Illyan avec tous ses soupçons. Il se blottit dans son siège tandis qu'elle poursuivait :

– Mais... tu es ma deuxième chance. Mon nouvel espoir... que je n'attendais plus. Je n'avais jamais espéré avoir un deuxième enfant sur Barrayar. Et maintenant que l'Ensemble de Jackson a dévoré Miles, tu veux retourner là-bas ? Toi aussi ?

– Madame, fit-il au désespoir. Mère... je ne peux pas être votre prix de consolation.

Elle croisa les bras. Ses yeux étaient aussi gris qu'une mer d'hiver.

– Vous, plus que tout autre, plaida Mark, devriez comprendre qu'on n'a pas le droit de laisser passer une seconde chance.

Elle repoussa sa chaise et se leva.

– Je... dois y réfléchir.

Elle quitta la véranda. Mark constata avec détresse qu'elle n'avait pratiquement pas touché à son repas.

Bothari-Jesek fit la même constatation.

– Bien joué, gronda-t-elle.

Je regrette, je regrette...

Elle se leva à son tour pour rejoindre la comtesse.

Mark ne bougea pas, abandonné et seul. Puis, dans un état de totale hébétude, il se força à manger jusqu'à en être malade. Il tituba ensuite jusqu'au tube de montée pour gagner sa chambre. S'effondrant sur le lit, il attendit le sommeil. Qui ne vint pas.

Son crâne et son estomac distendu se livraient un combat féroce : qui de sa migraine ou de son mal de ventre allait l'emporter. Cela dura une éternité. Ses douleurs commençaient à peine à s'atténuer quand on frappa à sa porte. Il roula sur lui-même avec un gémissement étouffé.

– Qui est là ?

– Elena.

Il alluma la lumière, s'assit dans le lit contre le cadre sculpté et se coinça un oreiller sous les reins. Il ne voulait pas parler à Bothari-Jesek, ni à aucun être humain. Il reboutonna sa chemise tant bien que mal.

– Entrez, marmonna-t-il.

Elle le fit avec précaution, sérieuse et pâle.

– Salut. Vous vous sentez bien ?

– Non, admit-il.

– Je suis venue m'excuser, dit-elle.

– Vous ? Vous excuser ? Pourquoi ?

– La comtesse m'a raconté... certaines choses qui vous sont arrivées. Je suis navrée. Je ne comprenais pas.

Il avait à nouveau été disséqué, *in absentia*. L'air horrifié avec lequel elle le contemplait était éloquent, comme si son ventre enflé était ouvert et son contenu étalé sur le lit.

– Ah... Qu'est-ce qu'elle a encore raconté ?

Péniblement, il essaya de redresser les épaules.

– Miles l'évoquait parfois mais je n'avais pas compris à quel point ça avait été moche. La comtesse m'a donné les faits précis. Ce que Galen vous avait fait. Le viol à la vibro-matraque et les, euh... troubles nutritionnels. Et les autres... (Elle évitait de regarder son corps, s'appliquant à le dévisager. Oui, elle en savait beaucoup maintenant. Beaucoup trop. Elles avaient parlé plus de deux heures.) Et tout cela était délibérément *calculé*. C'est bien ça le plus diabolique.

– Je ne suis pas certain que l'incident à la vibro-matraque ait été calculé, dit Mark avec prudence. J'ai l'impression que Galen avait perdu la tête. Que ses fusibles avaient sauté. Il ne jouait pas la comédie. Ou alors, peut-être qu'au début c'était calculé mais ça a fini par échapper à son contrôle. (Soudain, il explosa :) *Bon Dieu !* (Bothari-Jesek fit une sorte de saut de carpe.) Elle n'avait pas le *droit* de parler de ça avec vous ! Ou avec n'importe qui ! Je suis quoi, moi ? Le dernier spectacle à la mode ?

Bothari-Jesek ouvrit les mains.

– Non, non. Vous devez comprendre. Je lui ai parlé de Maree, cette petite clone blonde avec qui nous vous avons trouvé. Je n'ai pas pu m'en empêcher. Je vous ai accusé.

Il se pétrifia de honte. Une nouvelle idée l'accabla.

– Je croyais que vous lui aviez déjà tout dit.

Tout ce qu'il avait déjà construit avec la comtesse, l'avait-il été sur des fondations pourries ? Tout cela allait-il s'effondrer ce soir ?

– Elle voulait tellement que vous soyez son fils que je n'avais pas pu m'y résoudre. Mais, tout à l'heure, j'étais trop en colère contre vous et j'ai tout lâché.

– Et alors ?

Encore ébahie, Bothari-Jesek secoua la tête.

– Elle est si Betane. Si étrange. Mentalement, elle n'est jamais là où vous l'attendez. Elle n'a pas été surprise le moins du monde. Et après, elle m'a tout expliqué... j'avais l'impression que ma cervelle était retournée dans tous les sens et qu'on était en train de la laver et l'essorer.

Il faillit éclater de rire.

– Oui, ça ressemble bien à une conversation typique avec la comtesse.

Sa terreur étouffante commençait à reculer. *Elle ne me méprise pas... ?*

– J'avais tort à votre sujet, insista Bothari-Jesek avec vigueur.

Exaspéré, il écarta les bras.

– C'est agréable de savoir que j'ai un tel avocat mais vous ne vous trompiez pas. Il se passait exactement ce que vous croyiez. Je l'aurais fait si j'en avais été capable, fit-il avec amertume. Ce n'est pas ma vertu qui m'a arrêté mais mon conditionnement.

– Oh, je ne parlais pas des faits. En réalité, je projetais beaucoup de ma colère dans la façon que j'avais de vous voir. Je ne me rendais pas compte à quel point vous étiez le fruit d'une torture systématique. Et à quel point vous aviez incroyablement résisté. A votre place, je serais devenue catatonique.

– Ce n'était pas si moche que ça *tout* le temps, fit-il, mal à l'aise.

– Mais vous devez comprendre, répéta-t-elle avec obstination, ce qui n'allait pas chez *moi*. Avec mon père.

– Hein ? (Il avait l'impression qu'on venait de lui tourner le cou à cent quatre-vingts degrés.) Je ne vois pas ce que votre père vient faire là-dedans.

Elle arpenta la chambre. Visiblement, elle avait

quelque chose en tête. Quand elle reprit la parole, ça sortit d'un coup :

– Mon père a violé ma mère. Voilà comment je suis née, quand Barrayar a envahi Escobar. Je le sais depuis plusieurs années. Ça m'a rendue allergique à ce sujet. Je ne peux pas le supporter. (Elle serra les poings.) Pourtant c'est *en moi*. Voilà pourquoi j'ai eu tant de mal à vous comprendre. C'est comme si depuis les dix dernières semaines, je vous voyais à travers un brouillard. La comtesse a dissipé le brouillard. Le comte m'a aidée aussi, plus que je ne saurais le dire.

– Ah...

Que pouvait-il dire ? Ainsi, elles n'avaient pas seulement parlé de lui au cours de ces deux heures. Elle aussi avait, visiblement, un drôle de passé mais il n'était pas certain d'avoir envie de lui demander d'en parler. Pour une fois, ce n'était pas à lui de s'excuser.

– Je... ne regrette pas, dit-il, que vous existiez. Quelle que soit la manière dont vous avez été conçue.

Elle sourit, avec un brin de malice.

– En fait, moi non plus.

Il éprouvait une sensation très étrange. Sa fureur devant la violation de sa vie privée était remplacée par une insouciance qui le stupéfiait. Un soulagement immense d'être enfin débarrassé de ses secrets. Sa terreur diminuait.

Il sauta du lit, attrapa Elena par la main, la conduisit jusqu'à une chaise en bois près de la fenêtre sur laquelle il monta pour l'embrasser.

– Merci !

Elle parut un peu ébahie.

– De quoi ? s'enquit-elle au bord du rire.

Fermement, elle reprit possession de sa main.

– D'exister. De me laisser vivre. Je ne sais pas.

Il sourit, exalté, puis la tête lui tourna. Il redescendit de la chaise avec précaution et s'assit.

Elle le contempla en se mordant les lèvres.

– Pourquoi vous infligez-vous ça ?

Inutile de faire semblant de ne pas comprendre à quoi elle faisait allusion. Les manifestations physiques de sa boulimie étaient assez évidentes. Il se sentait monstrueux. Son visage était couvert d'une sueur poisseuse.

– Je ne sais pas. J'ai une définition pour la folie. En général, c'est juste un pauvre type qui se débat avec sa souffrance en employant une stratégie qui gêne les gens autour de lui.

– Ce qui ne fait qu'augmenter sa souffrance, n'est-ce pas ? demanda-t-elle plaintivement.

Il sourit à moitié, les mains sur les genoux, les yeux plantés dans le sol.

– La souffrance possède un étrange pouvoir de fascination. Elle détourne votre esprit du vrai problème. Par exemple, quand on a mal aux dents, on a du mal à se concentrer sur le reste. Vous comprenez ?

Elle secoua la tête.

– Je préfère ne pas comprendre, merci.

Il soupira.

– Galen cherchait seulement à bousiller ma relation avec mon père mais il est parvenu à bousiller mes relations avec tout le monde. Il savait qu'il ne pourrait plus me contrôler une fois qu'il m'aurait lâché seul sur Barrayar. Il devait donc me donner des motivations très profondes. (Il poursuivit d'une voix plus sourde.) Ça lui est revenu au visage. Parce que, d'une certaine manière, Galen était mon père lui aussi. Mon père adoptif. Le premier que j'aie jamais eu. J'étais tellement affamé d'identité quand les Komarrans sont venus me chercher sur l'Ensemble de Jackson. Je devais être comme ces bébés oiseaux qui viennent se blottir sous des statuettes parce que c'est la première chose qu'ils voient qui ressemble à un parent oiseau.

– Vous possédez un surprenant talent pour l'analyse sous toutes ses formes, remarqua-t-elle. Je l'avais déjà remarqué sur l'Ensemble de Jackson.

Il cligna des paupières.

– Moi ? Certainement pas !

Un talent ? Et puis quoi encore... jusqu'à présent, il n'avait obtenu aucun résultat, sinon des catastrophes. Mais, malgré toutes ses frustrations, il avait réellement éprouvé une sorte de joie dans sa petite cabine de la SecImp cette semaine. La sérénité d'une cellule de moine mêlée au défi d'absorber un univers de données... Bizarrement, cela lui rappelait les instants paisibles des programmes d'éducation virtuelle, dans son enfance dans la crèche des clones. A l'époque où personne ne lui faisait aucun mal.

– C'est ce que pense la comtesse, elle aussi. Elle veut vous voir.

– Quoi ? Maintenant ?

– Elle m'a envoyée vous chercher. Mais, d'abord, je voulais vous dire ce que j'avais à vous dire. Avant qu'il ne soit trop tard, que l'occasion ne passe. Ou que je n'en ai plus le courage.

– D'accord. Laissez-moi deux secondes.

Fort heureusement, on ne leur avait pas servi de vin au dîner. Il battit en retraite dans sa salle de bains et s'aspergea le visage de l'eau la plus froide qu'il pût obtenir. Il avala deux comprimés antidouleur et se peigna. Après avoir enfilé une veste de sport, il suivit Bothari-Jesek.

Elle l'emmena dans le bureau de la comtesse, une pièce austère et calme dominant le jardin située à côté de sa chambre à coucher. Mark jeta un coup d'œil à la chambre en passant. Derrière une voûte, l'obscurité l'habitait. L'absence du comte était palpable.

La comtesse était assise à sa console, pas un modèle de sécurité comme ceux du gouvernement, mais une machine commerciale très sophistiquée. Des coquillages en forme de fleurs ou des fleurs en forme de coquillage étaient incrustés dans le bois noir qui encadrait l'holécran. Pour l'instant, on y voyait le visage d'un homme hagard. La comtesse l'apostrophait rudement.

– Eh bien, prenez les dispositions alors ! Oui, ce soir, tout de suite. Et rappelez-moi. Merci.

Elle coupa la communication et fit face à Mark et à Bothari-Jesek.

– Vous preniez un billet pour l'Ensemble de Jackson ? demanda-t-il d'une toute petite voix, espérant encore malgré tout.

– Non.

– Ah.

Bien sûr que non. Comment pourrait-elle le laisser partir ? Il était fou. C'était insensé d'imaginer...

– Je te cherchais un navire. Si tu vas là-bas, tu auras besoin de te déplacer à ta guise. Je te vois mal en train d'attendre une navette sur un quai.

– *Acheter* un navire ? fit-il, abasourdi. (Et dire qu'il avait cru qu'elle plaisantait en parlant de lui offrir une usine de pendules.) C'est pas un peu cher ?

– Si c'est possible, je préférerais louer. Mais s'il le faut, on l'achètera. Il semble qu'il y ait deux ou trois possibilités en orbite autour de Barrayar et de Komarr.

– Mais... comment ?

Même les Vorkosigan ne pouvaient pas s'offrir un navire de saut avec leur argent de poche.

– Je peux hypothéquer quelque chose, dit assez vaguement la comtesse avec un regard autour d'elle.

– On a inventé les synthétiques, vous savez, pas question de mettre au clou les bijoux de famille. (Il comprit enfin son regard.) Pas la résidence Vorkosigan !

– Non, elle ne peut pas servir de gage. Pas plus que la résidence de district à Hassadar. Mais je peux engager Vorkosigan Surleau sur ma simple parole.

Le cœur du royaume. Oh, merde...

Elle remarqua son désarroi.

– C'est très bien toutes ces demeures avec leur grande histoire, se plaignit-elle, mais ce n'est pas ça qui fait marcher les affaires. De toute manière, les finances ça me regarde. Tu as d'autres problèmes.

– Un équipage ? fut la première pensée qui lui vint à l'esprit et qui sortit de sa bouche.

– Avec le navire, tu auras au minimum un pilote

de saut et un ingénieur. Quant au reste, il y a tous ces Dendariis oisifs qui tournent en orbite autour de Komarr. Tu devrais pouvoir trouver un ou deux volontaires parmi eux. Je ne vois pas comment ils pourraient ramener l'*Ariel* dans l'espace local jacksonien.

– Illyan essaiera-t-il de me retenir ? s'enquit Mark, anxieux.

– S'il n'y avait pas Aral, j'irais moi-même, dit la comtesse. Et, crois-moi, Illyan ne m'arrêterait pas. Tu es mon délégué. Je m'occuperai de la SecImp.

Mark était prêt à le parier.

– Les Dendariis auxquels je pense sont hautement motivés mais... j'envisage quelques difficultés. Ils ne m'obéiront pas de gaieté de cœur. Qui commandera cette petite expédition privée ?

– C'est une règle d'or, mon garçon. Celui qui paie dicte les règles. Le navire sera le tien. Le choix de tes compagnons sera le tien. S'ils veulent faire la balade, ils devront coopérer.

– Ça ne durera que jusqu'au premier saut. Après, Quinn m'enfermera dans un placard.

La comtesse pouffa malgré elle.

– Humm, tu n'as pas tort. (Elle s'enfonça sur sa chaise, croisa les doigts et ses yeux se fermèrent une minute ou deux. Elle les rouvrit soudain.) Elena, dit-elle, veux-tu prêter serment à lord Vorkosigan ?

Ses doigts en éventail, elle désignait négligemment Mark.

– J'ai déjà prêté serment d'allégeance à lord Vorkosigan, répliqua Elena avec raideur.

Elle voulait dire *Miles*.

Les yeux gris se transformèrent en silex.

– La mort annule tous les vœux. (Le silex étincela.) Le système vor n'a jamais très bien su se débrouiller avec les technologies galactiques. Tu sais, je crois qu'ils n'ont jamais pensé à énoncer une règle à propos des vassaux liés à un seigneur en cryo-stase. A quoi lui sert ta parole s'il ne peut l'entendre ? Nous allons simplement établir un précédent.

Elena marcha jusqu'à la fenêtre pour regarder

dehors. Elle ne voyait rien sinon les lumières de la pièce se réfléchissant sur le verre. Enfin, elle se retourna d'un mouvement décidé et vint poser les deux genoux en terre devant Mark. Elle leva les deux mains, paume contre paume. Automatiquement, Mark les serra dans les siennes.

– Mon seigneur, dit-elle, je m'engage à vous obéir en tant que femme-lige.

– Hum... fit Mark. Hum... je crois qu'il me faut plus que cela. Essayez ça : « Moi, Elena Bothari-Jesek, je certifie être une femme libre du district Vorkosigan. Je me voue désormais au service de lord Mark Pierre Vorkosigan en tant qu'homme – femme ? – d'armes et je le reconnais comme mon seigneur jusqu'à ce que ma mort ou sa parole me délivre. »

Choquée, Bothari-Jesek leva les yeux vers lui. Elle n'eut pas besoin de trop les lever, à vrai dire.

– Vous ne pouvez pas me faire ça ! Hein ? ajouta-t-elle en prenant la comtesse à témoin.

Celle-ci observait la scène avec le plus vif intérêt.

– Eh bien, il n'existe pas de loi disant que l'héritier d'un comte ne peut pas prendre une femme pour homme d'armes. Ça n'a jamais été fait, c'est tout. Tu sais bien... la *tradition*.

Elena et la comtesse échangèrent un long regard. Hésitante, comme à moitié hypnotisée, Elena répéta le serment.

Mark répondit :

– Moi, seigneur Mark Pierre Vorkosigan, vassal de l'empereur Gregor Vorbarra, accepte ton serment et te voue désormais la protection de ton suzerain. Telle est ma parole de Vorkosigan. (Il observa une pause.) En fait, annonça-t-il à la comtesse, je n'ai pas encore prêté serment à Gregor. Cela invalide-t-il nos vœux ?

– Détails, dit la comtesse en agitant les doigts. Tu t'occuperas des détails plus tard.

Bothari-Jesek se redressa. Elle le dévisagea comme une femme qui se réveille dans un lit avec une gueule de bois et un inconnu à ses côtés. Elle se frotta le dos des mains, là où il l'avait touchée.

Le pouvoir. Cette petite comédie lui donnait-elle réellement un pouvoir de Vor ? Elle lui en donnait autant que Bothari-Jesek avait envie de lui en accorder, se dit Mark en détaillant sa silhouette athlétique et ses traits perspicaces. Pas de danger qu'elle le laisse abuser de son nouveau statut. Il eut la délicieuse impression de voir l'incertitude abandonner le regard de la jeune femme pour être remplacée par une sorte de plaisir réprimé. *Oui. J'ai bien joué.* Quant à la comtesse, il n'avait pas à s'interroger à son sujet, elle souriait ouvertement à son fils subversif.

– Bon, reprit celle-ci, voyons si on peut faire vite. Quand pouvez-vous partir ?

– Immédiatement, dit Bothari-Jesek.

– Dès que vous l'ordonnerez, madame, dit Mark. Je sens... mais ça n'a rien de psychique, vous comprenez. Ça n'a même rien d'un pressentiment. Il ne s'agit que de logique. Mais je pense sincèrement que le temps ne joue pas en notre faveur.

– Comment cela ? demanda Bothari-Jesek. Il n'y a rien de plus statique que la cryo-stase. Nous sommes fous d'incertitude, c'est vrai, mais c'est notre problème. Miles ne s'inquiète pas du temps qui passe.

Mark secoua la tête.

– Si Miles était tombé entre des mains amies ou même neutres, ils auraient maintenant répondu aux rumeurs de rançons sans chercher à le réveiller. Mais si... quelqu'un d'autre... voulait le ressusciter, il y aurait d'abord des preps à faire. Nous sommes tous conscients, particulièrement en ce moment, du temps nécessaire pour faire pousser des organes.

La comtesse hocha la tête d'un air lugubre.

– Si, où que soit Miles, continua Mark, ils s'y sont mis peu de temps après l'avoir reçu, ils doivent être sur le point de tenter une réanimation maintenant.

– Ils risquent de la saboter, fit la comtesse. Ils risquent de ne pas être assez soigneux.

Ses doigts martelaient la console.

– Je ne vous suis pas, objecta Bothari-Jesek. Pourquoi un ennemi prendrait-il la peine de le ressusciter ? Quel sort est pire que la mort ?

– Je ne sais pas, soupira Mark.

Mais s'il y en a un, on peut faire confiance aux Jacksoniens : ils le trouveront.

19

Avec le souffle vint la douleur.

Il était dans un lit d'hôpital. Cela, au moins, il le sut avant d'ouvrir les yeux, à cause de l'inconfort, de la fraîcheur et de l'odeur. Il n'avait pas trop de doutes là-dessus. L'impression était familière. Et déplaisante. Il cligna des paupières pour s'apercevoir que ses yeux étaient recouverts de gaze médicale. Une sorte de film, de pellicule odorante, translucide et collante. C'était comme d'essayer de voir à travers un panneau de verre couvert de graisse. Il cligna encore et parvint à avoir une vision limitée. Puis il dut arrêter et reprendre son souffle après ce terrible effort.

Il y avait quelque chose qui n'allait absolument pas avec sa respiration : ce halètement laborieux qui ne lui donnait pas assez d'air. Et ça sifflait. Le sifflement provenait d'un tube en plastique dans sa gorge, comprit-il, en essayant de déglutir. Ses lèvres étaient sèches et craquelées : le tube qui lui bloquait la bouche l'empêchait de les humecter. Il essaya de bouger. Des centaines de points douloureux se réveillèrent dans son corps, le brûlant jusqu'aux os. Il avait des tuyaux dans les bras. Dans les oreilles. Et le nez.

Il y en avait beaucoup trop de ces maudits tubes. C'était mauvais signe, se dit-il sans savoir d'où lui venait cette impression. Dans un effort héroïque, il tenta de lever la tête pour voir son propre corps. Le tube dans sa gorge bougea douloureusement.

La rangée des côtes. Le ventre maigre et creux. Des traces rouges qui se promenaient partout sur sa poitrine, comme si une araignée aux longues pattes était tapie juste sous sa peau, sur le sternum. De la colle chirurgicale recouvrait de multiples incisions faites en tous sens. Des cicatrices écarlates dessinaient la carte d'un delta fluvial. Il était couvert de senseurs. D'autres tuyaux jaillissaient d'orifices qui n'auraient pas dû être là. Il eut une brève vision de ses organes génitaux : un machin décoloré et avachi. Là aussi, il y avait un tube. Une douleur là-bas aurait été subtilement rassurante mais il ne sentait rien, rien du tout. Il ne sentait pas ses jambes ni ses pieds même s'il les voyait. Tout son corps était recouvert de cette gaze collante. Sa peau pelait par vilaines plaques pâles coincées dans ce truc. Sa tête retomba sur un coussin et des nuages noirs brouillèrent sa vue. *Trop de tuyaux. Mauvais...*

Il flottait dans une mélasse de fragments de rêves et de douleur quand la femme arriva.

Elle envahit sa vision brouillée.

– On va enlever le régulateur, maintenant.

Sa voix était claire et basse. Les tubes de ses oreilles avaient disparu, à moins qu'il ne les eût rêvés.

– Votre nouveau cœur va battre et vos poumons vont fonctionner tout seuls.

Elle se pencha sur sa poitrine douloureuse. Jolie femme, dans le genre intellectuelle élégante. Il était désolé de n'être habillé que de colle, devant elle, même s'il lui semblait qu'il s'était déjà débrouillé avec moins que ça. Il ne se souvenait ni où ni comment. Elle fit quelque chose à l'araignée. Il vit sa peau se séparer à partir d'une mince fente rouge puis être à nouveau scellée. On aurait dit qu'elle lui enlevait le cœur telle une antique prêtresse accomplissant un sacrifice. Ce ne devait pas être ça car sa laborieuse respiration ne s'arrêtait pas. Mais elle lui avait sûrement enlevé quelque chose car elle posa ce quelque chose sur un plateau tenu par son assistant.

– Voilà.

Elle l'observait attentivement.

Il l'observa en retour, essayant de chasser à coups de paupières les distorsions dues à la gaze. Elle avait des cheveux raides, d'un noir soyeux, noués en un chignon négligé à l'arrière du crâne. De fines mèches volaient autour de son visage. Une peau dorée. Des yeux marron et lourds à peine bridés. Des cils noirs. Le nez était délicatement arqué. Un visage plaisant, original, qui n'avait pas été artificiellement altéré pour lui donner une beauté mathématique. Un visage rendu plus vivant encore par la tension qui l'habitait. Pas un visage vide. Quelqu'un d'intéressant se trouvait là-dedans. Mais, hélas, pas quelqu'un qu'il connaissait.

Grande, mince, elle portait une blouse vert pâle sur ses autres vêtements. « Doc-teur. » C'était une bonne tentative mais ce fut un gargouillis informe qui sortit autour du tuyau qu'il avait dans la bouche.

— Je vais vous enlever ce tube maintenant, lui dit-elle.

Elle arracha quelque chose qui lui collait les joues et les lèvres... de la gaze ? De nouvelles peaux mortes vinrent avec. Gentiment, elle retira le tube de la gorge. Il s'étrangla. C'était comme si on lui tirait un serpent de l'œsophage. Il faillit perdre conscience. Il avait encore un autre tuyau dans le nez. De l'oxygène ?

Il bougea la mâchoire et déglutit pour la première fois depuis... depuis... Sa langue était épaisse et enflée. Sa poitrine lui faisait un mal atroce. Mais la salive afflua. Sa bouche sèche se réhydrata. Personne n'appréciait la salive à sa juste valeur. Il fallait en être privé pour comprendre. Son cœur battait vite et faiblement comme des ailes de mouche. Cette sensation lui parut inquiétante mais, au moins, il sentait quelque chose.

— Comment vous appelez-vous ? lui demanda-t-elle.

La terreur subliminale qu'il avait scrupuleusement ignorée jusque-là lui griffa le cou. Paniqué, il respira encore plus vite. Malgré l'oxygène, il ne recevait pas assez d'air. Et il ne pouvait pas répondre à cette question.

– Aah, murmura-t-il. Ag...

Il ne savait pas qui il était, ni comment il avait hérité de toutes ces étranges douleurs. Cette ignorance le terrifiait davantage que la souffrance.

Le jeune homme en veste médicale bleu pâle ricana.

– Je crois que je vais gagner mon pari. Ce type a été coagulé jusqu'aux yeux. Il n'a plus rien qui fonctionne là-dedans.

Il se tapa le front.

Agacée, la jeune femme fronça les sourcils.

– Les patients ne sortent pas de cryo-stase comme un repas du micro-ondes. Il leur faut une convalescence, exactement comme si leurs blessures ne les avaient pas tués, et même plus longue que cela. Je ne pourrai pas évaluer l'état de ses fonctions supérieures avant un jour ou deux.

Elle n'en sortit pas moins quelque chose de pointu et brillant de sa poche dont elle se servit pour le toucher ici et là tout en consultant un moniteur situé au-dessus de sa tête. Sa main droite se dressa quand elle l'effleura. Elle sourit. *Ouais, et quand ma bite se dressera dans une main, je rigolerai moi aussi*, pensa-t-il, pris de vertige.

Il aurait voulu parler. Il voulait dire à ce type en bleu de faire un saut en enfer et d'y emporter son pari avec lui. Tout cela se rassembla dans sa bouche dans un sifflement creux. Il trembla de dépit. Il devait fonctionner... ou mourir. Cela, il en était certain. *Sois le meilleur ou sois détruit*.

D'où lui venait cette certitude, il n'en savait rien. Qui allait le tuer ? Il ne savait pas. *Eux*, des gens sans visage. Pas le temps de se reposer. *Marche ou crève*.

Le duo médical s'en fut. Poussé par une peur obscure, il essaya de faire des exercices, de la gymnastique dans son lit. Seule sa main droite bougeait. Alerté par son agitation transmise sur son moniteur, le jeune assistant revint et lui administra un sédatif. Quand l'obscurité se referma à nouveau sur lui, il eut envie de hurler. Après cela, il eut de très vilains rêves. Le pire étant qu'à son réveil, il ne se rappelait pas leur contenu mais seulement qu'ils étaient atroces.

Une éternité plus tard, le docteur revint le nourrir. Ou quelque chose comme ça.

Elle toucha un contrôle pour hausser la tête de son lit et annonça sur le ton de la conversation :

– Si on essayait votre nouvel estomac, mon ami ?

Son ami ? L'était-il ? Il avait bien besoin d'un ami, c'était une certitude.

– Soixante millilitres de solution glucosée... de l'eau sucrée. Le premier repas de votre vie, pour ainsi dire. Je me demande si vous avez déjà assez de contrôle musculaire pour boire à la paille.

Il l'avait. Dès qu'elle eut fait monter quelques gouttes de liquide pour amorcer le processus. Sucer, avaler, il ne fallait pas trop de muscles pour ça. Sauf qu'il fut incapable de tout boire.

– Ça ira, chuchota-t-elle. Votre estomac n'a pas encore assez poussé. Et votre cœur et vos poumons non plus. Lilly était pressée de vous réveiller. Tous vos organes remplacés sont un peu trop jeunes, trop petits pour votre corps. Ce qui signifie qu'ils travaillent plus qu'ils ne devraient et qu'ils ne pousseront pas aussi vite que dans une cuve. Vous allez être essoufflé pendant un moment. D'un autre côté, ça les rendait plus faciles à installer. J'avais un peu plus de place pour travailler... j'ai apprécié.

Il n'était pas tout à fait sûr qu'elle s'adressait à lui. Peut-être se parlait-elle à elle-même comme une personne seule le ferait avec son chat ou son chien. Elle lui enleva le gobelet et revint quelques secondes plus tard avec une bassine, des éponges et des serviettes pour le laver. Systématiquement. Pourquoi une chirurgienne effectuait-elle la tâche d'une infirmière ? DR. R. DURONA, annonçait le nom sur sa poche de poitrine. Mais elle semblait procéder à une sorte d'examen neurophysiologique en même temps. Pour vérifier le travail ?

– Vous êtes un drôle de petit mystère, vous savez ?

Je vous ai reçu un beau jour dans une caisse. Raven dit que vous êtes trop petit pour un soldat mais j'ai extirpé assez de morceaux de tenue de camouflage, de filaments d'écran anti-brise-nerfs, sans parler des quarante-six fragments de grenade pour conclure de façon assez certaine que vous ne faisiez pas que passer dans le coin. Quoi que vous soyez, cette grenade vous était destinée. Elle portait votre nom. Malheureusement, il n'est pas écrit sur les fragments. (Elle soupira à moitié pour elle-même.) Qui *êtes*-vous ?

Elle n'attendait pas de réponse, ce qui était aussi bien. L'effort consenti pour avaler l'eau sucrée l'avait épuisé. Une autre question tout aussi pertinente était : Où était-il ? Et il enrageait qu'elle – qui avait sûrement la réponse – ne pensait même pas à le lui dire. La chambre, sans fenêtre, faisait partie d'un complexe médical sophistiqué et anonyme. Sur une planète, pas sur un navire.

Comment je suis ça ? Dans son esprit, la vague image d'un navire s'émietta quand il voulut la contempler. *Quel navire ?* Et quelle planète ?

Il devrait y avoir une fenêtre. Une grande fenêtre par où on verrait une ville blottie sous la brume avec une rivière torrentueuse qui la traversait. Et des gens. Des tas de gens auraient dû être ici. Des gens qui avaient le droit d'être présents. Mais, il n'avait aucune image d'eux. Ce mélange de familiarité avec les lieux médicaux et d'étrangeté avec lui-même lui nouait le ventre.

Les linges de nettoyage étaient glacés, irritants mais il était heureux d'être enfin débarrassé de la gaze, sans parler des croûtes dégoûtantes qui s'arrachaient avec. Il avait l'impression d'être un lézard. Il faisait sa mue. Quand elle eut terminé, tous les flocons blancs et secs, toutes les croûtes avaient disparu. Sa nouvelle peau était très rouge, à vif.

Elle lui étala de la crème dépilatoire sur le visage. C'était bien inutile et ça piquait foutrement. Il décida qu'il aimait ces piqûres. Il commençait à se détendre et à apprécier ses soins, aussi intimes et embarrassants qu'ils fussent. Elle lui rendait au moins la dignité d'être propre et elle n'avait rien d'une ennemie. Une espèce d'alliée, au moins à un niveau somatique. Elle débarrassa son visage de la crème, de sa barbe et d'une bonne dose de peau. Et elle le coiffa. Malheureusement, comme sa peau, ses cheveux avaient tendance à tomber par plaques alarmantes.

– Voilà, fit-elle, apparemment satisfaite. (Elle lui tint un grand miroir devant le nez.) Vous reconnaissez quelqu'un ?

Il était conscient qu'elle l'observait attentivement. Très attentivement.

C'est moi, ça ? Bon... va falloir que je m'y habitue. Ça devrait être possible. La peau comme une toile orange tendue sur les os. Le nez proéminent, le menton aigu... les yeux gris semblaient bizarrement abrutis, leur blanc d'un beau carmin. Les cheveux noirs poussaient par touffes éparses comme chez un galeux. Il avait vraiment espéré quelque chose d'un peu moins déprimant.

Il essaya de parler, de demander. Sa bouche bougea mais, comme ses pensées, ne parvint pas à trouver sa cohérence. Il cracha de l'air et de la bave. Il ne pouvait même pas jurer ce qui lui en donnait encore plus envie. Tout cela ne tarda pas à dégénérer en gargouillis furibond. Elle enleva en hâte le miroir et l'examina avec inquiétude.

– En voyant votre cryo-chambre, Lilly a dit que c'était la boîte de Pandore, murmura-t-elle. Mais moi, je la voyais plus comme le cercueil de cristal magique d'un chevalier. Si seulement, un baiser suffisait à vous réveiller.

Elle se pencha, les yeux mi-clos, les cils papillonnant et posa les lèvres sur les siennes. Il resta très tranquille, mi-satisfait, mi-paniqué. Elle se redressa, l'observa encore un moment et soupira.

– Je ne croyais pas vraiment que ça marcherait. Peut-être que je ne suis pas la bonne princesse.

Vous avez un goût étrange en ce qui concerne les hommes, madame. J'ai de la chance...

Eprouvant un réel espoir pour la première fois depuis qu'il avait repris conscience, il la laissa partir sans rien tenter. Elle reviendrait sûrement. Cette fois-ci, un sommeil naturel le saisit. Il n'en fut pas particulièrement ravi – *et si je mourais avant de me réveiller ?* – mais son corps en avait besoin et ça effaçait la douleur.

Lentement, il gagna le contrôle de son bras gauche. Puis, il obligea sa jambe droite à se tordre. Sa belle dame revint lui faire avaler un peu d'eau sucrée mais il n'y eut pas de doux baiser au dessert. Il réussit à faire bouger sa jambe gauche et elle revint. Mais, cette fois ci, quelque chose d'horrible s'était passé.

Le Dr. Durona avait vieilli de dix ans et était devenue très froide. Glacée. Ses cheveux, séparés par une raie au milieu du crâne, étaient coupés à hauteur des mâchoires. Des mèches d'argent brillaient dans l'ébène. Ses mains, tandis qu'elle l'aidait à s'asseoir, étaient plus sèches, plus froides, plus sévères. Pas caressantes du tout.

Je suis passé dans un trou du temps. Non. J'ai été à nouveau congelé. Non. Je mets trop longtemps à guérir et elle en a marre que je la fasse attendre. Non... La confusion régnait en lui. Il venait de perdre la seule amie qu'il avait et il ne savait pas pourquoi. *J'ai détruit notre joie...*

Elle lui massa les jambes, très professionnellement, lui fournit une chemise de malade et l'obligea à se mettre debout. Il faillit s'évanouir. Elle le remit au lit et s'en fut.

Quand elle revint la fois suivante, elle avait encore changé de coiffure. Cette fois, elle avait les cheveux longs, serrés dans une bague derrière la nuque. La queue de cheval s'arrêtait net entre les omoplates et les mèches d'argent étaient plus épaisses. Elle avait pris encore dix ans, il l'aurait juré. *Qu'est-ce qui m'arrive ?* Ses manières s'étaient un peu radoucies mais pas autant qu'au début. Elle le fit marcher à travers la chambre, un aller-retour qui l'épuisa complètement. Après quoi, il dormit à nouveau.

Il fut profondément déprimé de la voir revenir dans son incarnation froide, aux cheveux courts. Il devait l'admettre : elle était efficace, elle savait le mettre debout et le faire bouger. Elle lui aboyait dessus comme un sergent instructeur mais, avec son aide, il marchait. Puis il marcha sans assistance. Pour la première fois, elle l'entraîna hors de la chambre, dans un petit couloir qui se terminait par une porte coulissante. Arrivés là, ils firent demi-tour.

Ils entamaient un nouveau circuit quand cette porte glissa et laissa passer le Dr. Durona. Celle à la queue de cheval. Il se tourna vers le Dr. Durona aux cheveux courts derrière lui et eut envie de pleurer. *C'est pas juste. Vous faites tout pour que j'y comprenne rien.* Le Dr. Durona rejoignit le Dr. Durona. Il cligna des yeux pour chasser ses larmes et se concentra sur l'étiquette sur leur poitrine. Cheveux-courts était le Dr. C. Durona. Queue-de-cheval, le Dr. P. Durona. *Mais où est mon Dr. Durona ? Je veux le Dr. R.*

– Salut, Chrys, comment se débrouille-t-il ? demanda Dr. P.

– Pas trop mal, répondit Dr. C. Je viens de lui imposer une bonne petite séance.

– C'est ce que je vois...

Dr. P. se précipita pour l'aider à le rattraper au moment où il s'effondrait. Il était incapable d'obliger sa bouche à former des mots : ils sortaient en hoquets étranglés.

– Tu en as peut-être fait un peu trop, non ? reprit Dr. P.

– Pas du tout, dit Dr. C. qui le soutenait de l'autre côté. (Ensemble, elles le ramenèrent dans son lit.) Mais il semble bien que la guérison mentale suivra la guérison physique chez celui-là. Ce qui n'est pas bon. La situation est tendue. Lilly s'impatiente. Il faudrait qu'il recommence à fonctionner assez vite ou il ne nous sera d'aucune utilité.

– Lilly n'est jamais impatiente, dit Dr. P. sur un ton de reproche.

– Elle l'est cette fois-ci, maugréa Dr. C.

– Tu crois que la guérison mentale va vraiment avoir lieu ?

Elle l'aidait à le recoucher.

– Impossible de savoir. Rowan nous a garanti que physiquement tout irait bien... Incroyable, le travail qu'elle a réalisé. Par ailleurs, il y a plein d'activité électrique dans son cerveau. Ça doit vouloir dire qu'il y a quelque chose qui est en train de guérir.

– Oui, mais ça va pas guérir en une seconde, fit une voix chaude et amusée depuis le couloir. Qu'est-ce que vous faites toutes les deux à mon pauvre patient ?

C'était le Dr. Durona. Encore. Ses longs cheveux noirs comme l'ébène – pas un seul fil blanc – étaient rassemblés dans un chignon sommaire. Il guetta avec inquiétude son nom sur sa poitrine tandis qu'elle approchait en souriant. *Dr. R. Durona. Son* Dr. Durona. Il geignit de soulagement. Il n'aurait pas supporté de voir arriver un quatrième Dr. Durona. Cette confusion était pire que la douleur physique. Ses nerfs semblaient plus atteints que son corps. C'était comme d'être dans un de ses rêves, sauf que ses rêves étaient bien plus désagréables, avec des flots de sang et des membres arrachés, tandis que là, il était tranquillement allongé dans une pièce où la même femme en trois exemplaires discutait de son cas.

– De la physiothérapie, dit Dr. C. Autrement dit, de la torture.

Voilà qui expliquait tout...

– Reviens le torturer plus tard, l'invita Dr. R. Mais... gentiment.

– Je peux le pousser un peu ? (Le Dr. C. avait soudain retrouvé tout son sérieux. La tête penchée, le regard intense, elle prenait des notes sur son tableau portable.) Tu sais, en haut, on commence à être un peu pressé.

– Je sais. Pas plus d'une séance toutes les quatre

heures tant que je ne te l'aurai pas signalé. Et son rythme cardiaque ne doit pas dépasser cent quarante.

– Tant que ça ?

– Inévitable conséquence du fait qu'il est trop petit.

– C'est toi qui décides, chérie.

Le Dr. C. referma son tableau, le tendit au Dr. R. et sortit. Le Dr. P. la suivit.

Son Dr. Durona, Dr. R., se glissa à ses côtés, sourit et lui enleva une mèche de l'œil.

– Bientôt, vous aurez besoin d'une coupe de cheveux. Et ça commence à repousser là où vous les avez perdus. C'est très bon signe. Avec tout ce qui se passe autour de vous, je pense qu'il doit se passer quelque chose en vous, non ?

Oui, des spasmes hystériques... Une larme qui traînait au coin de ses paupières depuis son accès de terreur un peu plus tôt se mit à couler. Elle la toucha.

– Oh, murmura-t-elle avec une inquiétude qu'il trouva soudain embarrassante.

Je ne suis pas... Je ne suis pas... Je ne suis pas un mutant. Quoi ?

Elle se pencha plus près.

– Comment vous appelez-vous ?

Il essaya.

– Whzz... d'buh... (Sa langue ne lui obéissait pas. Il connaissait les mots mais il n'arrivait pas à les faire sortir.)... Zpp'lé... veu ?

Elle se réjouit.

– Vous me répétez ? C'est un début...

– Ngh ! *Veu...* veu !

Il toucha la poche de sa poitrine, espérant qu'elle ne s'imaginerait pas qu'il tentait de la peloter.

– Quoi ? (Elle baissa les yeux.) Vous me demandez *mon* nom ?

– Gh ! Gh !

– Je suis le Dr. Durona.

Il gémit et roula des yeux.

– Je m'appelle Rowan.

Il retomba sur l'oreiller, haletant de soulagement. *Rowan.* Joli nom. Il voulait lui dire que c'était un joli nom. Et si elles s'appelaient toutes Rowan ? Non, le sergent-major se nommait Chrys. Tout allait bien. Il pouvait séparer son Dr. Durona du troupeau en cas de besoin. Elle était unique. D'une main fébrile, il toucha les lèvres de Rowan puis les siennes mais elle ne saisit pas l'allusion et ne l'embrassa pas.

A regret et parce qu'il n'avait pas la force de la retenir, il lâcha sa main. Peut-être avait-il rêvé ce baiser. Peut-être était-il en train de rêver tout ceci.

Après son départ, un long moment incertain passa mais, pour une fois, il ne s'endormit pas. Il gisait éveillé, surnageant dans un flot de pensées inquiétantes et déconnectées. Il rencontrait parfois d'étranges épaves mentales, une image ici, ce qui aurait pu être un souvenir là, mais dès que son attention se fixait pour les examiner, le flot de pensées se pétrifiait et la panique le submergeait à nouveau. Bon, c'était comme ça. Il pouvait s'y prendre autrement, étudier son esprit indirectement. Observer ce qu'il savait et jouer le détective à la recherche de sa propre identité. *Si tu ne peux pas faire ce que tu veux, fais ce que tu peux.* Et s'il ne pouvait répondre à cette question : qui était-il ? Il pouvait au moins enquêter sur cette autre : *où* était-il ? Ses capteurs avaient disparu. Il n'était plus suivi sur un moniteur.

Il régnait un silence total. Il se glissa hors du lit et navigua jusqu'à la porte qui s'ouvrit automatiquement. Le petit couloir était faiblement éclairé : c'étaient les heures de nuit.

En plus de la sienne, il y avait quatre autres chambres dans le couloir. Aucune n'avait de fenêtre. Ni d'autres patients. Un petit bureau de surveillance était vide... non. Une tasse fumante était posée à côté du plateau de la console allumée. Quelqu'un allait revenir bientôt. Il fila en vitesse vers l'unique porte de sortie au bout du couloir. Elle s'ouvrit automatiquement.

Un autre petit couloir. Deux blocs chirurgicaux bien équipés. Les deux éteints, propres et silencieux.

Toujours pas de fenêtre. Deux pièces de rangement, l'une verrouillée, l'autre pas. Elle était bourrée d'équipement bio-médical, bien plus qu'il n'en était nécessaire pour une simple clinique de soins. L'endroit donnait plutôt l'impression d'un centre de recherche.

Comment je le sais... ? Non. Ne te demande rien. Continue, c'est tout. Un tube ascensionnel lui faisait signe au bout du couloir. Le simple fait de respirer lui faisait mal mais il devait saisir sa chance. *Vas-y, vas-y, vas-y.*

Où qu'il fût, il était tout en bas. Le plancher du tube était sous ses pieds. L'obscurité du tube était brisée plus haut par des signaux indiquant C-3, C-2, C-1. Le tube était débranché. Il réfléchit. Il pouvait le rebrancher et risquer d'allumer un signal sur un panneau de sécurité quelque part (comment savait-il une chose pareille ?) ou bien il pouvait le laisser éteint et grimper à l'échelle de sécurité. Il essaya le premier barreau de l'échelle. Sa vision s'obscurcit. Il reposa prudemment le pied à terre et brancha le tube.

Il s'éleva doucement jusqu'au niveau C-1 et sortit. Un petit hall avec une seule porte, solide et neutre. Elle s'ouvrit devant lui et se referma derrière lui. Décidément, les portes étaient bien obligeantes ici. Il examina ce qui devait être une pièce de stockage des poubelles et se retourna. Sa porte avait disparu.

Il lui fallut une bonne minute de terreur et d'examen pour se convaincre que sa cervelle éprouvée ne lui jouait pas un tour. La porte se fondait parfaitement dans le mur. Et il venait de s'enfermer dehors. Il la tâtonna frénétiquement mais elle refusa de se rouvrir. Sous ses pieds nus, le sol de béton était gelé. La tête lui tournait et il se sentait horriblement fatigué. Il voulait retourner au lit.

Tu veux y retourner juste parce tu ne peux pas y retourner. Pervers. Continue, s'ordonna-t-il. En se soutenant ici et là, il atteignit l'autre porte de la salle. Celle-là aussi se verrouillait de l'extérieur comme il le découvrit à son grand regret quand elle se scella derrière lui. *Continue.*

Il se trouvait dans un autre petit hall avec un autre tube de montée. Ici aussi, il se trouvait au bout de la ligne : –2. Au-dessus, il y avait –1, 0, 1, 2 et ainsi de suite. Il monta au point 0. Le rez-de-chaussée ? Oui. Il sortit dans un hall obscur.

L'endroit était net, élégamment meublé mais à la manière d'un bureau et non d'une maison. Il y avait des plantes en pot et un bureau de réception ou de sécurité. Personne. Pas de signalisation. Mais il y avait des fenêtres et des portes transparentes. Enfin. Le verre réfléchissait les faibles lueurs de l'intérieur. Dehors, il faisait nuit. Il se pencha vers la comconsole. Gagné. Enfin un endroit où s'asseoir, où trouver des renseignements en abondance. Merde, c'était un modèle à paume et elle n'acceptait pas la sienne. Elle ne s'allumait même pas. Il y avait des façons de trafiquer une console à paume (comment le savait-il...). Des visions fragmentaires jaillirent dans sa tête comme des flashes. Il eut à nouveau envie de pleurer. Tant d'efforts pour rien. Il resta assis là, sa tête trop lourde dans ses bras posés sur le plateau de la console récalcitrante.

Il frissonna. *Dieu, je déteste le froid*. Il tangua jusqu'à la porte de verre. Dehors, il neigeait. Sous un arc de lumière, de petits flocons brillants étaient fouettés par le vent. Sur la peau nue, ils seraient durs et piquants. L'étrange vision d'une douzaine d'hommes nus debout frissonnant au beau milieu de la nuit dans le blizzard lui traversa l'esprit. Mais il ne put rattacher cette scène à aucun nom, ni à aucun lieu, seulement à une sensation de désastre. Etait-ce ainsi qu'il était mort, gelé dans la neige et le vent ? Récemment ? Près d'ici ?

J'étais mort. C'était la première fois qu'il s'en rendait compte. Une onde de choc le traversa de part en part. A travers le fin tissu de sa blouse, il suivit le tracé des cicatrices sur son torse. *Et, en plus, je suis pas vraiment en pleine forme*. Il gloussa, ce qui produisit un bruit grinçant et déplaisant même à ses propres oreilles. Il n'avait pas dû avoir le temps de pren-

dre peur avant car un accès de terreur rétroactive lui
scia les genoux. Il se retrouva bientôt à quatre pattes.
Mais il faisait trop froid, il tremblait trop. Il se mit à
ramper.

Il avait dû déclencher un capteur quelconque car
la porte transparente s'ouvrit en glissant. Oh non, il
n'allait pas commettre la même erreur deux fois. Pas
question de se laisser exiler dans les ténèbres du
dehors. Il rampa à reculons. Sa vision s'obscurcit et,
d'une façon ou d'une autre, il se retourna. Le béton
glacé au lieu du doux dallage sous sa main le prévint
de son erreur. Il eut la sensation que quelque chose
lui saisissait la tête. Un vilain bourdonnement retentit. Violemment repoussé, il sentit une odeur de cheveux cramés. Des motifs fluorescents dansèrent sur
sa rétine. Il essaya de reculer mais s'effondra au travers de la porte, la tête dans une flaque d'eau gelée.
Non, bon Dieu, non. Je ne veux pas être recongelé !
Dans un réflexe désespéré, il se replia sur lui-même.

Des voix. Des cris d'alarme. Des pas, des mots inco-
hérents, des mains chaudes – oh, si chaudes ! – qui
l'écartaient du maudit portail. Deux voix de femmes
et celle d'un homme.

– Comment est-il arrivé ici ?

– Il n'aurait pas dû sortir...

– Appelle Rowan. Réveille-la...

– Il a une mine épouvantable...

– Non (on le tira par les cheveux pour lui mettre
le visage à la lumière), il a toujours cette tête-là. On
ne peut rien dire...

Celui qui le maintenait se pencha. Inquiet et dur,
il s'agissait de l'assistant de Rowan, le jeune homme
qui lui avait administré les sédatifs. C'était un type
mince aux traits eurasiens et sa veste bleue annonçait,
de façon grotesque : *R. Durona*. Pas de *Dr.*, cette
fois-ci. *Alors, appelle-le... Frère Durona*. Frère Durona
parlait.

– ... dangereux. C'est incroyable qu'il ait pu déjouer
notre système de sécurité dans son état.

– Pa... s'c'rté. (Des mots ! Sa bouche fabriquait des

mots !) S'tie d'ss'cou. (Il prit le temps de réfléchir avant d'ajouter :) Con.

Complètement ahuri, le jeune homme sursauta.

– C'est à moi que tu parles, nabot ?

– Il parle !

Son Dr. Durona apparut au-dessus des autres. Elle était tout excitée et il la reconnut même sans son chignon, même si ses cheveux tombaient librement autour de son visage comme un nuage noir. *Rowan, mon amour.*

– Raven, qu'a-t-il dit ?

Le front du jeune homme se plissa.

– Je jurerais qu'il a dit « sortie de secours ». Des conneries, quoi.

Rowan sourit sauvagement.

– Raven, pour *entrer* dans les labos ou dans chaque pièce protégée, il faut faire un code. Pas pour en *sortir*. Ce serait trop dangereux en cas d'incendie ou d'accident chimique ou... tu te rends compte de ce que ça signifie ? Du niveau de compréhension nécessaire ?

– Non, dit froidement Raven.

Ce *con* avait dû prodigieusement le vexer, surtout si on considérait qui l'avait prononcé... il sourit aux visages penchés sur lui et au plafond qui s'agitait derrière eux.

Une voix d'alto, plus âgée, retentit sur la gauche. Celle-ci donna des ordres, dissipa la foule.

– Si vous ne servez à rien ici, retournez vous coucher.

Un Dr. Durona dont les cheveux courts étaient d'un blanc presque pur apparut dans son champ de vision. La voix d'alto était la sienne car elle reprit :

– Rowan, mon cœur, il a failli s'échapper alors qu'il peut à peine marcher !

– Il n'est pas allé bien loin, dit Frère Raven. Même s'il était parvenu, d'une manière ou d'une autre, à franchir le champ de force, il aurait gelé à mort en moins de vingt minutes là dehors avec un froid pareil.

– Comment est-il sorti ?

Un Dr. Durona troublé confessa :

– Il a dû sortir pendant que j'étais au lab. Je suis désolée !

– Et s'il avait fait ça en pleine journée ? spécula l'alto. Et si on l'avait vu ? Ç'aurait pu être désastreux.

– Je vais installer une serrure à paume sur la porte du couloir, promit le Dr. Durona pris en faute.

– Après cette étonnante performance, je ne suis pas certaine que cela suffira. Hier, il pouvait à peine marcher. Cela dit, cela me donne autant d'espoir que d'inquiétude. Je pense que nous avons quelque chose là. Il faudra mieux le surveiller.

– Qui va s'en charger ? s'enquit Rowan.

Plusieurs Dr. Durona, habillés de robes et autres chemises de nuit, se tournèrent vers le jeune homme.

– Ah non, protesta Raven.

– Rowan pourra le surveiller pendant la journée tout en continuant son travail. Tu prendras la garde de nuit, ordonna la femme aux cheveux blancs.

– Oui, ma'ame, soupira le jeune homme.

Elle eut un geste impérieux.

– Ramenez-le dans sa chambre. Tu ferais bien de vérifier s'il y a eu des dégâts, Rowan.

– Je vais chercher une civière flottante, dit celle-ci.

– Pour lui ? Pas besoin, ricana Frère Raven.

Il s'agenouilla, rassembla le vagabond dans ses bras et se redressa. Pour montrer sa force ? Hum... non.

– Il pèse à peu près autant qu'une veste mouillée. Allez, nabot, on retourne au lit.

Vaguement indigné, il souffrit de se laisser porter. Rowan ne quitta pas ses côtés pendant tout le trajet de retour dans le bâtiment sous le bâtiment. Et, en réponse à ses frissons perpétuels, elle monta la température de sa chambre.

Elle l'examina soigneusement, se consacrant avec une attention particulière à ses cicatrices douloureuses.

– Il a réussi à ne pas s'abîmer à l'intérieur. Mais il semble physiologiquement troublé. Ce doit être la douleur.

– Tu veux que je lui donne deux cc de sédatif ? demanda Raven.

– Non. Assure-toi que la chambre reste sombre et calme. Il s'est épuisé. Dès qu'il se sera réchauffé, je pense qu'il s'endormira. (Elle lui toucha les joues puis les lèvres, tendrement.) C'est la deuxième fois aujourd'hui qu'il parle.

Elle voulait qu'il lui parle. Mais il était trop fatigué maintenant. Et trop méfiant. Il y avait eu une tension entre tous ces Dr. Durona qui était plus que la simple crainte médicale pour un patient. Elles étaient inquiètes à cause de quelque chose. Quelque chose qui avait un rapport avec lui ? S'il ne savait rien de lui-même, elles en savaient peut-être davantage... et elles ne lui disaient rien.

Rowan finit par serrer sa robe de chambre sur elle et s'en fut. Raven disposa deux chaises face à face. Il s'assit, les pieds posés sur la deuxième, et se mit à lire. Apparemment il étudiait, car de temps à autre, il revenait en arrière et prenait des notes. Un futur docteur, évidemment.

Il se laissa aller dans le lit, épuisé au-delà de toute mesure. Sa petite excursion de ce soir avait failli le tuer. Et que lui avaient appris ces douleurs qu'il s'était infligées ? Pas grand-chose sinon ceci : *Je suis dans un endroit très étrange.*

Et j'y suis prisonnier.

20

Dans la bibliothèque, Mark, Bothari-Jesek et la comtesse passaient en revue les derniers préparatifs. Le départ était fixé au lendemain.

– Croyez-vous que j'aurai le temps de m'arrêter voir mes clones sur Komarr ? demanda Mark à la comtesse avec un vague espoir. Illyan ne va pas m'en empêcher ?

Afin de préparer les clones à leur réadaptation, la SecImp les avait installés dans une école privée komarrane, après consultation avec la comtesse. A son tour, elle en avait informé Mark. La SecImp était contente car elle n'avait ainsi qu'un seul endroit à surveiller. Les clones étaient contents car ils restaient avec leurs amis, seul élément familier dans leur nouvel environnement. Les professeurs étaient contents parce que les clones pouvaient être rassemblés dans une seule classe et éduqués ensemble. Par la même occasion, les jeunes réfugiés avaient l'occasion de se mêler à d'autres jeunes issus de familles normales – quoique en général d'un milieu très aisé. Plus tard, quand ce serait plus sûr, la comtesse insistait pour qu'ils soient placés dans des familles adoptives malgré le décalage entre leur âge et leur aspect physique. *Comment apprendront-ils à fonder une famille s'ils n'ont pas de modèle ?* avait-elle lancé à Illyan. Mark, qui avait assisté à cette conversation avec une fascination absolue, n'avait pas ouvert la bouche une seule fois.

– Certainement, si tu le souhaites, répondait la comtesse. Illyan va s'y opposer mais ce sera par pur réflexe. Sauf... sauf qu'il aurait une bonne raison, étant donné ta destination. Si ton chemin croise à nouveau celui de la maison Bharaputra, ce qu'à Dieu ne plaise, il vaudrait mieux que tu ne connaisses pas le détail des dispositions prises par la SecImp. Passer les voir à ton retour serait plus prudent.

La comtesse ne semblait guère goûter ce qu'elle venait de dire. Mais tant d'années vécues dans le souci constant de la sécurité des siens la faisait réfléchir automatiquement.

Si je rencontre à nouveau Vasa Luigi, les clones seront le cadet de mes soucis. D'ailleurs, qu'espérait-il en leur rendant visite ? Essayait-il encore de se faire passer pour leur héros ? Un vrai héros serait plus discret et austère. Pas aussi assoiffé de louanges de la part de ses... victimes. Il avait assez fait l'idiot comme ça.

– Non, soupira-t-il enfin. Si l'un d'entre eux a envie de me parler, j'imagine qu'il saura où me joindre.

De toute manière, aucune héroïne n'allait se jeter dans ses bras.

Son ton fit hausser les sourcils de la comtesse mais elle haussa les épaules en signe d'approbation.

Bothari-Jesek les invita à s'intéresser à des problèmes beaucoup plus pratiques comme par exemple le prix du carburant et les réparations des systèmes de survie. Bothari-Jesek et la comtesse – qui avait elle-même été autrefois capitaine d'un navire – étaient plongées dans des considérations hautement techniques à propos de tringles de Necklin quand l'image sur la comconsole bougea. Le visage de Simon Illyan apparut.

– Salut, Elena. (Elle était installée dans le siège de commande de la console.) Je voudrais parler avec Cordelia, s'il te plaît.

Bothari-Jesek sourit, hocha la tête, arrêta la sortie audio et glissa hors de la chaise. Elle fit un signe urgent à la comtesse et murmura :

– Des problèmes ?

– Il va nous bloquer, s'inquiéta Mark tandis que la comtesse s'installait. Il va me clouer au sol. C'est sûr !

– Chut, lui reprocha doucement la comtesse avec un petit sourire. Vous deux, restez où vous êtes et ne parlez pas. J'en fais mon affaire. (Elle rebrancha l'audio.) Oui, Simon, que puis-je faire pour vous ?

– Milady. (Illyan s'inclina brièvement.) En un mot, renoncez. Cette opération que vous envisagez est inacceptable.

– Pour qui, Simon ? Pas pour moi. Qui d'autre cela regarde-t-il ?

– La Sécurité, gronda Illyan.

– Vous êtes la Sécurité. Je vous serais reconnaissante d'assumer la responsabilité de vos propres émois et de ne pas essayer de les transférer sur quelque vague abstraction. Ou alors, lâchez la ligne et laissez-moi parler au capitaine de la Sécurité.

– D'accord. C'est inacceptable pour moi.

– Disons : difficile à accepter.

– Je vous demande de renoncer.

– Je refuse. Si vous voulez m'en empêcher, il vous faudra lancer un mandat d'arrêt contre Mark et moi.

– Je parlerai au comte, dit Illyan avec raideur, avec l'air d'un homme qui fait appel à son dernier recours.

– Il est beaucoup trop malade. Et je lui ai déjà parlé.

Illyan ravala son bluff sans (trop) broncher.

– Je ne sais pas ce que vous espérez tirer de cette petite aventure sinon semer la pagaille, risquer des vies et dépenser une petite fortune.

– Eh bien, c'est exactement de ça qu'il s'agit, Simon. *Je ne sais pas* ce que Mark sera capable de faire. Et vous non plus. Le problème avec la SecImp c'est que vous n'avez pas eu de concurrent ces derniers temps. Votre monopole vous satisfait. Un petit coup de pied aux fesses ne vous fera pas de mal.

Illyan serra les dents.

– Vous faites courir un triple risque à la maison Vorkosigan, dit-il enfin. Vous mettez en danger votre dernier représentant.

– J'en suis consciente. Et je choisis le risque.

– En avez-vous le droit ?

– Plus que vous.

– Le gouvernement est soumis à une énorme tension. Ce n'était pas arrivé depuis des années. La coalition centriste s'entre-déchire pour trouver un remplaçant à Aral. Sans parler des trois autres partis.

– Excellent. J'espère bien qu'ils y arriveront avant qu'Aral ne soit sur pied sinon je ne réussirai jamais à le convaincre de prendre sa retraite.

– C'est ainsi que vous voyez la chose ? demanda Illyan. Une occasion de mettre un terme à la carrière de votre mari ? Est-ce *loyal*, milady ?

– J'y vois une occasion de le sortir vivant de Vorbarr Sultana, répliqua-t-elle, glaciale. Ce qui, à mon désespoir, me semblait impossible ces dernières années. Vous choisissez vos loyautés, Simon, je choisis les miennes.

– Qui est capable de lui succéder ? fit Illyan d'un ton plaintif.

– Des tas de gens. Racozy, Vorhalas ou Sendorf, pour citer trois exemples. Si ce n'était pas le cas, il y aurait quelque chose d'abominable dans la façon de gouverner d'Aral. La marque d'un grand homme c'est de laisser derrière lui des successeurs à qui il a transmis ses capacités. Si, à vos yeux, Aral est minable au point de les avoir tous éliminés, au point d'avoir contaminé la planète entière avec sa petitesse, alors il vaudrait mieux que Barrayar se débarrasse de lui et vite.

– Vous savez que ce n'est pas ce que je crois !

– Bien. Dans ce cas, votre argument s'annule lui-même.

– Vous me liez les mains. (Illyan se massa le cou.) Milady, reprit-il finalement, je ne voulais pas vous en parler. Mais avez-vous pensé aux *dangers* possibles de laisser lord Mark retrouver lord Miles avant tout le monde ?

Elle se renfonça dans sa chaise, souriante, les doigts pianotant sur le plateau.

– Non, Simon. A quels dangers pensez-vous ?

– La tentation de se promouvoir.

– Assassiner Miles. Dites-le clairement, bon Dieu. (Ses yeux brillaient dangereusement.) Voilà pourquoi vous devez vous assurer que vos hommes retrouvent Miles les premiers. Je n'y vois aucune objection.

– Bon sang, Cordelia ! s'écria-t-il à bout. Vous savez très bien que s'ils se foutent dans la merde, ils viendront pleurnicher pour que la SecImp se lance à leur secours.

La comtesse gloussa.

– *Vivre pour servir*, je crois que vous prononcez ces mots dans votre serment d'engagement, non ?

– C'est ce qu'on verra, aboya Illyan avant de couper la comm.

– Que va-t-il faire ? s'inquiéta Mark.

– Facile à deviner, passer au-dessus de moi. Dans la mesure où il ne peut faire appel à Aral, cela ne lui laisse qu'un unique recours. Je crois qu'on ne va pas tarder à recevoir un nouvel appel.

Mark et Bothari-Jesek tentèrent tant bien que mal de revenir à leurs préparatifs. Mark sursauta quand le bip de la console résonna à nouveau.

Un jeune inconnu s'inclina devant la comtesse et annonça :

– Lady Vorkosigan, l'empereur Gregor.

L'inconnu s'évanouit remplacé par un Gregor apparemment perplexe.

– Bonjour, lady Cordelia. Vous ne devriez pas affoler ainsi ce pauvre Simon, vous savez.

– Il le mérite, répondit-elle sur le même ton égal. J'admets qu'il a beaucoup trop de problèmes en tête ces derniers temps. Mais, à chaque fois qu'il est sous pression, il devient rigide et con... Au lieu de courir à travers son bureau en hurlant. Ce doit être sa façon de compenser.

– Tandis que d'autres compensent en devenant hyper-analytiques, murmura Gregor.

Les lèvres de la comtesse se tordirent et Mark sut alors qui arrosait l'arroseur.

– Ses inquiétudes sont légitimes, poursuivit Gregor. Cette escapade dans l'Ensemble de Jackson est-elle sage ?

– Une question à laquelle on ne peut répondre qu'empiriquement : on n'en saura rien si elle n'a pas lieu. Je vous accorde que Simon est sincère. Mais... à votre avis comment *Barrayar* sera-t-elle mieux servie, sire ? C'est la question à laquelle vous devez répondre.

– Je suis partagé.

– Votre cœur l'est-il ? (Sa question était un défi. Elle ouvrit les mains dans un geste mi-apaisant, misuppliant.) D'une façon ou d'une autre, vous aurez à faire avec lord Mark Vorkosigan pour un bon bout de temps. Cette excursion, à défaut d'autre chose, vous permettra d'acquérir quelques certitudes. Si elle n'a pas lieu, vous et d'autres garderez vos doutes vis-à-vis de Mark. Ce ne serait pas juste pour lui.

– Quelle logique, marmonna-t-il.

Ils se dévisagèrent avec une égale sécheresse.

– Je vous croyais sensible à la logique ?

– Lord Mark se trouve-t-il avec vous ?

– Oui.

La comtesse lui fit signe de la rejoindre. Mark entra dans le champ du capteur.

– Sire.

– Ainsi, lord Mark (Gregor l'étudiait avec gravité), il semble que votre mère attend de moi que je vous donne assez de corde pour vous pendre.

Mark déglutit.

– Oui, sire.

– Ou vous sauver... (Gregor hocha la tête.) Qu'il en soit ainsi. Bonne chance et bonne chasse.

– Merci, sire.

Gregor sourit et coupa la comm.

Illyan ne leur donna plus signe de vie.

Dans l'après-midi, la comtesse emmena Mark à l'Hôpital Impérial Militaire lors de sa visite quotidienne à son mari. Mark l'avait déjà accompagnée à deux reprises, depuis le malaise. Il ne tenait guère à y retourner. En premier lieu, l'endroit lui rappelait beaucoup trop les cliniques qui avaient fait de sa jeunesse jacksonienne un tourment : des détails chirurgicaux et d'autres traitements qu'il croyait avoir oubliés lui revenaient soudain en mémoire. D'autre part, le comte lui-même continuait de le terrifier. Même agonisant, il gardait une stature aussi formidable que sa vie était précaire. Ce qui était doublement effrayant pour Mark.

Il ralentit le pas et finit par s'immobiliser dans le couloir où se trouvait la porte gardée du Premier ministre. Indécis et misérable, il resta planté là. La comtesse lui jeta un coup d'œil et s'arrêta à son tour.

– Oui ?

– Je... ne veux pas entrer là-dedans.

Elle fronça les sourcils d'un air pensif.

– Je ne te forcerai pas. Mais je peux te faire une prédiction.

– Je vous écoute... Ô prêtresse.

– Tu ne regretteras jamais de l'avoir fait. Mais tu pourrais profondément regretter de ne pas l'avoir fait.

Mark digéra ça.

– D'accord, fit-il faiblement avant de la suivre.

Ils entrèrent discrètement dans la pièce tapissée d'une profonde moquette. Les rideaux étaient ouverts sur une large vue de Vorbarr Sultana balayant les vieux édifices et la rivière qui coupait la ville en deux. C'était une journée froide et grise. Des nuées pluvieuses s'accrochaient au sommet des tours les plus modernes. Le visage du comte était tourné vers cette lumière pâle, argentée. Il semblait perdu dans ses pensées, ennuyé et malade. Son visage était bouffi et verdâtre et pas seulement à cause du reflet de son pyjama officiel vert, rappelant son rang. Il était hérissé de capteurs et un tube d'oxygène lui sortait des narines.

– Ah !

Tournant la tête à leur entrée, il sourit. Il changea la lumière grâce à un dispositif situé près de sa tête de lit mais cela n'améliora pas son teint.

– Cher capitaine. Mark.

La comtesse se pencha vers lui et ils échangèrent un baiser qui n'avait rien d'une simple formalité. Puis la comtesse se percha au bout du lit, les jambes croisées. Elle se mit à lui masser ses pieds nus, ce qui arracha au comte un soupir de contentement.

Mark avança jusqu'à un mètre du lit.

– Bonjour, monsieur. Comment vous sentez-vous ?

– Très mal. C'est pas une vie de suffoquer à chaque fois qu'on embrasse sa femme, se plaignit-il.

Il haletait lourdement.

– Ils m'ont laissé entrer au labo pour voir ton nouveau cœur, commenta la comtesse. Il est déjà aussi grand que celui d'un poulet et il bat comme un tambour dans sa cuve.

Le comte rit faiblement.

– Grotesque.

– *Moi*, je l'ai trouvé mignon.

– ... M'étonne pas de *toi*.

– Si c'est le grotesque qui t'intéresse, imagine ce que tu pourrais faire avec le vieux, lui conseilla la comtesse avec une grimace démoniaque. Tu as un éventail de mauvaises blagues absolument irrésistible.

– J'en ai la tête qui tourne, murmura le comte.

Toujours souriant, il se tourna vers Mark.

Celui-ci respira un bon coup.

– Lady Cordelia vous a expliqué ce que j'ai l'intention de faire, n'est-ce pas, monsieur ?

– Mm. (Le sourire du comte disparut.) Oui. Surveille tes arrières. Sale endroit, l'Ensemble de Jackson.

– Oui, je... sais.

– Exact. (Il se tourna vers la fenêtre grise.) J'aurais bien aimé envoyer Bothari avec toi.

La comtesse parut surprise. Mark lisait dans ses pensées : *a-t-il oublié que Bothari est mort ?* Mais elle avait peur de le lui demander. Au lieu de cela, elle afficha un sourire éclatant.

– J'emmène Bothari-Jesek, monsieur.

– L'histoire se répète. (Il s'efforça péniblement de se redresser sur un coude avant d'ajouter :) il ne vaudrait mieux pas, mon garçon, tu m'entends ?

Il se laissa aller sur son oreiller avant que la comtesse n'ait eu le temps de l'aider. Elle semblait moins tendue : il était effectivement un peu dans le brouillard mais pas au point d'avoir oublié la mort violente de son homme d'armes.

– Cela dit, reprit-il, Elena est plus intelligente que son père.

La comtesse en avait fini avec ses pieds.

Le front creusé, il cherchait visiblement un conseil plus utile.

– J'avais l'habitude de penser – comprends-moi, c'est une découverte que j'ai faite en vieillissant – qu'il n'y avait pas de pire sort que de devenir un mentor. Etre capable de dire comment faire sans pouvoir agir. Envoyer ton protégé, tout beau, tout brillant, essuyer le feu à ta place... Je pense avoir découvert un sort plus terrible. Envoyer ton élève en sachant foutrement bien que tu n'as pas eu le temps de lui en apprendre *assez*... Sois malin, mon garçon. Esquive vite. Ne laisse pas ton ennemi prendre le dessus avant, dans ta tête. Tu ne peux être vaincu qu'*ici*.

Il se toucha les tempes.

— Je ne sais même pas qui est l'ennemi, admit Mark.

— Si tu ne le trouves pas, lui te trouvera, soupira le comte. Les gens se trahissent, dans leur façon de parler, de se comporter... Tu les devineras sans problème, si tu es calme et patient, si tu les laisses faire. Mais si tu fonces là-dedans comme un aveugle, gare à toi...

— Oui, monsieur, dit Mark, déconcerté.

— Hon... (Le comte avait épuisé tout son souffle.) Tu verras, fit-il d'une voix sifflante.

La comtesse l'examina et se leva.

— Bon, fit Mark en s'inclinant brièvement, au revoir.

Ces deux mots flottèrent dans l'air, insuffisants. *Les malaises cardiaques ne sont pas contagieux, bon sang. De quoi as-tu peur ?* Serrant les mâchoires, il s'approcha prudemment du lit. Il n'avait jamais touché cet homme sauf quand il avait aidé à le charger sur la moto flottante. Il tendit la main.

Le comte l'attrapa dans une étreinte brève et forte. Sa main était solide et carrée avec des doigts massifs : une main faite pour la pelle et la pioche. Celle de Mark, par contraste, semblait petite et enfantine, potelée et pâle. Ces deux mains n'avaient rien en commun sauf la poigne.

— Trompe ton ennemi, mon garçon, chuchota le comte.

— Il me prendra pour un autre, monsieur.

Son père ricana avec joie.

Mark fit un dernier appel ce soir-là, son dernier soir sur Barrayar. Il se glissa dans la chambre de Miles pour utiliser sa console à l'abri des regards de tous. Il fixa la machine éteinte pendant dix bonnes minutes avant de se décider à taper le numéro qu'il avait obtenu.

Une femme d'âge mûr apparut sur le plateau. Sa beauté qui avait dû être éblouissante se teintait à présent de force et de confiance en soi. Ses yeux étaient bleus et remplis d'humour.

– Résidence du commodore Koudelka, annonça-t-elle, très formelle.

C'est sa mère. Mark tenta de ravaler sa panique et demanda d'une voix chevrotante :

– Puis-je parler à Kareen Koudelka, s'il vous plaît, ma'ame ?

Un sourcil blond s'arrondit.

– Je crois savoir à qui j'ai affaire mais... qui dois-je annoncer ?

– Lord Mark Vorkosigan, bafouilla-t-il.

– Un instant, milord. (Elle quitta le champ du vid. Il entendit sa voix qui s'éloignait, appelant :) Kareen !

Il y eut un remue-ménage étouffé à l'arrière-plan, des voix qui se disputaient, un cri et la voix gaie de Kareen criant :

– Non, Delia, c'est pour moi ! Mère, dis-lui de partir ! C'est pour moi ! Rien que pour moi ! Ouste !

Le bruit d'une porte heurtant sans doute une main, une exclamation puis la porte qui claquait enfin.

Echevelé et excité, le visage de Kareen Koudelka se déposa sur le plateau et lui lança avec des étoiles dans les yeux :

– Salut !

Ce n'était pas *exactement* le regard que lady Cassia avait adressé à Ivan mais ça y ressemblait beaucoup. Mark se sentit défaillir.

– Salut, fit-il d'une voix faible. J'appelais pour dire au revoir.

Non, bon sang, c'était beaucoup trop court...

– Quoi ?

– Excusez-moi, ce n'est pas ce que je voulais dire. Mais je vais partir en voyage dans l'espace et je ne voulais pas partir sans vous avoir reparlé.

– Oh... (Son sourire s'effaça.) Quand reviendrez-vous ?

– Je ne sais pas trop. Mais, après, j'aimerais bien vous revoir.

– Bien sûr.

Bien sûr ? Un tas de perspectives très agréables accompagnaient ce *bien sûr*.

Elle plissa les paupières.

– Quelque chose ne va pas, lord Mark ?

– Non, dit-il en hâte. Hum... c'était votre sœur que j'entendais à l'instant ?

– Oui. Il a fallu que je ferme la porte sinon, elle serait là, hors de vue de la comm à me faire des grimaces pendant qu'on se parle. (Son air de sincérité blessée fut immédiatement gâché par la suite :) C'est ce que je lui fais quand des types appellent.

Il était un type. C'était... c'était *normal*. Une question en entraînant une autre, il l'amena à parler de ses sœurs, de ses parents et de sa vie. Des écoles privées, des enfants chéris... La famille du commodore était gâtée mais elle n'en possédait pas moins cette éthique barrayarane du travail, cette passion pour l'éducation et l'accomplissement et cet idéal de servir. Il se noyait dans ses paroles, rêvant de partager un tel entourage. Elle était si paisible et réelle. Pas une ombre de tourment, rien de gâché ou de tordu. En l'écoutant, il avait l'impression de se nourrir... pas son ventre mais sa tête. Sa cervelle était chaude, détendue et heureuse. Une sensation quasiment érotique mais pas du tout menaçante. Hélas, au bout d'un moment, elle prit conscience de la disproportion de leur conversation.

– Seigneur, je parle trop. Je suis désolée.

– Non ! J'aime vous écouter parler.

– Vous êtes bien le premier. Dans cette famille, j'ai de la chance quand je peux placer un mot. Je n'ai pas parlé avant l'âge de trois ans. Ils m'ont fait examiner. Le med s'est aperçu que c'était tout simplement à cause de mes sœurs qui répondaient toujours à ma place !

Il éclata de rire.

– Maintenant, elles disent que je rattrape le temps perdu.

– J'en sais pas mal sur le temps perdu, fit Mark à regret.

– Oui. J'en ai... un peu entendu parler. Votre vie a dû être une drôle d'aventure.

– Pas une aventure, corrigea-t-il. Un désastre, plutôt. (A quoi ressemblerait sa vie, vue par ces yeux bleus ?) Peut-être qu'à mon retour, je vous en raconterai des morceaux.

S'il revenait. Et s'il arrivait à en parler.

Je ne suis pas une très jolie personne. Vous devriez le savoir avant. Avant quoi ? Plus ils se connaîtraient, plus il aurait du mal à lui avouer ses répugnants secrets.

– Ecoutez, je... il faut que vous compreniez. (Seigneur, voilà qu'il parlait comme Bothari-Jesek lors de sa confession.) Je suis une sorte de gâchis et je ne parle pas simplement de mon aspect extérieur.

Et merde, qu'est-ce que cette jolie jeune vierge avait à faire avec les infernales et torturantes subtilités de la programmation psychologique et de ses résultats aléatoires ? De quel droit lui mettrait-il ces horreurs dans la tête ?

– Je ne sais même pas ce qu'il faudrait vous dire ! avoua-t-il.

Maintenant, c'était trop tôt, il le sentait clairement. Mais *plus tard* serait peut-être *trop* tard. Elle risquait de se sentir trahie et trompée. Et s'il continuait cette conversation une minute de plus, il allait sombrer dans une abjecte confession et perdre la seule chose brillante, intacte qu'il ait jamais trouvée.

Kareen penchait la tête, perplexe.

– Vous pourriez peut-être demander à la comtesse, suggéra-t-elle.

– Vous la connaissez bien ? Vous parlez avec elle ?

– Oh oui. C'est la meilleure amie de ma mère. Avant, ma mère était son garde du corps personnel, avant qu'elle prenne sa retraite pour nous avoir.

A nouveau, la ligue des grands-mères qui se dressait dans l'ombre, se dit Mark. Ces puissantes vieilles femmes avec leur volonté génétique... Il sentait obscurément qu'un homme devait faire certaines choses lui-même. Mais, sur Barrayar, on utilisait des intermédiaires. Il avait dans son camp une extraordinaire ambassadrice auprès du genre féminin. La comtesse agirait pour son bien. Ouais, comme une femme qui tient son gamin pleurant pendant qu'on lui inflige un vaccin douloureux afin de lui éviter une maladie mortelle.

Jusqu'à quel point avait-il confiance dans la comtesse ? Oserait-il lui faire confiance sur ce plan-là ?

– Kareen... avant que je revienne, accordez-moi une faveur. Si vous avez l'occasion d'avoir une conversation privée avec la comtesse, demandez-lui de vous dire ce qu'elle pense que vous devriez savoir sur mon compte avant que nous ne nous connaissions mieux. Dites-lui que c'est moi qui vous l'ai demandé.

– D'accord. J'aime parler avec lady Cordelia. C'est un peu mon mentor. Avec elle, j'ai l'impression que je peux tout faire. (Kareen hésita.) Si vous êtes de retour pour la Fête de l'Hiver, accepterez-vous de danser avec moi ? Vous n'allez pas encore vous cacher dans un coin ? ajouta-t-elle avec sévérité.

– Si je suis de retour pour la Fête de l'Hiver, je ne me cacherai pas dans un coin. C'est promis.

– Parfait. J'ai donc votre parole.

– Ma parole de Vorkosigan, fit-il d'un ton léger.

Elle roula de grands yeux.

– Oh...

Ses douces lèvres se décollèrent dans un sourire éblouissant.

Cette fille devait avoir une très haute opinion des Vors pour prendre sa parole avec autant de sérieux.

– Je dois y aller maintenant, dit-il.

– Très bien. Lord Mark... soyez prudent.

– Je... pourquoi dites-vous ça ?

Il n'avait rien dit à propos de l'endroit où il allait, ni pourquoi il y allait.

– Mon père est un soldat. Vous avez le même regard que lui quand il ment à propos de la mission qu'il va accomplir. Et il n'a jamais pu tromper ma mère non plus.

Jamais aucune fille ne lui avait demandé d'être prudent, comme elle l'entendait. Il était touché au-delà de toute mesure.

– Merci, Kareen.

A regret, il coupa la communication d'une caresse.

21

Pour repartir vers Komarr, Mark et Bothari-Jesek empruntèrent un courrier de la SecImp très semblable à celui qui les avait amenés à Barrayar. Mark se jura que c'était bien la dernière faveur qu'il demandait à Simon Illyan. Cette belle résolution dura jusqu'à ce qu'ils arrivent en orbite autour de Komarr où Mark découvrit que les Dendariis lui avaient fait son cadeau de l'Hiver avec un peu d'avance. Tous les effets personnels du medic Norwood étaient enfin arrivés, expédiés par le gros de la flotte dendarii.

La SecImp étant la SecImp, elle avait déjà tout emporté et examiné. Tant mieux : ils n'auraient pas laissé Mark y jeter un œil s'ils n'avaient pas été convaincus d'avoir dépouillé ce fatras de tous ses secrets. Avec l'aide de Bothari-Jesek, Mark bluffa, supplia, hurla et finit par y avoir accès. On le laissa entrer, avec une évidente mauvaise volonté et sous surveillance, dans une pièce verrouillée de leur QG orbital.

Il renvoya Bothari-Jesek superviser les arrangements pour le navire repéré par l'agent de la comtesse. En tant que commandant de vaisseau dendarii, Bothari-Jesek était non seulement la personne la plus qualifiée pour cela mais aussi la plus intimidante. Sans trop de remords, Mark la chassa de ses pensées pour se plonger dans l'examen de sa nouvelle boîte aux trésors. Seul dans une pièce vide. Le paradis.

Après un premier examen du matériel – de vieux habits, une bibliothèque sur disques, des lettres, quelques bibelots souvenirs de ses quatre années passées au service des Dendariis –, Mark, déprimé, se dit que la SecImp avait raison. Il n'y avait rien d'intéressant là-dedans. Pas de secret caché dans les manches... la SecImp avait vérifié. Mark mit de côté les chaussures, les habits et tous les effets physiques. Ça lui faisait une sale impression de manipuler ces vieux vêtements qui avaient recouvert un corps disparu à jamais. Comme si la mort rôdait autour de lui. Il porta son attention sur les restes intellectuels de la vie et de la carrière du medic : sa bibliothèque et ses notes techniques. La SecImp en avait fait autant avant lui, remarqua-t-il, morose.

Il soupira et s'installa un peu plus confortablement sur sa chaise, prêt à y passer un bon moment. Il s'accrochait comme un fou à l'espoir que Norwood allait lui fournir un indice, que cet homme qu'il avait mené à sa mort n'était pas mort en vain. *Plus jamais je ne serai un chef de combat. Plus jamais.*

Il ne s'était pas attendu que l'indice soit aussi évident. Quand il tomba dessus des heures plus tard, il faillit ne pas le voir tant il crevait les yeux. C'était une note manuscrite sur une feuille de plastique au milieu de beaucoup d'autres. La feuille de plastique était insérée dans un manuel d'entraînement à la cryo-prep pour des techniciens médicaux d'urgence. La note disait simplement : *Voir le Dr. Durona à 0900 pour le matériel de labo.*

Pas *la* Durona... ?

Mark revint aux études et stages préparatoires de Norwood qu'il avait en grande partie déjà examinés dans les dossiers de la SecImp sur Barrayar. En tant que medic dendarii, Norwood avait reçu une instruction en cryogénisation dans un certain Centre de Vie Beauchêne, un établissement privé d'excellente réputation sur Escobar. Le nom du « Dr. Durona » n'apparaissait nulle part comme ayant été un de ses professeurs. Il n'apparaissait pas non plus sur les listes de personnel du centre. En fait, il n'apparaissait nulle part. Mark vérifia une deuxième fois, pour en être certain.

Il y a probablement des tas de Durona sur Escobar. Ce n'est pas un nom si rare. Il s'accrochait à la feuille de plastique. Ça lui grattait la paume.

Il appela Quinn sur l'*Ariel* à quai non loin de là.

– Ah, fit-elle en le découvrant sans le moindre plaisir sur son plateau. Te revoilà. Elena m'avait prévenue. Il paraît que t'as des projets. Tu te prends pour qui ?

– Peu importe. Ecoutez, y a-t-il quelqu'un ici, parmi les Dendariis, un medic ou un med-tech, qui ait suivi des cours au Centre de Vie Beauchêne ? De préférence à la même époque que Norwood ? Ou presque ?

Elle soupira.

– Il y en avait trois dans son groupe. Le medic de l'escadron rouge, celui des orange et Norwood. La SecImp nous l'a déjà demandé, Mark.

– Où sont-ils maintenant ?

– Le medic de l'escadron rouge a été tué dans un accident de navette il y a quelques mois...

– Arghh !

Il se passa la main dans les cheveux.

– Le type de l'orange est ici sur l'*Ariel*.

– Super ! chanta joyeusement Mark. Il faut que je lui parle. (Il faillit dire, *passez-le-moi*, avant de se souvenir qu'ils étaient sur une ligne privée de la SecImp et donc certainement enregistrés.) Envoyez une capsule me chercher.

– Et d'un, la SecImp l'a déjà interrogé en long, en large et en travers. Et de deux, qui te crois-tu pour me donner des ordres ?

– Je vois. Elena ne vous a pas dit grand-chose.

Curieux. Le douteux serment d'allégeance de

Bothari-Jesek ne valait-il rien face à son engagement auprès des Dendariis ? Ou bien avait-elle simplement été trop occupée pour bavarder ? Combien de temps avait-il ? Il jeta un coup d'œil à son chrono. *Mon Dieu !*

— Il se trouve, reprit-il, que je pars pour l'Ensemble de Jackson. Très bientôt. Et si vous êtes très gentille avec moi, je *pourrais* demander à la SecImp de vous laisser m'accompagner en tant que mon invitée. Peut-être.

Et un large sourire pour emballer tout ça.

Le regard incendiaire qu'elle lui lança était plus éloquent que la plus dégueulasse bordée d'injures qu'il ait jamais entendue. Ses lèvres bougèrent – pour compter jusqu'à dix ? – mais aucun son n'en sortit. Quand finalement elle parla, ce fut d'un ton très sec.

— Ta navette sera sur place dans onze minutes.

— Merci.

Le medic était de mauvaise humeur.

— Ecoutez, j'ai déjà répété tout ça cent fois. Ça a duré des heures. J'en ai marre.

— Je vous promets que ce sera bref, le rassura Mark. Juste une question.

Le medic considéra Mark avec malveillance : il se disait peut-être – non sans raison – qu'il était coincé à bord de son navire sur l'orbite de Komarr depuis une douzaine de semaines à cause de ce gnome hydrocéphale.

— Quand Norwood et vous preniez vos cours au Centre Beauchêne, vous souvenez-vous avoir rencontré un Dr. Durona ? Un responsable du matériel de labo, peut-être ?

— Le centre était bourré de docteurs. Je peux m'en aller maintenant ?

Le medic fit mine de se lever.

— Attendez !

— Vous avez posé une question. Et la SecImp l'avait posée avant vous.

— Et c'est la réponse que vous avez donnée ? Attendez. Laissez-moi réfléchir. (Mark se mordit les lèvres : le nom seul ne suffisait pas à évoquer quelque chose pour lui. Il lui fallait autre chose.) Vous rappelez-vous si... Norwood a été en contact avec une femme grande, très belle avec des traits eurasiens, les cheveux noirs raides, les yeux marron... extrêmement intelligente.

Il n'osait pas donner un âge : ça pouvait être n'importe lequel entre vingt et soixante.

Le medic le dévisagea, éberlué.

– Ouais ! Comment vous savez ça ?

– Que faisait-elle ? Quelle était sa relation avec Norwood ?

Elle était étudiante, elle aussi. Je crois. Il lui a couru après un moment. Il jouait à fond le prestige de l'uniforme mais je ne pense pas que ça ait marché.

– Vous vous souvenez de son nom ?

– Roberta ou quelque chose comme ça. Rowanna. Je ne me souviens plus.

– Elle était de l'Ensemble de Jackson ?

– Escobarane, je crois. (Le medic haussa les épaules.) La clinique avait des étudiants en post-doc qui venaient des quatre coins de la planète. Je ne lui ai jamais parlé. Je l'ai juste vue avec Norwood deux ou trois fois.

– Cette clinique était donc renommée ?

– C'est ce qu'on se disait.

– Attendez-moi ici.

Mark quitta le medic installé dans la petite salle de réunion de l'*Ariel* et se rua pour rejoindre Quinn. Il n'eut pas à aller très loin. Elle l'attendait juste derrière la porte.

– Quinn, vite ! J'ai besoin de l'enregistrement du casque du sergent Taura pendant l'assaut. Juste une image.

– La SecImp a confisqué les originaux.

– Mais vous gardez des copies, non ?

Un sourire amer.

– Peut-être.

– *S'il vous plaît*, Quinn !

– Attendez.

Elle ne tarda pas à revenir pour lui donner un disque. Cette fois, elle le suivit dans la salle de réunion. Il eut beau se tordre la main, la console n'accepta pas sa paume. Contraint et forcé, Mark laissa Quinn la brancher pour lui. Il fit défiler à grande vitesse tout le visuel du casque de Taura jusqu'à ce qu'il arrive à l'image désirée. Un gros plan d'une fille grande, brune qui tournait la tête en écarquillant les yeux. Mark effaça l'arrière-plan de la crèche.

Puis il fit signe au medic de venir voir.

– Hé ! C'est elle ?

Le gars plissa les yeux et y regarda à deux fois.

– C'est elle... en plus jeune. Où vous avez eu ça ?

– Peu importe. Merci. Je n'abuserai plus de votre temps. Vous avez été d'une grande aide.

Le medic partit d'aussi mauvaise grâce qu'il était venu, ne cessant de jeter des regards derrière lui.

– Qu'est-ce que ça veut dire, Mark ? s'enquit Quinn.

– Quand nous serons à bord de mon navire et en route pour l'Ensemble de Jackson, je vous le dirai. Pas avant.

Il avait une tête d'avance sur la SecImp et il n'allait pas la lâcher : s'ils n'avaient vraiment plus aucun espoir, jamais ils ne le laisseraient partir. Comtesse ou pas comtesse. Il était réglo. Après tout, il n'avait pas plus d'informations qu'eux. Il se contentait de les assembler différemment.

– Où as-tu dégoté un navire ?

– Ma mère me l'a donné.

Il essaya de ne pas taper dans ses mains.

– La comtesse ? Merde ! Elle *te* lâche dans la nature ?

– Ne soyez pas jalouse de mon petit navire, Quinn. Après tout, mes parents ont donné à mon grand frère une *flotte* entière. (Ses yeux étincelaient.) Je vous verrai à bord dès que le capitaine Bothari-Jesek nous signalera que tout est prêt.

Son navire. Ni volé, ni falsifié, ni emprunté. Le sien de droit en tant que cadeau légitime. Lui qui n'avait jamais reçu de cadeau d'anniversaire en avait un désormais. Un qui valait bien la peine d'attendre vingt-deux ans.

Le petit yacht datait de la précédente génération. Il appartenait auparavant à un oligarque komarran qui l'avait acquis à l'époque dorée précédant la conquête barrayarane. Autrefois luxueux, il avait visiblement été négligé depuis une dizaine d'années. Non parce que le Komarran avait été ruiné, réalisa Mark. Celui-ci était d'ailleurs sur le point de le remplacer par un modèle plus récent, d'où cette vente. Les Komarrans s'y connaissaient en affaires et les Vors comprenaient fort bien la relation qui existait entre affaires et impôts. Sous le nouveau régime, l'économie avait pratiquement retrouvé son ancienne vigueur.

Mark avait décidé que le salon du yacht servirait de salle de réunion. Il considéra ses invités installés dans la pièce tapissée d'une profonde moquette autour d'une fausse cheminée où un vid passait l'holo atavique de flammes dansantes. L'illusion était complétée par une radiation de chaleur à infrarouge.

Quinn était là, bien sûr, dans son uniforme dendarii. Ses ongles ayant complètement disparu, elle en était réduite à se manger les joues. Bel Thorne était assis, muet et réservé, une tristesse permanente soulignant les fines rides autour de ses yeux. Le sergent Taura se dressait tout près de lui, énorme, perplexe et circonspect.

Ce n'était pas un groupe d'intervention. Mark se demanda s'il n'aurait pas mieux fait d'emmener davantage de muscles... Non. Il avait bien retenu la leçon de sa première mission : si vous n'êtes pas assez costaud pour gagner, alors mieux vaut ne pas engager l'épreuve de force. Là, dans cette pièce, il avait réuni la crème : les meilleurs experts dendariis sur l'Ensemble de Jackson.

Le capitaine Bothari-Jesek entra et le salua d'un coup de menton.

– On est partis. On vient de quitter l'orbite et le pilote a le feu vert. Vingt heures de vol jusqu'au premier point de saut.

– Merci, capitaine.

Quinn ménagea une place à ses côtés pour Bothari-Jesek. Mark s'assit sur le faux foyer, tournant le dos aux flammes craquantes, les mains pendant entre les genoux. Il respira un bon coup et se lança :

– Bienvenue à bord et merci à tous d'être là. Vous comprenez qu'il ne s'agit pas d'une mission dendarii et qu'elle n'est ni autorisée ni financée par la SecImp. Nos dépenses seront réglées à titre privé par la comtesse Vorkosigan. Vous êtes tous officiellement en congé sans solde. Je n'ai d'autorité formelle sur aucun d'entre vous sauf une. Nous partageons un intérêt urgent qui exige que nous mettions en commun nos capacités et nos renseignements. Et tout d'abord, il nous faut régler le problème de la réelle identité de l'amiral Naismith. Vous avez mis le capitaine Thorne et le sergent Taura au courant, n'est-ce pas, Quinn ?

Bel Thorne opina.

– Le vieux Tung et moi, on avait deviné depuis un bon bout de temps. L'identité secrète de Miles n'est pas aussi secrète qu'il l'espérait, j'en ai peur.

– Elle l'était pour moi, gronda Taura. Mais c'est sûr que ça explique pas mal de choses.

– Bienvenue dans le Cercle Intime, fit Quinn. Officiellement. (Elle se tourna vers Mark.) Bon, qu'est-ce que tu as ? Un indice, enfin ?

– Ô Quinn. J'en ai par-dessus la tête des indices. Ce sont les motifs qui me manquent maintenant.

– Dans ce cas, tu es en avance sur la SecImp.

– Peut-être pas pour longtemps. Ils ont envoyé un agent sur Escobar pour fouiner au Centre de Vie Beauchêne... ils ne tarderont pas à faire le même raisonnement que moi. Un jour ou l'autre. Mais j'avais établi pour cette expédition une liste d'une vingtaine de sites à visiter en profondeur sur l'Ensemble de

Jackson. Après ce que je viens de trouver dans les effets personnels de Norwood, j'ai changé l'ordre de cette liste. Si Miles est réanimé – ce que je prends comme hypothèse – combien de temps se passera-t-il avant qu'il ne fasse quelque chose qui attire l'attention sur lui ?

– Pas longtemps, dit Bothari-Jesek à regret.

Quinn approuva avec une grimace.

– Mais il pourrait aussi se réveiller amnésique pour un moment. (*Ou à jamais*. Elle ne le dit pas mais Mark le lut sur son visage.) Ça arrive très souvent après une sortie de cryo-stase.

– Le problème... c'est que nous ne sommes pas les seuls à lui courir après Et je ne pense pas seulement à la SecImp. S'il attire l'attention sur lui, rien ne dit que nous serons les premiers à le voir. D'où l'importance du timing.

– Hum... fit Quinn, morose.

Thorne et Taura échangèrent un regard inquiet.

– Très bien.

Mark se passa la main dans les cheveux. Il ne se mit pas à faire les cent pas comme l'aurait fait Miles. Un seul regard désapprobateur de Quinn et il aurait eu du coton dans les genoux.

– Voilà ce que j'ai découvert, reprit-il, et voilà ce que je pense. Quand Norwood était sur Escobar pour ses études de cryo-prep, il a rencontré un certain Dr. Roberta ou Rowana Durona, de l'Ensemble de Jackson, qui suivait aussi des études de cryo-réanimation. Ils ont eu une relation suffisamment positive pour que Norwood, se retrouvant coincé chez Bharaputra, pense à elle. Et lui fasse assez confiance pour lui expédier la cryo-chambre. N'oubliez pas... à ce moment-là, Norwood croyait que la maison Fell était notre alliée. Parce que le Groupe Durona travaille pour la maison Fell.

– Attends un peu, fit aussitôt Quinn. La maison Fell a nié avoir la cryo-chambre.

Mark leva une main.

– Laissez-moi vous donner un petit aperçu historique de l'Ensemble de Jackson. Il y a à peu près quatre-vingt-dix ou cent ans...

– Seigneur, lord Mark, ça va durer longtemps ? demanda Bothari-Jesek.

Quinn la fixa immédiatement en l'entendant utiliser le titre honorifique.

– Un peu de patience. Vous devez comprendre ce qu'est le Groupe Durona. Il y a donc à peu près quatre-vingt-dix ans, le père de l'actuel baron Ryoval mettait en place sa petite affaire de trafic d'esclaves génétiques, la production de corps humains sur commande. Au bout d'un moment, il commença à se poser cette question : Pourquoi se payer des génies étrangers ? Il avait la réponse : en faire pousser chez lui. Les qualités mentales sont les plus délicates à créer génétiquement mais le vieux Ryoval était lui-même un génie. Il démarra un projet qui atteignit son point culminant avec la création d'une femme nommée Lilly Durona. Elle devait être la muse de sa recherche biologique, son docteur-esclave. Dans les deux sens.

« Elle poussa en cuve, fut entraînée et mise au travail. Et elle était brillante. A peu près à la même époque, le vieux baron mourut, sans trop de surprise, durant une des premières tentatives de transplantation cervicale.

« Je dis sans trop de surprise à cause de la personnalité de son fils et successeur, l'actuel baron Ryoval. Une personnalité qu'il ne tarda pas à révéler. Son premier acte fut de se débarrasser de tous les autres héritiers potentiels, tous ses rivaux de famille. Le vieil homme avait semé un tas d'enfants. Le début de la carrière de Ry Ryoval est entré dans la légende jacksonienne. Les mâles les plus âgés et donc les plus dangereux, ils s'est contenté de les assassiner. Quant aux femelles et aux plus jeunes mâles, il les a envoyés dans ses labos de transformation corporelle avant de les expédier dans son bordel privé, afin de servir à ses relations d'affaires. J'espère pour eux qu'ils sont tous morts maintenant.

« Apparemment, Ryoval utilisa la même approche directe avec les employés dont il avait hérité. Son père traitait Lilly Durona comme un délicat trésor. Le nouveau baron la menaça de lui faire suivre le même chemin que ses sœurs, de l'envoyer satisfaire les lubies biologiques de ses clients si jamais elle ne coopérait pas avec lui. Elle commença à élaborer des plans d'évasion en compagnie d'un jeune demi-frère méprisé de Ryoval, un garçon du nom de Georish Stauber.

– Ah ! Le baron Fell ! dit Thorne, captivé.

Taura semblait fascinée, Quinn et Bothari-Jesek horrifiées.

Le même mais pas encore. Lilly et le jeune Georish s'échappèrent et se mirent sous la protection de la maison Fell. En fait, je pense que Lilly a servi de ticket d'entrée à Georish. Ils se placèrent tous les deux au service de leurs nouveaux maîtres. Non sans avoir négocié, en tout cas en ce qui concerne Lilly, une considérable autonomie. C'était le Contrat. Les Jacksoniens ne respectent rien sauf les Contrats.

« Georish a commencé à se frayer son chemin dans la hiérarchie de la maison Fell. Et Lilly a démarré le Groupe de Recherches Durona en se clonant elle-même. Encore et encore. Le Groupe Durona, qui doit compter une trentaine ou une quarantaine de sœurs-clones, sert la maison Fell de diverses manières. C'est une sorte de docteur de famille pour les plus hauts cadres de Fell. Ces gens ne désirent pas confier leur santé à des mains étrangères comme celles de Bharaputra. Et, dans la mesure où la maison Fell fait commerce d'armes, le Groupe a fait pas mal de recherches et développements pour des armes biologiques et chimiques. Et leur antidote. Le Groupe Durona a permis à la maison Fell de gagner une petite fortune avec le Peritain. Quelques années plus tard, cette fortune est devenue immense avec l'antidote du Peritain. Si vous vous intéressez à cette sorte de chose, le Groupe Durona est discret mais réputé. Et la SecImp s'y intéresse. Ils avaient des tas de dossiers sur eux dans le fatras qu'ils m'ont permis d'examiner. Cela dit, n'importe quel Jacksonien sait cela.

« Georish, profitant parfaitement du coup porté à la maison Fell que constituait la simple présence de Lilly, grimpa au pinacle quelques années plus tard. Il devint le nouveau baron Fell. Et voilà qu'apparaissent les Mercenaires Dendariis. Et maintenant, c'est à *vous* de me dire ce qui est arrivé. (Mark s'inclina vers Bel Thorne.) Je n'ai pas appris grand-chose là-dessus.

Bel sifflota.

– Je savais quelques petits trucs mais j'avais jamais entendu toute l'histoire. Pas étonnant que Fell et Ryoval se haïssent tant. (Il consulta Quinn du regard qui lui donna la permission de continuer.) Bon, il y a à peu près quatre ans, Miles a apporté aux Dendariis un petit contrat. C'était un ramassage. Notre employeur... excusez-moi : Barrayar. Ça fait si longtemps que je les appelle notre employeur que c'est devenu un réflexe.

– Gardez ce réflexe, lui conseilla Mark.

Bel hocha la tête.

– L'Impérium voulait importer un généticien galactique. Je ne sais pas trop pourquoi...

Un coup d'œil vers Quinn.

– Et tu n'en as pas besoin, dit-elle.

– Mais un certain Dr. Canaba, qui était alors un des meilleurs chercheurs de la maison Bharaputra, voulait les quitter. La maison Bharaputra n'a qu'une façon – et elle est fatale – de se séparer de ses employés bourrés de secrets commerciaux. Canaba avait donc besoin d'aide. Il a passé un Contrat avec Barrayar.

– Voilà comment je suis arrivée là, intervint Taura.

– Oui, dit Thorne. Taura était un de ses projets chéris. Il a... insisté pour qu'on l'emmène avec nous. Malheureusement, le projet de super-soldat avait été récemment annulé et Taura vendue au baron Ryoval, qui fait la collection des – excusez-moi, sergent – bizarreries génétiques. Il fallait donc qu'on la sorte de la maison Ryoval, en plus d'extraire Canaba de la maison Bharaputra. Hum, Taura, vous feriez bien de raconter la suite.

– L'amiral est venu et m'a sauvée, gronda l'énorme femme. J'étais prisonnière dans le labo principal de Ryoval. Au cours de l'évasion, on a totalement détruit la plus grosse banque de gènes de la maison Ryoval. Une collection de tissus vieille de cent ans partie en fumée. Littéralement.

Elle sourit, découvrant ses crocs.

– Selon le baron Fell, la maison Ryoval a perdu environ cinquante pour cent de ses moyens ce soir-là, ajouta Thorne.

Mark poussa un hululement puis se calma.

– Je comprends pourquoi vous êtes tous persuadés que Ryoval est à la recherche de l'amiral Naismith.

– Mark, reprit Thorne, angoissé, si Ryoval retrouve Miles en premier, il le ressuscitera pour le simple plaisir de le tuer à nouveau. Et encore. Et encore. Voilà pourquoi nous tenions tellement à ce que vous jouiez le rôle de Miles au moment de quitter l'Ensemble de Jackson. Ryoval n'a aucun motif pour chercher à se venger du clone. C'est l'amiral qui l'intéresse.

– Je vois. Pfui... merci. Ah, et qu'est-il arrivé au Dr. Canaba ? Si je peux vous le demander.

– Il a été livré en parfaite santé, dit Quinn. Il a un nouveau nom, un nouveau visage, un nouveau laboratoire et un salaire qui devrait le rendre heureux. C'est un nouveau sujet loyal de l'Empire.

– Hum... Voilà qui m'amène à l'autre point que j'ai découvert. Ça n'a rien de nouveau ou de secret, même si je ne sais pas trop quoi en penser. Et la SecImp non plus, incidemment, puisqu'ils ont envoyé des agents vérifier le Groupe Durona deux fois déjà. La baronne Lotus Bharaputra, l'épouse du baron, est une clone Durona.

La main griffue de Taura vola jusqu'à ses lèvres.

– Cette fille !

– Oui, *cette* fille. Je me demandais pourquoi elle me faisait si peur. Je l'avais déjà vue, dans une autre incarnation. La clone d'une clone.

« Dans la famille ou la tribu ou... la ruche Durona, la baronne est l'une des plus vieilles sœurs ou filles clones. Elle ne s'est pas vendue pour rien. Lotus est devenue une renégate pour une des plus énormes commissions de l'histoire commerciale jacksonienne afin de co-contrôler, pour ainsi dire, la maison Bharaputra. Et maintenant, il semble qu'elle ait autre chose en tête. Le Groupe Durona, dans son ensemble, est l'un des plus éblouissants experts en biotechnologie de la galaxie mais il s'est toujours refusé à pratiquer la transplantation dans des clones. C'était écrit dans le Contrat fondateur entre Lilly Durona et la maison Fell. Mais la baronne Bharaputra, qui doit avoir plus de soixante ans standard, a apparemment décidé de s'offrir une deuxième jeunesse très bientôt. Si j'en juge d'après ce que j'ai vu.

– Pourriture, marmonna Quinn.

– Voilà donc un autre problème, dit Mark. En fait, ce truc est un vrai nœud de problèmes. Quand vous tirez sur un fil, il y en a dix qui viennent avec. Mais cela ne m'explique pas pourquoi le Groupe Durona cacherait Miles *à la maison Fell, son propre patron*. Pourtant, c'est ce qu'il a dû faire.

– S'il l'a, fit Quinn, mâchonnant sa joue.

– S'il l'a, concéda Mark. Mais, reprit-il avec un espoir ranimé, cela expliquerait pourquoi cette fameuse cryo-chambre s'est retrouvée dans le Moyeu de Hegen. Le Groupe Durona n'essayait pas de la cacher à la SecImp. Il essayait de la cacher aux autres Jacksoniens.

– Ça a l'air de tenir debout, fit Thorne.

Mark ouvrit les mains face à face, paume contre paume comme si des fils invisibles les reliaient.

– Oui, ça en a l'air. (Il noua ses deux mains.) Voilà où nous sommes. Et voilà où nous allons. Notre premier problème sera de repénétrer dans l'espace jacksonien après la sortie de saut à la station Fell. Le capitaine Quinn a emporté un sacré équipement pour nous fabriquer des identités. Coordonnez vos idées avec elle sur ce point. Nous avons dix jours pour nous amuser avec ça.

Le groupe se sépara pour examiner la situation chacun ou chacune à sa manière. Bothari-Jesek et Quinn s'attardèrent tandis que Mark se levait et s'étirait. Il avait mal au dos. Et à la cervelle.

– Bel exercice d'analyse, admit Quinn à contrecœur. Si c'est pas du vent.

Elle devait déjà avoir fait son choix.

– Merci, Quinn, dit-il sincèrement.

Lui aussi priait pour que tout cela ne soit pas une fantastique erreur.

– Oui... il a un peu changé, observa Bothari-Jesek. Il a grandi.

– Ouais ? (Le regard de Quinn le radiographia des pieds à la tête et retour.) Exact...

Le cœur de Mark bondit : il avait faim de recevoir une miette d'appréciation.

– ... Il a grossi.

– Tout le monde au travail, grogna-t-il.

22

Il se souvenait d'avoir appris des exercices de diction. Autrefois. Il en voyait même toute une liste sur un écran, mots noirs sur fond bleu pâle. S'agissait-il d'un cours de rhétorique ? Malheureusement même s'il revoyait l'écran, il ne se souvenait que de l'un d'entre eux. Il s'assit dans son lit avec effort et l'essaya : « Le... cha... a... chu...chchché... ichi... che... *chiotte* ! » Il reprit son souffle et essaya encore. Et encore et encore. Sa langue était aussi épaisse qu'une vieille chaussette. Il lui semblait essentiel de retrouver le contrôle de sa parole. Tant qu'il parlerait comme un idiot, ils le traiteraient comme un idiot.

Ça pourrait être pire. Il mangeait de la vraie nourriture maintenant, pas de l'eau sucrée ou de la bouillie. Il se douchait et s'habillait tout seul depuis deux jours entiers. Plus de blouse de malade. Ils lui avaient donné une chemise et un pantalon à la place. *Comme sur un vaisseau.* Ils étaient gris et, au début, cela lui fit plaisir. Après, cela l'inquiéta car il ne savait pas pourquoi ce gris lui faisait plaisir.

– Le. Chat. A. Su. Chassé. Ici. Ce. Soir. Ah !

Il s'adossa au montant du lit, savourant son triomphe. Du coin de l'œil, il aperçut le Dr. Rowan sur le seuil de la chambre qui l'observait avec un sourire.

Toujours essoufflé, il agita les doigts pour lui souhaiter la bienvenue. Elle vint à ses côtés au bord du lit. Elle portait toujours la même blouse verte qui cachait tout et tenait un grand sac.

– Raven dit que vous n'avez pas arrêté de babiller toute la nuit comme un bébé, remarqua-t-elle, mais il se trompait. Vous vous entraîniez, n'est-ce pas ?

Il hocha la tête.

– Hon... Dois par'er. C'mmander... (il se toucha les lèvres et désigna vaguement la pièce)... 'béir.

– Vous croyez ça, hein ?

Amusée, elle haussa les sourcils. Mais les yeux marron le scrutaient attentivement. Elle bougea et poussa la table roulante entre eux.

– Asseyez-vous, mon autoritaire petit ami. Je vous ai apporté des jouets.

– N'velle enfanc', maugréa-t-il, morose avant de se redresser.

Seule sa poitrine lui faisait encore mal. Au moins, il semblait en avoir terminé avec les aspects repoussants de cette deuxième enfance. Une seconde adolescence allait-elle suivre ? Dieu l'en préserve. Peut-être qu'il pourrait éviter ça. *Pourquoi redouter une adolescence dont je ne me souviens pas ?*

Il rit brièvement quand elle ouvrit le sac et étala deux douzaines de pièces qui ressemblaient aux différentes parties d'armes de poing démontées.

– ... Test, hein ?

Il commença à les ramasser et à les assembler. Un neutralisateur, un brise-nerfs, un arc à plasma et un pistolet à projectiles... faire glisser, tourner, enclencher, verrouiller... un, deux, trois, quatre, il les rangea devant lui sur la table.

– Batte'ies mo'tes. Pas a'mées, hein ? Ça... se't à 'ien. (Il poussa de côté une douzaine de pièces inutiles.) Ah. Piège.

Il lui sourit avec suffisance.

– Vous ne m'avez pas mise une seule fois en joue pendant que vous les manipuliez, remarqua-t-elle.

– Hmm ? Pas fait 'ttention.

Elle avait raison, se rendit-il compte. Il toucha l'arc à plasma d'un air de doute.

– Quelque chose vous est revenu en faisant ça ? s'enquit-elle.

Frustré, il secoua la tête. Soudain, son regard s'éclaira.

– Souv'nu qu'que cho' c'matin dans la d'cccchhh... la dcccchhhh....

Quand il parlait vite, ses phrases redevenaient inintelligibles. Ses lèvres et sa langue s'emmêlaient.

– Dans la douche, traduisit-elle pour l'encourager. Racontez-moi. Lentement. Aussi lentement que possible.

– La. Lenteur. C'est. La. Mort, énonça-t-il clairement.

Elle cligna des paupières.

– Peut-être. Dites-moi quand même.

– Ah. Bien. J'étais p'tit. F'sais du ch'val. Vieil homm' sur un aut' ch'val. Des collin'. Froid. Ch'vaux... pas d'souffl' comm' moi. (Il avait beau s'appliquer à respirer profondément, ça ne suffisait jamais.) Z'arbres. Montagnes. Deux, trois montagnes, 'vec zarbres, tous r'liés par des tuyaux en plastique. Y z'allaient j'squ'à une cabane en bas. Papy heureux... pa'ce que les tuyaux sont *efficaces*. (Il avait lutté pour prononcer ce dernier mot correctement.) Z'autres sont 'reux aussi.

– Que font-ils dans cette scène ? demanda-t-elle. Ces autres hommes.

Il revoyait tout ça dans sa tête. Le souvenir d'un souvenir.

– Brûl' du bois. Font du sucre...

– Ça n'a pas de sens. On fabrique le sucre dans des cuves de production biologique pas en brûlant des arbres, dit Rowan.

– Des arbres, confirma-t-il. Des arbres à sucre noir.

Un autre souvenir : le vieil homme brisait un morceau de quelque chose qui ressemblait à du sable foncé et aggloméré et lui faisait goûter en le lui glissant dans la bouche. La sensation des vieux doigts contre sa joue, la douceur à laquelle se mêlait une odeur de cuir et de chevaux. La sensation était si puissante qu'il frissonna. *Ceci avait été réel*. Mais il ne trouvait toujours aucun nom à mettre sur personne. *Grand-père*.

– Montagnes à moi, ajouta-t-il.

Cette pensée le rendit triste sans qu'il sache pourquoi.

– Quoi ?

– A moi. P'op'iété.

Il fronça les sourcils sombrement.

– Rien d'autre ?

– Non. Tout c'que j'vois.

Ses poings étaient serrés. Il se força à étaler ses doigts soigneusement sur la table.

– Vous êtes sûr qu'il ne s'agit pas d'un rêve de la nuit dernière ?

– *Non*. Dans la d'cchhh, insista-t-il.

– C'est très étrange. Cela, je m'y attendais. (Elle désigna les armes remontées avant de se mettre à les ranger dans le sac.) Ça (un hochement de tête pour indiquer sa petite histoire), ça ne colle pas. Des arbres en sucre, ça me fait plutôt l'effet d'un rêve.

Ça ne colle pas avec quoi ? Une excitation désespérée l'envahit. Il la saisit par le poignet au moment où elle remballait le neutralisateur.

– Colle pas 'vec quoi ? *Que savez-vous ?*

– Rien.

– Ah ! Pas 'ien !

– Vous me faites mal, dit-elle sans affolement.

Il la lâcha aussitôt.

– Pas 'ien, insista-t-il encore. Que'que chose. *Quoi ?*

Elle soupira, finit de ranger les armes et se rassit en l'examinant.

– C'était la vérité quand nous disions que nous ignorions qui vous étiez. Il serait plus vrai de dire que nous ne sommes pas certains de savoir *lequel* vous êtes.

– J'ai l'choix ? Dites-moi !

– Vous êtes à un... moment délicat de votre convalescence. Les amnésiques après une cryo-réanimation retrouvent rarement toute leur mémoire d'un coup. Elle revient en cascade. C'est exponentiel. Un peu au début puis ça grossit de plus en plus. Puis ça se tarit. Quelques derniers trous peuvent perdurer plusieurs années. Dans la mesure où vous n'avez pas souffert de blessures cervicales majeures, mon diagnostic est que vous retrouverez toute votre personnalité. Mais...

Un *mais* tout à fait sinistre. Il la fixa d'un air suppliant.

– A ce stade, au moment où la cascade ne va pas tarder à couler, un cryo-amnésique est tellement assoiffé d'identité qu'il est prêt à en prendre une mauvaise et à assembler ses souvenirs de façon à prouver que c'est la vraie. Il faudra alors des semaines ou des mois pour rétablir la vérité. Dans votre cas, pour des raisons qui vous sont propres, je pense que cela est non seulement plus que possible mais qu'il sera beaucoup plus difficile que pour un autre de faire la part des choses. Je dois faire très, très attention de ne rien vous suggérer dont vous ne soyez déjà absolument certain. Et c'est dur, parce que j'ai autant tendance que vous à me fabriquer mes petites théories dans ma tête. Je dois m'assurer que tout ce que vous me donnez vient vraiment de vous et n'est pas un reflet, un écho de quelque chose que je vous aurais suggéré.

– Oh.

Il s'affaissa dans son lit, horriblement déçu.

– Il y a peut-être un raccourci, ajouta-t-elle.

Il bondit à nouveau.

– 'Quel ? Dit'moi !

– Il existe une drogue qui s'appelle le thiopenta. C'est, entre autres, un sédatif psychiatrique mais on l'utilise généralement lors d'interrogatoires. Il n'est pas correct de parler de sérum de vérité au sens strict même si certains profanes le font.

– J' connais... thiopenta.

Il savait quelque chose d'important à propos du thiopenta. Qu'est-ce que c'était ?

– Il possède des effets extrêmement relaxants et, parfois, pour des patients après une cryo-réanimation il peut déclencher la cascade de souvenirs.

– Ah !

– Par ailleurs, cela peut être aussi très embarrassant. Sous son influence, les gens parlent joyeusement de tout ce qui leur traverse l'esprit, jusques et y compris leurs pensées les plus intimes et les plus privées. Une bonne éthique médicale m'oblige de vous en prévenir. Il y a aussi des gens qui sont allergiques à cette drogue.

– Où 'vez-vous... 'ppris... l'éthik' ? demanda-t-il, curieux.

Etrangement, elle sursauta.

– Sur Escobar, dit-elle en le fixant droit dans les yeux.

– Où... nous... *maintenant* ?

– Je préfère ne pas vous le dire. Pas encore.

– C'mment... ça pourrait... cont'miner... m' mémoire ? s'indigna-t-il.

– Je vous le dirai bientôt, fit-elle, apaisante. Bientôt. Croyez-moi.

– Humm, grommela-t-il.

Elle sortit un petit paquet blanc de sa poche qu'elle ouvrit.

– Donnez-moi votre bras.

Il lui obéit et elle y posa un timbre collant.

– C'est un test d'allergie, expliqua-t-elle. D'après mes théories à votre égard, il est fort possible que vous y soyez allergique. Une allergie artificiellement créée.

Elle décolla le timbre – ça piqua un peu – et examina son bras. Un point rose apparut. Elle fronça les sourcils.

– Ça vous démange ? demanda-t-elle, soupçonneuse.

– Non, mentit-il.

Il serra la main droite pour s'empêcher de se gratter. Une drogue qui lui rendrait sa mémoire... Il devait la prendre. *Redeviens blanc, bon sang,* ordonna-t-il au bouton rose.

– Vous semblez un peu sensible, marmonna-t-elle. Marginalement.

– *Z'en prriiiieee...*

Elle doutait encore. Pas trop.

– Bah... qu'avons-nous à perdre ? Je reviens tout de suite.

Elle sortit et reparut quelques secondes plus tard avec deux hyposprays qu'elle posa sur la table.

– Voici le thiopenta... et son antagoniste. Prévenez-moi immédiatemment si vous sentez quelque chose de bizarre, si ça vous gratte, si la tête tourne, si vous avez du mal à respirer ou à déglutir, si vous avez l'impression que votre langue s'épaissit.

– Elle l'est d'jà, objecta-t-il tandis qu'elle remontait sa manche et plaquait l'hypospray à l'intérieur de son coude.

– Vous sentirez la différence, dit-elle. Maintenant, détendez-vous. Vous n'allez pas tarder à avoir l'impression de rêver, comme si vous flottiez. Comptez à rebours à partir de dix. Ça ne devrait pas prendre plus longtemps. Essayez.

– Di. Neu. Ui. Zed. Si. Sein, kat', t'oi-deueu-un. (Il n'avait pas du tout l'impression de rêver. Il se sentait nerveux, tendu et misérable.) Z'êtes sûre k'c'est la bonne ?

Ses doigts se mirent à pianoter sur la table. Le son lui parut inhabituellement fort. Les objets dans la pièce prenaient des contours durs et brillants, comme si on les avait entourés d'un trait fluorescent. Le visage de Rowan semblait soudain dépourvu de toute personnalité. Comme un masque d'ivoire.

Menaçant, le masque se pencha sur lui.

– Quel est votre nom ?

– N... nnnnnn, bégaya-t-il.

Il était l'œil invisible, le sans-nom...

– Bizarre, murmura le masque. Votre pression sanguine monte au lieu de descendre.

Abruptement, il se souvint de ce qui était si important avec le thiopenta.

– Thiop'ta, m'rend'iper.

Elle secoua la tête en signe d'incompréhension.

– *Hyper*, répéta-t-il.

Des spasmes lui tordaient la bouche. Il voulait parler. Des milliers de mots s'agglutinaient sur sa langue, une collision en chaîne qui lui labourait les nerfs.

– Wa. Wa. *Wa*.

– Ce n'est pas normal.

Elle considéra d'un air méfiant l'hypospray toujours dans sa main.

– Sans b'ague.

Ses bras et ses jambes se rétractèrent comme des ressorts. Le visage de Rowan devenait de plus en plus charmant, comme celui d'une poupée. Son cœur s'accélérait. La pièce tangua comme s'il nageait sous l'eau. Il fit l'effort de déplier ses membres. Il devait se détendre. Il devait se détendre *sur-le-champ*.

– Vous vous rappelez quelque chose ? demanda-t-elle.

Ses yeux sombres étaient comme des piscines, liquides et magnifiques. Il voulait nager dans ces yeux, briller à leur surface. Il voulait lui faire plaisir. Il voulait la sortir de cette blouse-armure verte, pour danser nu avec elle sous les étoiles, pour... Son désir était si fort que ses bredouillements s'organisèrent soudain sous forme de poèmes, pour ainsi dire. En fait, il s'agissait de vers très vulgaires jouant sur un symbolisme trivial où il était question de trous spatiaux et de sauts. Heureusement, tout cela sortait dans un beau désordre.

Soulagé, il constata qu'elle souriait. Mais il fit soudain une association beaucoup moins plaisante.

– La dernièr'fois qu'j'ai récité ça, y avait que'qu'un qui m'foutait un'sacrée raclée. 'core avec du thiopenta.

Un frisson d'attention parcourut son joli corps.

– On vous a déjà donné du thiopenta ? Quand ça ? Avec qui ? Vous vous en souvenez ?

– Y s'app'lait Galen. Colère cont' moi. Sais pââ pou'quoi.

Il voyait un visage congestionné qui s'agitait devant lui, irradiant une haine implacable. Des coups qui lui pleuvaient dessus. Il se fouilla pour trouver la peur qu'il avait dû éprouver et il la trouva bizarrement mêlée à de la pitié.

– J'comp'ends pââ.

– Que vous demandait-il ?

– Sais pâ. J'y ai dit un aut' poèème...

– Vous lui avez récité des poèmes alors que vous subissiez un interrogatoire au thiopenta ?

– P'dant des *zeures*. Ça l'rendait malade.

Elle haussa les sourcils. Puis – spectacle délicieux – un de ses doigts toucha ses lèvres qui s'écartèrent lentement.

– Vous avez *dominé* un interrogatoire au thiopenta ? Remarquable ! Ne parlons pas de poésie, alors. Mais vous vous rappelez Ser Galen. Ouah !

– Galen. Ça colle ? (Il pencha la tête anxieusement. *Ser* Galen, oui ! Le nom était important : elle l'avait reconnu.) *Dites-moi.*

– Je... ne suis pas sûre. A chaque fois que je crois faire un pas en avant avec vous, j'ai l'impression qu'on en fait aussi deux de côté et un en arrière.

– 'M'rais b'en danser avec vous, confia-t-il et s'entendit avec horreur décrire brièvement et précisément ce qu'il aimerait aussi faire avec elle. Oh. Ah. 'scusez-moi, m'dame.

Il se fourra les doigts dans la bouche et les mordit.

– C'est pas grave, fit-elle, toujours apaisante. C'est le thiopenta.

– Non... z'est la *teztoztérone*.

Elle éclata de rire. Ce qui était extrêmement encourageant... mais sa brève exaltation fut submergée par une nouvelle vague de tension : ses mains agrippaient et tordaient ses vêtements, ses pieds tressautaient.

L'air préoccupé, elle contrôla un moniteur situé au-dessus de sa tête.

– Votre pression sanguine grimpe encore. Vous êtes peut-être charmant sous l'effet du thiopenta mais ceci n'est pas normal. (Elle s'empara de la deuxième hypospray.) Je crois qu'il vaut mieux arrêter l'expérience maintenant.

– 'Suis pas normal, dit-il tristement. Mutant. (La panique le saisit.) Z'allez m'enl'ver l'cerveau ? demanda-t-il avec une soudaine anxiété, regardant avec suspicion la seringue.

Tout à coup, ça lui revint.

– Hé ! s'écria-t-il. Je sais où je suis ! Je suis sur l'*Ensemble de Jackson* !

Il la dévisagea avec terreur avant de bondir hors du lit. D'un saut de carpe, il l'évita et atteignit la porte.

– Non, attendez, attendez ! s'exclama-t-elle en se lançant à sa poursuite, l'hypospray en main. C'est la drogue, arrêtez-vous ! Laissez-moi vous calmer ! Poppy, attrape-le !

Il évita tout aussi habilement le Dr. Durona avec une queue de cheval qui se trouvait dans le couloir et se jeta dans le tube de montée. Il se mit à grimper à toute allure le long de l'échelle de secours. Les muscles de sa poitrine pas encore guéris hurlèrent de douleur. C'était le chaos, tout tournoyait autour de lui : le tube, des couloirs et il finit par se retrouver dans le hall qu'il connaissait déjà.

Il passa devant un employé quelconque qui manœuvrait une civière flottante à travers les portes de verre. Aucun champ de force ne l'arrêta cette fois-ci. Un garde en parka verte se retourna vers lui

416

au ralenti, dégaina un neutralisateur. De sa bouche ouverte, jaillit un cri aussi épais qu'une flaque d'huile froide.

La grise lueur du jour l'aveugla. Il s'accrocha à une rampe, se retrouva sur un parking recouvert de neige sale. Le verglas et quelques petits cailloux lui mordirent ses pieds nus tandis qu'il courait. Il arriva face à un mur. Dans ce mur, un portail et d'autres gardes en parkas vertes.

– Ne lui tirez pas dessus ! hurla une femme derrière lui.

Il traversa une rue sinistre et faillit se faire renverser par une voiture. Des éclairs de couleur lui crevaient les yeux à travers l'éclatant voile blanc-gris. Un vaste espace vide au-delà de la rue était occupé par des arbres noirs et nus aux branches comme des griffes cassées par le ciel. Il avait vaguement conscience d'autres bâtiments, là-bas plus loin, dominant la rue, sombres et menaçants. Ce paysage n'avait rien de familier. Il se rua vers l'espace vide et les arbres. Le voile devant ses yeux se teinta de noir et de rouge. L'air glacé l'étranglait. Il tituba et tomba, roulant sur le dos, incapable de respirer.

Une demi-douzaine de Dr. Durona se jetèrent sur lui comme des loups sur leur proie. Ils lui prirent les bras et les jambes, le soulevèrent de la neige. Le visage déformé de Rowan apparut. Une hypospray siffla. Comme un mouton troussé, ils le ramenèrent dans le grand bâtiment blanc de l'autre côté de la rue. Ses idées s'éclaircissaient mais une douleur abominable lui écartelait la poitrine, comme si on le dévissait de l'intérieur. Quand ils le remirent dans son lit dans les entrailles de la clinique, la paranoïa provoquée par la drogue avait disparu... pour être remplacée par sa paranoïa habituelle.

– Vous croyez qu'on l'a vu ? s'inquiéta une voix d'alto.

– Les gardes, répondit une autre voix. Des medtechs.

– Personne d'autre ?

– Je ne sais pas, fit Rowan, haletante, échevelée. (Des flocons de neige s'accrochaient à ses mèches.) Il y avait quelques voitures dans la rue. Je n'ai vu personne dans le parc.

– Il y avait un couple qui marchait, annonça un autre Dr. Durona. Assez loin, de l'autre côté de l'étang. Ils nous ont regardés mais ils n'ont pas dû voir grand-chose.

– On leur a pourtant donné un sacré spectacle. Et ça a duré près d'une minute. C'est long.

– Qu'est-il arrivé cette fois-ci, Rowan ? s'enquit le Dr. Durona à la blanche chevelure et à la voix d'alto.

Elle s'approcha de lui en s'appuyant sur quelque chose. Une canne. Oui, une canne et elle l'utilisait visiblement par nécessité et non par affectation. Tous les autres se montraient déférents envers elle. S'agissait-il de la mystérieuse Lilly ?

– Je lui ai donné une dose de thiopenta, expliqua Rowan avec raideur. Pour essayer de stimuler sa mémoire. Ça marche souvent après les cryo-stases. Sa pression sanguine s'est mise à grimper, il est devenu paranoïaque et il a détalé comme un lévrier. Personne n'a pu l'attraper avant qu'il ne s'effondre dans le parc.

Elle était encore essoufflée, remarqua-t-il, tandis que sa propre douleur commençait à diminuer.

La vieille Durona renifla.

– Ça a marché ?

Rowan hésita.

– Ça a été assez bizarre. Il faut que je parle avec Lilly.

– Vas-y tout de suite, dit la vieille Durona... qui n'était donc pas Lilly. Je...

Elle s'arrêta parce qu'il venait de tenter de se mêler à la conversation. Une tentative qui prit la forme d'une convulsion.

Pendant un instant, le monde se pulvérisa en confettis. Puis il retrouva sa vision : les deux femmes le maintenaient sur le lit. Rowan criait des ordres et les autres Durona lui obéissaient.

– Je monterai dès que possible, dit Rowan. Je ne peux pas le laisser comme ça.

La vieille Durona hocha la tête et s'en fut. Rowan tenait une autre hypospray : sans doute un anti-convulsif.

– Ceci est un ordre, dit-elle. Cet homme ne doit rien recevoir sans qu'on effectue au préalable un scanner de sensibilité.

Elle renvoya ses aides et baissa la luminosité dans la chambre. Celle-ci était à nouveau chaude et sombre. Petit à petit, il retrouvait son rythme respiratoire normal. C'était son estomac qui protestait maintenant.

– Je suis désolée, lui dit-elle. Je n'imaginais pas que le thiopenta aurait cet effet.

Il essaya de lui dire : *Ce n'est pas votre faute*, mais son élocution semblait avoir à nouveau régressé.

– M... mmmoo.... 'vais ?

Elle hésita trop avant de répondre.

– Ce devrait aller.

Deux heures plus tard, ils vinrent avec une civière flottante pour le déménager.

– Nous recevons d'autres patients, annonça le Dr. Chrys. Nous avons besoin de votre chambre.

Mensonge ? Demi-vérité ?

Quoi qu'il en soit, l'endroit où ils l'amenèrent le laissa perplexe. Il avait imaginé quelque chose comme une cellule enfouie sous terre, au lieu de cela, ils lui firent prendre un monte-charge et l'installèrent sur un lit de camp dans la suite personnelle de Rowan. L'appartement possédait deux pièces, une chambre à coucher et un salon-bureau, plus une salle de bains. Le tout était raisonnablement spacieux mais encombré. Il eut l'impression de passer du statut de prisonnier à celui d'animal domestique introduit, contre le règlement, dans le dortoir des femmes. Il avait pourtant aperçu quelques autres Durona mâles en plus de Raven. Des oiseaux et des plantes, ils étaient tous des oiseaux et des plantes dans cette cage de béton.

Encore un peu plus tard, une jeune Durona apporta le dîner sur un plateau et il mangea en compagnie de Rowan sur une petite table dans son salon tandis que le crépuscule tombait dehors. Son statut de patient-prisonnier n'avait peut-être pas changé mais il était bien content de ne plus se trouver dans la chambre d'hôpital. Plus de moniteurs ni autre équipement médical autour de lui. Oui, c'était bien agréable de faire quelque chose d'aussi prosaïque que de dîner avec une amie.

Le repas terminé, il arpenta la pièce.

— Z'ennuie si j'regarde vos affaires ?

— Allez-y. Dites-moi si ça vous rappelle quelque chose.

Elle refusait encore de lui dire quoi que ce soit le concernant mais elle semblait à présent disposée à lui parler d'elle. Son image interne du monde *changea* tandis que leur conversation se poursuivait. *Pourquoi ai-je des cartes de couloirs et de trous galactiques dans la tête ?* Il allait peut-être devoir retrouver sa mémoire tout seul, faire tout le travail tout seul. Apprendre tout ce qui existait dans l'univers et procéder par élimination. Ce qui resterait, cette espèce de nain, de trou au milieu du reste, ce serait lui.

A travers la vitre polarisée, il contempla la faible lueur qui traînait dans l'air, comme si de la poussière magique tombait tout autour du bâtiment. Il reconnaissait à présent le champ de force, ce qui indiquait une nette amélioration de ses perceptions par rapport à la première fois où il avait foncé dessus tête la première. C'était un écran de type militaire, imperméable non seulement aux virus et aux molécules gazeuses mais aussi aux projectiles et au plasma... devait y avoir un générateur drôlement puissant dans le coin. L'architecture du bâtiment n'avait pas été conçue pour recevoir un tel écran. D'où l'on pouvait déduire...

— On est bien sur l'Ensemble de Jackson, 'ce pas ? demanda-t-il.

— Oui. Cela évoque-t-il quelque chose pour vous ?

– Le danger. Mauvais coups. C'est quoi, ça ?

D'un geste, il indiqua l'endroit où ils se trouvaient.

– La clinique Durona.

– Sans blague ? Vous fait' quoi ? Et moi ?

– Nous sommes la clinique privée de la maison Fell. Nous effectuons toutes sortes de travaux médicaux pour eux.

– Maison Fell. Z'armes. (L'association lui vint immédiatement à l'esprit.) Z'armes biologiques.

Il la dévisagea d'un air accusateur.

– Parfois, admit-elle. Et des défenses biologiques aussi.

Etait-il un soldat de la maison Fell ? Un soldat ennemi capturé ? Et merde, quelle armée enrôlerait un nain comme soldat ?

– Maison Fell m'a donné à vous ?

– Non.

– Non ? 'lors, pourquoi j'suis ici ?

– C'est une énigme pour nous aussi. Vous êtes arrivé congelé dans une cryo-chambre. A l'évidence, vous aviez été préparé en grande hâte. Un beau jour, une caisse est arrivée qui m'était adressée, par livreur normal, sans adresse d'expéditeur. Nous espérions que si nous pouvions vous réanimer, vous nous expliqueriez.

– Sss... p'us comp'iqué qu'ça.

– Oui, dit-elle avec franchise.

– Mais vous m'direz r'en.

– Pas encore.

– 's qui s'passe si j'sors ?

Elle s'alarma.

– S'il vous plaît, ne le faites pas. Vous pourriez être tué.

– Encore ?

Elle hocha la tête.

– Encore.

– Par qui ?

– Ça... dépend de qui vous êtes.

Il changea de sujet mais se débrouilla pour y revenir trois fois au cours de leur conversation sans jamais parvenir à lui soutirer quoi que ce soit. Epuisé, il abandonna pour la nuit. Malheureusement, il ne trouva pas le sommeil, tournant et retournant le problème dans sa tête, comme un prédateur fouille une carcasse. Tout cela ne faisait que lui congeler le cerveau de frustration. *Dors*, s'ordonnait-il. Demain lui apporterait sûrement du neuf. Sa situation était tout sauf stable. Il le sentait avec une étonnante certitude. Il était en équilibre sur un fil. Sous ce fil, l'ombre cachait quelque chose ou alors... rien, rien du tout, sinon une chute sans fin.

Le bain chaud et le massage ne lui avaient pas paru très rationnels. Il préféra l'exercice. Le Dr. Chrys avait apporté une bicyclette d'intérieur chez Rowan et l'avait laissé transpirer jusqu'au bord de l'évanouissement. Un effort aussi douloureux ne pouvait être que bon pour lui. Pas question de faire des pompes pour le moment. Il en avait essayé une et s'était effondré, les yeux révulsés, gémissant. Le Dr. Chrys lui avait passé un drôle de savon : il n'avait pas le droit d'effectuer certains gestes.

Sa physiothérapeute avait pris encore un certain nombre de notes puis s'en était allée, l'abandonnant aux mains plus tendres de Rowan. Il gisait à présent en nage dans le lit de celle-ci, vêtu d'une simple serviette, tandis qu'elle passait en revue la structure musculo-osseuse de son dos. Les doigts du Dr. Chrys quand elle l'avait massé étaient comme des sondes. Ceux de Rowan le caressaient. N'étant pas anatomiquement équipé pour ronronner, il émettait de temps à autre un gémissement approbateur. Après être descendue jusqu'à ses doigts de pieds, elle remonta.

Le visage confortablement enfoui dans son oreiller, il ne tarda pas à se rendre compte qu'une importante fonction corporelle se réveillait en lui, pour la première fois depuis sa réanimation. Une *rés-érection*, pour ainsi dire. Il rougit d'embarras et de plaisir mêlés. L'air de rien, il se cacha sous son bras. *C'est ton docteur. Elle voudra savoir.* C'était ridicule : après tout, elle connaissait déjà son corps sous toutes ses coutures, au sens propre. Il n'en resta pas moins caché sous son bras.

– Tournez-vous, dit Rowan, je dois voir l'autre côté.

– Euh... vaut mieux pas, marmonna-t-il dans son oreiller.

– Pourquoi pas ?

– Pas présentable.

– Comment ça ?

– Qu'e'que chose qui m'est r'venu... pas dans la tête.

Un bref silence puis :

– Oh ! Dans ce cas, c'est nécessaire. Il faut que je vous examine.

Il poussa un long soupir.

– C'qui faut pas fair' pour la science.

Il roula sur lui-même et elle lui enleva la serviette.

– C'est déjà arrivé ? s'enquit-elle.

– Non. Premièr'fois d'ma vie. Cette vie.

Ses longs doigts frais le touchèrent rapidement, médicalement.

– Il a bonne mine, dit-elle avec enthousiasme.

– Merci, gloussa-t-il joyeusement.

Elle éclata de rire. Il n'avait pas besoin de ses souvenirs pour savoir que c'était bon signe quand une femme riait de ses plaisanteries dans un moment pareil. Doucement, comme s'il se livrait à une expérience, il l'attira contre lui. *Vive la science. Voyons ce qui va arriver*. Il l'embrassa. Elle lui rendit son baiser. Il fondit.

Les discours et la science furent mis de côté pendant quelque temps, après ça. Sans parler de la blouse verte et de ce qu'il y avait en dessous. Son corps était aussi adorable qu'il l'avait imaginé, un délice de lignes et de courbes, d'odeurs et de douceur. Par contraste, son propre corps ressemblait à un sac d'os couvert de coutures rouges.

Une intense conscience de sa mort récente le saisit et il se mit à l'embrasser passionnément, frénétiquement comme si elle était la vie elle-même et qu'il pouvait ainsi la consommer et la posséder. Il ne savait pas si elle était son amie ou son ennemie. S'il avait tort ou raison d'agir ainsi. Mais c'était chaud, liquide et remuant, pas glacé et immobile. C'était sans aucun doute possible la chose la plus opposée à la cryo-stase. *Saisis l'occasion*. Parce que après, ailleurs, l'attendait cette ombre froide et implacable qu'il avait vue toute la nuit. Il n'était plus qu'un corps en fusion. Elle écarquilla les yeux. Seul son souffle qui lui manquait l'obligea à ralentir, à revenir à un rythme plus adéquat, plus raisonnable.

Sa laideur aurait dû l'angoisser mais ce n'était pas le cas et il se demanda pourquoi. *On ferme les yeux quand on fait l'amour*. Qui lui avait dit ça ? La même femme qui lui avait dit : *c'est pas la viande qui compte, c'est le mouvement ?* Ouvrir le corps de Rowan c'était comme de se retrouver en face de ces armes démontées. Il savait quoi faire, quels étaient les endroits qui comptaient et ceux qui ne servaient qu'à camoufler mais il ne se rappelait pas comment il l'avait appris. L'entraînement était là mais l'entraîneur avait disparu. C'était l'expérience la plus troublante de ses deux (*deux ?*) vies où le familier se mélangeait parfaitement avec l'étrange.

Elle frissonna, soupira et se détendit. Et il l'embrassa encore une fois des pieds à la tête pour venir lui glisser dans l'oreille :

— J'crois pas que j'pourrais faire des pompes maint'nant.

— Ah... euh... oui.

L'air un peu égaré, elle rouvrit les yeux.

Après quelques tentatives expérimentales, ils trouvèrent une position médicalement acceptable pour lui : sur le dos, sans pression sur sa poitrine, ses bras ou son abdomen et ce fut son tour. Ça semblait correct : les dames d'abord. Et puis, ça lui éviterait de recevoir un oreiller sur la figure pour s'être endormi juste après. Tout cela était terriblement familier, seuls les détails étaient différents. Rowan avait déjà fait ça elle aussi, jugea-t-il, mais pas trop souvent. Mais une grande expertise de sa part n'était pas requise. Ça se passait à merveille.

– Dr. D., soupira-t-il, z'êtes géniale. 'scu... Ezcuu... ce type grec aurait dû prendre des cours de résurrection avec vous.

Elle rit et se coula sur le lit à ses côtés, corps contre corps. *Ma taille n'a pas d'importance quand on est allongé.* Ça aussi, il l'avait su. Ils échangèrent des baisers moins sauvages, plus savoureux.

– Tu sais vraiment t'y prendre, murmura-t-elle en lui mordillant l'oreille.

– Ouais... (Son sourire s'effaça et il contempla le plafond, les sourcils froncés dans un mélange de douce mélancolie postcoïtale et de frustration purement mentale.) J'étais peut-être marié...

Elle redressa la tête et il se maudit en croyant l'avoir blessée.

– Non, j'pense pas, reprit-il très vite.

Elle se laissa à nouveau aller sur son épaule.

– Non... non. Tu n'es pas marié.

– Que je sois l'un ou l'autre ?

– Oui.

Il hésita, jouant avec une longue mèche noire, s'en servant pour frôler les cicatrices sur son torse.

– Alors, avec qui crois-tu avoir fait l'amour ?

Elle posa son index sur son front.

– Toi. Rien que toi.

Voilà qui était tout à fait plaisant mais...

– Etait-ce de l'amour ou de la thérapie ?

Un sourire énigmatique tandis qu'elle le dévisageait.

– Un peu des deux, je crois. Et la curiosité. Et l'occasion. Ça fait trois mois que je m'occupe beaucoup de toi.

Ça ressemblait à une réponse honnête.

– J'ai l'impression qu'c'est toi qui as provoqué l'occasion.

Une moue amusée lui échappa.

– Peut-être bien.

Trois mois. Intéressant. Il avait donc été mort pendant plus de deux mois. Ce qui signifiait qu'il avait coûté pas mal d'efforts et de ressources au Groupe Durona. Pour commencer, trois mois de travail de ce docteur, ça représentait une belle somme.

– Pourquoi faites-vous ça ? demanda-t-il tandis qu'elle se nichait au creux de son épaule. Je veux dire tout ça. Qu'attendez-vous d'moi ? (Un semi-infirme, stupide, névrosé, sans nom ni mémoire.) Vous vous accrochez à ma guérison comme si j'étais la clé du paradis. (Même la brutale Chrys le poussait pour son bien. Il préférait presque sa férocité : c'était quelque chose qu'il connaissait bien.) Qui d'autre me veut pour que vous me cachiez ainsi ? Des ennemis ?

Ou des amis ?

– Des ennemis, sans le moindre doute, soupira Rowan.

– Hmm...

Il se laissa aller à sa lassitude. Elle somnola, pas lui. Caressant son chignon, il se posait des questions. Que voyait-elle en lui ? *Je pensais au cercueil de cristal magique d'un chevalier... J'ai trouvé assez de fragments de grenade pour savoir que vous ne faisiez pas que passer dans le coin...*

Donc, il y avait une tâche à accomplir. Le Groupe Durona n'avait pas besoin d'un mercenaire ordinaire. Si cet endroit était bien l'Ensemble de Jackson, ils pouvaient s'offrir toute une cargaison d'hommes de main.

Il est vrai qu'il n'avait jamais cru être un homme ordinaire. Pas une seule seconde.

Ô milady. Qui faut-il que je sois pour vous ?

23

La redécouverte du sexe l'immobilisa, sans contrainte, les trois jours suivants. Son instinct d'évasion refit surface un après-midi quand Rowan le quitta, croyant qu'il dormait. Il rouvrit les paupières, suivit du regard le dessin des cicatrices sur sa poitrine et se mit à réfléchir. A l'évidence, *sortir* était un mauvais choix. Il n'avait pas encore essayé de *pénétrer* la maison. Ici, en cas de problème, tout le monde allait trouver Lilly. Très bien. Il irait voir Lilly lui aussi.

Où la trouver ? En haut ou en bas ? En tant que chef jacksonien, elle logeait soit au sommet, soit dans un bunker. Le baron Ryoval vivait dans un bunker ou du moins il y avait une vague image dans sa tête associant ce nom à des souterrains ténébreux. Le baron Fell lui en tenait pour le penthouse, dominant ainsi toute sa station orbitale. Sa tête recelait vraiment un tas d'images à propos de l'Ensemble de Jackson. Etait-ce sa planète maternelle ? Cette idée le troublait. Monter. Il fallait monter.

Habillé de gris, il emprunta des chaussettes à Rowan et se glissa dans le couloir. Il emprunta un tube de montée pour grimper au dernier étage, c'est-à-dire juste au niveau supérieur. C'était, ici aussi, un étage d'appartements. En son centre, il découvrit un autre tube avec une serrure à paume. Réglée pour les Durona, sans aucun doute. Un escalier en spirale l'entourait. Il monta les marches très lentement et s'arrêta devant la porte fermée jusqu'à ce qu'il retrouve son souffle puis il frappa.

Elle glissa et un jeune garçon eurasien d'environ dix ans le dévisagea gravement.

– Que voulez-vous ?

– Je veux voir ta... grand-mère.

– Fais-le entrer, Robin, lança une voix douce.

Le garçon hocha la tête et lui fit signe de le suivre. Ses chaussettes ne faisaient aucun bruit sur l'épaisse moquette. Les fenêtres étaient polarisées sur le gris après-midi et des flaques de lumière jaune et chaude luttaient contre l'obscurité. Au-delà de la fenêtre, le champ de force se révélait par de minuscules scintillations, quand des gouttes d'eau ou des particules de matière étaient détectées, repoussées ou annihilées.

Une femme rabougrie assise sur une vaste chaise

l'observa approcher. Des yeux noirs incrustés dans un visage d'ivoire usé. Elle portait une tunique de soie au col haut et un pantalon ample. Ses cheveux, très longs, étaient d'un blanc très pur. Une fille mince, parfaite jumelle du garçon, les brossait par-dessus le dossier de la chaise. Il régnait une très forte chaleur dans la pièce. Comment avait-il pu croire que cette femme inquiète avec la canne était Lilly ? Des yeux de cent ans vous regardaient très différemment.

— Madame, dit-il.

Soudain, il avait la bouche très sèche.

— Asseyez-vous. (Elle désigna un petit sofa de l'autre côté de la petite table qui se trouvait devant elle.) Violet, ma chérie... (Une main fine, toute en rides blanches et veines noueuses toucha celle de la fille posée dans un geste protecteur sur son épaule.)... Amène du thé. Trois tasses. Robin, peux-tu aller chercher Rowan en bas, s'il te plaît ?

La fille arrangea ses cheveux en éventail autour de sa poitrine et les deux enfants disparurent dans un silence qui n'avait rien d'enfantin. Visiblement, le Groupe Durona ne faisait pas appel à des employés de l'extérieur. Difficile pour une taupe de pénétrer leur organisation. Avec une égale obéissance, il se coula dans le siège indiqué.

Un léger vibrato dû à l'âge allongeait ses voyelles mais, en dehors de cela, sa diction était parfaite.

— Vous êtes-vous retrouvé, monsieur ? s'enquit-elle.

— Non, madame, dit-il tristement. Je suis seulement venu vous trouver.

Il réfléchit soigneusement à la façon de formuler sa question. Lilly serait tout aussi prudente que Rowan : elle ne lui donnerait pas d'indice.

— Pourquoi ne pouvez-vous m'identifier ?

Les sourcils blancs se haussèrent.

— Habilement dit. Ce qui signifie que vous êtes prêt pour la réponse. Ah...

Le tube ronronna et le visage alarmé de Rowan apparut.

— Lilly, je suis désolée. Je pensais qu'il dormait...

– Tout va bien, mon enfant. Assieds-toi. Verse le thé.

Violet venait de réapparaître avec un plateau. Lilly chuchota quelque chose à la petite fille derrière une main un tout petit peu tremblante. Celle-ci acquiesça et disparut à nouveau. Rowan s'agenouilla pour effectuer ce qui semblait être un rituel précis – avait-elle autrefois occupé la place de Violet ? – et versa du thé vert dans trois tasses qu'elle distribua. Elle s'assit aux genoux de Lilly et toucha brièvement, comme pour se rassurer, les cheveux blancs qui reposaient là.

Le thé était brûlant. Ayant développé ces derniers temps une forte aversion pour tout ce qui était froid, cela lui plut et il but à petites gorgées.

– Quelle réponse, madame ? lui rappela-t-il avec prudence.

Les lèvres de Rowan s'écartèrent pour lancer une protestation alarmée. Lilly l'arrêta en levant un doigt tordu.

– A propos du passé, dit la vieille dame. Le temps est venu de vous raconter une histoire.

Il hocha la tête et attendit avec son thé.

– Il était une fois... (Un sourire furtif) trois frères. Un vrai conte de fées, n'est-ce pas ? L'aîné – et l'original – et ses deux clones. L'aîné – comme c'est souvent le cas dans un conte – naquit avec un magnifique patrimoine. Titre, fortune, confort... Son père, bien que n'étant pas roi, possédait plus de pouvoir que n'importe quel roi de l'histoire d'avant les sauts. Ce qui faisait de lui une cible pour bon nombre d'ennemis. Comme on savait qu'il adorait son fils, on essaya souvent de le frapper à travers son unique enfant. Ce qui nous amène à cette étrange multiplication.

Elle hocha la tête vers lui.

Le ventre atrocement noué, il avala une gorgée de thé.

Elle l'observait.

– Pouvez-vous donner des noms maintenant ?

– Non, madame.

– Hum... (Elle abandonna le conte de fées. Sa voix

se fit plus pincée.) Lord Miles Vorkosigan de Barrayar était l'original. Il a à présent environ vingt-huit ans standard. Son premier clone a été réalisé ici, sur l'Ensemble de Jackson, il y a vingt-deux ans de cela : une commande d'un groupe de résistants komarrans à la maison Bharaputra. Nous ignorons quel nom se donne ce clone mais le complot des Komarrans visant à une substitution échoua il y a environ deux ans et le clone s'enfuit.

— Galen, murmura-t-il.

Elle lui lança un regard vif.

— Oui, c'était le chef de ces Komarrans. Le deuxième clone est... une énigme. La meilleure hypothèse est qu'il fut fabriqué par les Cetagandans mais personne n'en est certain. Sa première apparition remonte à dix ans : un chef mercenaire exceptionnellement brillant surgi de nulle part et revendiquant le nom tout à fait légal de Miles Naismith, selon la lignée betane de sa mère. Depuis, il n'a pas fait preuve d'une amitié débordante envers les Cetagandans, ce qui conduit logiquement à penser que c'est un renégat à leur cause. Personne ne connaît son âge mais il ne peut avoir plus de vingt-huit ans, bien sûr. (Elle sirota un peu de thé.) Nous croyons que vous êtes un de ces deux clones.

— Qu'on vous a expédié comme de la viande froide dans une caisse ? Avec la poitrine explosée ?

— Oui.

— Et alors ? Les clones – même congelés – ne sont pas une nouveauté par ici.

Il regarda Rowan.

— Laissez-moi continuer. Il y a à peu près trois mois, le clone fabriqué par Bharaputra est revenu chez lui à la tête d'une équipe de mercenaires qu'il avait apparemment volée à la flotte dendarii en se faisant tout simplement passer pour son clone-jumeau, l'amiral Naismith. Il a attaqué la crèche de Bharaputra dans l'intention de voler – ou peut-être de libérer – un groupe de clones destinés à une transplantation de cerveau... un trafic qui personnellement m'écœure.

Il se toucha la poitrine.

– Il a... échoué ?

– Non. Mais l'amiral Naismith s'était lancé à sa poursuite pour récupérer ses troupes et son bâtiment volés. Dans la mêlée qui a suivi dans le complexe médical de Bharaputra, l'un des deux a été tué. L'autre s'est échappé avec les mercenaires et l'essentiel du troupeau de clones de Bharaputra. Une prise d'une valeur énorme. Ils se sont bien moqués de Vasa Luigi... j'en ai ri moi-même à m'en rendre malade quand j'ai appris la nouvelle.

Une nouvelle gorgée de thé avalée avec un air de sainte nitouche. Oui, il pouvait – en se donnant beaucoup de mal – l'imaginer se tordant de rire.

– Avant de sauter dans le couloir galactique, les Mercenaires Dendariis ont promis une récompense pour la restitution d'une cryo-chambre contenant les restes d'un homme. Selon eux, il s'agirait du clone fabriqué chez Bharaputra.

Il roula de gros yeux.

– Moi ?

Elle leva la main.

– Vasa Luigi, le baron Bharaputra est absolument convaincu qu'ils mentent. Que l'homme dans la boîte est en réalité l'amiral Naismith.

– Moi ? répéta-t-il avec moins de certitude.

– Georish Stauber, le baron Fell, se refuse à faire la moindre hypothèse. Et le baron Ryoval raserait une ville entière pour mettre la main sur l'amiral Naismith qui l'a humilié il y a quatre ans comme personne ne l'avait fait depuis un siècle.

Ses lèvres se retroussèrent dans un sourire aussi mince que la lame d'un scalpel.

Tout cela était sensé... ce qui était parfaitement insensé. Comme s'il avait déjà entendu cette histoire et qu'on la lui racontait à nouveau. *Dans une autre vie*. Familièrement étrange ou étrangement familier.

Il se toucha la tête qui lui faisait mal. Rowan remarqua son geste avec inquiétude.

– Vous n'avez pas de dossier médical ? Quelque chose ?

– Nous avons pris le risque d'obtenir le dossier de Bharaputra. Malheureusement, il s'arrête à l'âge de quatorze ans. Nous n'avons rien sur l'amiral Naismith. Difficile de résoudre une équation à trois inconnues avec une seule donnée.

Il se tourna vers Rowan.

– Tu me connais, dehors et dedans. Tu ne peux pas savoir ?

Elle secoua la tête.

– Tu es *bizarre*. La moitié de tes os ont été remplacés par des prothèses en plastique, le savais-tu ? Ceux qui restent montrent des traces de fractures, d'anciens traumatismes... je dirais que tu es non seulement plus vieux que le clone de Bharaputra mais aussi que le lord Vorkosigan originel, ce qui est impossible. Si seulement on pouvait trouver un seul indice solide. Les souvenirs que tu as retrouvés jusqu'à présent sont terriblement ambigus. Tu connais les armes... comme un amiral mais le clone de Bharaputra a été entraîné pour être un assassin. Tu te souviens de Ser Galen que seul le clone de Bharaputra devrait connaître. J'ai fait des recherches à propos de cet arbre à sucre. On les appelle des érables et on les trouve sur la Terre... où le clone a suivi un entraînement. Et ainsi de suite.

De frustration, elle leva les mains au ciel.

– Si vous n'obtenez pas la bonne réponse, dit-il lentement, c'est que vous ne posez pas la bonne question.

– Quelle est la bonne question ?

Muet, il secoua la tête.

– Pourquoi... ? fit-il au bout d'un moment. Pourquoi ne pas avoir rendu mon corps gelé aux Dendariis et touché la récompense ? Pourquoi ne pas me vendre au baron Ryoval s'il tient tant à m'avoir ? Pourquoi m'avoir ressuscité ?

– Je ne vendrais même pas un rat de laboratoire à

Ryoval, annonça Lilly avec un bref sourire. Une vieille histoire entre nous.

Vieille ? Sûrement plus vieille que lui.

– Quant aux Dendariis, il se peut que nous fassions affaire avec eux plus tard. Cela dépend de qui vous êtes.

Ils approchaient du cœur du problème : il le sentait.

– Oui ?

– Il y a quatre ans, l'amiral Naismith a rendu une petite visite à l'Ensemble de Jackson. Après un coup spectaculaire contre Ry Ryoval, il a emmené avec lui un certain docteur Hugh Canaba, l'un des meilleurs généticiens de Bharaputra. Je connaissais Canaba. Ce qui est plus important, je sais ce que Vasa Luigi et Lotus ont payé pour se l'approprier. Cet homme connaissait tous les petits secrets de leur maison. Ils ne l'auraient jamais laissé partir vivant. Pourtant, il est parti et personne, pas un seul Jacksonien, n'a été capable de retrouver sa trace depuis.

Elle se pencha en avant pour poursuivre avec ferveur.

– Si on part de l'hypothèse que Canaba n'a pas été simplement éjecté dans l'espace... on a ici la preuve que l'amiral Naismith peut faire évader des gens. En fait, c'est une des spécialités qui ont fait sa réputation. *Voilà* ce qui nous intéresse chez lui.

– Vous voulez quitter la planète ? (Il jeta un regard autour de lui au petit empire confortable, autogéré, de Lilly Durona.) Pourquoi ?

– J'ai un Contrat avec Georish Stauber... le baron Fell. C'est un très vieux Contrat et nous sommes tous les deux très vieux. Mon temps est compté et il est de plus en plus difficile de... (une grimace) compter – justement – sur Georish. Si je meurs... ou s'il meurt... ou s'il parvient à faire transplanter son cerveau dans un corps plus jeune comme il a déjà essayé de le faire au moins une fois... notre vieux Contrat sera brisé. Le Groupe Durona se verra proposer des contrats bien moins admirables que celui dont nous avons joui depuis si longtemps avec la maison Fell. Nous pourrions être brisés, vendus ou affaiblis. Ce qui permettrait une attaque d'un de nos vieux ennemis... Comme Ry, par exemple, qui n'oublie *jamais* une insulte ou une blessure. On pourrait nous forcer à effectuer des travaux que nous n'aurions pas choisis. Cela fait deux ans que je cherche un moyen de partir d'ici. L'amiral Naismith en connaît un.

Elle voulait qu'il soit l'amiral Naismith, à l'évidence le plus intéressant des deux clones.

– Et si je suis l'autre ?

Il fixait ses propres mains. Ce n'étaient que ses mains. Aucun indice là.

– On pourrait demander une rançon.

A qui ? Etait-il un sauveur ou une commodité ? Quel choix... Rowan semblait mal à l'aise.

– Que suis-je pour vous si je ne puis retrouver ma mémoire ?

– Personne, petit homme.

Ses yeux noirs étincelèrent comme des éclats d'obsidienne.

Cette femme avait survécu près d'un siècle sur l'Ensemble de Jackson. Il vaudrait mieux ne pas sous-estimer sa férocité sous le simple prétexte qu'elle semblait ne pas aimer le trafic de clones.

Ils terminèrent le thé.

– Y a-t-il quelque chose dans tout cela qui t'a paru familier ? demanda Rowan quand ils furent à nouveau dans sa chambre.

– Tout, répondit-il profondément perplexe. Et pourtant... Lilly semble penser que je vous ferais disparaître comme un magicien. Mais même si je suis l'amiral Naismith, je ne me souviens pas comment je pourrais faire !

Elle essaya de le calmer.

– Chhh... Tu es mûr pour retrouver la mémoire, j'en jurerais. J'ai presque l'impression que c'est en train de commencer. Ta diction s'est incroyablement améliorée en quelques jours.

– C'est que j'ai eu une bonne thérapeute qui s'est bien occupée de ma bouche, dit-il avec un sourire.

Ce compliment lui valut, comme il l'avait espéré, une nouvelle séance de thérapie buccale. Quand il eut besoin de reprendre son souffle, il reprit la parole :

– Je ne saurai jamais comment faire si je suis l'autre. Je me rappelle Galen. La Terre. Une maison à Londres... quel est le nom du clone ?

– Nous ne le savons pas, dit-elle et comme il s'exaspérait, elle insista : Non, nous ne savons *vraiment* pas.

– Amiral Naismith... il ne devrait pas s'appeler Miles Naismith mais Mark Pierre Vorkosigan.

Comment diable savait-il ça ? Mark Pierre. *Piotr Pierre*, Pierre, Pierre, ta femme te jette la pierre, il entendait cette moquerie lancée par la foule qui avait mis un vieil homme dans une rage effroyablement meurtrière. Il avait fallu que quelqu'un (qui ?) le retienne. L'image lui échappa. *Grand-père ?*

– Si le clone fabriqué par Bharaputra est le troisième fils, il peut s'appeler n'importe comment.

Quelque chose clochait.

Il essaya de s'imaginer l'enfance de l'amiral Naismith chez les Cetagandans. Son enfance ? Elle devait avoir été extraordinaire : il était non seulement parvenu à s'enfuir à l'âge de dix-huit ans, mais il avait réussi à échapper à la vengeance des Cetagandans et à acquérir une flotte de mercenaires en moins d'un an. Mais une telle jeunesse ne lui disait absolument rien. C'était le vide complet.

– Qu'allez-vous faire de moi si je ne suis pas l'amiral Naismith ? Me garder comme animal domestique ? Combien de temps ?

Rowan se mâcha les lèvres.

– Si tu es le clone de Bharaputra, tu auras toi aussi besoin de fuir l'Ensemble de Jackson. Le raid dendarii a ravagé le quartier général de Vasa Luigi. Il veut se venger pour le sang versé autant que les biens volés. Sans parler de sa fierté. Si tu es celui-là... j'essaierai de te faire partir.

– Toi ? Ou vous tous ?

– Je ne me suis jamais opposée au groupe. (Elle se leva pour arpenter la pièce.) Pourtant j'ai vécu une année seule sur Escobar quand je suivais les cours de cryo-réanimation. Je me suis souvent demandé... ce que c'était d'être la moitié d'un couple. Au lieu d'être le quarantième d'un groupe. Est-ce qu'on se sent plus important ?

– Te sentais-tu plus importante quand tu étais seule sur Escobar ?

– Je ne sais pas. C'est un concept idiot. Pourtant... on ne peut pas s'empêcher de penser à Lotus.

– Lotus. La baronne Bharaputra ? Celle qui a quitté votre groupe ?

– Oui, la deuxième fille de Lilly après Rose. Lilly dit... que si on ne forme pas une seule tête et un seul corps, on se fera tous décapiter un par un. C'est un ancien mode d'exécution où...

– Je sais ce qu'est la décapitation, dit-il vivement avant qu'elle ne lui donne les détails médicaux.

Rowan était plantée devant la fenêtre.

– Il ne fait pas bon être seul dans l'Ensemble de Jackson. On ne peut avoir confiance en personne.

– Voilà un paradoxe intéressant. Et un sacré dilemme.

Elle se tourna vers lui, chercha l'ironie dans son regard, l'y trouva et fit la grimace.

– Ce n'est pas une plaisanterie.

En effet. Même la stratégie de développement strictement « familial » de Lilly Durona avait échoué. Lotus en était la preuve.

Il la regarda droit dans les yeux.

– T'a-t-on ordonné de coucher avec moi ? demanda-t-il soudain.

Elle sursauta.

– Non. (Elle refit les cent pas.) Mais j'ai demandé la permission. Lilly m'a dit que je pouvais y aller, que cela pourrait t'attacher à nos intérêts. (Elle s'immobilisa.) Ça doit te paraître terriblement froid, n'est-ce pas ?

– Sur l'Ensemble de Jackson... ça ressemble plutôt à de la prudence élémentaire.

Et si lui était attaché à elle, elle l'était à lui, non ? Il ne faisait pas bon être seul sur l'Ensemble de Jackson. *Mais tu ne peux faire confiance à personne.*

Si jamais quelqu'un était sain d'esprit ici, ce devait être par accident.

Lire, un exercice qui lui donnait l'impression qu'on lui crevait les yeux, devenait plus facile. Il pouvait désormais s'y consacrer dix minutes d'affilée avant que les migraines ne deviennent insoutenables. Cloué dans l'appartement de Rowan, il se forçait aux limites de la douleur, quêtant la moindre information, avant de s'accorder quelques minutes de repos et de recommencer. Il s'attaqua d'abord à l'histoire très particulière de l'Ensemble de Jackson, sa structure sans gouvernement central, ses cent seize grandes maisons et ses innombrables maisons mineures, avec son labyrinthe d'alliances, vendettas, contrats rompus et autres trahisons. Tout ici était régi par des Contrats. Le Groupe Durona était bien près de s'établir en maison mineure, jugea-t-il, poussant sur les flancs de la maison Fell telle une hydre, une hydre qui se reproduisait asexuellement. Les noms des maisons Bharaputra, Hargraves, Dyne, Ryoval et Fell évoquaient en lui des images différentes de celles qui apparaissaient sur son visualiseur. Certaines d'entre elles commençaient même à se connecter. Trop peu. Il ne tarda pas à remarquer un détail : les maisons qui lui semblaient les plus familières se livraient toutes à des trafics extra-planétaires.

Qui que je sois, je connais cet endroit. Et pourtant... ses visions restaient trop incertaines pour représenter les vestiges d'une vie passée. Par ailleurs, il n'était pas encore parvenu à arracher la moindre image, le moindre souvenir à son inconscient à propos de la jeunesse de l'amiral Naismith, le clone produit par les Cetagandans.

Grand-père. Ce souvenir-là avait été très puissant,

d'une vivacité aveuglante. Qui était grand-père ? Un parent adoptif jacksonien ? Un mentor komarran ? Un entraîneur cetagandan ? Quelqu'un d'énorme et fascinant, mystérieux, vieux et dangereux. Grand-père n'avait aucune origine. Il semblait venir avec l'univers.

Les origines. Peut-être qu'une étude de son progéniteur, l'infirme barrayaran, ce Vorkosigan, pourrait déclencher quelque chose. Il avait été fabriqué à son image, après tout, ce qui était un bien sale tour à faire à quelqu'un. Il appela les références relatives à Barrayar dans la conso-bibliothèque de Rowan. Il y avait des centaines d'études, de vids, d'essais et autres documentaires. Pour se donner un cadre, il consulta une histoire générale et passa rapidement en revue les grands chapitres : Les Cinquante Mille Premiers Siècles. Le Choc Galactique. La Période d'Isolement. Les Siècles Sanglants... la Redécouverte... les mots se brouillèrent. Sa tête était prête à exploser. Familier, si douloureusement familier... il dut arrêter.

Haletant, il assombrit la chambre et s'étendit sur le petit divan jusqu'à ce que les élancements dans ses yeux s'apaisent. Par ailleurs, s'il avait été conditionné pour prendre la place du jeune Vorkosigan, il était normal que tout cela lui paraisse si familier. Il allait devoir étudier Barrayar en long, en large et en travers. *Je l'ai déjà fait.* Il avait envie de supplier Rowan de le plaquer contre un mur et de lui donner une nouvelle dose de thiopenta, même si ça lui faisait éclater les artères. Ça avait failli marcher la première fois. Peut-être qu'un nouvel essai...

La porte glissa.

– Tu es là ? (Les lumières s'allumèrent. Rowan était sur le seuil.) Tu vas bien ?

– Mal au crâne. Je lisais.

– Tu ne devrais pas...

...t'acharner autant, conclut-il à sa place en silence. Le refrain préféré de Rowan depuis quelques jours, depuis son entrevue avec Lilly. Mais, cette fois, elle

ne termina pas sa phrase. Il se redressa sur un coude.
Elle vint le rejoindre.

– Lilly veut que nous montions la voir.
– D'accord...

Il voulut se lever mais elle le retint. Elle l'embrassa.
C'était un long, très long baiser, d'abord délicieux
mais qui ne tarda pas à l'inquiéter. Il s'écarta.

– Rowan, que se passe-t-il ?
– ... Je crois que je t'aime.
– C'est un problème ?
– Pour moi seulement. (Elle sourit brièvement,
sans joie.) C'est à moi de me débrouiller avec.

Il emprisonna ses mains, longeant du bout des
doigts ses tendons, ses veines. Elle avait des mains
magnifiques. Il ne savait pas quoi dire.

Elle le tira sur ses pieds.

– Allons-y.

Ils se tinrent par la main jusqu'à l'entrée du tube.
Après avoir posé sa paume dans la serrure, elle ne la
lui rendit pas. Ils s'élevèrent côte à côte et sortirent
ensemble dans le salon de Lilly.

Celle-ci était assise dans sa chaise à large dossier.
Aujourd'hui, ses cheveux blancs étaient prisonniers
dans une unique natte telle une longue corde qui pendait sur ses épaules jusqu'à son ventre. Derrière elle,
à sa droite, se tenait Hawk, silencieux et immobile.
Pas pour la servir. Pour la protéger. Trois étrangers en
uniforme gris quasi militaire leur faisaient face, deux
femmes assises et un homme debout. Une des femmes
avait des cheveux bouclés, très courts, des yeux marron qui se fixèrent sur lui avec une intensité halluci-
née et brûlante. L'autre, plus âgée, avait des cheveux
tout aussi courts mais un peu plus clairs avec quelques mèches grises. Mais ce fut l'homme qui l'hypno-
tisa.

Mon Dieu. C'est l'autre moi.

Ou... pas moi. Ils se tenaient face à face. L'autre
était douloureusement impeccable, avec ses bottes
propres, son uniforme net. Par sa simple apparition,
il représentait le salut de Lilly. Un insigne brillait à

son col. *Amiral... Naismith ? Naismith* était le nom cousu sur la poche gauche de sa poitrine. L'éclat de ses yeux gris, le sourire à moitié réprimé rendaient son visage merveilleusement vivant. Autant il n'était que l'ombre osseuse de quelqu'un, autant cet homme semblait être le double – au sens algébrique – de ce même quelqu'un : trapu, carré, musculeux et intense, il avait le visage lourd et une solide bedaine. Il *ressemblait* à un officier supérieur avec son corps massif posé sur deux jambes puissantes et écartées dans la pose agressive d'un bull-dog trop lourd. Tel était donc Naismith, le fameux sauveur décrit par Lilly. Il n'était pas difficile de le croire.

Un sentiment atroce rongea lentement sa fascination pour son clone-jumeau. *Je ne suis pas le bon.* Lilly venait de gâcher une fortune à faire revivre le mauvais clone. Elle devait être furieuse. A quel point ? Pour un leader jacksonien, une telle erreur était assimilable à un crime. De fait, le visage de Lilly était fermé et dur tandis qu'elle se tournait vers Rowan.

– C'est bien lui, fit avec une voix étrangement rauque la femme au regard brûlant.

Elle avait les poings serrés.

– Est-ce... que je vous connais, ma'ame ? demanda-t-il poliment, prudemment.

Elle était comme une torche vivante et cela le perturbait. Inconsciemment, il se rapprocha de Rowan.

La femme garda un visage de marbre. Seules ses pupilles palpitèrent brièvement comme si elle venait de recevoir une décharge de laser dans le plexus solaire. Elle éprouvait une émotion réelle et profonde, mais laquelle ? De l'amour, de la haine ? La tension dans la pièce ne faisait que croître... et sa migraine aussi.

– Comme vous voyez, dit Lilly. Vivant et en bonne santé. Revenons à notre discussion sur le prix.

La petite table était couverte de tasses et de miettes. Depuis quand durait cette conférence au sommet ?

– Dites ce que vous voulez, fit l'amiral Naismith, le souffle lourd. Nous paierons et partirons.

– A condition que cela reste raisonnable. (La femme plus âgée adressa un regard étrange à son chef, comme si elle cherchait à le calmer.) Nous sommes venus récupérer un homme, pas un corps animé. Une résurrection bâclée nous vaudrait bien une petite remise, à mon sens.

Cette voix d'alto, cette ironie... *Je te connais*.

– Sa réanimation n'a pas été bâclée, fit sèchement Rowan. S'il y a eu un problème, ça a été au cours de la préparation...

La femme enragée sursauta et prit un air féroce.

– ... Mais, en fait, il se rétablit plutôt bien. Il fait des progrès chaque jour. C'est trop tôt, c'est tout. Vous exigez trop de lui. (Un regard vers Lilly.) Le stress et la pression retardent la guérison. Il s'acharne trop sur lui-même. Au lieu de se reposer, de se laisser aller, il s'impose des épreuves...

Lilly leva une main apaisante.

– Ainsi parle ma spécialiste en cryo-réanimation, dit-elle à l'amiral. Votre frère-clone est en phase de guérison et on peut espérer qu'elle soit totale. Si c'est bien ce que vous désirez.

Rowan se mordit les lèvres. La femme enragée se dévora le bout de l'index.

L'amiral Naismith lança un regard vers les larges fenêtres qui dévoilaient un autre après-midi sombre d'hiver jacksonien. Les nuages bas et fuyants crachaient de la neige. L'écran de force étincelait, avalant en silence les particules de glace.

– J'ai du mal à oublier l'histoire récente, ma'ame, dit-il à Lilly. Vous en savez autant que moi et vous comprenez pourquoi je ne tiens pas à m'éterniser ici. Venez-en au fait.

C'était juste assez tortueux pour obéir à l'étiquette des affaires sur l'Ensemble de Jackson mais Lilly hocha la tête.

– Comment se porte le Dr. Canaba, ces jours-ci, amiral ?

– Quoi ?

Succinctement, pour une Jacksonienne, Lilly expliqua en quoi le sort du généticien l'intéressait.

– Votre organisation a réussi à faire disparaître Hugh Canaba sans laisser de trace. Votre organisation a ramassé dix mille prisonniers de guerre marilacans sous le nez de leurs gardiens cetagandans sur Dagoola IV. Je dois admettre que ceux-ci n'ont spectaculairement pas disparu. Quelque part entre ces deux extrêmes se situe le sort de ma petite famille. Vous pardonnerez ma plaisanterie si je dis que vous semblez être exactement ce que le docteur a prescrit.

Naismith écarquilla les yeux. Cela ne dura pas : il se frotta le visage, suça un peu d'air entre ses dents et eut un rictus fatigué.

– Je vois. Madame. Bien. En fait, un tel projet est parfaitement réalisable. Mais, vous comprendrez que je ne puis le sortir de ma poche cet après-midi...

Lilly acquiesça.

– Dès que j'aurai pris contact avec mes renforts, je pense que nous pourrons arranger quelque chose.

– Dans ce cas, dès que vous aurez pris contact avec vos renforts, revenez nous voir, amiral, et votre clone-jumeau vous sera rendu.

– Non... ! commença la femme enragée en se dressant à moitié.

Sa camarade la retint par le bras et secoua la tête. Elle retomba sur son siège.

– D'accord, Bel, marmonna-t-elle.

– Nous espérions le récupérer aujourd'hui, dit le mercenaire en se tournant vers lui.

Leurs regards se croisèrent. L'amiral détourna les yeux comme pour se protéger d'un stimulus trop intense.

– Mais cela me priverait de ma monnaie d'échange, murmura Lilly. Quant à l'arrangement habituel, la moitié à la commande, la moitié à la livraison, il me paraît à l'évidence impraticable. Pour vous rassurer, j'accepterai un modeste acompte financier.

– Ils semblent bien s'occuper de lui pour l'instant,

442

dit l'officier aux cheveux châtains d'une voix incertaine.

L'amiral fit la grimace.

– Mais cela vous donnerait l'opportunité de contacter d'autres partis afin de le mettre aux enchères. Je vous conseillerais, madame, d'éviter une guerre des offres. Cette guerre pourrait devenir bien réelle.

– Vous êtes unique, amiral, et cela suffit à protéger vos intérêts. Personne ici sur l'Ensemble de Jackson ne possède ce que je désire. Vous, oui. Et il semble que ce soit réciproque. Nous sommes en parfaite position pour nous entendre.

Pour une Jacksonienne, c'était plus qu'un encouragement. *Vas-y, accepte le Contrat !* pensa-t-il avant de se demander pourquoi. Pour quelle raison ces gens le voulaient-ils ? Dehors, un vent violent fouettait les flocons qui venaient cogner aux vitres.

Cogner aux vitres...

Lilly fut la suivante à s'en rendre compte. Ses yeux sombres s'agrandirent. Les autres n'avaient encore rien remarqué... l'arrêt du scintillement silencieux. Le regard étonné de Lilly croisa le sien au moment où il le détournait de la fenêtre. Elle ouvrit la bouche pour parler.

La fenêtre explosa.

C'était du verre de sécurité. Au lieu d'échardes tranchantes, ils furent bombardés par une grêle de grains brûlants. Les deux femmes mercenaires bondirent, Lilly cria quelque chose, Hawk sauta devant elle, son neutralisateur à la main. Une espèce de grosse voiture accostait la fenêtre : un, deux... trois, quatre énormes soldats bondirent dans la pièce. Un scaphandre transparent anti-bio recouvrait leurs écrans anti-brise-nerfs ; leurs visages étaient casqués et entièrement cagoulés. Le neutralisateur de Hawk les atteignit plusieurs fois sans effet.

Tu obtiendrais de meilleurs résultats si tu leur envoyais ton misérable flingue à la tête ! Il se mit à chercher frénétiquement un projectile autour de lui, un couteau, une chaise, un pied de table, n'importe quoi qui lui permettrait de les attaquer. De la poche d'une des mercenaires, une voix assourdie s'éleva depuis un communico :

– Quinn, ici Elena. L'écran de force du bâtiment vient de tomber. J'ai des relevés de décharges d'énergie. Qu'est-ce qui se passe là en bas, nom de Dieu ? Tu veux des renforts ?

– Oui ! hurla la femme enragée tout en roulant sur elle-même pour éviter un rayon de neutralisateur qui la suivit, en craquant, sur la moquette.

Ils ne veulent pas tuer. Cet assaut était pour un enlèvement, pas pour un assassinat. Hawk avait enfin eu la présence d'esprit de s'emparer de la table ronde pour cogner avec. Il frappa un des assaillants mais fut descendu par un deuxième. Lilly restait parfaitement immobile, observant la scène d'un air sévère. Un coup de vent froid fit frissonner les jambes de son pantalon de soie. Personne ne la visait.

– Lequel est Naismith ?

La voix amplifiée tomba d'un des soldats en armure. Les Dendariis avaient dû renoncer à leurs armes pour prendre part à la conférence. L'une des mercenaires s'approchait à distance de corps à corps avec l'un des intrus. Cette option, vu sa taille et son état, lui était interdite. Il attrapa Rowan par la main et s'acroupit derrière une chaise dans l'espoir de gagner le tube.

– Prenez-les tous les deux, ordonna le chef à ses sbires.

Un soldat bondit vers le tube pour leur couper la route. Il faillit lâcher Rowan en se trouvant nez à nez avec un neutralisateur.

– Pas question ! hurla l'amiral en se jetant comme un boulet sur ce soldat.

L'homme trébucha et sa décharge se perdit dans le plafond. Il bondit, plongea dans le tube avec Rowan. Il se tourna une dernière fois pour voir un rayon de neutralisateur toucher Naismith à la tête. Les deux autres Dendariis étaient à terre.

Ils descendirent avec une abominable lenteur. Si

Rowan et lui atteignaient le générateur de l'écran de force, pourraient-ils emprisonner les assaillants à l'intérieur ? Des décharges de neutralisateur grésillaient à leur poursuite, s'écrasant comme de petites étoiles filantes contre les parois. Ils se tordirent dans l'air et réussirent à atterrir sur leurs pieds avant de se projeter dans le couloir. Pas le temps d'expliquer... Il attrapa la main de Rowan, la plaqua contre le système de commande et éteignit le tube d'un coup de coude. Le soldat qui les poursuivait hurla et fit une chute de trois mètres, pas tout à fait sur la tête.

Le choc le fit grimacer et il entraîna Rowan dans le couloir.

– Où sont les générateurs ? hurla-t-il.

Des Durona alarmés jaillissaient de partout. Deux gardes de la maison Fell apparurent à l'autre bout du couloir et se ruèrent vers le tube et vers eux. Mais étaient-ils des alliés ou des ennemis ? Il tira Rowan à l'abri de la plus proche ouverture.

– Ferme ! s'exclama-t-il.

Ils se trouvaient dans un appartement. Un cul-de-sac. Difficile de s'évader de là. Mais les secours arrivaient. Il ignorait juste à qui ces secours étaient destinés. *Quelqu'un a baissé votre écran de force... de l'intérieur.* Ça ne pouvait avoir été fait que de l'intérieur. Il était plié en deux, la bouche ouverte pour chercher de l'air, les poumons en feu, le cœur battant et la poitrine douloureuse. Un voile s'était posé sur ses yeux. Il tituba jusqu'à la fenêtre, malgré le danger, essayant de faire le point sur la situation. Des cris et des chocs étouffés résonnaient dans le couloir.

– C'mment c'ss'salopards ont baissé vot' écran ? cracha-t-il à Rowan en s'accrochant au rebord de la fenêtre. Pas entendu d'explosion... Un traître ?

– Je ne sais pas, répondit Rowan, angoissée. C'est la sécurité extérieure. Ce sont les hommes de Fell qui en sont responsables.

Il regarda dehors le parking glacé. Deux autres hommes en vert le traversaient en courant, criant, montrant quelque chose au sommet du bâtiment. Ils se jetèrent derrière un véhicule et s'acharnèrent à mettre en batterie une arme à projectiles. Un autre garde leur fit des signes affolés : pas question de tirer, ils risquaient d'atteindre l'appartement et tuer ceux qui s'y trouvaient. Ils acquiescèrent et attendirent.

Il se tordit le cou, face au verre, pour voir ce qui se passait au-dessus. L'aérocar blindé planait toujours devant la fenêtre de l'appartement de Lilly.

Les assaillants se retiraient déjà. Merde ! Aucune chance avec l'écran de force. *Je suis trop lent.* L'aérocar tangua tandis que les soldats rembarquaient en hâte. Des mains apparurent entre le bâtiment et le véhicule et un gros petit corps vêtu de gris fut passé par la fenêtre du sixième étage. Les mains attrapèrent le paquet. Puis ce fut au tour d'un soldat inanimé. Ils partaient sans laisser de blessés derrière eux à interroger. Rowan, les dents serrées, le tira en arrière.

— Ne reste pas dans la ligne de feu !

Il lui résista.

— Ils s'en vont ! protesta-t-il. On devrait les attaquer maintenant, sur notre propre terr...

Un autre aérocar s'éleva de la rue, derrière le vieux mur obsolète. C'était un petit modèle civil, ni armé ni blindé qui lutta pour prendre de l'altitude. A travers sa bulle, il distingua une silhouette habillée de gris aux commandes. Des dents blanches lui barraient le visage. Le véhicule blindé des assaillants fit une embardée pour s'écarter de l'immeuble. La voiture dendarii essaya de l'éperonner pour la forcer à atterrir. Des étincelles jaillirent, du plastique craqua et du métal gémit mais la voiture blindée se débarrassa de cet insecte qui lui piquait le flanc. L'insecte tomba en tournoyant et s'écrasa sans trop de violence au sol.

— Loué, je parie, gémit-il. Va falloir payer les dégâts. Bien essayer... failli marcher. Rowan ! L'un de ces aérocars sur ce parking est à toi ?

— Tu veux dire au Groupe ? Oui, mais...

— Allons-y. Il faut descendre en vitesse.

Mais la Sécurité avait maintenant envahi le bâtiment. Ils devaient coller tout le monde au mur pour procéder aux identifications. Il pouvait difficilement ouvrir la fenêtre et descendre les cinq étages en planant même s'il en mourait d'envie. Si seulement il était invisible !

Oh. Oui !

– Porte-moi ! Tu peux me porter ?

– Je suppose, mais...

Il se rua jusqu'à la porte et tomba dans ses bras.

– Pourquoi ? demanda-t-elle.

– Fais-le, fais-le, fais-le ! siffla-t-il entre ses dents.

Elle le traîna dans le couloir. Il observa le chaos entre ses yeux mi-clos, émettant des râles très bien imités. Il y avait du monde partout et un attroupement de Durona affolés s'agitait devant des gardes de Fell postés à l'entrée du tube montant à l'étage supérieur.

– Demande au Dr. Chrys de me prendre par les pieds, murmura-t-il.

Trop bouleversée pour discuter, Rowan s'écria :

– Chrys, aide-moi ! Il faut le descendre.

– Oh...

Croyant à une urgence médicale, Chrys ne posa aucune question. Elle l'attrapa par les chevilles et, une seconde plus tard, ils se frayaient un chemin à travers la foule. Deux docteurs Durona qui couraient en portant un petit type très pâle... les hommes en vert s'écartaient précipitamment devant eux et leur faisaient signe de passer.

Quand ils atteignirent le rez-de-chaussée, Chrys voulut galoper vers la clinique. Un instant écartelé dans deux directions opposées, il parvint à se libérer d'un Dr. Chrys éberlué. Il partit à toute allure. Rowan se lança à sa poursuite et ils arrivèrent à la porte vitrée en même temps.

L'attention des gardes était fixée sur leurs deux collègues qui armaient leur lance-roquettes. Du regard, il chercha leur cible qui s'enfonçait dans la nuit, avalée par l'obscurité et les nuages de neige. *Non, non, ne tirez pas... !* Le lance-roquettes hoqueta. La brillante explosion secoua l'aérocar mais ne l'arrêta pas.

– Amène-moi à l'engin le plus gros, le plus rapide

que tu saches conduire, lança-t-il à Rowan. On ne peut pas les laisser partir. (*Et on ne peut pas laisser les hommes de Fell les descendre non plus.*) Dépêche-toi !

– *Pourquoi ?*

– Ces tarés viennent de kidnapper mon, mon... frère, haleta-t-il. Faut les suivre. Les forcer à s'poser si on peut, les suivre si on peut pas. Les Dendariis ont sûrement des renforts quelque part. Ou Fell. Lilly est sa... sa femme lige, non ? Il lui doit protection. Lui ou *quelqu'un.* (Il frissonnait violemment.) Si on les perd, on les retrouvera jamais. C'est ce qu'ils espèrent.

– Mais qu'est-ce qu'on pourra bien faire si on les rattrape ? objecta Rowan. Ils viennent juste d'essayer de t'enlever et tu veux leur courir après ? C'est un boulot pour la sécurité !

– Je suis... je suis...

Quoi ? Je suis quoi ? Soudain la réalité s'éparpilla en milliards de confettis. *Non, pas ça...*

Sa vision s'éclaircit avec la morsure froide d'une hypospray dans son bras. Le Dr. Chrys le soutenait et Rowan lui soulevait une paupière avec le pouce pour examiner sa pupille. Elle rangea l'hypospray dans sa poche. Une étrange sensation le saisit, comme s'il était enveloppé dans de la cellophane.

– Ça devrait t'aider, dit Rowan.

– Non, ça ne m'aide pas, se plaignit-il ou essaya-t-il.

Il n'arrivait pas à articuler.

Elles l'avaient entraîné hors du hall, hors de vue des tubes de descente menant à la clinique souterraine. Ses convulsions n'avaient donc duré qu'un instant. Il n'était peut-être pas trop tard... Il se débattit pour échapper à la saisie de Chrys. En vain.

Des pas de femmes – pas le claquement des bottes des soldats – retentirent. Le visage fermé, les narines frémissantes, Lilly apparut, flanquée du Dr. Poppy.

– Rowan. Sors-le d'ici, dit-elle d'une voix mortellement calme malgré son essoufflement. Georish va venir mener son enquête. *Il* n'a jamais été ici. Nos assaillants semblent avoir été des ennemis de l'amiral Naismith. Nous raconterons que les Dendariis sont venus ici chercher le clone de Naismith mais qu'ils ne l'ont pas trouvé. Chrys, supprime toutes les preuves de son passage dans la chambre de Rowan et cache ses dossiers. Vite !

Chrys hocha la tête et partit en courant. Rowan le soutint. Il avait une curieuse tendance à s'effondrer sur place comme s'il était en train de fondre. Il cligna des yeux pour chasser les effets de la drogue. *Non, il faut poursuivre...*

Lilly donna à Rowan une carte de crédit tandis que le Dr. Poppy lui tendait deux manteaux et une trousse médicale.

— Sors-le par-derrière et disparaissez. Utilise les codes d'évacuation. Choisis un endroit au hasard et restes-y, *pas* une de nos propriétés. Appelle-moi d'une console protégée mais pas là où vous serez. D'ici là, je devrais savoir ce qu'il est possible de sauvegarder après cette pagaille. (Ses lèvres ridées se retroussèrent de colère sur ses dents d'ivoire.) Bouge-toi, ma fille.

Obéissante, Rowan acquiesça et ne discuta pas une fraction de seconde, remarqua-t-il, indigné. L'empêchant de trop tituber, elle l'emmena jusqu'à un monte-charge. Ils descendirent sous la cave dans la clinique enterrée. Une porte dissimulée les conduisit dans un tunnel étroit. Il avait l'impression d'être un rat dans un labyrinthe. Rowan s'arrêta trois fois pour franchir des systèmes de sécurité.

Ils sortirent dans le sous-sol d'un autre bâtiment. La porte disparut derrière eux, invisible dans le mur. Ils continuèrent leur progression dans des couloirs d'aspect plus normal.

— Vous utilisez souvent cette route ? haleta-t-il.

— Non. Uniquement quand on veut faire sortir ou entrer quelque chose en cachette des hommes de Fell.

Ils émergèrent enfin dans un petit garage souterrain. Elle le conduisit jusqu'à une petite vedette volante bleue, assez vieille et discrète et le boucla dans le siège du passager.

– On devrait... se plaignit-il à nouveau la langue pâteuse. L'amiral Naismith... quelqu'un devrait suivre l'amiral Naismith.

– Naismith possède une flotte entière de mercenaires. (Rowan s'installa à la place du pilote.) Qu'ils s'occupent de lui et de ses ennemis. Essaye de te calmer et de retrouver ta respiration. Je veux pas te faire une autre spray.

La vedette s'éleva le long d'un tube et émergea dans la neige tourbillonnante. Elle frémit puis se lança vers le ciel. La ville sous eux disparut rapidement dans les ténèbres tandis que Rowan mettait les gaz. Elle lui lança un regard en coin.

– Lilly fera quelque chose, dit-elle, rassurante. Elle veut Naismith, elle aussi.

– On se trompe, maugréa-t-il. Tout le monde se trompe.

Il se blottit dans le manteau que Rowan lui avait jeté dessus. Elle augmenta la température à l'intérieur.

Je ne suis pas le bon. Il n'avait d'autre valeur que son lien avec l'amiral Naismith. Et si l'amiral Naismith était écarté du Contrat, la seule personne qui s'intéresserait encore à lui serait Vasa Luigi. Ce type tenait à se venger de crimes qu'il ne se souvenait même pas avoir commis. Inutile, abandonné, seul et effrayé... Une douleur insensée lui vrilla l'estomac et le crâne. Ses muscles étaient tendus comme des câbles.

Il ne lui restait plus que Rowan. Et, apparemment, l'amiral qui était venu le chercher. Qui avait risqué sa vie pour lui. Pourquoi ? *Je dois faire... quelque chose.*

– Les Mercenaires Dendariis ? Sont-ils tous ici ? L'amiral a-t-il des vaisseaux en orbite ou quoi ? De combien de renforts dispose-t-il ? Il a dit qu'il avait besoin de temps pour les contacter. Combien de temps ? Comment sont arrivés les Dendariis ? Par une

navette commerciale ? Peuvent-ils appeler des renforts aériens ? Combien... comment... où...

Son cerveau essayait frénétiquement de rassembler
des données qu'il ne possédait pas.

– Arrête ! supplia Rowan. Il n'y a rien que nous
puissions faire. Nous ne sommes que de petites gens.
Et tu n'es pas en état. Tu vas te rendre fou si tu conti-
nues comme ça.

– J'emmerde mon état ! Je dois... je dois...

Le visage déformé par l'inquiétude, Rowan s'accrochait aux commandes. Il se laissa aller dans son siège
avec un soupir épuisé. *J'aurais dû être capable de
m'occuper de ça... de faire quelque chose*... Il n'écoutait
plus rien, à moitié hypnotisé par le son de sa propre
respiration heurtée. Vaincu. Encore. Il n'aimait pas
ça. Il contempla, écœuré, son propre reflet dans la
bulle. Le temps semblait être devenu visqueux.

Les lumières sur le panneau de contrôle s'éteignirent. Soudain, ils furent sans poids. Les ceintures de
son siège lui mordirent les os. Un épais brouillard
bouillonna autour d'eux.

Rowan hurla, manipula et cogna le panneau de
contrôle. Quelques lumières hésitèrent, se rallumè-
rent, moururent à nouveau. Ils perdaient. Le moteur
toussait. Ils descendaient.

– Mais qu'est-ce qu'il a, bon sang ! s'écria Rowan.

Il leva les yeux. Rien que le brouillard glacé... ils
tombèrent sous le niveau des nuages. Là, au-dessus
d'eux, cette forme sombre qui planait. Un gros chargeur, lourd...

– Ce n'est pas une panne. On est en train de drainer notre champ, dit-il comme dans un rêve. Ils nous
forcent à atterrir.

Rowan hoqueta, se concentra, essayant de garder
la vedette en ligne dans les brefs intervalles où elle
retrouvait de la puissance.

– Mon Dieu, c'est encore eux ?

– Non. Je ne sais pas... ils avaient peut-être une
arrière-garde. (L'adrénaline et sa détermination lui

permirent de lutter contre l'effet du sédatif.) Fais du bruit ! dit-il. Ecrase-nous !

– Quoi ?

Elle ne comprenait pas. Elle ne saisissait pas. Elle aurait dû... quelqu'un aurait dû...

– Ecrase-nous au sol, merde !

Elle *n'obéissait pas.*

– Tu es fou ?

Ils se posèrent sans trop de dommages sur le côté gauche dans une vallée tapissée de neige et d'arbustes.

– Quelqu'un veut nous enlever. Il faut laisser une trace, quelque chose ou alors on va disparaître de la carte. Pas de comm... (Il montra le panneau mort.) Il faut laisser des empreintes, faire un feu pour quelqu'un. Il faut faire quelque chose !

Il se débattit pour se débarrasser de ses ceintures de sécurité.

Trop tard. Quatre ou cinq hommes les encerclaient dans l'obscurité, neutralisateurs en main. L'un s'approcha, descella la bulle et le tira dehors sans ménagement.

– Doucement, ne lui faites pas de mal ! s'écria Rowan. C'est mon patient !

– On lui f'ra pas d'mal, ma'ame, fit très poliment l'un des hommes en parka. Mais faut pas résister.

Rowan ne bougea plus.

Affolé, il regarda autour de lui. S'il sprintait vers leur chargeur, pourrait-il... ? Sa tentative fut stoppée au bout de trois pas quand l'un des types le saisit par le col et le souleva dans les airs. La douleur irradia son torse abîmé. L'autre lui tordit les bras dans le dos. Quelque chose de métallique et froid lui emprisonna les poignets. Ce n'étaient pas les mêmes qui avaient attaqué la clinique Durona. Pas le même équipement, pas le même uniforme.

Un autre inconnu, tout aussi costaud que ceux-là, se frayait un chemin dans la neige. Il repoussa sa capuche et leva une torche vers les captifs. Il avait environ quarante ans, un visage taillé dans le roc, la peau olivâtre et des cheveux noirs et longs retenus par un nœud sur sa nuque. Son regard, très alerte, brillait. Il contempla ses prisonniers avec une surprise non feinte.

– Ouvre sa chemise, ordonna-t-il à un des gardes.

Le garde obéit. Son chef dirigea le rayon de sa torche sur les cicatrices. Ses lèvres se retroussèrent lentement. Soudain, sa tête partit en arrière et il rugit de rire. L'écho de ce rire résonna dans la nuit d'hiver.

– Ry, imbécile ! Je me demande combien de temps il va te falloir pour comprendre.

– Baron Bharaputra, dit Rowan.

Elle leva le menton dans un geste de salut et de défi.

– Dr Durona, répondit Vasa Luigi, amusé et poli. Votre patient, hein ? Dans ce cas, vous ne refuserez pas mon hospitalité. S'il vous plaît, soyez notre invité. Ça nous fera une petite réunion de famille.

– Que voulez-vous de lui ? Il n'a plus aucune mémoire.

– Ce que je veux de lui ne compte pas. Ce qui compte... c'est ce que d'autres veulent de lui. Et ce que moi, je veux d'eux. Ah ! C'est encore mieux !

Il fit un signe à ses hommes et tourna les talons. Ils poussèrent leurs prisonniers vers le chargeur.

Un des hommes resta dehors et désigna la petite vedette bleue.

– Où dois-je la laisser, monsieur ?

– Ramène-la en ville et laisse-la dans une ruelle. N'importe où. Et reviens.

– Oui, monsieur.

Les portes se verrouillèrent. Ils décollèrent.

24

Nausée et douleur.

Mark gémit.

– Tu vas lui donner de la synergine ? s'étonna une

voix. J'pensais pas que le baron voulait qu'on le ménage.

– C'est toi qui vas nettoyer s'il vomit ? marmonna une autre voix.

– Ah...

– Le baron fera ce qu'il voudra. Il a juste spécifié qu'il le voulait vivant. Il l'est.

Une hypospray siffla.

– Pauvre gars, dit la première voix, pensive.

Grâce à la synergine, Mark se remit des effets du neutralisateur. Il ignorait combien de temps et d'espace le séparaient de la clinique Durona. Ils avaient changé au moins trois fois de véhicules depuis qu'il avait repris conscience, une fois pour un engin plus grand et plus rapide qu'un aérocar. Ils s'étaient arrêtés quelque part pour passer tous dans une chambre de décontamination. Les soldats qui l'avaient amené disparurent et il fut confié à la garde de deux autres hommes. Des bonshommes solides au visage plat en pantalon noir et tunique rouge.

Les couleurs de la maison Ryoval. Oh.

Ils l'avaient allongé face contre terre, pieds et poings liés, à l'arrière d'une vedette. Les nuages gris, noircissant dans le crépuscule ne lui donnaient aucune indication sur la direction qu'ils suivaient.

Miles est vivant. Il en était tellement soulagé qu'il en riait d'exaltation même avec le visage écrasé sur le plastique poisseux. Il avait été tellement heureux de voir cette petite crapule maigrelette ! Debout et en vie. Il en aurait pleuré. Ce qu'il avait fait était défait. Il pouvait vraiment être lord Mark à présent. *Tous mes péchés sont effacés.*

Presque. Il pria le Ciel pour que ce docteur Durona ait dit la vérité à propos de sa convalescence. Miles avait un regard effrayant. Et il n'avait pas reconnu Quinn. La pauvre avait failli en mourir. *Tu vas guérir. On va te ramener à la maison et tu iras mieux.* Il allait ramener Miles chez lui et tout irait à nouveau pour le mieux et même mieux que ça. Ça allait être merveilleux.

Dès que cet idiot de Ryoval comprendrait son erreur. Mark était prêt à l'étriper pour avoir gâché sa réunion de famille. *La SecImp s'occupera de lui.*

Ils pénétrèrent dans un garage souterrain sans qu'il puisse apercevoir quoi que ce soit. Les deux gardes le posèrent brutalement sur ses pieds, dénouèrent les liens de ses chevilles. Il avait des fourmis dans les jambes. Ils passèrent dans une chambre de surveillance électronique, après quoi on lui enleva ses vêtements. Ils le conduisirent à travers... l'endroit. Ce n'était pas une prison. Ce n'était pas non plus un des fameux bordels de la maison Ryoval. L'air transportait une odeur déplaisante vaguement médicale. Les installations étaient beaucoup trop utilitaires pour convenir à ces blocs opératoires où ils effectuaient de la sculpture corporelle à la demande. Elles étaient beaucoup trop secrètes et protégées : ce n'était pas ici qu'on venait commander des esclaves, qu'on transformait des êtres humains en choses inhumaines, impossibles. Ce n'était pas très grand. Il n'y avait pas de fenêtres. Un sous-sol ? *Où suis-je, bon Dieu ?*

Il ne paniquerait pas. Pour s'amuser, il imagina ce que Ryoval ferait à ses soldats en découvrant qu'ils avaient enlevé le mauvais jumeau. Il joua avec l'idée de cacher son identité un moment si Ryoval ne se rendait pas immédiatement compte de son erreur en le voyant. Histoire de donner à Miles et aux Dendariis un peu d'avance. Ils n'avaient pas été pris. Ils étaient libres. *Je l'ai trouvé !* Ils allaient venir le chercher. Et sinon eux, la SecImp. La SecImp ne devait pas avoir plus d'une semaine de retard sur lui. Et elle allait le combler très vite. *J'ai gagné, bon sang, j'ai gagné !*

Un étrange mélange d'exaltation et de terreur lui tournait la tête. Elle tournait encore quand on le livra à Ryoval. Cela se passa dans un bureau luxueux, en fait un appartement. Le baron séjournait sans doute ici parfois : il aperçut un salon de l'autre côté d'une double porte ouverte. Mark n'eut aucun mal à reconnaître Ryoval. Il l'avait vu sur les enregistrements faits au cours de la première mission de l'*Ariel* : une conversation où il avait promis à l'amiral Naismith d'accrocher sa tête au mur. Chez tout autre, cela aurait pu passer pour une hyperbole mais Mark avait la désagréable sensation que c'était très précisément ce que Ryoval avait voulu dire. Le baron était à moitié assis sur sa comconsole. Sa chevelure noire et brillante était coiffée en bandes compliquées. Le nez était fort et la peau lisse. Jeune et solide pour un centenaire.

Il est dans un clone. Mark eut un sourire torve. Il espérait que Ryoval ne confondrait pas ses tremblements dus à la décharge reçue en pleine tête avec de la peur.

Les gardes l'attachèrent sur une chaise en lui bloquant les poignets dans deux bandes métalliques.

– Attendez dehors, leur ordonna le baron. Ce ne sera pas long.

Ils sortirent.

Les mains de Ryoval tremblaient légèrement. Une pellicule de sueur recouvrait son visage bronzé. Quand il se décida à regarder Mark, ses yeux luisaient : c'était le regard d'un homme dont les visions lui emplissaient tellement le crâne qu'il ne voyait plus la réalité. Enragé, Mark s'en foutait. *Bouffeur de clone !*

– Amiral, commença joyeusement Ryoval, je vous avais promis que nous nous rencontrerions à nouveau. C'était inévitable, fatal, devrais-je dire. (Il l'examina de la tête aux pieds et haussa un sourcil.) Vous avez pris du poids, en quatre ans.

– J'ai bien vécu, ricana Mark, mal à l'aise de se voir ainsi rappeler sa nudité.

Malgré sa haine de l'uniforme dendarii, celui-ci lui allait plutôt bien. Quinn l'avait personnellement retaillé pour cette mascarade et il aurait bien aimé le récupérer. C'était sans doute ce qui avait trompé ses kidnappeurs au moment de ce fol accès d'héroïsme.

– Je suis si content que vous soyez vivant. Au début,

j'ai souhaité votre mort dans l'un de vos petits combats. Après réflexion, j'ai commencé à prier pour que vous surviviez. J'ai eu quatre ans pour préparer cette rencontre, réfléchir et élaborer. Je n'aurais pas aimé que vous la manquiez.

Ryoval ne se rendait pas compte qu'il n'était pas Naismith. En fait, Ryoval ne le voyait pas. Il semblait regarder à travers lui. Le baron se mit à faire les cent pas, déversant ses plans comme un amant nerveux, des plans de vengeance très compliqués qui allaient de l'obscène à l'impossible en passant par l'irrationnel.

Ça aurait pu être pire : Ryoval aurait pu faire ses menaces à un petit amnésique maigre et hébété qui ne savait même pas son propre nom, qui ignorait tout des raisons pour lesquelles on lui infligeait ce traitement. L'idée rendit Mark malade. *Ouais. Mieux vaut moi que lui, pour l'instant. Sans blague.*

Il cherche à te terroriser. Ce ne sont que des mots. Qu'avait dit le comte ? *Ne laisse pas l'ennemi prendre le dessus avant, dans ta tête...*

Merde, Ryoval n'était même pas *son* ennemi. Tous ces sinistres scénarios avaient été taillés sur mesure pour Miles. Non, même pas pour Miles. Pour l'amiral Naismith, un homme qui n'existait pas. Ryoval pourchassait un fantôme, une chimère.

Interrompant sa tirade, Ryoval s'immobilisa devant lui. Curieusement, il toucha le corps de Mark d'une main moite, ses doigts suivant avec précision le contour des muscles sous la couche de graisse.

– Savez-vous, soupira-t-il, que j'avais prévu de vous affamer. Mais j'ai changé d'avis. Je crois que je vais vous gaver au contraire. Le résultat risque d'être encore plus amusant.

Pour la première fois, Mark frissonna de malaise. Ryoval le sentit sous ses doigts et ricana. Cet homme avait un instinct terrifiant pour deviner ses proies. Mieux valait lui rappeler sa chimère. *Mieux valait foutre le camp d'ici.*

Il prit une aspiration.

– Désolé de vous interrompre, baron, mais j'ai une mauvaise nouvelle pour vous.

– Vous ai-je demandé de parler ? (Les doigts de Ryoval remontèrent pour lui pincer la joue.) Ceci n'est pas un interrogatoire. Ni une inquisition. Votre confession ne vous apportera rien. Même pas la mort.

C'était cette maudite hyperactivité contagieuse. Même les ennemis de Miles l'attrapaient.

– Je ne suis pas l'amiral Naismith. Je suis le clone fabriqué par Bharaputra. Vos sbires se sont trompés de type.

Ryoval se contenta de sourire.

– Bien essayé, amiral. Mais nous surveillions le clone bharaputran à la clinique Durona depuis plusieurs jours. Je savais que vous viendriez le chercher. Il ne pouvait en être autrement après ce que vous aviez fait pour lui la première fois. Je ne comprends pas la passion qu'il vous inspire... étiez-vous amants ? Vous seriez surpris de savoir le nombre de gens qui se font faire des clones pour cela.

Quand Quinn avait juré que personne ne les avait suivis, elle avait eu raison. Ryoval ne les avait pas suivis. Il les avait *attendus*. Génial. C'étaient ses actes, pas ses paroles ou son uniforme qui l'avaient convaincu qu'il se trouvait bien en présence de Naismith.

Ryoval haussa les épaules.

– Mais je l'aurai, lui aussi. Très bientôt.

Oh non, tu ne l'auras pas.

– Baron, je suis vraiment l'autre clone. Vous pouvez vous en assurer. Faites-moi examiner.

Ryoval gloussa.

– Que suggérez-vous ? Un scanner d'A.D.N. ? Même les Durona ne pourraient faire la différence. (Un soupir lourd.) Il y a tant de choses que je désire vous faire que je ne sais même pas par où commencer. Je dois y aller lentement. Et dans un ordre logique. Inutile de torturer un bras si on vous l'a déjà coupé. Je me demande combien d'années je parviendrai à vous faire durer. Une décennie ? Deux ? Trois ?

Mark perdait sa maîtrise de soi.

– *Je ne suis pas Naismith*, dit-il d'une voix haut perchée.

Ironique, Ryoval lui attrapa le menton.

– Alors, je vais m'entraîner sur toi. Un coup d'essai. Après, ce sera le tour de Naismith. Il en profitera mieux.

Après ? Tu vas avoir une drôle de surprise, mon gars. La SecImp n'aura aucune hésitation, aucun scrupule – même au regard des normes jacksoniennes – à disséquer la maison Ryoval.

Pour sauver Miles.

Mais il n'était pas Miles.

Il réfléchit avec angoisse à cela tandis que les gardes, rappelés par Ryoval, revenaient.

Le premier passage à tabac fut assez déplaisant. Pas tant la douleur. C'étaient surtout la douleur sans espoir d'y échapper, la peur sans relâche qui lui travaillaient l'esprit, lui contractaient le corps. Ryoval observait. Mark cria sans se retenir. Pas de mâle fierté pour lui ici, merci. Cela convaincrait peut-être Ryoval qu'il n'était pas Naismith. Tout ça était fou. Pourtant, les gardes ne lui brisèrent aucun os et terminèrent l'exercice pour la forme. Ils l'abandonnèrent nu dans une pièce minuscule, un placard très froid, sans fenêtre. L'arrivée d'air se trouvait à cinq centimètres de lui. Il ne pouvait même pas y enfoncer son poing.

Il essaya de se préparer, de se blinder. De se donner de l'espoir. Le temps jouait pour lui. Ryoval était un sadique suprêmement entraîné et c'était là sa faiblesse. Au moins au début, il le garderait vivant et relativement intact. Après tout, les nerfs devaient fonctionner pour transmettre la douleur. Un esprit devait être relativement clair pour reconnaître toutes les nuances de l'agonie. Des humiliations élaborées, voilà ce qui l'attendait plutôt qu'un toboggan vers la mort. Tout ce qu'il avait à faire, c'était survivre. Après... il n'y aurait pas d'après. Selon la comtesse, la venue de Mark sur l'Ensemble de Jackson forcerait

Illyan à affecter plus d'agents à ce secteur, qu'il le veuille ou non. Cela seul valait la peine que Mark fasse le déplacement même s'il ne parvenait à aucun résultat par lui-même.

Après tout, que lui étaient quelques humiliations supplémentaires ? L'immense fierté de Miles aurait pu en souffrir. Pas la sienne. Il n'avait aucune fierté. La torture, ça n'avait rien de nouveau pour lui. *Ô Ryoval, t'as vraiment choisi le mauvais type.*

Et si Ryoval avait été vraiment un fin psychologue, il aurait aussi fait enlever les amis de Miles. Afin de les tourmenter devant lui. Voilà qui aurait magnifiquement marché avec Miles. Mais, bien sûr, pas avec lui. Il n'avait pas d'amis. *Tu vois, Ryoval, je suis encore pire que toi, si je veux.*

Peu importait. Les amis de Miles allaient venir à son secours. D'un moment à l'autre.

D'un moment à l'autre.

Il garda ses certitudes jusqu'à l'arrivée des techniciens.

Après, ils le ramenèrent dans sa cellule sans doute pour lui laisser le temps de réfléchir. Il ne réfléchit à rien du tout pendant un bon moment. Il gisait sur le côté, respirant par à-coups faibles, à demi conscient, les bras et les jambes se contractant lentement au rythme de la douleur qui coulait en lui.

Longtemps après, quelques nuages quittèrent son champ de vision et la douleur s'atténua en partie, pour laisser la place à une rage noire. Les techs l'avaient attaché, avaient enfoncé un tube dans sa gorge et lui avaient pompé un gel écœurant hautement calorique dans le ventre. Ils y avaient ajouté un antivomitif pour l'empêcher de tout rendre plus tard et un cocktail d'agents métaboliques pour accélérer la digestion et l'assimilation. C'était bien trop complexe pour avoir été mis au point en quelques minutes. La maison Ryoval devait garder ça en stock quelque part. Et lui qui s'était imaginé s'être trouvé sa petite perversion privée, qui croyait s'être déjà fait mal. Les gens de Ryoval avaient poussé le processus bien au-delà du simple jeu avec la douleur. Et cela, sous l'œil de leur maître qui était venu regarder. Et l'étudier avec un sourire de plus en plus large. Ryoval *savait*. Il l'avait lu dans son regard satisfait.

Ryoval l'avait dépouillé de son unique moyen de rébellion. L'unique pouvoir somatique qu'il possédait sur lui-même, qu'il contrôlait, venait de lui être arraché. Ryoval l'avait coincé, lui avait fait la peau. Il ne lui avait pas fallu longtemps pour l'atteindre au plus profond de lui-même.

On peut vous torturer toute la journée mais ce n'est rien comparé à ça : ils l'obligeaient à se torturer lui-même. La différence entre la simple torture et la réelle humiliation résidait dans la participation de la victime. Galen, dont les tourments étaient physiquement beaucoup plus supportables que tout ce que Ryoval envisageait, le savait. Galen l'avait toujours obligé à se torturer ou à croire qu'il le faisait.

Ryoval ne tarda pas à prouver qu'il n'avait rien à envier à Galen. Il administra à Mark un violent aphrodisiaque avant de le donner à ses... gardes ? Ou bien s'agissait-il d'employés d'un de ses bordels ? Il participa ainsi, le regard vitreux, à sa propre dégradation. Ça devait faire aussi un sacré spectacle sur les enregistreurs holovids qui étaient disposés, bien visibles, tout autour de lui.

Ils le ramenèrent dans sa petite cellule pour qu'il digère cette nouvelle expérience comme il avait digéré la première séance de gavage. Il lui fallut un long moment pour que le choc et l'hébétude provoquée par la drogue se dissipent. Il oscillait lentement entre une lassitude épuisée et l'horreur. C'était curieux. La drogue avait court-circuité le conditionnement de la vibro-matraque. Il avait eu une brève crise de hoquets, c'était tout. Sans cela, le spectacle aurait été beaucoup plus court et ennuyeux. Ryoval avait regardé.

Non. Ryoval avait *étudié*.

Le regard de cet homme devenait une véritable obsession pour lui. L'intérêt de Ryoval n'avait pas été érotique. Mark sentait que le baron ne devait plus guère éprouver d'attrait pour la banalité stéréotypée de l'acte physique – sous toutes ses formes possibles et imaginables – depuis des décennies. Ryoval l'avait examiné pour surprendre ses... réflexes ? Ses plus infimes réactions trahissant l'intérêt, la peur, le désespoir. La séance n'avait pas été programmée pour provoquer de la douleur. Celle-ci n'avait pourtant pas manqué, loin de là, mais elle était pour ainsi dire accessoire.

Ce n'est pas encore la torture, comprit soudain Mark. *Tout ça, ce ne sont que les préparatifs. Ils cherchent encore la torture adéquate.*

Soudain, il vit ce qui l'attendait, tout ce qui l'attendait. D'abord, Ryoval allait le conditionner à ça, l'accrocher par des doses répétées. Alors seulement, il ajouterait la douleur. Et il le clouerait ainsi, vibrant, entre douleur et plaisir ; l'obligeant à se torturer lui-même, à mendier la sombre récompense. Puis, il supprimerait la drogue et laisserait Mark, totalement accro à ce scénario, poursuivre seul. Et il le ferait. Enfin, Ryoval lui offrirait sa liberté. Et il se mettrait à pleurer et à geindre, le suppliant de le garder comme esclave. Destruction par séduction. Fin de partie. Vengeance totale.

Tu vois en moi, Ryoval, mais je vois en toi, moi aussi.

Les séances d'alimentation forcée se répétèrent régulièrement toutes les trois heures. Sans cette horloge, la seule qu'il possédait, il aurait cru que le temps s'était arrêté. Il venait à coup sûr d'entrer dans l'éternité.

Il avait toujours cru que pour écorcher vif quelqu'un il fallait un couteau aiguisé. Ou ébréché. Les techniciens de Ryoval s'y prenaient chimiquement. A l'aide d'un aérosol, ils aspergeaient avec précaution des zones bien sélectionnées de son corps. Ils portaient des gants, des masques et des vêtements de protection. Il essaya, sans succès, d'arracher un masque pour que l'un d'entre eux partage ce qu'ils lui administraient. Il maudit sa petitesse et pleura tout en voyant les bulles qui gonflaient sa peau avant d'éclater. Le produit chimique n'était pas caustique : il devait s'agir de quelque bizarre enzyme. Ses nerfs restaient horriblement intacts, exposés. Toucher n'importe quoi ou être touché devint abominable, particulièrement quand il s'asseyait ou se couchait. Il resta debout dans sa cellule-placard, passant son poids d'un pied sur l'autre, ne touchant rien, pendant des heures, jusqu'à ce que ses jambes tremblantes cèdent sous lui.

Tout arrivait si vite. Où diable étaient les autres ? Depuis combien de temps était-il ici ? Un jour ?

Bon. J'ai survécu un jour. Je peux donc survivre un autre jour. Ils ne pouvaient rien lui faire de pire. Ils ne pouvaient qu'en faire plus.

Il s'assit, oscillant, l'esprit tétanisé de douleur. Et de rage. Surtout de rage. Depuis la première séance d'alimentation forcée, cette guerre n'était plus celle de Naismith. C'était personnel maintenant, entre Ryoval et lui. Mais pas encore assez personnel. Il n'avait jamais été seul avec Ryoval. Il y avait toujours eu trop de gardes, trop de liens, trop de précautions. L'amiral Naismith était traité comme un petit con salement dangereux. Même maintenant. C'était pas bon.

Il leur aurait tout dit, à propos de lord Mark, de Miles, du comte, de la comtesse et de Barrayar. Et même à propos de Kareen. Mais le gavage lui avait bloqué la bouche et l'aphrodisiaque l'avait dépouillé de son langage et les autres choses l'avaient trop obligé à hurler pour dire quoi que ce soit. Tout ça, c'était la faute de Ryoval. Il observait. Mais il *n'écoutait pas*.

Je voulais être lord Mark. Je voulais juste être lord

Mark. Etait-ce si mal ? Il voulait toujours être lord Mark. Il avait presque réussi. Il avait senti lord Mark entrer dans sa peau. Mais on la lui avait arrachée. Il pleura pour sa peau perdue, de grosses larmes chaudes qui venaient s'écraser et le brûler justement là où elle avait disparu. Il sentait lord Mark s'éloigner, arraché à lui, enterré vivant.

Je voulais juste être humain. C'est foutu, encore une fois.

25

Pour la centième fois, il fit le tour de la pièce, tapant sur les murs.

— Si on trouve lequel est le mur extérieur, dit-il à Rowan, on pourra peut-être y faire un trou.

— Avec quoi ? Nos ongles ? Et si on est au troisième étage ? Tu veux bien *t'asseoir*, s'il te plaît ? Tu me rends folle !

— Il faut qu'on sorte.

— Il faut qu'on attende. Lilly pense à nous. Elle fera quelque chose.

— Quoi ? Et comment ?

Il détailla leur petite chambre à coucher. Elle n'avait rien d'une prison. Ce n'était qu'une chambre munie d'une salle de bains. Pas de fenêtre, ce qui signifiait qu'elle se trouvait sous terre ou dans une section interne de la maison. S'ils étaient sous terre, faire un trou dans le mur ne changerait pas grand-chose à leur situation... mais s'ils émergeaient dans une autre pièce, les possibilités fleurissaient. Derrière la porte, étaient postés deux gardes armés de neutralisateurs. La nuit précédente, ils les avaient attirés dans la chambre. Une première fois en prétextant un faux malaise, ensuite pour un malaise tout à fait réel : son agitation frénétique avait provoqué une nouvelle crise de convulsions. Les gardes leur avaient donné la trousse médicale de Rowan. Ce qui ne lui avait pas été d'un grand secours dans la mesure où la jeune femme en réponse à ses incessantes demandes d'action avait menacé de lui administrer un sédatif. Les gardes n'avaient même pas écouté ses promesses de récompense s'ils les laissaient partir.

– Survivre, s'enfuir, saboter, récita-t-il. (C'était devenu une litanie dans sa tête.) C'est le devoir d'un soldat.

– Je ne suis pas un soldat, fit Rowan en frottant ses yeux cernés. Vasa Luigi ne va pas me tuer et, s'il avait voulu te tuer, il l'aurait fait hier. Il n'est pas comme Ryoval, il ne joue pas avec ses proies. (Elle se mordit la lèvre, regrettant peut-être cette dernière phrase.) Ou peut-être qu'il va nous laisser tous les deux seuls là-dedans jusqu'à ce que *je* te tue.

Elle roula sur le lit et s'enfouit la tête sous l'oreiller.

– Tu aurais dû faire s'écraser notre vedette.

Un bruit sortit de sous l'oreiller : un gémissement ou un juron. Il avait probablement mentionné ce regret un peu trop souvent.

Quand la serrure de la porte cliqueta, il fit volte-face comme s'il venait de poser le pied sur une braise.

Un garde les salua poliment.

– Avec les compliments du baron Bharaputra, ma'ame, monsieur, voudriez-vous vous préparer à partager son dîner ? Nous vous accompagnerons dès que vous serez prêts.

Ils montèrent. Leur chambre se trouvait effectivement sous terre. La salle à manger des Bharaputra possédait de grandes baies vitrées donnant sur un jardin clos, couvert de gel. Un garde costaud était posté à chaque sortie. Le jardin miroitait dans le crépuscule. Ils étaient ici depuis une journée jacksonienne entière : vingt-six heures et quelques minutes. Vasa Luigi se leva à leur entrée et renvoya les gardes, leur donnant l'illusion d'un repas privé.

La salle à manger était décorée avec style : des

divans individuels devant des tables basses étaient disposés en arc de cercle devant les baies vitrées. Une femme qu'il reconnut sans mal était assise dans l'un des divans.

Sa chevelure blanche était striée de noir et relevée en nattes complexes autour de son crâne. Des yeux sombres, une peau d'ivoire creusée de fines rides... une Durona. Une autre. Elle portait un superbe chemisier de soie vert pâle qui évoquait, sûrement pas par hasard, la teinte des blouses de la clinique Durona et un pantalon délicat couleur crème. Le Dr. Lotus Durona, baronne Bharaputra, avait des goûts de luxe et les moyens de les satisfaire.

– Rowan, ma chérie.

Elle tendit une main comme pour un baisemain.

– Lotus, fit sèchement Rowan.

Lotus sourit et transforma son geste en une invitation à s'asseoir. Ce qu'ils firent.

Lotus toucha un panneau de contrôle et une fille vêtue de soie marron et rose – les couleurs de Bharaputra – fit son entrée et servit les boissons. Elle se présenta tout d'abord devant le baron et lui fit une révérence, les yeux baissés. Elle aussi était très familière, grande et souple, des cheveux noirs, fins et raides flottant dans une queue de cheval sur son dos... Quand elle arriva devant la baronne, elle osa lever un instant les yeux : ils s'ouvrirent comme des fleurs au soleil, brillants de joie. Devant Rowan, elle parut ébahie et perplexe. Rowan lui rendit son regard, tout aussi étonnée. Lorsque la fille la quitta, la surprise avait laissé la place à l'horreur.

Quand elle s'inclina devant lui, elle se figea.

– Vous... ! murmura-t-elle, stupéfaite.

– Allons, Lilly ma chérie, ne reste pas plantée là comme ça, dit la baronne gentiment.

Elle quitta la pièce, d'une démarche soyeuse, non sans leur avoir lancé un dernier regard par-dessus son épaule.

– Lilly ? s'étrangla Rowan. Tu l'as appelée Lilly ?

– Une petite vengeance.

Rowan était outrée.

– Comment as-tu osé ? Sachant ce que tu es ? Sachant ce que nous sommes ?

La baronne haussa les épaules.

– Qui peut préférer la mort à la vie ? Ou pire... laisser Lilly choisir pour nous ? L'heure de la tentation n'a pas encore sonné pour toi, Rowan, ma chère sœur. Repose-toi la question dans vingt ou trente ans quand tu sentiras ton corps pourrir autour de toi. Tu verras alors comme la réponse est simple.

– Lilly t'aimait comme une fille.

– Lilly m'utilisait comme une domestique. De l'amour ? (La baronne gloussa.) Ce n'est pas l'amour qui unit le troupeau Durona. C'est la crainte des prédateurs. Sans les dangers extérieurs, les nécessités économiques, il n'y aurait pas de coins assez reculés dans la galaxie pour que nos chers frères et sœurs s'y éparpillent. Il en va de même avec la plupart des familles.

Rowan encaissa. Elle semblait malheureuse mais elle ne nia pas.

Vasa Luigi s'éclaircit la gorge.

– Cela dit, Dr. Durona, vous n'auriez pas à vous expatrier aux confins de la galaxie pour trouver votre place. La maison Bharaputra serait heureuse d'utiliser vos talents et votre formation. Vous disposeriez même d'une forme d'autonomie. On vous confierait par exemple la tête d'un département. Et plus tard, qui sait... une division entière.

– Non. Merci, cracha Rowan.

Le baron haussa les épaules. La baronne semblait-elle vaguement soulagée ? Il intervint dans la conversation.

– Baron... était-ce vraiment un commando de Ryoval qui a enlevé l'amiral Naismith ? Savez-vous où ils l'ont emmené ?

– Tiens, tiens, voilà une question intéressante, murmura Vasa Luigi en le dévisageant. J'ai essayé d'entrer en contact avec Ry toute la journée, sans succès. Je suis persuadé que là où se trouve Ry, se trouve aussi votre clone-jumeau... Amiral.

Il respira profondément.

– Pourquoi croyez-vous que je suis l'amiral, monsieur ?

– Parce que j'ai rencontré l'autre. Dans des circonstances révélatrices. Je ne pense pas que le véritable amiral Naismith permettrait à son garde du corps de lui donner des ordres... Pas vous ?

Quelque chose cognait dans sa tête.

– Que va lui faire Ryoval ?

– Vraiment, Vasa, on ne va pas... discuter de cela à table, reprocha la baronne. (Elle l'examina avec curiosité.) D'ailleurs... qu'est-ce que cela peut vous faire ?

– Miles, qu'as-tu fait de ton petit frère ?

La citation, venue de nulle part, lui était tombée de la bouche. Incertain, il se toucha les lèvres. Rowan le fixait. Lotus aussi.

Vasa Luigi reprit la parole.

– Pour répondre à votre question, amiral, tout dépend si Ry est parvenu aux mêmes conclusions que moi. Si c'est le cas... il ne fera probablement pas grand-chose. Sinon, ses méthodes dépendront de votre clone-jumeau.

– Je... ne comprends pas.

– Ryoval va l'étudier. En faire un sujet d'expérience. Ses actes découleront de son analyse de la personnalité du sujet.

Cela n'avait pas l'air trop terrible. Il s'imagina des tests écrits avec le choix entre différentes réponses. Curieux.

– A sa manière, Ry est un artiste, continuait le baron. Il parvient à créer des effets psychologiques tout à fait extraordinaires. Je l'ai vu transformer un ennemi juré en esclave absolument dévoué à sa personne, prêt à lui obéir au doigt et à l'œil. Le dernier qui a tenté de l'assassiner et qui a eu l'infortune d'être pris vivant s'est retrouvé à servir à boire lors des petites soirées privées de Ryoval : il supplie chaque invité de lui demander quelque chose, n'importe quoi.

– Et qu'as-tu demandé ? s'enquit sèchement la baronne.

– Du vin blanc. C'était avant nous, mon amour. Mais j'ai observé. Cet homme était conscient de ce qui lui arrivait. Je n'ai jamais vu un regard aussi hanté.

– Envisagez-vous de me vendre à Ryoval ? demanda-t-il lentement.

– S'il me fait la meilleure offre, amiral. Vous et votre clone-jumeau avez effectué un raid sur mes terres. J'ignore encore si vous étiez son complice. Quoi qu'il en soit, cette petite aventure a coûté très cher à ma maison. (Ses yeux étincelèrent.) Sans parler de l'affront personnel. Je ne vais pas me fatiguer à me venger sur un cryo-amnésique mais je veux annuler mes pertes. Si je vous vends à Ry, vous serez incroyablement mieux puni que je ne pourrai le faire. Ry sera ravi d'avoir la paire. (Vasa Luigi soupira.) La maison Ryoval, je le crains, restera toujours une maison mineure tant que Ry privilégiera sa gratification personnelle à ses profits. C'est une honte. Avec ses ressources, je pourrais faire tellement mieux.

La fille revint leur servir quelques hors-d'œuvre et rafraîchir leurs boissons. Quand elle s'esquiva, le regard de Vasa Luigi la suivit. La baronne, le remarquant, plissa les yeux. Lorsqu'il se retourna vers eux, elle contemplait son verre.

– A propos d'offre, pourquoi ne pas contacter les Mercenaires Dendariis ? proposa-t-il.

Oui ! Si Bharaputra leur proposait un échange, les Dendariis viendraient immédiatement en discuter avec lui. Avec un canon à plasma. Une offre qu'on peut difficilement refuser, non ? Ce jeu ne durerait pas très longtemps. Difficile à Bharaputra de le mettre aux enchères sans révéler qu'il le détenait et alors... et alors... et alors... *Quoi ?*

– A défaut d'autre chose, ajouta-t-il, vous pourrez les utiliser pour faire monter les prix avec Ryoval.

– Je crains que leurs ressources ne soient trop limitées. Et pas disponibles ici.

– Ils étaient ici. Hier.

– Une simple équipe d'agents en mission. Pas de navires. Pas de renforts. Je crois savoir qu'ils n'ont révélé leur identité qu'afin d'obtenir une conversation avec Lilly. Mais... j'ai des raisons de croire qu'il y a un autre joueur dans cette partie. Quand je vous regarde, quelque chose me démange. Je suis soudain pris de la curieuse envie de me contenter de la modeste commission d'un intermédiaire et de laisser Ryoval s'occuper d'offres trop conséquentes.

Le baron ricana.

Des offres trop conséquentes ? Oh... des gens avec des canons à plasma. Il essaya de ne pas réagir.

– Ce qui, reprit Vasa Luigi, nous ramène à la question originelle... Quel est l'intérêt de Lilly dans tout ça ? Pourquoi Lilly t'a-t-elle demandé de ressusciter cet homme, Rowan ? Et d'ailleurs, comment Lilly l'a-t-elle récupéré avant des tas de gens mieux équipés et mieux informés ?

– Elle ne m'a rien dit, dit Rowan, affable. Mais j'ai été ravie d'avoir cette occasion d'affiner ma technique. Grâce à l'excellent travail de votre sécurité, il était un véritable défi médical.

La conversation prit un tour médico-technique entre Lotus et Rowan, puis plus décousu quand la jeune clone vint leur servir la suite du repas. Rowan se débrouillait intelligemment pour ne pas répondre aux questions du baron. Quant à lui, personne ne s'attendait qu'il sache quoi que ce soit. Le baron Bharaputra ne semblait pas pressé. Visiblement, il se préparait à jouer un jeu d'attente. Le dîner terminé, les gardes les escortèrent jusqu'à leur chambre qui se trouvait au bout d'un couloir muni de portes toutes identiques : sans doute les quartiers réservés aux serviteurs de visiteurs importants.

– Où sommes-nous ? demanda-t-il d'une voix sifflante à Rowan dès que la porte se referma derrière

eux. Tu le sais ? Est-ce le quartier général de Bharaputra ?

– Non. Sa résidence principale est encore en travaux. Un raid aurait provoqué pas mal de dégâts,
ajouta-t-elle, hargneuse.

Il fit lentement le tour de la pièce sans toutefois se
remettre à cogner sur les murs, au grand soulagement
de Rowan.

– Je viens de penser... que s'évader n'est pas le seul
moyen de s'enfuir. On peut se débrouiller pour que
quelqu'un vienne nous chercher. Dis-moi... Chez qui
serait-il le plus difficile de venir chercher un prisonnier : chez Fell, chez Bharaputra ou chez Ryoval ?

– Oh... je pense que ce serait chez Fell. Il a plus de
soldats et plus d'armes. Ryoval serait le plus facile.
Ryoval est vraiment une maison mineure mais il est
si vieux qu'il a droit aux honneurs d'une grande maison, par habitude.

– Donc... si on veut un allié plus fort et plus
méchant que Bharaputra, il faut s'adresser à Fell ?

– Si on veut.

– Il faut que nous nous adressions à Fell.

– Comment ? Nous ne pouvons même pas sortir de
cette chambre.

– La chambre, oui, il faut sortir de cette chambre.
Mais il ne sera pas nécessaire de sortir d'ici. Si l'un
d'entre nous pouvait se retrouver devant une comconsole pendant quelques minutes. Pour appeler Fell ou
quelqu'un. Pour dire au monde que c'est Vasa Luigi
qui nous détient. Voilà qui ferait bouger les choses.

– Il faut appeler Lilly, fit Rowan avec obstination.
Pas Fell.

*J'ai besoin de Fell. Lilly ne peut pas monter une
opération contre Ryoval*. Voilà qui ouvrait une déplaisante alternative : les intérêts du Groupe Durona et
les siens pouvaient être divergents. Il voulait une
faveur de Fell que Lilly cherchait à fuir. Par ailleurs,
Fell n'avait pas grand-chose à gagner dans un raid
contre Ryoval. Sinon démolir un rival et assouvir une
vieille haine. Mmouais...

Il erra jusque dans la salle de bains et se contempla dans le miroir. *Qui suis-je ?* Un petit homme bizarre, maigre, pâle, hagard, avec des yeux désespérés et une tendance à faire des crises de convulsions. Si seulement il pouvait deviner qui était son clone-jumeau, il s'identifierait par élimination. Lors de leur rencontre désastreuse la veille, il lui avait bien semblé qu'il était l'amiral Naismith. Mais Vasa Luigi n'était pas un imbécile et Vasa Luigi était convaincu du contraire. Il devait être soit l'un soit l'autre. Pourquoi ne parvenait-il pas à se décider ? *Si je suis Naismith, pourquoi mon frère s'est-il fait passer pour moi ?*

A ce moment précis, il découvrit pourquoi ils appelaient ça *une cascade.*

C'était comme de se retrouver sous une chute d'eau, sous les chutes d'une rivière qui vidait un continent, des tonnes d'eau l'écrasant, le mettant à genoux. Il émit un faible miaulement et s'écroula, les bras noués autour de la tête, les yeux crevés de douleur et la terreur coincée dans la gorge. Il se mordit les lèvres pour ne produire aucun son qui attirerait l'attention inquiète de Rowan. Il avait besoin d'être seul pour ça. Oh oui !

Pas étonnant si je ne devinais pas. J'essayais de choisir entre deux réponses fausses. Ô Mère. Ô P'pa. Ô sergent. Votre petit a vraiment merdé cette fois-ci. Vraiment merdé. Le lieutenant Miles Vorkosigan se tordait sur le carrelage et hurlait en silence. *Non, non, non, oh... Merde !*

Elli...

Bel, Elena, Taura...

Mark... Mark ? Ce type costaud, menaçant, maître de lui-même, déterminé avait été *Mark ?*

Il ne se souvenait absolument pas des circonstances de sa mort. Se touchant avec crainte la poitrine, il chercha des traces de... quoi ? Il ferma les yeux, essayant de se rappeler ses derniers moments. Le raid sur le complexe médical de Bharaputra, oui. Mark avait provoqué un catastrophe. Non, Mark et Bel. Et il était descendu du ciel pour leur tirer les couilles de la broyeuse. Un vrai délire mégalomaniaque. Pour montrer à Mark comment les vrais experts s'y prenaient, pour arracher ces enfants-clones à Vasa Luigi qui l'avait offensé... et les ramener à Mère. *Foutaises, qu'est-ce que ma mère sait de tout ça maintenant ?* Rien, il l'espérait. Curieusement, ils se trouvaient encore tous sur l'Ensemble de Jackson. Combien de temps avait-il été mort... ?

Où diable est la SecImp ?

Enfin, ceux qui ne sont pas en train de se rouler par terre dans cette salle de bains, bien sûr ?

Aïe, aïe, aïe...

Et Elli. *Je vous connais, ma'ame ?* lui avait-il demandé. Il aurait mieux fait de se bouffer la langue.

Rowan... Elli. Ça se comprenait, d'une certaine manière. Son amante était une femme intelligente, grande, les cheveux et les yeux sombres. La première chose qui s'était présentée à son réveil à son esprit confus avait été une femme intelligente, grande, les cheveux et les yeux noirs. C'était une erreur très naturelle.

Il se demanda si Elli allait accepter cette explication. Son goût pour les femmes musclées risquait de lui coûter très cher. Il ravala un rire désespéré.

Il se coinça dans sa gorge. *Taura, ici ?* Ryoval le savait-il ? Savait-il quelle jolie main griffue avait détruit ses banques de gènes quatre ans auparavant ? Ou bien blâmait-il simplement « l'amiral Naismith » ? Ses séides avaient pris Mark pour l'amiral. Ryoval en ferait-il autant ? De toute manière, Mark lui dirait sûrement qu'il était le clone. *Merde, c'est ce que je lui dirais si j'étais à sa place.* Où était Mark ? Que lui arrivait-il ? Pourquoi s'était-il offert en... rançon à la place de Miles ? Mark n'était pas cryo-amnésique lui aussi ? Non, Lilly avait dit que les Dendariis, les clones et « l'amiral Naismith » s'étaient tous échappés. Alors, pourquoi étaient-ils *revenus* ?

Pour venir te chercher, amiral Grossemerde.

Et ils avaient foncé tête la première sur Ryoval, grâce à lui.

La cryo-amnésie était une *bénédiction*. Il avait envie de la retrouver.

– Tu vas bien ? s'inquiéta Rowan depuis l'autre pièce.

Elle vint jusqu'à la porte de la salle de bains et le vit sur le sol.

– Oh non ! Une nouvelle convulsion ?(Elle s'agenouilla à ses côtés, ses longs doigts cherchant déjà d'éventuels dégâts.) Tu t'es cogné à quelque chose ?

– Euh... euh...

Je ne vais pas me fatiguer à me venger sur un cryo-amnésique, avait dit Vasa Luigi. Il valait donc mieux le rester encore un petit moment. En tout cas, jusqu'à ce qu'il ait une meilleure prise sur les événements. Et sur lui-même.

– Je crois que je vais bien.

Il la laissa le remettre au lit, lui caresser les cheveux. Désemparé, il la fixait entre ses paupières mi-closes, faisant semblant de céder à la fatigue qui suivait toujours les convulsions. *Qu'ai-je fait ?*

Que vais-je faire ?

26

Il avait oublié pourquoi il était là. Sa peau repoussait.

Il se demanda où était parti Mark.

Des gens venaient, tourmentaient une chose sans nom et s'en allaient. Il les accueillait différemment. Et ces différences finirent par se cristalliser... Par devenir des personnages auxquels il dut donner un nom afin de les identifier. Il y avait Bouffe... et Grogne... et Hurle... et un autre, tapi dans l'ombre, qui attendait son heure.

Il laissait Bouffe s'occuper de l'alimentation forcée parce que c'était le seul qui aimait ça. Après tout, Bouffe aurait bien aimé faire tout ce que les techs de

Ryoval lui faisaient. Grogne, il l'envoyait quand Ryoval venait avec l'aphrodisiaque. C'était Grogne qui était responsable de l'agression sur Maree, la petite clone au corps sculpté. Grogne, quand il n'était pas excité, était très timide et honteux et ne parlait pas beaucoup.

Hurle s'occupait du reste. Il commençait à soupçonner Hurle de les avoir tous livrés à Ryoval. Hurle avait enfin trouvé un endroit où on le punissait *assez*. *Faut jamais essayer de guérir un masochiste par la haine. Les résultats sont imprévisibles.* Donc Hurle récoltait ce qu'il méritait. Quant au quatrième, si discret, il se contentait d'attendre en se disant qu'un jour c'était lui qu'ils aimeraient tous.

Ils ne gardaient pas toujours leurs rôles respectifs. Hurle avait tendance à s'immiscer dans les séances de Bouffe, qui avaient toujours lieu régulièrement, ce qui n'était pas le cas des séances de Hurle. Et, plus d'une fois, Bouffe rejoignait Grogne dans ses aventures qui devenaient alors exceptionnellement bizarres. Personne n'accompagnait Hurle volontairement.

Leur ayant tous donné un nom, il retrouva Mark par élimination. Bouffe, Grogne, Hurle et l'Autre avaient envoyé lord Mark tout au fond pour qu'il passe tout ça en dormant. Pauvre, fragile lord Mark, né depuis douze semaines à peine.

Ryoval ne voyait pas lord Mark là-bas tout au fond. Il ne pouvait l'atteindre. Ni le toucher. Bouffe, Grogne, Hurle et l'Autre faisaient tous très attention de ne pas réveiller le bébé. Ils étaient *étudiés* pour. Ils formaient une drôle de bande, grotesque, laide et dure au mal, ses mercenaires psychiques. La bande noire. Pas très jolis, les bonshommes. Mais ils faisaient leur boulot.

Il se mit, de temps en temps, à leur fredonner des airs de marche.

27

Rowan s'était à nouveau cachée sous l'oreiller. Il continuait à faire les cent pas. Et à parler. Il était incapable de s'arrêter. Depuis l'instant où sa mémoire lui était tombée dessus, il avait élaboré une multitude de plans d'évasion qui, tous, comportaient au moins un point faible sinon fatal. Dans l'impossibilité de les appliquer, il les avait tous réexaminés, réétudiés, à voix haute. Encore et encore. Rowan avait depuis longtemps cessé de les critiquer... En fait, elle avait tout bonnement cessé de lui parler. Elle avait abandonné l'idée de le cajoler, de l'apaiser et restait le plus souvent le plus loin possible de lui ou bien se cachait pendant des heures dans la salle de bains. Il ne pouvait l'en blâmer. Il était au bord de la frénésie.

Leur confinement mettait à rude épreuve l'affection qu'elle avait pour lui. Et, il l'admettait, il n'avait pas été capable de lui dissimuler la vague hésitation qu'il ressentait désormais à son contact. Il ne la touchait plus avec autant de chaleur, il résistait davantage à son autorité médicale. Il l'aimait et l'admirait, c'était indubitable, et il aurait été ravi qu'elle prenne la tête de n'importe quel service médical qu'il possédait. Sous son commandement. Mais le remords et leur intimité forcée le gênaient. Il avait d'autres passions pour le moment. Des passions qui le consumaient.

Le dîner n'allait plus tarder. A raison de trois repas par long jour jacksonien, cela devait faire quatre jours qu'ils étaient ici. Le baron ne les avait plus convoqués. Quels étaient les projets de Vasa Luigi ? L'avait-il déjà vendu ? Et si la prochaine personne à passer la porte était son acheteur ? Et si on ne l'avait pas acheté ? Et si on l'abandonnait ici à jamais ?

Les repas étaient en général apportés par un serviteur sous la surveillance de deux gardes armés. En prenant soin de ne pas révéler son identité, il avait tout tenté pour les suborner. Pour toute réponse, il avait obtenu des sourires. Il ne se faisait guère d'illusions sur ses capacités à affronter un neutralisateur mais il était décidé à essayer la prochaine fois. L'intelligence ne lui ayant servi à rien, il était prêt à commettre une idiotie. Parfois, l'effet de surprise avait du bon...

La serrure cliqueta. Il fit volte-face, prêt à plonger.

– Rowan, debout ! souffla-t-il. Je vais tenter le coup.

– Oh non... gémit-elle, émergeant de son oreiller.

Abattue, sans la moindre confiance, elle se leva et le rejoignit.

– Ça fait mal, un neutralisateur, tu sais. Et après, tu vas vomir. Tu auras probablement des convulsions.

– Oui. Je sais.

– Au moins, ça t'obligera à te taire un moment, marmonna-t-elle.

Il était déjà sur la pointe des pieds. Il retomba sur les talons en voyant qui venait les voir. *Oh, bon sang, qu'est-ce que c'est que ça ?* Un nouveau joueur venait d'entrer dans la partie. Son esprit se mit à fonctionner furieusement. Rowan, qui l'observait dans l'attente de sa tentative annoncée, tourna les yeux et sursauta.

C'était la fille-clone, Lilly – Lilly junior – dans sa tenue en soie marron et rose de domestique, une longue jupe et une veste pailletée. Le dos bien droit, elle portait leur plateau qu'elle posa sur la table. De façon incompréhensible, le garde hocha la tête vers elle et se retira, fermant la porte derrière lui.

Elle se mit à étaler leur repas, comme une parfaite petite servante. Rowan s'approcha d'elle, les lèvres entrouvertes.

Il vit, instantanément, une douzaine de possibilités. Et aussi que cette occasion ne se représenterait plus. Dans son état, il n'était pas question pour lui de terrasser la fille. Mais Rowan avait bien parlé d'un sédatif, non ? Pourrait-elle le lui administrer ? Rowan n'était pas du genre à saisir des insinuations et suivre des ordres cryptés. Elle voudrait des explications. Elle voudrait *discuter*. Mais il devait essayer.

– C'est *incroyable* ce que vous vous ressemblez, toutes les deux, fit-il, gai comme un pinson, en lançant un regard appuyé à Rowan.

Celle-ci le contempla avec autant de stupéfaction que d'exaspération. Mais elle eut la présence d'esprit de sourire quand la jeune fille se tourna vers eux.

– Que nous vaut l'honneur, reprit-il, d'une servante de si haut rang, madame ?

Lilly se toucha la poitrine.

– *Je* ne suis pas ma dame, dit-elle d'un ton qui laissait entendre qu'il était un parfait idiot. (Ce qui n'était pas entièrement faux.) Mais vous... fit-elle en fouillant le visage de Rowan, je ne vous comprends pas.

– C'est la baronne qui vous envoie ? s'enquit Miles.

– Non. Mais j'ai dit au garde que votre repas était drogué et que la baronne voulait que je voie quel effet ça vous faisait, fit-elle presque négligemment.

– Et... c'est vrai ? demanda-t-il.

– Non. (Elle rejeta ses longs cheveux en arrière d'un coup de tête et l'oublia pour se concentrer sur Rowan.) Qui *êtes*-vous ?

– Elle est la sœur de la baronne, fit-il aussitôt. La fille de la mère de votre dame. Saviez-vous qu'on vous a donné le nom de votre... grand-mère ?

– ... Grand-mère ?

– Parle-lui du Groupe Durona, Rowan, la pressa-t-il.

– Dès que tu me laisseras placer un mot, fit Rowan, sarcastique.

– Sait-elle ce qu'elle est ? Demande-lui si elle sait ce qu'elle est ? fit-il avant de se fourrer ses doigts dans la bouche.

La fille n'était pas venue pour lui. Elle était venue pour Rowan. Il devait laisser Rowan s'occuper d'elle.

Rowan regarda alternativement la porte fermée puis la fille.

– Bon. Les Durona sont un groupe de trente-six frères et sœurs clones, tous issus de la même souche. Nous vivons sous la protection de la maison Fell. Notre mère – la première Durona – s'appelle Lilly, elle aussi. Elle a été très triste quand Lotus – la baronne – nous a quittés. Lotus était ma... sœur aînée, tu comprends. Ce qui fait que tu dois être ma sœur, toi aussi. Lotus t'a-t-elle expliqué pourquoi elle t'a eue ? Seras-tu sa fille ? Son héritière ?

– Je dois être unie avec ma dame, dit la fille. (Il y avait du défi dans sa voix. Mais sa fascination pour Rowan était évidente.) Je me demandais... si vous étiez là pour prendre ma place.

Jalouse ? *Folle.*

Rowan était horrifiée.

– Comprends-tu ce que cela signifie ? Ce qu'est une transplantation cervicale avec un clone ? Elle va prendre ton corps, Lilly. Et tu ne seras plus.

– Oui. Je sais. C'est ma destinée.

A nouveau ce mouvement de tête, les cheveux qui volaient. Sa voix était convaincue. Mais ses yeux... y avait-il une minuscule question dans ses yeux ?

– Si ressemblantes, murmura-t-il en réprimant son angoisse.

Il tournait autour d'elles...

– Je parie, reprit-il, que si vous échangiez vos vêtements, personne ne pourrait faire la différence. (Le rapide coup d'œil de Rowan lui dit que, oui, elle avait saisi l'allusion mais qu'il exagérait.) Non... poursuivit-il, pinçant les lèvres, penchant la tête, elle est trop grosse. Tu ne trouves pas qu'elle est trop grosse, Rowan ?

– Je ne suis pas grosse ! s'indigna Lilly junior.

– Tu ne pourras jamais mettre les affaires de Rowan.

– Tu as tort, dit Rowan se laissant enfin entraîner dans son jeu. C'est un idiot. Prouvons-lui, Lilly.

Elle se débarrassa de sa veste, de son chemisier et de son pantalon.

Lentement, dévorée de curiosité, la fille enleva sa veste et sa jupe et enfila les effets de Rowan. Rowan n'avait pas encore touché ceux de Lilly, bien étalés sur le lit.

– Oh, pas mal... pas mal du tout, dit Rowan en

montrant la salle de bains. Tu devrais aller te regarder.

– J'avais tort, admit noblement Miles en entraînant la fille vers la salle de bains. (Pas le temps de comploter, de donner des ordres. Il devait compter sur les... initiatives de Rowan.) En fait, les vêtements de Rowan te vont plutôt bien. (Machinalement, il la tutoyait maintenant.) Imagine-toi en docteur Durona. Ils sont tous docteurs, tu sais ? Tu pourrais être docteur, toi aussi...

Du coin de l'œil, il vit Rowan qui dénouait ses cheveux et enfilait la jupe. Il laissa la porte se refermer sur eux et poussa Lilly devant le miroir. Il ouvrit un robinet pour masquer le coup que Rowan frappait à la porte de la chambre... pour qu'elle ne l'entende pas s'ouvrir et se refermer. Il s'imagina Rowan passer devant le garde, tête basse, les cheveux pendant sur le visage.

Lilly contemplait le grand miroir. Elle lui jeta un coup d'œil tandis qu'il levait la main comme pour la présenter à elle-même. Il lui arrivait à peine à l'épaule. S'emparant d'un gobelet, il but un peu d'eau dans l'espoir de se dénouer la gorge. Il allait devoir causer. Combien de temps pourrait-il la garder ici ? Il ne pensait pas être capable de l'assommer d'un coup sur le crâne et il ne savait pas trop quelle hypospray dans la trousse de Rowan posée sur le comptoir contenait le fameux sédatif.

A sa grande surprise, elle parla la première.

– C'est vous qui êtes venu pour moi, hein ? Pour nous, les clones.

Elle faisait allusion au désastreux raid dendarii contre Bharaputra. Faisait-elle partie des rescapés ? Que fabriquait-elle ici, alors ?

– Euh... Excusez-moi. J'étais mort il n'y a pas si longtemps et mon cerveau ne fonctionne pas très bien. Je fais de la cryo-amnésie. C'était peut-être moi ou alors mon clone-jumeau.

– Vous avez des frères et sœurs clones vous aussi ?

– Un seul. Mon... frère.

– Vous étiez vraiment mort ?

Elle semblait avoir un peu de mal à le croire.

Il ouvrit sa chemise et lui montra ses cicatrices.

– Oh, fit-elle, impressionnée. Ça doit être vrai, alors.

– C'est Rowan qui m'a entièrement recousu, refabriqué. Elle est très forte. (Non, ne pas attirer son attention sur Rowan.) Tu pourrais être aussi forte qu'elle. J'en suis certain, si tu essayais. Si on t'éduquait.

– A quoi ça ressemble ? D'être mort ?

Elle était soudain fascinée.

Il haussa les épaules et remit sa chemise.

– A rien. Ennuyeux... à mourir. Le vide. Je ne me souviens de rien. Je ne me souviens pas de l'instant de ma mort...

Sa respiration se bloqua... *Le museau de l'arme, la flamme éclatante... sa poitrine qui éclatait, la douleur terrible...* Il essaya d'inspirer. Les jambes très faibles tout à coup, il s'adossa au comptoir.

– On est si seul, reprit-il. Tu n'aimerais pas ça, crois-moi. (Il saisit sa main tiède.) Etre vivant, c'est beaucoup mieux. Etre vivant, c'est, c'est...

Il avait besoin de s'appuyer sur quelque chose. Au lieu de cela, il grimpa sur le comptoir, se retrouvant pour la première fois, nez à nez avec elle. Il enfonça doucement ses doigts dans sa chevelure noire, se pencha vers elle et l'embrassa. C'était moins un baiser qu'un frôlement.

– On sait qu'on est vivant quand quelqu'un vous touche.

Elle s'écarta, choquée et intéressée.

– Vous n'embrassez pas comme le baron.

Il eut l'impression que son cerveau avait le hoquet.

– Le baron t'a embrassée ?

– Oui...

Pour avoir un avant-goût du nouveau corps de sa femme ? Quand cette transplantation était-elle prévue ?

– As-tu toujours vécu avec... ta dame ?

– Non. On m'a amenée ici après la destruction de la crèche. Les réparations sont presque terminées. Je vais bientôt rentrer.

– Mais... pas pour très longtemps.

– Non.

Les tentations pour le baron devaient être... intéressantes. Après tout, on allait bientôt lui détruire le cerveau : elle ne serait plus en état de l'accuser. Vasa Luigi pouvait lui faire à peu près n'importe quoi, sauf voler sa virginité. Quelle influence cela avait-il sur son conditionnement mental, sur sa soumission à sa destinée ? Cela en avait une, à l'évidence, sinon elle ne serait pas ici.

Elle jeta un coup d'œil à la porte fermée et fut soudain prise de soupçons. Se libérant de sa saisie, elle se précipita dans la chambre vide.

– Oh non !

– Chut ! Chut !

Il lui courut après, lui prit à nouveau la main et se débrouilla pour grimper sur le lit et la dévisager à nouveau les yeux dans les yeux.

– Ne crie pas ! chuchota-t-il. Si tu sors prévenir les gardes, tu vas être dans de très sales draps mais si tu attends tranquillement qu'elle revienne, personne ne saura jamais rien. (Il n'était pas fier de jouer de son évidente panique mais c'était le seul moyen.) Reste tranquille et personne ne te fera quoi que ce soit.

Par ailleurs, il ignorait parfaitement si Rowan avait l'intention de revenir. Au point où ils en étaient arrivés, elle avait peut-être tout simplement envie de *le* fuir, lui.

Lilly Junior pouvait facilement le dominer physiquement mais il n'était pas certain qu'elle s'en rendait compte. Une bonne bourrade dans la poitrine l'enverrait au tapis pour le compte. Elle n'avait même pas besoin de frapper très fort.

– Assieds-toi, lui dit-il. Ici, près de moi. N'aie pas peur. En fait, je me demande de quoi tu aurais peur alors que ta destinée ne te fait même pas hausser un sourcil. Tu dois être une fille très courageuse. Une femme. Assieds-toi...

Il l'attira. Avec une énorme incertitude, elle le dévisagea puis considéra la porte. Finalement, elle se laissa faire, temporairement. Ses muscles étaient comme des ressorts tendus, prêts à claquer.

– Parle-moi... parle-moi de toi. Parle-moi de ta vie. Tu es quelqu'un de très intéressant, tu sais ?

– Moi ?

– Je ne me souviens pas beaucoup de ma vie, pour l'instant, c'est pour ça que je te demande ça. C'est effroyable pour moi, de ne pas me souvenir. Ça me tue. Quel est le plus ancien souvenir que tu possèdes ?

– Pourquoi ? Je ne sais pas... l'endroit où j'ai vécu avant d'aller à la crèche. Il y avait une femme qui s'occupait de moi. J'ai... c'est idiot... mais je me rappelle qu'elle avait des fleurs pourpres. Elles étaient aussi grandes que moi et elles poussaient dans un tout petit jardin carré, vraiment tout petit, à peine un mètre de long et elles sentaient comme du raisin.

– Oui ? Parle-moi encore de ces fleurs...

La conversation promettait d'être longue. Que Rowan n'ait pas encore été *ramenée* était un très bon signe. Qu'elle puisse ne pas revenir le mettait face à un troublant dilemme pour Lilly junior. *Et alors ? Que peuvent-ils lui faire ?* se moqua sauvagement une voix en lui. *La tuer ?*

Ils parlèrent de sa vie à la crèche. Elle lui raconta comment elle avait vécu le raid dendarii. Comment elle était parvenue à rejoindre le baron. Futée, très futée, cette gosse. Quel gâchis pour Mark ! Puis son récit s'effilocha. Les pauses se firent de plus en plus longues. Malgré le danger que cela représentait, il était prêt à parler de lui-même pour faire durer le statu quo. Lilly tournait de plus en plus souvent les yeux vers la porte.

– Rowan ne reviendra pas, dit-elle enfin.

– Je ne le pense pas, dit-il avec franchise. Je crois qu'elle s'est enfuie.

– Comment le savez-vous ?

– S'ils l'avaient attrapée, ils seraient venus te chercher. De leur point de vue, Rowan est toujours ici. C'est toi qui as disparu.

– Vous ne pensez pas qu'ils l'ont prise pour moi, hein ? s'exclama-t-elle, alarmée. Qu'ils l'ont unie avec ma dame ?

Il n'aurait su dire si elle avait peur pour Rowan ou bien peur que Rowan ne lui prenne sa place. Quelle abominable paranoïa !

– Non. Si on ne fait pas très attention, vous vous ressemblez beaucoup. Mais, pour une opération pareille, on l'examinera très soigneusement. Elle a plusieurs années de plus que toi. C'est tout à fait impossible.

– Que faut-il que je fasse ?

Elle essaya de se lever. Il la retint.

– Rien, conseilla-t-il. Tout va bien. Dis-leur... dis-leur que je t'ai obligée à rester ici.

Elle considéra sa petitesse avec éloquence.

– Comment ?

– Je t'ai trompée, piégée, menacée... psychologiquement, dit-il, sincère. Tu pourras leur dire que c'était entièrement ma faute.

Elle ne parut vraiment pas convaincue.

Quel âge avait-elle ? Il venait de passer deux heures à évoquer sa vie sans en tirer grand-chose. Cette fille était un curieux mélange d'intelligence et de naïveté. La plus grande aventure de son existence avait été son bref kidnapping par les Mercenaires Dendariis.

Rowan. *Elle a réussi à s'enfuir. Et alors ?* Allait-elle revenir le chercher ? Comment ? Il était sur l'Ensemble de Jackson. Ici, on ne pouvait faire confiance à personne. Les gens n'étaient que de la viande. Comme cette jeune fille, là, devant lui. Il eut soudain la vision cauchemardesque de Lilly junior, le crâne évidé, les yeux morts.

– Je suis désolé, murmura-t-il. Tu es si belle... *dedans*. Tu mérites de vivre. Pas d'être mangée par cette vieille femme.

– Ma dame est une grande femme, dit-elle, obsti-
née. Elle mérite encore plus de vivre.

Quelle morale tordue Lotus Durona avait-elle utili-
sée pour convaincre cette fille de se sacrifier volontairement ? Qui croyait-elle tromper ?

– D'ailleurs, dit Lilly junior, je croyais que cette
grosse blonde vous plaisait. Vous vous tortilliez sur
place rien qu'en la voyant.

– Hein ?

– Oh, bien sûr... Ce devait être votre clone.

– Mon frère, corrigea-t-il automatiquement.

Mark, qu'est-ce que c'est que cette histoire ?

Elle se détendait à nouveau, acceptant plus ou
moins son étrange captivité. Et elle commençait à
s'ennuyer. Elle l'étudiait, pensive.

– Ça vous plairait de m'embrasser encore une fois ?
s'enquit-elle.

C'était sa taille : elle réveillait la bête dans chaque
femme. Ne se sentant pas menacées, elles avaient toutes les audaces. Normalement, cela l'aurait ravi mais
cette fille l'inquiétait. Elle n'était pas son... égale. Mais
il devait gagner du temps, la garder ici aussi longtemps que possible, la divertir aussi longtemps que
possible.

– Euh... pourquoi pas...

Après vingt minutes de baisers dans le cou et de
douces caresses, elle s'écarta et remarqua :

– Avec le baron, on ne fait pas comme ça.

– Comment fais-tu avec Vasa Luigi ?

Elle lui déboutonna son pantalon pour lui montrer.
Au bout de vingt secondes, il s'étrangla :

– Arrête !

– Vous n'aimez pas ? Le baron adore ça.

– ... M'étonne pas. (Effroyablement excité, il
s'enfuit jusqu'à la chaise près de la table à dîner.)
C'est euh... très agréable, Lilly, mais beaucoup trop
sérieux pour toi et moi.

– Je ne comprends pas.

– C'est exactement ce que je veux dire. (Malgré son
corps d'adulte, elle était une *enfant*.) Tu ne comprends

pas. Quand tu seras plus âgée... tu fixeras tes propres limites. Et ce sera à toi d'inviter les autres à les franchir. Pour l'instant, tu ignores encore où tu finis et où commence le monde. Le désir devrait couler de l'intérieur et non être imposé de l'extérieur.

Par sa simple volonté, il essaya de maîtriser son propre écoulement, y parvenant à moitié. *Vasa Luigi, espèce de pourriture.*

Elle réfléchissait.

– Je ne serai pas plus âgée.

Les genoux serrés contre la poitrine, il frissonna. *L'enfer.*

Il se rappela soudain sa rencontre avec le sergent Taura. Comment, dans un moment de désespoir, ils étaient devenus amants. Un parallèle évident existait avec sa situation présente. C'était sans doute la raison pour laquelle son inconscient tentait de lui faire adopter cette solution qui avait été un succès en son temps. Mais Taura était une mutation génétiquement fabriquée au cycle de vie très court. Les medics dendariis lui avaient volé un peu de temps par des ajustements métaboliques. Un peu, pas beaucoup. Chaque jour était un cadeau, chaque année un miracle. Elle vivait au coup par coup et il l'approuvait entièrement. Lilly junior pouvait vivre un siècle si elle n'était pas... cannibalisée. C'était avec la vie qu'il devait la séduire, pas avec le sexe.

Comme l'intégrité, l'amour de la vie n'était pas un sujet qui s'étudiait, c'était une contagion qu'on attrapait. Et, pour cela, il fallait connaître quelqu'un qui l'avait.

– Veux-tu vivre ? lui demanda-t-il.

– Je... ne sais pas.

– Moi, je sais. Je veux vivre. Et, crois-moi, j'ai *parfaitement* étudié l'alternative.

– Vous êtes... un drôle de petit type moche. Qu'est-ce que la vie peut vous apporter ?

– *Tout.* Et je compte bien lui en soutirer encore plus.

Je veux. Je veux. La richesse, le pouvoir, l'amour.

486

Des victoires, de splendides et brillantes victoires qui se reflètent glorieusement dans les yeux de mes camarades. Et un jour, une femme, des enfants. Une horde d'enfants, grands et sains, pour faire la nique à tous ceux qui chuchotent *mutant !* dans mon dos. *Et il me faut mon frère.*

Mark. Ouais. Ce petit type triste que le baron Ryoval était, sûrement, en train d'éplucher centimètre par centimètre en ce moment même. A sa place.

Finalement, il persuada Lilly de rester dormir. Après l'avoir bordée dans le lit à la place de Rowan, il s'installa, chevaleresque, sur la chaise. Deux heures plus tard, il souffrait le martyre. Il essaya le sol. C'était froid. Sa poitrine lui faisait mal. L'idée qu'il pouvait éternuer ou tousser le terrorisait. Il finit par grimper sur le lit sans se glisser dans les couvertures et s'enroula sur lui-même en tournant le dos à Lilly. Il était intensément conscient de la présence de ce corps à ses côtés. La réciproque n'était visiblement pas vraie. Son anxiété se nourrissait de son inconsistance. Il n'avait aucun contrôle sur *rien.* Au matin, il finit par avoir assez chaud pour somnoler.

– Rowan, mon... amour, murmura-t-il, perdu dans sa chevelure parfumée et s'enveloppant dans son long corps chaud. M'dame. (Ah oui, comme sur Barrayar. Elle sursauta, il recula. Reprit conscience.) Aargh ! Pardon.

Lilly junior se redressa, fuyant l'étreinte – en l'occurrence le tâtonnement – de ce vilain petit nain.

– Je ne suis pas ma dame !

– Désolé, je me suis trompé. Je pense parfois à Rowan comme à une dame, dans ma tête. Elle est ma dame et je suis... (*un imbécile*) son chevalier. En réalité, je suis vraiment un soldat, tu sais. Malgré ma taille.

Au deuxième coup frappé à la porte, il comprit ce qui l'avait réveillé.

– Le petit déjeuner. Vite ! Dans la salle de bains.

Fais du bruit. On doit pouvoir faire semblant encore un peu.

Pour une fois, il n'essaya pas de circonvenir les gardes. Lilly junior revint dès leur départ. Elle mangea lentement, l'air dubitative, comme si elle n'était pas certaine d'avoir le droit de manger. Il l'observait, de plus en plus fasciné.

– Tiens. Prends un autre beignet. Il y a du sucre, si tu veux.

– Je n'ai pas le droit de manger du sucre.

– Tu devrais manger du sucre. (Une pause.) Tu devrais avoir tout ce que tu veux. Tu devrais avoir des amis. Tu devrais avoir... des sœurs. Tu devrais avoir une éducation digne de tes capacités et travailler pour les augmenter. Travailler, ça rend plus grand. Plus réel. Tu devrais avoir de l'amour. Un chevalier rien que pour toi. Bien plus grand que moi. Tu devrais avoir... des bonbons.

– Je ne dois pas grossir. Ma dame est mon destin.

– Ton destin ! Que sais-tu du destin ? (Il se leva pour faire les cent pas, zigzaguant entre la table et le lit.) Je suis un putain d'expert en *destin* ! Ta dame est un faux destin et tu veux savoir comment je le sais ? Elle prend tout et elle ne donne rien.

« Le *vrai* destin prend tout – jusqu'à la dernière goutte de sang et il t'ouvre les veines pour s'en assurer – et te rend deux fois plus. Quatre fois plus. Un million de fois plus ! Mais tu ne peux pas donner à moitié. Tu dois tout donner. *Je le sais. Je le jure.* Je suis revenu d'entre les morts pour te dire la vérité. Le vrai destin te donne une *montagne* de vie et il te pose au sommet.

Sa conviction avait quelque chose de purement mégalomane. Il adorait les instants comme celui-ci.

– Vous êtes malade, dit-elle en le contemplant avec méfiance.

– Qu'en sais-tu ? Tu n'as pas rencontré une seule personne saine d'esprit de ta vie. *N'est-ce pas ?* Penses-y.

Elle parut soudain abattue.

– Ça sert à rien. Je suis une prisonnière de toute manière. Où irais-je ?

– Lilly Durona te prendrait, dit-il vivement. Le Groupe Durona est sous la protection de la maison Fell. Si tu pouvais aller chez ta grand-mère, elle te protégerait.

Ses sourcils s'abaissèrent exactement comme ceux de Rowan quand elle décelait les failles de ses plans d'évasion.

– Comment ?

– Ils ne nous laisseront pas toujours ici. Imagine... (Il vint derrière elle, rassembla ses cheveux et les remonta en un vague chignon.) Je n'ai pas eu l'impression que Vasa Luigi tenait à garder Rowan au-delà de ce qui lui était nécessaire. A mon départ, elle devrait partir, elle aussi. S'ils te prennent pour Rowan, je parierais que tu pourrais sortir d'ici bien tranquillement.

– Que... devrais-je dire ?

– Le moins possible. « Bonjour, Dr. Durona, votre voiture est là. » Tu ramasses tes affaires et tu pars.

– Je ne pourrais pas.

– Tu pourrais essayer. Si tu échoues, tu ne perds rien. Si tu gagnes, tu gagnes *tout*. Et, si tu t'en vas, tu pourras dire aux gens où je suis. Qui m'a enlevé et quand. Tout ce qu'il te faut, c'est quelques minutes de sang-froid et ça, c'est gratuit. Le sang-froid, on le fabrique nous-mêmes, à partir de nous-mêmes. On ne peut pas te le voler comme de l'argent ou des vêtements. Bon sang, qu'est-ce que je dis ? Tu as échappé aux Dendariis grâce à ton sang-froid et à ton intelligence.

Elle n'était pas du tout convaincue.

– Je le faisais pour ma dame. Je n'ai jamais rien fait pour... pour *moi-même*.

Il avait envie de pleurer, excité au point de s'évanouir. C'était cette même éloquence qu'il utilisait en général pour convaincre les gens de *risquer* leurs vies, non pour la sauver. Il se pencha tel un démon pour lui chuchoter à l'oreille :

– Fais-le pour toi, rien que pour toi. L'univers viendra te demander sa part plus tard.

Après le petit déjeuner, il essaya de la coiffer comme Rowan. Il n'était pas très doué. Mais Rowan non plus. Le résultat final lui parut donc convaincant. Ils survécurent au déjeuner.

Il sut que ce n'était pas le dîner quand on frappa à la porte.

Il y avait trois gardes et un homme avec la livrée d'une autre maison. Sans un mot, deux des gardes lui attachèrent les mains sur le ventre. Il leur fut reconnaissant de cette petite faveur. Dans le dos, il aurait souffert comme un chien. Ils le poussèrent dans le couloir. Aucun signe de Vasa Luigi ni de Lotus. A la recherche de leur clone perdu ? Il l'espérait. Il jeta un regard derrière lui.

– Dr. Durona... (L'homme en livrée hocha la tête vers Lilly junior.) Je suis votre chauffeur. Où allons-nous ?

Elle repoussa une mèche folle, prit le sac de Rowan et dit :

– Chez moi.

– Rowan, dit Miles.

Elle se tourna vers lui.

– Prends tout car tout te sera repris le moment venu. C'est l'unique vérité. (Il se mouilla les lèvres.) Un dernier baiser ?

Elle vint jusqu'à lui, se pencha, pressa brièvement ses lèvres contre les siennes. Et suivit le chauffeur.

Bon, ça suffisait pour les gardes.

– Pas terrible comme baiser, fit l'un d'eux tandis qu'ils partaient dans la direction opposée.

– Ça dépend des goûts, l'informa-t-il d'un ton sinistre.

– Oh, la ferme, soupira l'autre garde.

Il fit deux tentatives de fuite avant d'arriver à la voiture. Après la deuxième, l'un des gardes le chargea tout simplement sur son épaule, tête en bas, et menaça de le laisser tomber s'il frémissait. Il l'avait plaqué au sol avec assez de conviction pour que Miles ne doute pas un instant de sa sincérité. Ils le coincèrent entre eux deux à l'arrière du véhicule.

– Où m'emmenez-vous ?

– Quelque part.

– Où ça ?

– T'as pas besoin de le savoir.

Il balança un flot de commentaires, de promesses, de menaces et d'insultes sans obtenir la moindre réaction. Puis il se demanda si l'un d'entre eux était celui qui l'avait tué. Peu probable. Il commençait à avoir mal à la gorge. Le trajet s'éternisait. Les voitures de sol étaient rarement utilisées en dehors des villes, les routes étaient en trop mauvais état. Et ils étaient très loin d'une ville quelconque. La nuit tombait quand ils tournèrent à un carrefour désert.

Ils le confièrent à deux hommes lugubres, au visage plat, en livrée rouge et noir qui les attendaient, placides. Comme des bœufs. Les bœufs de Ryoval. Ceux-là lui lièrent les mains dans le dos ainsi que les chevilles, avant de le pousser dans une vedette. Elle s'éleva silencieusement dans l'obscurité.

Vasa Luigi a conclu ses enchères.

Rowan, si elle avait réussi, enverrait des secours le chercher chez Bharaputra. Où il n'était plus. Bon, Vasa Luigi serait sans doute ravi de les expédier tout droit chez Ryoval.

A condition qu'il sache où se trouve le repère de Ryoval.

Bon Dieu. Je risque d'être le premier agent de la SecImp sur place. Il lui faudrait souligner ce point dans son rapport à Illyan. Il avait souvent eu envie d'adresser des rapports posthumes à Illyan. A présent, il se demandait s'il vivrait assez longtemps pour ça.

28

– Ça m'ennuie de vous le dire, baron, fit l'un des techs, mais votre victime a l'air de prendre du bon temps.

Bouffe s'esclaffa autour du tube enfoncé dans sa gorge tandis que le baron Ryoval s'approchait pour regarder. Et peut-être pour admirer son incroyable estomac.

– Dans ce genre de situation, il existe un certain nombre de défenses psychologiques possibles, énonça Ryoval. Qui vont du dédoublement de la personnalité à l'identification avec son tortionnaire. Je m'attendais que Naismith fasse appel à elles... mais pas aussi vite.

– J'avais du mal à y croire moi aussi, monsieur, j'ai donc fait quelques scanners du cerveau. Les résultats sont inhabituels.

– Si sa personnalité est dédoublée, ça devrait se voir sur votre scanner.

– Il y a *quelque chose* sur le scanner. On dirait qu'il protège certaines zones de son esprit contre nos stimulis. Ses réponses superficielles suggèrent effectivement un dédoublement mais... selon un processus anormalement anormal, si cela signifie quelque chose, monsieur.

Ryoval, intéressé, pinça les lèvres.

– Pas vraiment. Je vais y jeter un coup d'œil.

– Quoi qu'il se passe, il ne fait pas semblant. Ça, j'en suis sûr.

– Si vite, c'est impossible... murmura Ryoval. Quand pensez-vous qu'il ait basculé ? Comment ai-je pu le rater ?

– Je ne sais pas. Très tôt. Le premier jour... peut-être même dès la première heure. Mais s'il parvient à rester ainsi, il sera très difficile à atteindre. Il va falloir exercer une pression phénoménale. Il peut sans arrêt... changer de forme.

– Moi aussi, affirma froidement Ryoval.

La dilatation dans son estomac commençait à provoquer des douleurs. Hurle se montra timidement mais Bouffe ne voulait pas abandonner. C'était encore son tour. L'Autre écoutait attentivement : il écoutait toujours quand le baron Ryoval était présent. Il dormait rarement, ne parlait presque jamais.

– Je ne m'attendais pas qu'il atteigne ce stade de désintégration avant des mois. Ça fout en l'air mes prévisions, se plaignit le baron.

Oui, baron, ne sommes-nous pas fascinants ? Nous vous rendons perplexe, n'est-ce pas ?

– Je dois trouver le moyen de le ré-homogénéiser, annonça le baron, pensif. Amenez-le-moi dans mes quartiers plus tard. On verra ce qu'une conversation tranquille et quelques nouvelles expériences nous apporteront.

Sous son air impassible, l'Autre frissonna d'impatience.

Deux gardes le transportèrent dans le plaisant salon du baron Ryoval. Il n'y avait pas de fenêtre mais un immense holovid, qui occupait tout un mur, montrait une plage tropicale. Les quartiers de Ryoval étaient sûrement souterrains : personne n'allait pénétrer ici en passant par la fenêtre.

Sa peau était encore toute rapiécée. Les techs avaient aspergé les endroits à vif d'une espèce de pansement, afin d'éviter que son pus et son sang ne salissent les jolis meubles du baron. Ses autres plaies avaient été recouvertes de bandage plastifié.

– Ça va servir à quelque chose ? avait demandé le technicien qui l'avait pansé.

– Probablement pas, avait soupiré un autre. Mieux vaut demander à une équipe de nettoyage de se tenir prête.

Les gardes l'installèrent sur une grande chaise très basse. Ce n'était qu'une simple chaise, sans clous, ni lames de rasoir, ni pals. Ses mains étaient nouées derrière son dos l'empêchant de s'adosser. Il écarta les genoux et resta ainsi, en équilibre précaire sur le bord, le dos très droit.

L'un des gardes se tourna vers Ryoval.

– Doit-on l'attacher, monsieur ?

Ryoval haussa un sourcil.

– Peut-il se lever sans aide ?

– Dans cette position, pas facilement.

Un rictus méprisant et amusé passa sur le visage de Ryoval tandis qu'il toisait son prisonnier.

– A nous deux. Laissez-nous. Je vous appellerai. Et je ne veux pas être dérangé. Ça risque d'être un peu bruyant.

– L'insonorisation est très efficace, monsieur.

Les gardes au visage plat saluèrent et s'en furent. Il y avait un problème avec ces hommes. Quand on ne leur ordonnait pas de faire quelque chose, ils avaient tendance à rester plantés là, sans rien faire, sans rien dire. Bah, on les avait sans doute fabriqués comme ça.

Bouffe, Grogne, Hurle et l'Autre détaillaient l'endroit avec intérêt, se demandant lequel d'entre eux allait entrer en scène.

Tu viens d'avoir ton tour, dit Hurle à Bouffe. *Ça va être à moi.*

Pas sûr, dit Grogne. *Ça pourrait être moi.*

Si Bouffe n'était pas dans cet état-là, dit l'Autre, sinistre, *je prendrais mon tour sur-le-champ. Pour l'instant, je dois attendre.*

Tu n'as jamais pris ton tour, dit Bouffe, curieux.

Mais l'Autre resta silencieux.

– Regardons un petit spectacle, dit Ryoval en effleurant un contrôle.

La plage tropicale disparut laissant la place à un enregistrement grandeur nature d'une des sessions de Grogne avec les... créatures du bordel. Pris sous tous les angles, Grogne s'admira avec délices. Le travail de Bouffe l'avait graduellement privé de voir ce qui se passait là-bas sous son ventre.

– Je songe à envoyer une copie de ceci à la flotte dendarii, murmura Ryoval en le surveillant. Imaginez tout votre état-major en train de visionner ceci. Ça pourrait en convaincre quelques-uns de se mettre à mon service, non ?

Non. Ryoval mentait. Sa présence ici était encore secrète. Il n'avait aucun intérêt à la divulguer. L'Autre gronda. *Envoie une copie à Simon Illyan. On verra alors qui viendra te voir.* Mais Illyan appartenait à lord Mark et Mark n'était plus ici et, de toute manière, l'Autre ne s'exprimait jamais, jamais à haute voix.

– Imaginez votre joli garde du corps, vous rejoignant ici...

Ryoval se lança dans une description détaillée de ce qui arriverait alors. Grogne était parfaitement d'accord pour imaginer certaines choses mais d'autres l'offensaient, même lui. *Hurle ?*

Pas moi ! dit Hurle. *C'est pas mon boulot.*

Il faudra qu'on fasse une nouvelle recrue, décidèrent-ils tous. Il pouvait en créer des milliers... autant qu'il en fallait. Il était une armée, ruisselant comme de l'eau, s'insinuant autour des obstacles, qu'on ne pouvait arrêter en tuant l'un de ses soldats.

Le vid changea pour passer un des meilleurs moments de Hurle, celui qui lui avait donné son nom. Peu après l'avoir écorché chimiquement, les techs l'avaient enduit d'un truc collant qui démangeait de façon insupportable. De cette façon, ils n'avaient pas à le toucher pour le torturer. Il avait failli se tuer tout seul. Ils avaient dû ensuite lui faire une transfusion pour remplacer le sang perdu.

Il contemplait la créature qui se convulsait dans le vid en s'appliquant à rester impassible. Le spectacle que le baron voulait s'offrir, c'était lui. Un spectacle qui devait l'exciter : il espérait enfin voir apparaître les résultats de son test.

L'Autre attendait avec une impatience croissante. Il commençait à retrouver son souffle mais il y avait toujours cette maudite chaise trop basse. Il fallait que ce soit ce soir. La prochaine fois, si jamais une telle opportunité se représentait, Bouffe risquait de les immobiliser tous. Oui. Il attendait.

Déçu, Ryoval gonfla les joues, examinant son profil serein. Il éteignit le vid et vint tourner autour de lui, les yeux plissés.

– Tu n'es même pas avec moi, hein ? Tu t'es caché quelque part. Je dois trouver ce qui te ramènera à moi. Ou devrais-je dire : vous tous ?

Ryoval était bien trop perspicace.

Je n'ai pas confiance en toi, dit Bouffe à l'Autre, dubitatif. *Qu'adviendra-t-il de moi après ?*

Et de moi, ajouta Grogne. Seul Hurle ne dit rien. Hurle était très fatigué.

Je te promets que Mark te nourrira, Bouffe, chuchota l'Autre tout au fond. *En tout cas, de temps en temps. Et toi aussi, Grogne. Mark pourrait t'emmener sur la Colonie Beta. Il y a des gens là-bas qui pourraient te nettoyer suffisamment pour que tu n'aies plus besoin de te cacher. Je crois. Tu n'aurais pas besoin des hypo-sprays de Ryoval. De toute manière, ce pauvre Hurle est épuisé. C'est lui qui a fait le plus dur, qui vous a tous couverts. Et puis, Grogne, imagine un peu que Ryoval choisisse la castration ? Peut-être que Hurle et toi vous pourriez rester ensemble et que Mark vous paierait une équipe de jolies femmes – des femmes, ce serait un changement agréable, non ? – munies de fouets et de chaînes. C'est l'Ensemble de Jackson ici, je parie qu'on pourra trouver un service de ce genre dans le Bottin du vid. Vous n'avez pas besoin de Ryoval. Sauvons Mark et il nous sauvera. Je vous le promets.*

Qui es-tu, pour parler au nom de Mark ? dit Bouffe.

Je suis celui qui en est le plus proche.

C'est sûr que c'est toi qui t'es le mieux planqué, dit Hurle avec une pointe de ressentiment.

C'était nécessaire. Mais nous mourrons tous, un par un, si Ryoval nous traque. Il est terriblement intelligent. Nous sommes les originaux. Les nouvelles recrues ne seront que des ombres vacillantes de nous-mêmes.

Ceci était vrai, ils en étaient tous conscients.

– Je t'ai trouvé un ami pour jouer avec toi, annonça Ryoval en tournant autour de la chaise.

Avoir Ryoval derrière lui produisait des effets bizarres à sa topographie interne. Bouffe s'aplatit, Hurle émergea avant de se renfoncer quand Ryoval réapparut devant eux. Grogne, avide, essayait de deviner qui allait être son nouveau partenaire.

– Ton clone-jumeau. Celui que mes imbéciles de gardes ont laissé échapper.

Tout au fond, lord Mark se réveilla en hurlant. L'Autre l'apaisa. *Il ment. Il ment.*

– Leurs erreurs vont leur coûter très cher. Ton double avait disparu. J'ignore trop comment, il a réapparu chez Vasa Luigi. Vasa a l'habitude de ces tours de passe-passe en douce. Je ne suis toujours pas convaincu que cette chère Lotus ne garde pas une attache discrète avec le Groupe Durona.

Ryoval lui tournait toujours autour. C'était très... désorientant.

– Vasa est convaincu que son jumeau est l'amiral et que tu es le clone. Ses doutes m'ont infecté. Et si, comme il le prétend, l'homme est cryo-amnésique, cela risque d'être un peu décevant pour moi. Mais cela n'a plus d'importance. Je vous ai tous les deux. Comme je l'avais prédit. Devine la première chose que je vous ferais faire à tous les deux ?

Grogne n'eut aucun mal à deviner l'idée générale. Mais pas les raffinements que Ryoval lui chuchota à l'oreille.

Lord Mark enrageait, submergé de terreur et de consternation. Pas un pli ne vint rider le visage lisse de Grogne, rien ne vint ternir l'éclat vide de ses yeux. *Attends*, supplia l'Autre.

Le baron se dirigea vers un comptoir de bois poli à l'aspect granuleux pour ouvrir une trousse d'instruments. Aucun d'entre eux ne pouvait les distinguer même si Hurle tendait le cou. Ryoval méditait sur ses instruments.

Il ne faut pas me gêner ou me saboter, dit l'Autre. *Je sais que Ryoval vous donne ce dont vous avez besoin... mais c'est un piège.*

Ryoval ne te donne rien ? dit Bouffe.

C'est Ryoval dont j'ai besoin, dit l'Autre.

Tu n'auras qu'une seule occasion, fit Hurle, nerveux. *Après, c'est à moi qu'ils s'en prendront.*

Ça me suffira.

Ryoval se retourna. Un arracheur chirurgical brillait dans sa main. Effrayé, Grogne laissa la place à l'Autre.

– Je crois, fit Ryoval, que je vais commencer par t'enlever un œil. Rien qu'un. Cela devrait avoir un effet psychologique intéressant surtout si je menace de t'arracher l'autre.

Hurle lâcha prise sans rechigner. A regret, Bouffe fut le dernier à céder la place tandis que Ryoval revenait vers eux.

La première tentative de Tueur pour se lever échoua. Il retomba en arrière. *Maudit sois-tu, Bouffe.* Il essaya à nouveau, lançant son poids en avant. Il tituba, déséquilibré de ne pouvoir utiliser ses bras. Ryoval l'observait, hautement amusé, nullement alarmé par le petit monstre trébuchant qu'il avait créé.

Se mouvoir avec le nouveau ventre de Bouffe lui donnait l'impression d'être l'Archer Zen Aveugle. Mais il se centra parfaitement.

Son premier coup atteignit Ryoval à l'entrejambe. Plié en deux, il offrit ainsi la partie supérieure de son corps à distance convenable. Instantanément, Tueur délivra le deuxième coup, le frappant droit à la gorge. Il sentit les cartilages et les tissus s'écraser contre la colonne vertébrale de Ryoval. Comme il ne portait pas ses bottes renforcées, il se brisa aussi deux ou trois orteils, à angle droit. Il ne sentit pas la douleur. C'était le boulot de Hurle.

Il tomba. Se relever ne fut pas facile avec ses mains attachées dans le dos. En se tortillant sur lui-même tout près de Ryoval, il constata avec désappointement que celui-ci n'était pas encore mort. S'étreignant la gorge, il se tordait et gargouillait sur le tapis. Mais l'ordinateur de la pièce ne reconnaissait plus sa voix, n'obéissait plus à ses ordres. Ils avaient encore un peu de temps.

Il roula sur lui-même près de l'oreille de Ryoval.

– Je suis *moi aussi* un Vorkosigan. Celui qui a été entraîné et conditionné pour pénétrer l'ennemi et assassiner. Ça me déplaît énormément quand on me sous-estime, tu comprends ?

Il réussit à se relever et étudia le problème : Ryoval était toujours vivant. Il soupira, ravala sa salive et se mit au travail. Il le frappa à coups de pied jusqu'à ce que ça cesse de vomir du sang, de se tordre et de respirer. C'était une besogne écœurante mais il eut le soulagement de constater que rien en lui n'y prenait du plaisir. Même Tueur devait faire appel à tout son professionnalisme pour achever sa tâche.

Il considéra l'Autre dont il savait désormais qu'il était Tueur. *C'est Galen qui t'a fait, hein ?*

Oui. Mais il ne m'a pas fait à partir de rien.

Tu as été parfait. Tu as su te cacher. Rôder. Je me demandais si l'un d'entre nous était capable d'agir au bon moment. Je suis heureux qu'il y en ait au moins un.

C'est ce que le comte notre père a dit, admit Tueur, content et gêné d'être félicité. *Si tu attends ton heure, si tu ne te jettes pas dans leurs bras, tes ennemis se jetteront dans les tiens. C'est ce que j'ai fait. Ce que Ryoval a fait... Le comte est un tueur, lui aussi... Comme moi.*

Hum.

Il testa à nouveau la solidité de ses menottes et boita jusqu'au comptoir pour examiner les instruments de Ryoval. Il y avait là un scalpel au laser, ainsi qu'un assortiment débilitant de couteaux, forets, tenailles et autres sondes. Le scalpel, destiné à trancher les os, n'avait qu'une portée limitée. Une arme dérisoire mais un outil parfait.

Se retournant, il essaya de s'en emparer, les mains dans le dos. Il faillit pleurer quand il le laissa tomber. Il allait à nouveau devoir descendre jusqu'au sol. Ce qu'il fit maladroitement. Il lui fallut une éternité avant de s'en saisir et se positionner de façon à scier ses menottes sans se trancher les mains ou les fesses.

Enfin libéré, il s'enveloppa dans ses bras et roula sur lui-même comme quelqu'un qui berce un enfant effrayé. Son pied commençait à lui faire très mal. Apparemment, il s'était aussi tordu ou déchiré quelque chose dans le dos.

Il contempla sa victime-tortionnaire-proie. *Voleur de clones.* Il aurait voulu présenter ses excuses au corps qu'il avait broyé sous ses pieds. *Ce n'était pas ta faute. Tu es mort quand ? Il y a dix ans, peut-être ?* C'était celui qui s'était installé là-haut, dans le crâne, qui était son ennemi.

La peur illogique que les gardes de Ryoval fassent irruption dans la pièce et sauvent leur maître de la mort le saisit. Il rampa, bien plus aisément maintenant avec ses mains libres, s'empara du scalpel au laser et s'assura qu'on ne puisse plus transplanter ce cerveau. Plus jamais. Personne. En aucune façon.

Au bout de l'épuisement, il se laissa tomber sur la petite chaise pour attendre la mort. Les hommes de Ryoval avaient sûrement pour ordre de venger leur maître déchu.

Personne ne vint.

... Bon. Le patron s'était enfermé dans ses quartiers avec un prisonnier et sa trousse à outils et avait ordonné qu'on ne le dérange pas. Combien de temps s'écoulerait-il avant que l'un de ses sbires trouve le courage d'interrompre sa petite séance d'amusement ? Pas mal, sans doute.

Le poids de l'espoir revenant l'écrasa. *Je ne veux pas bouger.* Il était très remonté contre la SecImp qui l'avait abandonné ici mais il aurait été prêt à tout pardonner s'ils débarquaient maintenant et lui évitaient ainsi le moindre effort supplémentaire. *J'ai bien mérité un peu de repos, non ?* La pièce était très silencieuse.

Là, tu en as fait un peu trop, se dit-il en fixant le corps de Ryoval. *Tu as un peu exagéré. En plus, t'as sali le tapis.*

Je sais plus quoi faire.

Qui parlait ? Tueur ? Bouffe, Grogne ? Hurle ? Eux tous ?

Tu as de bons soldats, loyaux, mais pas très brillants.

C'est pas notre boulot d'être brillants.

Etait-ce pour lord Mark le moment de se réveiller ? S'était-il jamais endormi ?

– D'accord, les gars, marmonna-t-il. Tout le monde debout.

Cette chaise basse était un véritable engin de torture. La dernière mauvaise blague de Ryoval. Il s'en extirpa en gémissant.

Un vieux renard comme le baron n'avait sûrement pas qu'une seule entrée à son terrier. Il fureta dans la suite souterraine. Un bureau, un salon, une petite cuisine, une grande chambre à coucher et une salle de bains assez bizarrement équipée. Il contempla la douche avec envie. Depuis son arrivée ici, on ne l'avait pas autorisé à se laver. Mais il craignait que l'eau ne décolle sa peau en plastique. Il se brossa néanmoins les dents. Ses gencives saignèrent mais ça allait. Il but un peu d'eau froide. *Au moins, je n'ai pas faim.* Il eut un petit rire lamentable.

Il trouva enfin la sortie de secours au fond d'un placard de la chambre à coucher.

Si elle n'est pas gardée, affirma Tueur, *elle est piégée.*

Les défenses de Ryoval ont dû être conçues pour le protéger de l'extérieur, fit lentement lord Mark. *De l'intérieur, tout a dû au contraire être fait pour faciliter une fuite rapide. A Ryoval. Et à Ryoval seulement.*

Il y avait une serrure à paume. Les serrures à paume lisaient le pouls, la température, la conductivité électrique de la peau aussi bien que les empreintes et les lignes de la main. Les mains mortes n'ouvraient pas les serrures à paume.

Il existe des moyens de forcer de telles serrures, murmura Tueur. Autrefois, dans une autre incarnation, Tueur avait reçu un entraînement pour ce genre de choses. Lord Mark le laissa faire et flotta, observant.

Dans les mains de Tueur, la trousse chirurgicale

fournit des outils aussi adéquats qu'un kit électronique. Il avait du temps et se fichait pas mal qu'on puisse réutiliser la serrure. Comme dans un rêve, lord Mark le regarda desceller le senseur du mur et toucher quelque chose ici, couper autre chose là.

Le contrôle virtuel s'alluma enfin. *Ah*, murmura fièrement Tueur.

Oh, firent les autres. L'écran du senseur projetait un petit carré brillant.

Il veut un code d'entrée, annonça Tueur, déçu. L'idée d'être pris au piège le paniqua. L'infime maîtrise de soi de Hurle vacilla et des éclairs de douleur les traversèrent.

Attendez, dit lord Mark. S'il fallait un code d'entrée, il le fallait aussi pour Ryoval.

Le baron Ryoval n'a pas d'héritier. Ryoval n'avait ni second ni bras droit. Ses subordonnés étaient de pauvres types opprimés dont les activités étaient strictement cloisonnées. La maison Ryoval c'était le baron Ryoval et ses esclaves, point. Voilà pourquoi elle demeurait une maison mineure. Ryoval ne déléguait jamais son autorité.

Ce qui signifiait que Ryoval ne pouvait laisser traîner ses codes, ne pouvait les confier à personne. Il devait toujours les avoir sur lui. En permanence.

La bande noire gémit quand lord Mark retourna dans le salon. Mark les ignora. *C'est mon boulot à présent.*

Il retourna le cadavre de Ryoval sur le dos pour le fouiller méthodiquement de la tête aux pieds. Il ne s'épargna aucun recoin, même pas une dent creuse. Rien. Mal à l'aise, il resta là assis, coincé sur son ventre distendu, souffrant du dos. La douleur augmentait très vite maintenant qu'il réémergeait. *Ça doit être là quelque part.*

Cours, cours, cours, psalmodiait la bande noire à l'unisson.

La ferme et laissez-moi réfléchir. Il retourna la main droite de Ryoval. Une bague avec une pierre noire et plate brilla...

Il éclata de rire.

Il ravala son rire en lançant un regard craintif autour de lui. Apparemment, l'insonorisation fonctionnait parfaitement. La bague ne glissait pas sur le doigt. Collée ? Rivée à l'os ? Il coupa la main avec le laser. Cette opération ne fut pas trop dégoûtante car le rayon cautérisait le poignet. Joli. Il repassa en boitant bas dans la chambre à coucher. Le petit carré brillant avait exactement la même taille que la pierre de la bague.

Dans quel sens ? S'il faisait tourner la bague dans le mauvais sens, cela déclencherait-il une alarme ?

Lord Mark essaya de se représenter Ryoval fuyant précipitamment. Plaquer la paume sur la serrure, retourner la main et presser la bague contre le diagramme.

– Dans ce sens, murmura-t-il.

La porte dérobée glissa, révélant un tube ascensionnel. Il grimpait sur une vingtaine de mètres. Les lumières de contrôle brillaient : vertes pour la montée, rouges pour la descente. Lord Mark et Tueur examinèrent tout ça de près. Pas de système de protection visible, comme un générateur de blocage de champ par exemple...

Ils sentirent un faible appel d'air au-dessus d'eux. *Allons-y !* hurlèrent Bouffe, Grogne et Hurle.

Lord Mark restait obstinément planté là, les jambes écartées, refusant de se laisser entraîner. *Il n'y a pas d'échelle de sécurité*, dit-il enfin.

– Et alors ?

Exactement ! Et alors ?

Tueur battit en retraite, intima le silence aux autres et attendit respectueusement.

Je veux une échelle de sécurité, maugréa lord Mark, belliqueux. Il se remit à errer dans les quartiers de Ryoval. Tant qu'il y était, il chercha des vêtements. Il n'y avait pas grand choix : cet endroit n'était pas la résidence principale de Ryoval. Juste un repère discret. Tout ce qu'il trouva était trop long et pas assez large. Impossible de mettre un seul des pantalons. Il enfila une chemise soyeuse qui l'écorcha encore un peu plus et une veste ample pour se protéger puis s'enroula une serviette de bain autour de la taille comme un sarong betan. Une paire de pantoufles compléta son accoutrement : la gauche bâillait, la droite lui serrait douloureusement son pied cassé qui enflait déjà. Il chercha de l'argent, des clés, n'importe quoi d'utile. Mais il ne trouva pas d'équipement d'escalade portable.

Il va falloir que je fabrique moi-même mon échelle de sécurité. A l'aide d'une ceinture, il s'accrocha le scalpel au laser autour du cou. Il retourna dans le tube et brûla systématiquement des trous dans la paroi de plastique.

Trop lent ! gémit la bande noire. Hurle hurlait à l'intérieur et même Tueur criait. *Cours, bon sang !*

Lord Mark les ignora. Il brancha le champ du tube sur *montée* et leur refusa de se laisser porter. S'accrochant méticuleusement aux prises qu'il creusait, il se mit à grimper. Ce n'était pas trop difficile, soutenus comme ils l'étaient par le champ d'énergie. Il devait simplement se souvenir qu'il ne disposait que de trois prises : son pied droit était inutilisable. La bande noire s'agitait, craintive. Obstiné, méthodique, Mark escaladait la paroi. Fondre un trou. Attendre. Bouger une main, le pied, l'autre main. Fondre un autre trou. Attendre...

A trois mètres du sommet, sa tête arriva au niveau d'un petit micro et d'un capteur de mouvement.

J'imagine qu'il veut un mot codé. Avec la voix de Ryoval, remarqua froidement lord Mark. *Impossible de le lui donner.*

Ce n'est pas forcément ce que tu crois, dit Tueur. *Ça pourrait être n'importe quoi. Des arcs à plasma. Un gaz.*

Non. Moi aussi, j'ai eu le temps d'analyser Ryoval. Ça sera simple. Et élégant. C'est quelque chose que tu t'infligeras à toi-même. Regarde.

Il assura sa prise et tendit la main munie du laser au-dessus du senseur pour forer le trou suivant.

Le champ de gravité du tube s'éteignit.

Même en s'y attendant plus ou moins, il faillit être éjecté de son perchoir de fortune. Hurle ne put pas tout encaisser. Noyé de douleurs, Mark hurla en silence. Mais il s'accrocha et ne laissa tomber personne.

Les trois derniers mètres d'ascension auraient pu être un cauchemar si ce mot n'avait acquis une nouvelle signification pour lui au cours des derniers jours. Ce fut surtout fastidieux.

Il y avait un autre piège au sommet : un filet d'énergie immobilisant. Mais il empêchait l'accès au tube pas sa sortie. Le laser le désarma. Essoufflé, boitant, courbé en deux, il pénétra dans un garage souterrain. La vedette personnelle de Ryoval s'y trouvait. La bulle s'ouvrit au contact de la bague.

Il se glissa dans l'appareil, ajusta du mieux possible le siège et les ceintures de sécurité autour de ses formes distordues et souffrantes et brancha le moteur. Il s'éleva en douceur. Ce bouton-là sur le panneau de contrôle... ? La porte du parking s'ouvrit. Dès qu'il l'eut franchie, il fonça vers le haut, dans les ténèbres, cloué sur son siège par l'accélération. Foncer, foncer... Personne n'ouvrit le feu sur lui. Il n'y avait rien dessous, aucune lumière. Juste un désert rocheux et hivernal. Toute l'installation devait être souterraine.

Il vérifia la carte de bord et choisit sa direction... *L'est.* Vers la lumière. Ça semblait judicieux.

Il accéléra encore.

29

La vedette vira. Miles se tordit le cou pour apercevoir ce qui se trouvait en dessous. Ou ne s'y trouvait pas. L'aube rampait sur un désert gelé. Il n'y avait rien à des kilomètres à la ronde.

– C'est marrant, dit l'homme qui pilotait. La porte est ouverte.

Il manipula ses comms et transmit une sorte de code d'appel. Son camarade s'agita en le suivant des yeux. Miles essayait de les regarder tous les deux en même temps.

Ils descendaient. Des rochers s'élevèrent autour d'eux, puis ce fut du béton. Ah. Une entrée cachée. Ils arrivèrent en bas et pénétrèrent dans un garage souterrain entièrement vide.

– Hein ? fit le deuxième garde. Y a plus rien.

L'appareil se posa. Un des gardes traîna Miles hors de l'engin, lui délia les chevilles. Il faillit s'effondrer. Cela faisait un bon bout de temps qu'il avait les mains liées dans le dos, sa poitrine lui faisait atrocement mal. Il réussit à se rétablir sans aide et imita les gardes : il regarda autour de lui. Ce n'était qu'un garage, mal éclairé, caverneux et vide.

Les gardes le poussèrent vers une porte, donnèrent un code qui leur ouvrit l'accès d'une chambre de sécurité entièrement électronique. Elle était branchée et ronronnait doucement.

– Vaj ? appela l'un des gardes. On est là. Tu nous scannes ?

Pas de réponse. Un garde s'avança, regarda autour de lui. Tapa un code.

– Amène-le.

Le dispositif de sécurité le laissa passer. Il portait toujours la tenue grise que lui avaient prêtée les Durona. Apparemment, elle ne comportait aucun système secret de défense. Dommage.

Le plus vieux des gardes essaya un intercom. Plusieurs fois.

– Ça répond pas.

– Qu'est-ce qu'on fait ? demanda son camarade.

Le vieux fronça les sourcils.

– On le déshabille et on l'amène au patron. C'étaient les ordres.

Ils le dévêtirent. Il était loin de faire le poids, aussi il n'essaya même pas de leur résister mais il regrettait profondément cette perte. Il faisait très froid. Même les deux types à tête de bœuf contemplèrent un instant sa poitrine couturée dans tous les sens. Ils lui lièrent à nouveau les mains derrière le dos et le conduisirent à travers le repaire. Ils semblaient très mal à l'aise.

Il régnait un calme étrange. Les lumières brillaient mais il n'y avait personne nulle part. L'endroit était très bizarre, pas très grand, pratique et – il renifla – avait quelque chose de médical. C'était un labo, se dit-il. Le petit laboratoire privé de Ryoval. Assurément, après le raid des Dendariis quatre ans auparavant, Ryoval avait jugé sa résidence principale insuffisamment protégée. Il régnait ici une ambiance militaire, paranoïaque. C'était le genre d'endroit où si vous veniez y travailler, vous aviez peu de chances d'en ressortir avant des années. Si jamais vous en ressortiez. Au passage, il aperçut des pièces équipées en laboratoires. Mais aucun tech. Les gardes lançaient des appels de temps à autre. Personne ne répondait.

Ils arrivèrent devant une porte ouverte donnant sur une sorte de bureau.

– Baron ? Monsieur ? se risqua le plus vieux. Nous avons votre prisonnier.

L'autre homme se massa le cou.

– S'il n'est pas là, tu crois qu'on devrait commencer à s'occuper de lui comme l'autre ?

– Il ne nous l'a pas encore ordonné. On ferait mieux d'attendre.

Exactement. Ryoval n'était pas du genre à apprécier des initiatives de la part de ses subordonnés.

Avec un soupir nerveux, le vieux se décida à franchir le seuil. Le jeune poussa Miles à sa suite. Un bureau en vrai bois occupait le centre de la pièce. Devant, était disposé un drôle de fauteuil dont les bras étaient munis de bracelets de métal pour immobiliser la personne qui y prenait place. Apparemment, les conversations avec le baron Ryoval devaient toujours tourner à son avantage. Ils attendirent.

– Que fait-on maintenant ?

– Sais pas. Mes ordres n'en disaient pas plus. (Le vieux observa une pause.) C'est peut-être un test...

Ils attendirent encore cinq minutes.

– Si vous ne voulez pas aller voir, dit Miles avec entrain, moi, j'y vais.

Les gardes se regardèrent. Le vieux, le front creusé, dégaina son neutralisateur et franchit avec une extrême prudence une double porte menant dans une autre pièce. Sa voix retentit bientôt : « *Merde.* » Un bref silence puis elle émit un miaulement plaintif.

C'en était trop même pour le faible d'esprit qui tenait Miles. Sa grosse main toujours fermement accrochée au bras de son prisonnier, il s'engagea à la suite de son aîné dans une deuxième pièce qui ressemblait à un salon. Un holovid occupant tout un mur était vide et silencieux. Un comptoir de bar en bois granuleux divisait la pièce. Il y avait aussi une chaise extrêmement basse. Le corps complètement nu et tout à fait mort du baron Ryoval gisait là, contemplant le plafond de ses yeux secs.

Il n'y avait aucun signe de lutte : pas de meuble renversé, pas de brûlure d'arc à plasma sur les murs. Sinon sur le cadavre lui-même. Là, se concentraient toutes les traces de violence : la gorge écrasée, le torse réduit en bouillie, le sang coagulé autour de la bouche. Une double rangée de petits trous noirs s'étalait impeccablement sur le front du baron. On aurait dit des brûlures. Sa main droite manquait, tranchée. Le poignet était cautérisé.

Les gardes étaient, pour le moment, prostrés d'horreur.

– Que s'est-il passé ? murmura le plus jeune.

Sur qui vont-ils se venger ?

Comment Ryoval contrôlait-il ses employés-esclaves ? Les sous-fifres par la terreur, bien sûr. Les cadres moyens et les techs par un mélange de peur et d'intérêt personnel. Mais ceux-là, ses gardes du corps personnels, devaient faire partie du cercle intime. Ils étaient l'instrument ultime de la volonté de leur maître.

Ils ne devaient pas être aussi mentalement coincés que leur apparence le suggérait : en cas d'urgence, ils seraient parfaitement inutiles. Mais si leur esprit étroit était intact, il s'ensuivait qu'il devait les contrôler par les émotions. Des hommes que Ryoval laissait se poster derrière lui avec des armes chargées devaient être programmés dès leur naissance. Ryoval était leur père, leur mère, leur famille et tout le reste. Ryoval était leur dieu.

Mais maintenant leur dieu était mort.

Qu'allaient-ils faire ? *Je suis libre* était-il un concept intelligible pour eux ? Avec la disparition de son unique objet, combien de temps tiendrait leur conditionnement ? *Un peu trop longtemps.* Une lueur hideuse, mélange de rage et de crainte, s'allumait dans leurs yeux.

— Ce n'est pas moi, remarqua très vite Miles avec prudence. J'étais avec vous.

— Bougez pas, grogna le vieux. Je vais jeter un coup d'œil.

Il passa en revue les appartements du baron et revint au bout de quelques minutes.

— Sa vedette a disparu. Les défenses du tube ont été complètement trafiquées.

Ils hésitèrent. Ah, la parfaite obéissance avait son revers : un total manque d'initiative.

— Vous ne devriez pas vérifier tout le bâtiment ? suggéra Miles. Il y a peut-être des survivants. Des témoins. Peut-être... peut-être que l'assassin se cache encore quelque part.

Où est Mark ?

— Qu'est-ce qu'on fait de lui ? demanda le jeune en hochant le menton vers Miles.

Le vieux se bouffait les joues d'indécision.

— On l'emmène. Ou on l'enferme. Ou on le tue.

— Vous ignorez la raison pour laquelle le baron me voulait, fit aussitôt Miles. Vous feriez mieux de m'emmener jusqu'à ce que vous la découvriez.

— Il te voulait pour l'autre, dit le vieux en lui lançant un regard indifférent.

Petit, nu, à moitié guéri, les mains liées dans le dos : il était clair qu'ils ne voyaient pas en lui une menace. *Et ils ont foutrement raison.*

Après une brève conférence chuchotée, le jeune le poussa vers la sortie et ils entamèrent une exploration des lieux aussi rapide et méthodique que Miles l'aurait désirée. Ils trouvèrent deux de leurs camarades en uniforme rouge et noir, morts. Une mystérieuse flaque de sang s'étalait d'un mur à l'autre dans un couloir. Ils trouvèrent un autre cadavre : un tech supérieur, tout habillé dans sa douche, l'arrière du crâne fracassé. Aux niveaux inférieurs, les signes de lutte étaient plus fréquents. Ici, on s'était battu, on avait pillé et détruit sans raison apparente comconsoles et équipements.

Que s'était-il passé ? Une révolte d'esclaves ? Une bagarre pour le pouvoir entre factions rivales ? Une vengeance ? Les trois en même temps ? Le meurtre de Ryoval était-il la cause ou le but de tout ceci ? Y avait-il eu une évacuation en masse ou un meurtre de masse ? A chaque intersection, Miles se préparait à affronter une scène de carnage.

Au dernier sous-sol, se trouvait un laboratoire avec une demi-douzaine de cellules en verre alignées au fond de la pièce. A en juger d'après l'odeur, on avait oublié d'éteindre ce qui cuisait ici depuis trop longtemps. Il jeta un coup d'œil vers les cellules et déglutit.

Ils avaient été humains, autrefois, ces bouts de chair, de tissu cicatrisé et de greffe. A présent, c'étaient... des expériences. Quatre avaient été des femmes, deux des hommes. Dans un élan de pitié et avant de partir, un tech leur avait tranché la gorge. Le visage collé au verre, Miles les détailla désespérément. Ils étaient tous trop grands pour avoir été Mark. Et puis, de tels effets n'avaient sûrement pas pu être obtenus en cinq jours. Sûrement. Il ne voulait pas entrer dans les cabines pour effectuer un examen plus minutieux.

Cela, au moins, expliquait pourquoi les esclaves de

510

Ryoval n'avaient guère tenté de lui résister. Ces expériences avaient un aspect atrocement économique. Tu n'aimes pas ton boulot au bordel, ma fille ? Tu en as marre d'être garde, mon garçon ? Ça te dirait de passer à la recherche scientifique ? Le dernier arrêt pour tout apprenti-Spartacus parmi les possessions humaines de Ryoval. *Bel avait raison. On aurait dû atomiser ce type et ses tanières à notre dernier passage.*

Les gardes jetèrent un vague coup d'œil aux cellules de verre et continuèrent leur inspection. Saisi par une brusque inspiration, Miles s'attarda. Ça valait le coup d'essayer...

– *Merde !* s'écria-t-il.

Les gardes firent volte-face.

– Ce... cet homme là-dedans. Il a bougé. Je crois que je vais vomir.

– Impossible.

Le vieux regarda à travers la paroi transparente un corps qui leur tournait le dos.

– Enfermé là-dedans, il n'a sûrement rien vu, hein ? fit Miles. Au nom du Ciel, n'ouvrez pas cette porte !

– La ferme.

Le garde se mâcha la joue, contempla le panneau de contrôle et, après un moment d'indécision, tapa un code qui ouvrit la porte et entra avec précaution.

– Gah ! fit Miles.

– Quoi ? aboya le jeune garde.

– Il a rebougé. Il a eu comme un... un spasme.

Neutralisateur à la main, le jeune garde s'engagea à la suite de son camarade. Le vieux tendit la main, hésita puis préféra dégainer sa vibro-matraque pour s'en servir pour toucher le cadavre.

Miles flanqua un coup de front au panneau de contrôle. La porte se ferma. Juste à temps. Les deux gardes se jetèrent dessus comme des chiens enragés. Le verre blindé transmit à peine une légère vibration. Ils avaient la bouche ouverte et hurlaient des jurons, des malédictions ou des menaces mais aucun son ne passait. Les murs transparents étaient en matériau résistant au vide spatial. Un matériau qui arrêtait les décharges de neutralisateur.

Le vieux dégaina enfin son arc à plasma et ouvrit le feu sur le verre. Le mur se mit à briller. Pas bon, ça. Miles étudia le panneau de contrôle... Oui. De la langue, il fit défiler le menu informatique jusqu'à ce qu'il affiche *oxygène*. Il coupa l'arrivée d'air. Les gardes s'évanouiraient-ils avant que le verre ne soit fondu ?

Oui. Excellent système. Les chiens de garde de Ryoval s'effondrèrent pêle-mêle contre la paroi. L'arc à plasma s'échappa des doigts inanimés et s'éteignit.

Miles les abandonna dans la tombe de leur victime.

C'était un labo. Il y avait des cutters, des instruments de toutes sortes... bien. Après des contorsions qui durèrent plusieurs minutes au cours desquelles il faillit s'évanouir une dizaine de fois, il parvint à se libérer les mains. Il geignit de soulagement.

Des armes ? Toutes les armes avaient, apparemment, été emportées par les occupants en fuite et, sans une combinaison anti-bio, il n'était guère enclin à ouvrir la porte de la cellule pour prendre celles de ses gardes. Un scalpel au laser trouvé dans le labo l'aida à se sentir moins vulnérable.

Il voulait ses vêtements. Tremblant de froid, il trotta à nouveau dans les inquiétants couloirs jusqu'à la chambre de sécurité et se rhabilla. Puis il effectua une fouille en règle du bunker, essayant au passage toutes les comconsoles qui n'avaient pas été fracassées. Toutes étaient à usage interne et ne pouvaient être connectées avec l'extérieur.

Où est Mark ? Il fut soudain saisi par l'idée qu'il existait ici un sort pire que d'être enfermé dans une cellule en attendant le retour de ses tortionnaires : être enfermé dans une cellule à attendre des tortionnaires qui ne revenaient jamais. La demi-heure qui suivit fut peut-être la plus frénétique de sa vie. Il brisa et força toutes les portes qu'il trouvait. Derrière chacune, il s'attendait à trouver un petit corps à qui on avait, par pitié, tranché la gorge... Sa respiration s'était transformée en un sifflement inquiétant, il craignait d'être pris de convulsions quand il trouva enfin la cellule – le placard – située tout près des quartiers de Ryoval. A son grand soulagement, elle était vide. Mais elle puait d'une occupation récente. Des taches de sang et d'autre chose maculaient le sol et les murs. Il en eut la nausée. Une nausée glacée. Mais où que soit Mark et dans quel état, ce n'était pas ici. Il devait lui aussi foutre le camp et vite.

Il trouva un panier en plastique et partit faire ses courses dans les labos à la recherche d'équipement électronique. Des pinces et des fils, des détecteurs de panne, des relais, des lecteurs... tout ce qui pouvait lui être utile. Quand il pensa en avoir assez, il retourna dans l'appartement du baron pour disséquer la comconsole endommagée. Il réussit à faire sauter la serrure à paume pour se retrouver face à un petit carré brillant demandant : *insérez votre code*. Il jura, se massa le cou et les épaules et se remit au travail. Ça commençait à devenir fastidieux.

Il dut effectuer une nouvelle pêche aux trésors dans le bunker avant de pouvoir faire sauter le code d'accès. La comconsole avait irrémédiablement perdu certaines de ses capacités. Mais il put enfin se brancher sur le système de communication planétaire.

Il hésita un instant, ne sachant trop qui appeler. Barrayar avait un consulat sur la station du Consortium Hargraves-Dyne. La plupart des diplomates et autres employés consulaires étaient des analystes ou des agents de la SecImp chargés de surveiller la planète, ses satellites et ses stations. L'amiral Naismith possédait certains contacts parmi eux. Mais la SecImp était-elle déjà venue ici ? Etait-ce elle qui avait secouru Mark ? Non, décida-t-il. Ce qu'il avait vu ici était sauvage, absolument pas méthodique. C'était le chaos.

Alors, pourquoi n'êtes-vous pas venus chercher Mark ? Telle était l'angoissante question qu'il se posait. Une question à laquelle il n'avait pas de réponse. *Allez, que le cirque commence !*

Ils arrivèrent en moins d'une demi-heure : un lieutenant tendu de la SecImp nommé Iverson avec une équipe de gros bras locaux loués à la maison Dyne. Les gorilles arboraient des uniformes paramilitaires et un équipement décent. Ils étaient descendus tout droit d'orbite dans une navette. Assis sur un rocher, Miles profitait de la chaleur humide du matin. Il les attendait devant une entrée de secours et les contempla sardoniquement tandis qu'ils se déployaient au pas de charge, armes à la main, comme s'ils s'apprêtaient à lancer un assaut.

L'officier courut jusqu'à lui et le salua rapidement.

– Amiral Naismith ?

Il ne connaissait pas Iverson. Pour ce lieutenant, il représentait un employé de valeur mais non barrayaran de la SecImp.

– Lui-même et en personne. Vous pouvez dire à vos hommes de se détendre. Le bunker est sans danger.

– Vous avez éliminé tout danger vous-même ? demanda Iverson, incrédule.

– Plus ou moins.

– Ça fait deux ans qu'on cherche cet endroit !

Miles ravala une tirade à propos des gens qui n'arriveraient pas à retrouver leur propre bite avec une boussole.

– Où est, euh... Mark ? L'autre clone. Mon double.

– Nous l'ignorons, monsieur. D'après des renseignements transmis par un informateur, nous nous apprêtions à attaquer la maison Bharaputra pour vous récupérer. Et voilà que vous nous appelez.

– Je m'y trouvais encore la nuit dernière. Votre informateur ne savait pas que j'avais été déplacé. (Ce devait être Rowan... Elle s'en était sortie, hourra !) Votre intervention aurait été embarrassante.

Les lèvres d'Iverson s'amincirent.

– Cette opération a toujours été tordue, depuis le début. Les ordres n'ont pas cessé de changer.

– Dites-moi, soupira Miles. Savez-vous quoi que ce soit à propos des Mercenaires Dendariis ?

– Un groupe de vos agents est censé être en route, monsieur. (Les « monsieur » d'Iverson étaient teintés d'incertitude : un soldat régulier barrayaran ne pouvait accorder toute sa confiance à un mercenaire.) Je... souhaiterais m'assurer par moi-même que le bunker est sans danger. Si vous le permettez.

– Je vous en prie, dit Miles. Vous verrez, la visite est passionnante. Si vous avez l'estomac solide.

Prenant la tête de ses hommes, Iverson s'engouffra dans l'ouverture. Miles en aurait rigolé s'il ne pleurait pas à l'intérieur. Il soupira, descendit de son perchoir et les suivit.

Ses fidèles arrivèrent dans une petite navette personnelle qui se glissa en douceur dans le garage souterrain. Il suivit leur débarquement depuis le moniteur installé dans le bureau de Ryoval et leur indiqua par comm comment le retrouver. Quinn, Elena, Taura et Bel en demi-armure. Ils entrèrent, clinquants et cliquetants, aussi spectaculairement inutiles que les gens de la SecImp.

– Pourquoi la tenue de soirée ? fut sa première question.

Il aurait dû se lever, accepter et rendre les saluts et le reste mais le fauteuil de Ryoval était incroyablement confortable et il était incroyablement fatigué.

– Miles ! s'écria Quinn avec passion.

En voyant l'inquiétude sur son beau visage, il découvrit soudain à quel point il était furieux et dévoré de remords. Furieusement furieux parce que furieusement effrayé. *Bon Dieu mais dites-moi où est Mark !*

– Capitaine Quinn.

Il lui rappelait qu'ils étaient en service avant qu'elle ne se jette sur lui. Elle se figea en plein vol, les autres s'entassèrent derrière elle. Elle retrouva son sang-froid avec une étonnante rapidité.

– Nous coordonnions un raid sur la maison Bharaputra avec la SecImp, dit-elle. Tu as retrouvé la mémoire ! Tu étais cryo-amnésique... Tu l'as bien retrouvée, hein ? Ce docteur Durona disait que tu...

– A à peu près quatre-vingt-dix pour cent, je pense. J'ai encore quelques trous. Quinn... que s'est-il *passé* ?

Cette question parut la dépasser un peu.

– Depuis quand ? Depuis ta mort...

– Ne remonte pas si loin. Commence... il y a cinq jours, quand vous êtes arrivés au Groupe Durona.

– Nous te cherchions. Et ça faisait quatre putains de mois !

– Tu as été neutralisée, Mark enlevé et Lilly Durona nous a expédiés, mon chirurgien et moi, vers ce qu'elle croyait être la sécurité.

Il voulait qu'elle se concentre sur ce qui l'intéressait.

– Oh, elle était ton *médecin*. J'ai cru... peu importe.

Quinn ravala ses émotions, enleva son casque, repoussa sa cagoule et fouilla ses boucles courtes avec des doigts aux bouts rongés. Elle organisa les informations dont elle disposait pour lui apprendre l'essentiel.

– Nous avons perdu plusieurs heures au début. Quand, enfin, Elena et Taura ont pu obtenir un autre aérocar, les kidnappeurs avaient disparu depuis un bon bout de temps. Elles les ont cherchés mais en vain. Quand elles sont revenues chez les Durona, Bel et moi, on se réveillait à peine. Lilly Durona assurait que tu étais en sécurité. J'avais du mal à la croire. Nous sommes partis et j'ai contacté la SecImp. Ils ont commencé par rappeler tous leurs agents éparpillés sur la planète. Ils étaient à ta recherche. Il a fallu qu'ils se mettent à la recherche de Mark. Ça nous a valu encore un peu de retard. Puis ils ont voulu vérifier leur théorie chérie : à savoir que les ravisseurs étaient cetagandans. Enfin, la maison Ryoval dispose d'environ cinquante sites et bunkers différents qu'il fallait tous vérifier. Sans compter celui-là qui leur était inconnu.

« Puis Lilly Durona a enfin admis que tu avais disparu. Comme il semblait plus important de te retrouver, on a à nouveau mis tous les hommes disponibles là-dessus. Il nous a fallu quand même deux jours pour retrouver la vedette abandonnée. Et elle ne nous a offert aucun indice.

– Exact. Mais vous soupçonniez Ryoval de détenir Mark.

– Ryoval voulait l'amiral Naismith. Nous pensions qu'il se rendrait compte qu'il s'était trompé de bonhomme.

Il se massa le visage. Il avait mal au crâne. Et au ventre.

– Vous ne vous êtes pas dit que Ryoval n'en aurait rien à foutre ? Dans quelques minutes, je veux que vous alliez dans ce couloir voir la cellule où ils le gardaient. Et que vous la *sentiez*. Je veux que vous la regardiez attentivement. En fait, allez-y tout de suite. Sergent Taura, restez.

A regret, Quinn sortit, précédant Elena et Bel. Miles avança le visage vers Taura qui se pencha pour l'écouter.

– Taura, que s'est-il passé ? Tu es jacksonienne. Tu connais Ryoval. Tu connais ce genre d'endroit. Comment avez-vous pu ne pas trouver ce bunker ?

Elle secoua son énorme tête.

– Le capitaine Quinn pensait que Mark était un débile profond. Après votre mort, elle ne lui aurait pas confié sa poubelle. Et, au début, j'étais d'accord avec elle. Mais... je ne sais pas. Il faisait tellement d'efforts. A un cheveu près, le raid sur la crèche aurait pu réussir. Si on avait été plus rapide, si le périmètre de défense de la navette avait fait son boulot, on s'en serait sorti. Je crois.

Il grimaça son approbation.

– Il n'y a pas d'excuse pour des opérations aussi délicates que celle-ci. Et les chefs ne peuvent avoir la moindre pitié ou alors autant rester en orbite et envoyer directement ses hommes dans le sas de désin-

517

tégration, histoire d'éviter des efforts inutiles. (Un silence.) Quinn sera un bon chef un jour.

– Je le pense, monsieur. (Taura retira casque et cagoule et regarda autour d'elle.) Bon, je me suis mise à apprécier ce petit taré. *Il a essayé.* Il a essayé et il a échoué. Mais personne d'autre n'avait essayé. Et il était si seul.

– Seul. Oui. Ici. Cinq jours.

– On était vraiment persuadés que Ryoval se rendrait compte de son erreur.

– Peut-être... peut-être.

Une partie de son esprit s'accrochait à cet espoir. Peut-être n'avait-ce pas été aussi moche qu'il se l'imaginait. Peut-être...

Quinn et les autres revinrent avec des mines sinistres.

– Bon, dit-il, vous m'avez trouvé. On peut maintenant se concentrer sur Mark. J'ai fouillé cet endroit pendant des heures et je n'ai rien trouvé. Rien, pas le moindre indice. Est-ce que les fuyards l'ont emmené avec lui ? Est-ce qu'il est en train de geler quelque part dans ce désert ? Six hommes d'Iverson cherchent dehors avec des scanners et un autre vérifie le désintégrateur : y a-t-on récemment fourré un paquet de cinquante ou soixante kilos de protéines ? Pas d'autres idées mirobolantes, les gars ?

Elena revint de la chambre voisine.

– A ton avis, qui a réglé son compte à Ryoval ?

Miles ouvrit les mains.

– Pas la moindre idée. Avec sa carrière, il devait avoir des centaines d'ennemis mortels.

– Il a été tué par une personne sans arme. Un coup à la gorge puis battu à mort une fois qu'il était à terre.

– J'ai remarqué.

– Tu as remarqué la trousse à outils ?

– Ouais.

– Miles, c'était Mark.

– Comment aurait-il pu ? Cela a dû se passer hier soir. Après quoi ? cinq jours de torture... et Mark est un petit bonhomme comme moi. Je ne pense pas que ce soit physiquement possible.

– Mark est un petit bonhomme mais pas comme toi, dit Elena. Et il a failli tuer un homme sur Vorbarr Sultana d'un coup à la gorge.

– *Quoi ?*

– Il a été *entraîné*, Miles. Il a été entraîné pour prendre le dessus sur ton père qui est un homme encore plus costaud que Ryoval et qui possède des années d'expérience du combat.

– Oui, mais je n'ai jamais cru... *Quand* Mark était-il sur Vorbarr Sultana ?

Incroyable... On meurt à peine deux, trois mois et on se retrouve sur la touche. Pour la première fois, il se demandait s'il était bien sage de sa part de repartir immédiatement à l'action. Oui, il ferait un chef parfait : *un fou furieux avec une mémoire défaillante et qui a la bonne habitude d'être pris de convulsions dès que ça chauffe un peu. Sans parler des problèmes respiratoires.*

– Oh, à propos de ton père, je devrais... non, ça peut attendre.

Elena le dévisageait avec inquiétude.

– Qu'est-ce qu'il a... (Il fut interrompu par le signal d'appel du comm qu'Iverson lui avait donné par pure courtoisie.) Oui, lieutenant ?

– Amiral Naismith, le baron Fell est ici, à l'entrée. Avec un double escadron. Il... dit être venu chercher la dépouille de son demi-frère, en tant que plus proche parent.

Miles siffla sans bruit et sourit.

– Vraiment ? Bien. Ecoutez-moi. Laissez-le entrer avec un seul garde du corps. Et on bavardera. Il sait peut-être quelque chose. Ne laissez pas entrer ses autres hommes.

– Pensez-vous que cela soit sage ?

Comment veux-tu que je le sache, bon Dieu ?

– Oui.

Quelques minutes plus tard, le baron Fell, essoufflé, arrivait, flanqué par un des soldats loués d'Iverson et par un gros sergent en treillis vert. Après ce petit exercice, le visage rond du baron était plus rose qu'à l'ordinaire. Ceci mis à part, il ressemblait toujours à un grand-père replet à la bonne humeur trompeuse. Dangereuse.

Miles s'inclina.

— Baron Fell, ravi de vous revoir.

— Amiral. Oui, j'imagine que tout s'arrange à votre convenance. Ainsi c'était donc vous que le tireur bharaputran a atteint. Votre clone-jumeau a parfaitement tenu votre rôle, après cela, je dois le dire. Ce qui n'a fait qu'ajouter à la confusion ambiante.

Argh !

— Oui. Qu'est-ce qui vous amène ici ?

— Un échange.

Un raccourci jacksonien pour : *Vous d'abord.*

Miles hocha la tête.

— Feu le baron Ryoval m'a fait amener ici dans une vedette par deux de ses hommes. Nous avons trouvé l'endroit à peu près dans l'état dans lequel vous le voyez. J'ai, disons, neutralisé mes deux gardes à la première occasion. Vous dire comment je me suis retrouvé entre leurs mains serait une longue histoire.

Donnant, donnant. A toi de me dire quelque chose.

— Des rumeurs tout à fait extraordinaires commencent à circuler à propos de mon cher disparu... il a bien disparu ?

— Oh oui. Vous le verrez dans un moment.

— Merci. Mon cher demi-frère est donc bien mort. On me l'avait déjà appris.

Un des anciens employés de Ryoval a couru tout droit chez lui.

— Ce renseignement vaut bien une petite récompense.

— Il y aura une récompense dès que je serai certain qu'on m'a dit la vérité.

— Dans ce cas... pourquoi ne pas vérifier vousmême ?

Il dut se lever, quitter le fauteuil. Ce qu'il fit au prix

d'un effort considérable. Il conduisit le baron Fell dans le salon. Les Dendariis et le sergent les suivirent.

Celui-ci lança un coup d'œil inquiet vers l'immense Taura. Elle sourit, découvrant ses crocs.

– Salut. T'es mignon, tu sais ?

Il eut un mouvement de recul et se glissa tout près de son patron.

Fell se dirigea droit vers le cadavre. Il saisit le bras coupé au poignet.

– Qui a fait ça ?

Miles mit une seconde avant de comprendre l'expression de son visage : Fell était déçu.

– Nous ne le savons pas encore. Nous l'avons trouvé comme ça.

Fell lui lança un regard acéré.

– Exactement ?

– Oui.

Fell effleura les trous noirs sur le front du cadavre.

– Celui qui a fait ça savait ce qu'il faisait. Je veux retrouver cet assassin.

– Pour... venger la mort de votre demi-frère ? s'enquit Elena avec prudence.

– Non. Pour lui offrir un *travail* ! (Fell éclata d'un rire tonitruant.) Avez-vous une idée du nombre de gens qui ont consacré des années et des années à essayer d'accomplir ceci ?

– J'en ai une petite idée, dit Miles. Si vous pouvez...

Dans la pièce voisine, le signal d'appel de la comconsole de Ryoval retentit.

Fell plissa les yeux.

– Personne ne pourrait appeler ici sans posséder le code d'accès, déclara-t-il en passant dans la pièce voisine.

Miles le devança de justesse devant la console. Il se glissa dans le fauteuil.

Il brancha la communication. « Oui ? » et faillit être à nouveau éjecté de son siège.

Le visage bouffi de Mark s'aggloméra au-dessus du plateau. On aurait dit qu'il venait de sortir de la douche, le visage lisse, les cheveux humides et plaqués.

Il portait une tenue grise identique à celle de Miles et était couvert d'ecchymoses bleues, verdâtres et jaunâtres. Sa peau ressemblait à un patchwork mais ses yeux, grands ouverts, brillaient.

– Ah, dit-il gaiement, te voilà. Je pensais bien que tu étais là. Sais-tu qui tu es maintenant ?

– Mark ! (Miles réprima une folle envie d'étreindre l'image en trois dimensions.) Tu vas bien ? *Où es-tu ?*

– Tu as donc retrouvé la mémoire. Bien. Je suis chez Lilly Durona. Bon Dieu, Miles, quel endroit ! Quelle femme ! Elle m'a laissé prendre un *bain*. Elle m'a recollé la *peau*. Elle m'a soigné le pied. Elle m'a fait une hypo de relaxant musculaire pour mon dos. De ses propres mains, elle m'a donné des soins médicaux si intimes et si dégoûtants que je n'ose les décrire. Mais j'en avais sacrément besoin, crois-moi. Et elle m'a tenu la tête pendant que je hurlais. Je t'ai parlé du bain ? Je l'aime, je veux l'épouser.

Tout ceci fut proféré avec un tel enthousiame que Miles était incapable de savoir si Mark plaisantait ou non.

– Qu'est-ce que tu as *pris* ? s'enquit-il, soupçonneux.

– Des anti-douleur. Des tas et des tas d'anti-douleur. Oh, c'est merveilleux ! (Il lui dédia un large sourire.) Mais ne t'inquiète pas : j'ai les idées parfaitement claires. C'est le bain. J'ai commencé à me détendre quand elle m'a donné le bain. Ça m'a complètement dénoué. Est-ce que tu sais à quel point c'est fantastique un bain quand on... peu importe.

– Comment as-tu fait pour sortir d'ici et te retrouver à la clinique Durona ? demanda Miles.

– En empruntant la navette de Ryoval, bien sûr. J'avais son code personnel.

Derrière lui, Miles sentit que le baron Fell retenait son souffle.

– Mark, fit-il en se penchant en avant, tu veux bien me passer Lilly, un moment, s'il te plaît ?

– Ah, baron Fell ! s'exclama Mark. Parfait. J'allais vous appeler juste après. Je voudrais vous inviter à prendre le thé ici, chez Lilly. Nous avons des tas de choses à nous dire. Toi aussi, Miles. Et amène *tous* tes amis.

Mark lui adressa un regard éloquent. Sans qu'on le voie, Miles appuya sur le bouton « alerte » du comm d'Iverson.

– Pourquoi, Mark ?

– Parce que j'ai besoin d'eux. Mes propres troupes sont beaucoup trop épuisées pour travailler aujourd'hui.

– Tes troupes ?

– S'il te plaît, fais ce que je te dis. Parce que je te le demande. Parce que tu me le *dois*, ajouta Mark d'une voix si sourde que Miles eut du mal à l'entendre.

Une brève étincelle jaillit dans les yeux de Mark.

Fell maugréa.

– Il l'a utilisé. Il doit savoir... (Il se pencha vers la console.) Mark, comprenez-vous ce que vous avez, euh... en main ?

– Ô baron. Je sais ce que je fais. Je me demande pourquoi tout le monde a autant de mal à l'admettre. Je sais *exactement* ce que je fais.

Puis il éclata de rire. C'était un rire très troublant, grinçant et trop fort.

– Laissez-moi parler à Lilly, dit Fell.

– Non. Venez ici et vous lui parlerez, fit Mark. De toute manière, c'est à moi que vous aurez envie de parler. (Son regard se planta dans celui de Fell.) Je vous promets que vous trouverez ça profitable.

– Je veux bien vous croire, murmura Fell. Très bien.

– Miles... Tu te trouves bien dans l'appartement de Ryoval. (Mark l'examinait sans que Miles comprenne quelle réponse il attendait de lui mais Mark hocha la tête, apparemment satisfait.) Elena est avec toi ?

– Oui...

Elena se pencha par-dessus l'autre épaule de Miles.

– Que désirez-vous, Mark ?

– Je veux vous parler, femme-lige. En privé. Voulez-vous dire à tous les autres de quitter la pièce, s'il vous plaît ? Tous, sans exception.

– Tu ne peux pas, commença Miles. Femme-lige ? Tu... ne lui as pas prêté serment, hein ? C'est... c'est impossible.

– Techniquement, je suppose que tu as raison maintenant que tu es à nouveau vivant, dit Mark. (Il sourit tristement.) Mais j'ai besoin d'un service. Ma première et ma dernière requête, Elena. *En privé.*

Elena regarda autour d'elle.

– Dehors, tout le monde. S'il te plaît, Miles. Ceci est strictement entre Mark et moi.

– Femme-lige ? murmura Miles en se laissant pousser dehors. Comment...

Elena referma la porte sur eux. Miles appela Iverson pour qu'il s'occupe des problèmes de transport et autres détails. Il s'agissait clairement d'une course entre Fell et eux. Une course polie mais une course quand même.

Elena réapparut quelques secondes plus tard, le visage fermé.

– Allez chez les Durona. Mark m'a demandé de retrouver quelque chose pour lui ici. Je vous rejoins plus tard.

– Rassemble le maximum de renseignements pour la SecImp, pendant que tu y es, dit Miles se sentant vaguement dépassé par les événements : ce n'était plus lui qui commandait. Iverson te donnera un coup de main. Mais... Femme-lige ? Est-ce que cela signifie ce que je crois ? Comment as-tu pu...

– Cela ne signifie plus rien du tout, maintenant. Mais j'ai une dette envers Mark. Nous avons tous une dette envers lui. Il a tué Ryoval, tu sais.

– Même si j'ai du mal... je commence à le croire. Mais je ne vois pas comment il a pu faire.

– D'après ce qu'il m'a dit, avec les deux mains liées dans le dos. Et je le crois.

Elle retourna dans la suite de Ryoval.

– On parle bien de Mark ? marmonna Miles en partant dans la direction opposée.

On lui avait peut-être fabriqué un autre frère-clone pendant sa mort, non ?

— Il ne ressemble pas à Mark, reprit-il. Il avait l'air *content* de me voir. C'est *Mark* ?

— Oh oui, fit Quinn, c'est bien Mark.

Il se précipita vers la sortie. Même Taura dut allonger le pas pour rester à sa hauteur.

30

La petite navette personnelle des Dendariis volait aussi vite que la grosse vedette du baron Fell. Elles arrivèrent en même temps à la clinique Durona. Un engin appartenant à la maison Dyne et qui avait été temporairement alloué à la SecImp les attendait poliment dans le petit parc de l'autre côté de la rue.

Pendant qu'ils s'apprêtaient à atterrir, Miles demanda à Quinn qui tenait les commandes :

— Elli... si on volait ensemble dans une vedette ou un aérocar et si je te demandais tout d'un coup de nous écraser à terre, le ferais-tu ?

— Maintenant ? s'étonna Quinn.

La vedette plongea.

— Non ! Pas maintenant. Je veux dire, en théorie. Obéirais-tu sur-le-champ ? Sans poser de question ?

— Eh bien, oui. J'imagine. Mais je te poserais les questions après. Probablement en t'étranglant.

— C'est ce que je pensais.

Satisfait, Miles s'enfonça dans son siège.

Ils retrouvèrent le baron Fell devant l'entrée principale. Celui-ci fronça les sourcils en voyant Quinn, Taura et Bel, en demi-armure, qui l'accompagnaient.

— Nous sommes ici chez moi, dit le baron.

Ses deux hommes considéraient sans joie les trois Dendariis.

— Ce sont mes gardes du corps, annonça Miles. Et

le passé récent montre que j'en ai besoin. Votre écran de protection ne fonctionne pas toujours. .

– Cela n'arrivera plus, fit Fell, lugubre.

– Quoi qu'il en soit... (En guise de concession, Miles pointa un pouce négligent vers le parc.) Mes autres amis peuvent attendre dehors.

Fell réfléchit un moment.

– Très bien, dit-il enfin.

Ils le suivirent à l'intérieur. Hawk vint à leur rencontre et les escorta à travers la clinique jusqu'à l'appartement privé de Lilly Durona.

En y pénétrant, Miles ne trouva qu'un mot pour désigner ce qui les attendait : un « tableau ». Tout et tous étaient soigneusement placés, comme sur une scène.

Mark était le centre. Il était confortablement installé dans le fauteuil de Lilly Durona, son pied droit bandé reposant sur un coussin de soie placé sur la petite table à thé. Il était encerclé de Durona. Lilly elle-même, ses longs cheveux blancs emprisonnés dans une natte qui lui ceignait le crâne comme une couronne, se tenait à la droite de Mark, adossée au haut dossier du fauteuil, souriant avec bienveillance. Hawk se posta à la gauche de Mark. Dr. Chrys, Dr. Poppy et Dr. Rose étaient admirablement disposés autour d'eux. Dr. Chrys avait un grand extincteur à ses pieds. Rowan n'était pas là. La fenêtre avait été réparée.

Au centre de la table, se trouvait une boîte froide transparente. A l'intérieur, on voyait une main coupée avec une grosse bague d'argent munie d'une pierre carrée qui ressemblait à de l'onyx.

L'apparence physique de Mark troubla Miles. Il s'était préparé à contempler les effets de tortures innommables mais le corps de Mark était entièrement caché sous une tenue grise identique à la sienne qui le couvrait de la tête aux chevilles. Seules les cicatrices et ecchymoses sur son visage et sur son pied laissaient deviner ce qu'il avait enduré ces cinq derniers jours. Mais son visage et son corps avaient incroyablement enflé. Son ventre énorme avait quelque chose de malsain. C'était bien pire encore que lors de leur dernière rencontre, cinq jours plus tôt, quand il l'avait vu dans son propre uniforme dendarii et sans commune mesure avec son double quasi identique qu'il avait essayé de secourir lors du raid quatre mois auparavant. Chez quelqu'un d'autre, le baron Fell par exemple, l'obésité ne le dérangeait nullement mais chez Mark... Miles pourrait-il un jour devenir ainsi... s'il se calmait ? Il fut pris d'une soudaine aversion pour les desserts de toutes sortes. Elli contemplait Mark avec une répugnance qu'elle ne dissimulait même pas.

Mark souriait. Une petite boîte de contrôle se trouvait sous sa main droite. Son index frôlait le bouton.

En voyant la main dans la boîte froide, le baron Fell ne put se retenir. Il se précipita vers elle en criant :

– Ah !

– Stop ! dit Mark.

Le baron s'immobilisa et le considéra.

– Oui ? fit-il, méfiant.

– L'objet qui vous intéresse tant dans cette boîte repose sur une petite grenade thermique... contrôlée (il montra le boîte de contrôle sous sa main) par ceci. Cet interrupteur est en phase avec moi : il se déclenchera si j'appuie dessus, si je meurs ou si je m'évanouis. Il y a un deuxième interrupteur entre les mains d'une autre personne qui ne se trouve pas dans cette pièce. Neutralisez-moi, assommez-moi et ça explosera. Effrayez-moi et ma main pourrait glisser. Fatiguez-moi et mon doigt pourrait se fatiguer. Et si vous m'exaspérez, je pourrais la faire sauter pour en finir tout simplement.

– Le fait que vous ayez pris de telles dispositions, dit lentement Fell, montre que vous connaissez la valeur de ce que vous détenez. Vous n'oseriez pas vous en priver. Vous bluffez.

Le baron scrutait Lilly d'un regard perçant.

– Ne me tentez pas, dit Mark, toujours souriant.

Après avoir bénéficié pendant cinq jours de l'hospitalité de votre demi-frère, je suis *vraiment* de très mauvaise humeur. Ce qui se trouve dans cette boîte a de la valeur pour vous. Pas pour moi. Cependant (il reprit son souffle), vous possédez certaines choses qui ont de la valeur à mes yeux. Baron, faisons un marché.

Fell se suça la lèvre inférieure, son regard fouillant celui de Mark.

– Je vous écoute, dit-il finalement.

Mark hocha la tête. Deux Durona se précipitèrent pour offrir une chaise au baron et à Miles. Les gardes du corps se disséminèrent dans la pièce. Les hommes de Fell semblaient en proie à une intense réflexion, considérant alternativement la boîte et leur maître. Les Dendariis se contentaient de les surveiller. Fell s'installa et attendit, l'air très officiel.

– Du thé ? s'enquit Lilly.

– Merci, fit le baron.

Les deux enfants Durona s'esquivèrent sur un signe de leur grand-mère. Le rituel avait commencé. Miles s'assit en serrant les dents. Il n'avait aucune idée de ce qui était en train de se dérouler. C'était clairement à Mark de jouer. Mais il n'était pas certain que Mark fût sain d'esprit actuellement. Intelligent, oui. Sain d'esprit, non. A en juger d'après la tête du baron Fell, lui aussi était parvenu à la même conclusion.

Les deux concurrents attendirent en silence que le thé arrive. Ils mettaient ce délai à profit pour se jauger, se mesurer. Le garçon apporta un plateau qu'il posa à côté de la boîte au contenu grotesque. La fille servit deux tasses – en porcelaine du Japon, les plus belles de Lilly – pour Mark et le baron et offrit des gâteaux secs.

– Non, merci, fit Mark d'un air dégoûté quand elle les lui présenta.

Le baron en prit deux qu'il becqueta. Mark souleva sa tasse de la main gauche mais il tremblait trop. Il dut la reposer violemment sur la sous-tasse placée sur le bras de son fauteuil pour ne pas en renverser le contenu. La fille se faufila en silence à ses côtés et leva la tasse jusqu'à ses lèvres. Il prit une gorgée et opina pour la remercier. Elle reposa la tasse mais resta à ses genoux, prête à le resservir à sa demande. *Il souffre foutrement plus que ce qu'il veut nous laisser croire*, se dit Miles, le ventre glacé. Le baron considéra la main gauche tremblante de Mark puis sa main droite et parut soudain extrêmement mal à l'aise.

– Baron Fell, dit Mark, je pense que vous serez d'accord avec moi si je dis que nous n'avons pas de temps à perdre. Commencerai-je ?

– Je vous en prie.

Mark montra la main coupée.

Dans cette boîte, se trouve la clé de la maison Ryoval. Cette bague est le code d'accès à tous... les secrets de Ry Ryoval.

Un ricanement lui échappa qu'il ravala très vite et fit signe à la fille de lui donner un peu de thé. Retrouvant le contrôle de sa voix, il poursuivit :

– Tous les codes d'accès de feu le baron Ryoval sont scellés dans cette pierre. Bien... Il se trouve que la maison Ryoval possède une structure administrative particulière. Dire que le baron Ry était un taré paranoïaque serait un doux euphémisme. Mais Ryoval est mort, laissant à l'abandon ses subordonnés éparpillés dans la nature, les privant du seul chef qu'ils connaissaient. Quand la nouvelle de sa mort les atteindra, qui sait comment ils réagiront ? Vous avez déjà été témoin des résultats d'une telle réaction.

« D'ici un jour ou deux, les vautours voleront autour de la carcasse de la maison Ryoval. La loi n'existe pas par ici. Plus exactement possession ayant seule force de loi, on peut imaginer ce qui se passera. Par exemple, la maison Bharaputra partage à l'évidence un intérêt des plus marqués pour certains biens de la maison Ryoval. Je suis sûr, baron, que vous n'aurez aucun mal à penser à d'autres groupes intéressés.

Fell hocha la tête.

– Mais un homme qui posséderait tous les codes

d'accès de Ryoval aujourd'hui se retrouverait dans une position considérablement avantageuse, reprit Mark. Surtout s'il se trouve à la tête d'une armée efficace. Débarrassé de la tâche fastidieuse de briser tous les codes d'accès de Ryoval un par un, il pourrait s'installer immédiatement à la tête de la maison. Ajoutons à cela un lien de famille qui lui conférerait une vague légitimité, j'en déduis que la plupart de ses concurrents renonceraient à une coûteuse confrontation par la force avec lui.

– La bague de mon demi-frère ne vous appartient pas, dit froidement Fell. Vous n'avez aucun droit de la vendre.

– Au contraire, elle m'appartient, dit Mark. Je l'ai gagnée. Je la contrôle. Et... (Il se lécha les lèvres, la fille leva à nouveau la tasse.) J'ai payé pour l'avoir. Vous ne vous verriez pas offrir cette exclusivité – c'est encore une exclusivité – sans moi.

Le baron n'eut d'autre choix que de concéder du bout des lèvres :

– Continuez.

– A combien estimeriez-vous la valeur du Groupe Durona comparée à celle de la maison Ryoval ? Proportionnellement.

Le baron fronça les sourcils.

– Un-vingtième. Un-trentième peut-être. La maison Ryoval possède des terres, des biens immobiliers. La propriété intellectuelle est bien plus difficile à estimer. Ils se sont spécialisés dans des recherches biologiques très différentes.

– Oublions, ou plutôt mettons de côté les biens immobiliers. La maison Ryoval est sans conteste bien plus riche. Des laboratoires, des techs, des esclaves. Des listes de clients. Des chirurgiens. Des généticiens.

– J'en conviens.

– Bien. Voici le marché. Je vous donne la maison Ryoval en échange du Groupe Durona plus un dédommagement financier correspondant à dix pour cent de la valeur de la maison Ryoval.

– Dix pour cent : la commission d'un agent, dit Fell en regardant Lilly

Celle-ci, souriante, ne dit rien.

– Une faible commission, acquiesça Mark. Deux fois moins importante que la normale. Vous perdriez beaucoup plus sans la bague.

– Et que feriez-vous de toutes ces dames, Mark, si vous les aviez ?

– Nous avons notre idée.

Par ce *nous*, il incluait les Durona. Fell fit comme s'il ne l'avait pas compris.

– Envisageriez-vous de vous lancer sur ce marché ? De devenir le baron Mark ?

Miles se pétrifia, terrorisé par cette nouvelle alternative.

– Non, soupira Mark. Je n'envisage que de rentrer chez moi, baron. C'est tout ce dont j'ai besoin. J'abandonnerai le Groupe Durona... à lui-même. Et vous les laisserez partir, libres, sans crainte et sans poursuite là où ils le désirent. Escobar, n'est-ce pas, Lilly ?

Il se tourna vers Lilly qui le regarda en souriant avant de hocher à peine la tête.

– C'est plus que bizarre, murmura le baron. Je pense que vous êtes fou.

– Ô baron... vous n'imaginez pas à quel point.

Mark émit un étrange gloussement. S'il jouait la comédie, Miles se dit qu'il n'avait jamais vu meilleur acteur, bien meilleur que lui-même dans ses pires délires.

Le baron s'enfonça dans son siège et croisa les bras. Quand il réfléchissait, la graisse qui boursouflait son visage se transformait en pierre. Allait-il tenter un coup de force ? Frénétiquement, Miles se mit à calculer les options militaires qui s'offraient à eux. Les Dendariis au sol, la SecImp en orbite, Mark et lui-même en situation très risquée. *La flamme qui explosait soudain du museau de l'arme*... Ô Seigneur, quel gâchis...

– Dix pour cent, dit enfin le baron, *moins* la valeur du Groupe Durona.

– Qui chiffrera la valeur de cette propriété intellectuelle, baron ?

– Moi. Ils devront évacuer les lieux sur-le-champ. Et tout laisser : leurs biens, leurs notes, leurs dossiers et toutes les expériences actuellement en cours devront être abandonnés intacts.

Mark leva les yeux vers Lilly qui se pencha pour lui murmurer quelques mots à l'oreille.

– Le Groupe Durona, annonça-t-il un instant plus tard, devra avoir le droit de dupliquer les dossiers techniques. Et celui d'emporter les effets personnels comme les vêtements ou les livres.

Le baron contempla pensivement le plafond.

– Ils peuvent emporter... ce que chacun peut porter seul et sans aide. Rien de plus. Ils ne peuvent *pas* dupliquer les dossiers techniques. Et leurs avoirs bancaires restent, comme ils l'ont toujours été, miens.

Les sourcils de Lilly tombèrent. Une autre conférence chuchotée avec Mark eut lieu derrière sa main. Il balaya une objection, pointant le doigt vers le ciel. Elle finit par acquiescer.

– Baron Fell (Mark respira profondément), marché conclu.

– Marché conclu, confirma Fell en l'observant avec un mince sourire.

– Dans ce cas, annonça Mark.

Il retourna la petite boîte et actionna un bouton qui se trouvait dessous, désactivant le système de mise à feu. Se laissant ensuite aller dans son fauteuil, il secoua faiblement sa main qui tremblait.

Fell s'étira, essayant lui aussi de chasser la tension qui l'habitait. Les gardes se détendirent. Miles faillit s'effondrer sur place. *Mazette, qu'avons-nous fait ?* Obéissant aux directives muettes de Lilly, les Durona s'éparpillèrent à toute allure.

– C'était très amusant de faire des affaires avec vous, Mark. (Fell se leva.) J'ignore quel est l'endroit que vous appelez chez vous mais si vous cherchez du travail un jour, revenez me voir. Je pourrais utiliser un agent comme vous dans mes affaires galactiques. Votre à-propos est... vicieusement élégant.

– Merci, baron, dit Mark. Je n'oublierai pas cette proposition, au cas où certaines de mes autres options échoueraient.

– Votre frère aussi, ajouta Fell après coup. A condition qu'il guérisse complètement, bien sûr. Mes troupes ont besoin d'un chef plus actif.

Miles s'éclaircit la gorge.

– Les besoins de la maison Fell sont principalement défensifs. Je préfère les missions des Dendariis, elles sont d'un type plus offensif.

– Il se pourrait bien que nous passions à l'offensive bientôt, dit Fell, le regard soudain perdu au loin.

– Vous songez à conquérir le monde ? s'enquit Miles.

L'empire Fell ?

– L'acquisition de la maison Ryoval mettra la maison Fell dans une position intéressante, fit Fell. Pour quatre ou cinq années de règne, cela ne vaudrait guère la peine de se lancer dans une politique d'expansion illimitée et de faire face à l'opposition ainsi provoquée. Mais si l'on avait encore par exemple cinquante ans de vie devant soi, on pourrait offrir un travail absorbant à un militaire capable...

Fell haussa un sourcil inquisiteur vers Miles.

– Non merci.

Et je vous souhaite de bien vous amuser.

Les yeux mi-clos, Mark adressa à Miles un regard amusé.

Mark avait trouvé une extraordinaire solution, songea Miles. Quel Contrat ! Un Jacksonien pouvait-il défier toute son éducation et rejoindre l'armée des anges ? Pouvait-il devenir un rebelle en devenant incorruptible ? Il le semblait bien. *Mon frère est plus jacksonien qu'il se l'imagine. Un Jacksonien renégat. L'esprit plus fort que la matière...*

Au geste de Fell, un de ses gardes du corps s'empara avec précaution de la boîte. Fell se tourna vers Lilly.

– Eh bien, ma vieille sœur. Tu as eu une vie intéressante.

– Elle n'est pas terminée, sourit Lilly.

– Pas encore.

– Il m'en reste largement assez, mon avide petit garçon. Nous voici donc au bout de la route. C'est la fin de notre pacte de sang. Qui aurait pu imaginer cela quand nous pataugions dans les égouts de Ryoval pour nous enfuir ?

– Pas moi, dit Fell. (Ils s'embrassèrent.) Au revoir, Lilly.

– Au revoir, Georish.

Fell se tourna vers Mark.

– Un Contrat est un Contrat et ma maison le respectera. Cela vaut aussi pour moi. Au nom du passé. (Il tendit une main épaisse.) Puis-je vous serrer la main, monsieur ?

Mark parut stupéfait et méfiant mais Lilly hocha la tête. Il laissa sa main se faire avaler par celle de Fell.

– Merci, dit Georish Stauber, sincère.

Un coup de menton vers ses hommes puis il disparut avec eux dans le tube.

– Croyez-vous que ce Contrat tiendra ? demanda Mark à Lilly d'une petite voix inquiète.

– Le temps suffisant. Pendant les prochains jours, Georish sera trop occupé à s'amuser et à comprendre sa nouvelle acquisition. Il va s'y consacrer entièrement. Après cela, il sera trop tard. Il aura des regrets, bien sûr... plus tard. Mais il n'y aura ni traque ni vengeance. Cela nous suffit. Il ne nous faut rien de plus.

Elle lui caressa affectueusement les cheveux.

– Maintenant, reprit-elle, reposez-vous. Et reprenez du thé. Nous allons être très occupés pendant un moment. (Elle se tourna vers les jeunes Durona.) Robin ! Violet ! Venez ici vite...

Elle les poussa vers une autre pièce.

Mark se tassa, visiblement très fatigué. Il grimaça en apercevant sa tasse de thé. Il la cueillit de la main droite et la fit pensivement tourner avant d'avaler une gorgée.

Elli toucha le casque de sa demi-armure, écouta et éclata soudain d'un rire féroce.

– Le commandeur de la SecImp à la station Hargraves-Dyne est en ligne. Il nous annonce que les renforts sont arrivés et voudrait savoir où les envoyer.

Miles et Mark se regardèrent. Miles ignorait à quoi songeait son frère mais toutes les réponses qui lui venaient étaient violemment obscènes.

– A la maison, dit enfin Mark. Et ils peuvent nous offrir le passage tant qu'ils y sont.

– Je dois d'abord retrouver la flotte dendarii, fit vivement Miles. Ah... Où est elle, Elli ?

– Quelque part entre Illyrica et Escobar mais vous, monsieur, n'irez nulle part tant que les médecins de la SecImp ne vous autoriseront pas à reprendre du service actif, dit-elle fermement. La flotte va bien. Pas toi. Illyan m'arrachera les yeux si je te laisse aller ailleurs que chez toi maintenant. Et puis, il y a ton père.

– Quoi, mon père ? s'enquit Miles.

Elena avait, elle aussi, commencé à dire quelque chose... une terreur immonde s'insinua en lui.

– Il a fait un grave accident coronarien pendant que j'étais avec lui, annonça Mark. Quand je suis parti, ils l'avaient cloué au lit à L'HôpImp dans l'attente d'une transplantation cardiaque. Ils ont dû la faire maintenant.

– Tu étais là-bas ? (*Que lui as-tu fait ?* Miles avait l'impression qu'on venait de lui retrousser les intestins.) Il faut que je rentre !

– C'est ce que je viens de dire, fit Mark avec lassitude. Pourquoi crois-tu qu'on a tous rappliqué ici sinon pour te ramener à la maison ? Ce n'était pas pour passer des vacances gratuites dans le centre de cure de Ry Ryoval, crois-moi. Mère pense que je suis le prochain héritier des Vorkosigan. Je dois pouvoir me débrouiller avec Barrayar mais je ne pourrais sûrement pas me débrouiller avec *ça*.

C'était beaucoup trop, beaucoup trop vite. Miles s'assit pour essayer de se calmer avant de déclencher une nouvelle crise de convulsions. C'était exactement le genre de pépin physique qui lui vaudrait une interdiction médicale de reprendre son service. Il avait jusqu'ici cru que ses crises ne dureraient pas... seulement le temps de sa convalescence. Et si elles ne disparaissaient pas ? Ô Seigneur...

— Je vais prêter mon navire à Lilly, dit Mark, puisque le baron Fell les a si opportunément dépouillés de tout leur argent : ils ne peuvent pas s'offrir trente-six billets pour Escobar.

— Quel navire ? demanda Miles.

Pas un des miens... !

— Celui que Mère m'a donné. Lilly devrait pouvoir le revendre à Escobar avec un joli profit. Après avoir remboursé Mère, racheté les hypothèques sur Vorkosigan Surleau, il me restera encore pas mal d'argent de poche. J'aimerais bien avoir mon propre yacht un jour mais il me faudra un bon moment avant de pouvoir l'utiliser.

Quoi ? Quoi ? Quoi ?

— Je me disais, poursuivait Mark, que les Dendariis pourraient partir avec Lilly. Lui fournir un peu de protection en échange d'un retour rapide et gratuit à la flotte. Et ça épargnerait à la SecImp le prix de quatre billets commerciaux.

Quatre ? Miles avisa Bel qui ne disait absolument rien et qui lui rendit son regard, impassible.

— Et ainsi sortir tout le monde d'ici le plus vite possible, conclut Mark, avant que quelque chose ne tourne mal.

— Amen ! marmonna Quinn.

Rowan et Elli, sur le même navire ? Sans parler de Taura. Et si elles se mettaient à comparer leurs notes ? Et si elles se querellaient ? Ou pire : si elles passaient une sorte d'alliance pour se le partager ? *Moi, je prends ce Miles-là, moi celui-ci...* Ce n'était pas, il pouvait le jurer, qu'il avait eu tant de femmes que ça. Comparé à Ivan, il était pratiquement un moine. C'était juste qu'il était incapable de *refuser*. A long terme, cette accumulation se révélait extrêmement gênante. Il avait besoin... d'une lady Vorkosigan pour en finir avec cette situation ridicule. Mais même Elli la brave refusait de se porter volontaire pour cette charge.

– Oui, dit Miles. Ça marche. On rentre. Capitaine Quinn, prenez les dispositions avec la SecImp pour Mark et moi. Sergent Taura, vous voulez bien vous mettre à la disposition de Lilly Durona ? Plus tôt nous ficherons le camp d'ici, mieux ce sera, je suis d'accord. Et euh... Bel, voulez-vous rester un moment, s'il vous plaît ?

Quinn et Taura, saisissant ce qu'on attendait d'elles, s'esquivèrent promptement. Mark... Mark avait son mot à dire, décida Miles. De toute manière, il n'osait pas lui demander de se lever. Il avait peur de ce qui risquerait d'arriver. La petite phrase sèche à propos du centre de cure de Ry Ryoval lui triturait encore les tympans.

– Assieds-toi, Bel.

Miles désigna la chaise laissée vide par le baron Fell. Cela les placerait en triangle équilatéral, Mark, Bel et lui. Bel accepta et prit place, son casque sur le ventre, la cagoule repoussée. Miles se rappela comment il l'avait pris pour une femme cinq jours plus tôt, avant de retrouver la mémoire. Auparavant, et sans doute parce que cela l'arrangeait, il avait toujours plutôt songé à Bel comme à un homme. Etrange. Un silence gêné s'installa.

Miles déglutit et le brisa.

– Je ne peux pas te rendre le commandement de l'*Ariel*.

– Je sais, dit Bel.

– Ce serait trop mauvais pour la discipline de la flotte.

– Je sais.

– Ce n'est pas... juste. Si tu avais été malhonnête, si tu avais fermé ta gueule, si tu avais continué à faire semblant de ne pas avoir deviné l'identité de Mark, personne n'aurait rien su.

– Je sais, dit Bel qui ajouta après réflexion : Au combat, dans l'urgence, il fallait que je reprenne mon commandement. Je ne pensais pas pouvoir laisser Mark continuer à donner les ordres. Trop dangereux.

– Pour ceux qui vous avaient suivis.

– Oui. Et... j'aurais dû le savoir, fit Bel.

– Capitaine Thorne, soupira l'amiral Naismith, je dois exiger votre démission.

– Vous l'avez, monsieur.

– Merci.

Et voilà. C'était fini. Déjà. Il repassa en revue dans son esprit les quelques images éparses qui lui restaient du raid de Mark. Il lui en manquait, il en était certain. Mais il y avait eu des morts. Trop de morts qui avaient rendu cette démission irrémédiable.

– Sais-tu ce qui est arrivé à Phillipi ? Je crois qu'elle avait une bonne chance de s'en sortir, non ?

Bel et Mark échangèrent un regard. Bel répondit.

– Ça n'a pas marché pour elle.

– Oh... Je suis navré.

– La cryo-réanimation est un truc risqué, soupira Bel. On accepte les risques quand on s'engage.

Mark fronça les sourcils.

– Ça ne me paraît pas très juste. Bel perd sa carrière et moi on me laisse tranquille.

Bel contempla un long moment le corps ravagé de Mark blotti au fond du fauteuil. Il haussa lentement les sourcils.

– Que comptes-tu faire, Bel ? s'enquit Miles prudemment. Rentrer chez toi sur la Colonie Beta ? Tu en parlais souvent.

– Je ne sais pas, dit Bel. Ce n'est pas que je n'y ai pas réfléchi. Ça fait des semaines que je réfléchis. Je ne suis pas certain de pouvoir m'y intégrer désormais.

– J'ai réfléchi moi aussi, dit Miles. Il me semble que ça calmerait la parano de pas mal de gens si on ne te laissait pas te balader aux quatre coins de la galaxie avec la tête pleine d'informations secrètes à propos de Barrayar. Tu pourrais rester sur les fiches de paie d'Illyan, comme informateur... ou comme agent, pourquoi pas ?

– Je n'ai pas le talent d'Elli Quinn pour les missions infiltrées, dit Bel. J'étais un commandant de vaisseau.

– Les commandants de vaisseau se retrouvent souvent dans des endroits intéressants. Ils sont en position d'apprendre des tas de choses.

Bel pencha la tête.

– Je... vais y réfléchir sérieusement.

– J'imagine que tu n'as pas envie de traîner par ici, dans l'Ensemble de Jackson ?

Bel éclata de rire.

– Aucune chance.

– Penses-y alors, pendant le voyage jusqu'à Escobar. Quand tu auras pris ta décision, annonce-la à Quinn.

Bel acquiesça, se leva et regarda autour de lui le paisible salon de Lilly Durona.

– Je ne regrette pas vraiment, tu sais, dit-il à Mark. On a quand même réussi à tirer quatre-vingt-dix personnes de ce trou puant. On les a sauvées d'une mort certaine ou de l'esclavage. C'est pas mal pour un vieux Betan comme moi. Tu peux être sûr que je repenserai à eux quand je repenserai à tout ça.

– Merci, chuchota Mark.

Bel fixa Miles.

– Tu te souviens de notre première rencontre ?

– Oui. Je t'avais neutralisé.

– Oh que oui ! (Il contourna sa chaise, vint jusqu'à lui pour lui prendre le menton.) Reste tranquille. Ça fait des années que j'ai envie de faire ça.

Il l'embrassa, longuement et profondément. Miles songea aux apparences, à l'ambiguïté ; il pensa à la mort soudaine puis envoya ses pensées se faire foutre et rendit son baiser à Bel. Celui-ci se redressa en souriant.

Des voix flottaient dans le tube, montant vers eux.

– C'est juste là en haut, ma'ame.

Elena Bothari-Jesek apparut et balaya la pièce du regard.

– Salut, Miles, je dois parler à Mark, annonça-t-elle dans le même souffle. (Elle avait les yeux sombres et inquiets.) On peut aller quelque part ? demanda-t-elle à Mark.

– Vaudrait mieux que j'me lève pas, dit celui-ci d'une voix traînante.

– Je vois ça. Bel, Miles, sortez, s'il vous plaît, commanda-t-elle.

Perplexe, Miles se leva. Il lui adressa un regard inquisiteur. Muette, elle lui répondit de façon éloquente : *Pas maintenant. Plus tard.* Il haussa les épaules.

– Allons-y, Bel. On peut peut-être donner un coup de main à quelqu'un.

Il voulait retrouver Rowan. Mais il observa Elena et son frère jusqu'à ce que le tube l'avale. Elena tira une chaise et s'assit face à lui, ouvrant déjà les mains d'un air pressé. Mark semblait extrêmement lugubre.

Miles affecta Bel au Dr. Poppy et se rendit dans l'appartement de Rowan. Comme il l'espérait, elle s'y trouvait, faisant ses valises. Une autre jeune Durona était assise là. Il n'eut aucun mal à la reconnaître.

– Lilly junior ! Tu as réussi. Rowan !

Rowan se retourna, ravie, et se précipita sur lui pour l'embrasser.

– Miles ! Tu es bien Miles Naismith. Je l'ai toujours su. Tu as subi la cascade, n'est-ce pas ? Quand ?

Il s'éclaircit la gorge.

– Eh bien, ça s'est passé chez Bharaputra.

Le sourire de Rowan se figea quelque peu.

– Avant mon départ... Et tu ne m'as rien dit.

– Par souci de sécurité, se défendit-il.

– Tu n'avais pas confiance en moi.

C'est l'Ensemble de Jackson. Tu l'as dit toi-même.

– C'était surtout Vasa Luigi que je craignais.

– Bien sûr...

– Quand êtes-vous arrivées toutes les deux ?

– Je suis rentrée hier matin. Lilly est arrivée hier soir. C'était génial ! Je n'aurais jamais pensé que tu parviendrais à la faire libérer elle aussi !

– De la fuite de l'une dépendait la fuite de l'autre. Tu as réussi à t'évader, c'est ce qui a permis à Lilly de partir à son tour. (Il adressa un sourire éclatant à Lilly junior qui les dévisageait avec curiosité.) Je n'ai rien fait. D'ailleurs, ces derniers temps, j'ai l'impression d'être condamné à ne rien faire. Mais je continue à croire qu'il vaudrait mieux que vous quittiez la planète avant que Vasa Luigi et Lotus aient compris ce qui s'est passé.

– Nous serons tous sur orbite avant la nuit. Regarde !

Elle le conduisit à la fenêtre : la petite navette den darii avec Taura aux commandes s'élevait lourdement avec huit autres Durona à bord.

– Escobar, Miles ! s'enthousiasma Rowan. Nous allons tous sur Escobar. Ô Lilly, tu vas adorer la vie là-bas !

– Resterez-vous en groupe une fois là-bas ?

– Au début, oui, je pense. Jusqu'à ce que les autres se soient un peu habitués. A la mort de Lilly, nous serons indépendants. Le baron Fell a dû y songer. Cela fera moins de concurrence pour lui, à long terme. J'imagine que dès demain matin, il va installer les meilleurs spécialistes de Ryoval ici.

Miles arpenta la pièce et remarqua une petite commande à distance sur le fauteuil.

– Ah ! C'était toi qui détenais l'autre contrôle de la grenade thermique. J'aurais dû m'en douter. Donc, tu as écouté. Je me demandais si Mark bluffait.

– Mark n'a bluffé sur rien, affirma-t-elle avec force.

– Tu étais ici quand il est arrivé ?

– Oui. C'était un peu avant l'aube ce matin. Il a débarqué en titubant d'une vedette, avec des drôles de vêtements. Il voulait parler à Lilly.

Miles haussa les sourcils en s'imaginant la scène.

– Qu'ont dit les gardes à l'entrée ?

– Ils ont dit : *Oui, monsieur*. Il avait une aura... Je

ne sais pas trop comment dire. Sauf que... je suis certaine que dans une ruelle sombre, une bande de voyous l'éviterait. Ton clone-jumeau est un *formidable* jeune homme.

Miles cilla.

— Lilly et Chrys l'ont emmené à la clinique sur une civière flottante et je ne l'ai plus revu après ça. Puis les ordres ont commencé à pleuvoir. (Elle observa une pause.) Alors... Tu vas retourner auprès de tes Mercenaires Dendariis ?

— Oui. Enfin... pas tout de suite.

— Tu n'es pas décidé à t'arrêter, à t'installer. Malgré tout ce qui t'est arrivé.

— Je dois dire que la vue d'une arme à projectiles me met très mal à l'aise mais j'espère ne pas avoir à abandonner les Dendariis trop longtemps. Euh... à propos, ces convulsions : tu crois qu'elles vont durer longtemps ?

— Non. Elles devraient disparaître. La cryo-réanimation comporte toujours un risque. Alors... tu n'envisages pas de... prendre ta retraite. Sur Escobar, par exemple.

— On passe assez souvent sur Escobar, pour l'entretien de la flotte. Et aussi l'entretien des gens. C'est un nœud de connexion majeur dans la galaxie. Nous risquons de nous croiser à nouveau.

— Mais ce ne sera pas comme lors de notre première rencontre, fit Rowan en souriant.

— Laisse-moi te dire une chose. Si jamais j'ai encore besoin d'une cryo-réanimation, je laisserai des ordres pour que ce soit toi qui t'en charges.

Il hésita. *J'ai besoin d'une lady Vorkosigan pour mettre un terme à ce vagabondage...* Rowan pouvait-elle être celle-là ? Trente-cinq belles-sœurs et beaux-frères constitueraient un handicap lointain s'ils restaient sur Escobar.

— Est-ce que ça te dirait de vivre et de travailler sur la planète Barrayar ? demanda-t-il avec précaution.

Son nez frémit.

– Quoi ? Ce trou perdu ?

– J'y... possède quelques intérêts. En fait, c'est là que j'ai l'intention de me retirer. C'est une très belle planète, vraiment. Et sous-peuplée. Ils encouragent, hum... les enfants. (C'était un jeu dangereux : un peu plus et il perdait sa couverture. Il révélait cette identité pour laquelle il avait tant souffert ces derniers temps.) Et puis, il y aurait beaucoup de boulot pour un médecin galactique.

– Je veux bien le croire. Mais j'ai été une esclave toute ma vie. Pourquoi choisirais-je d'être un sujet alors que je peux être une *citoyenne* ? (Elle grimaça un sourire et l'enlaça.) Ces cinq jours pendant lesquels nous étions enfermés chez Vasa Luigi... ce n'était pas que l'effet de l'emprisonnement ? Tu es vraiment comme *ça*, quand tu es toi-même ?

– Plus ou moins, admit-il.

– Commander des milliers d'hommes suffit à peine à absorber ton énergie, n'est-ce pas ?

– Oui, soupira-t-il.

– Je pense que je t'aimerai toujours, d'une certaine façon. Mais vivre à plein temps avec toi me rendrait folle. Tu es l'être le plus incroyablement dominateur que j'aie jamais rencontré.

– Tu es censée ne pas te laisser faire. Je compte sur... (Il ne pouvait dire *Elli* ou pire *mes femmes*)... ma partenaire pour me résister. Sinon, je ne pourrais pas me détendre et être moi-même.

Exact. Une trop grande intimité avait détruit leur amour ou plutôt les illusions de Rowan. Le système barrayaran qui consistait à utiliser des intermédiaires pour arranger les mariages lui paraissait chaque jour plus judicieux. Peut-être valait-il mieux s'épouser d'abord pour ensuite essayer de mieux se connaître. Quand son épouse aurait enfin compris à qui elle avait affaire, il serait trop tard pour reculer. Il soupira, sourit et effectua une profonde révérence devant Rowan.

– Je serai très heureux de vous rendre visite sur Escobar, milady.

– J'aurai ainsi la formidable chance de vous rendre heureux, monsieur, rétorqua-t-elle du tac au tac.

– Ah !

Bon sang, elle aurait pu être la seule et unique, elle se sous-estimait...

Lilly junior, assise sur le divan, observait tout cela avec une réelle fascination. Miles l'aperçut du coin de l'œil et repensa à son récit de son bref passage parmi les Dendariis.

– Mark sait-il que tu es ici, Lilly ?

– Je ne sais pas. Je suis restée avec Rowan.

– La dernière fois qu'il t'a vue, tu retournais auprès de Vasa Luigi. Je... crois qu'il aimerait savoir que tu as changé d'avis.

– Il a essayé de me convaincre de rester sur le navire. Il ne parlait pas aussi bien que vous.

– C'est grâce à lui que tout ceci est arrivé. C'est lui qui t'a offert ton billet pour sortir d'ici. (Et Miles n'avait pas trop envie de penser au prix de ce billet.) Je n'ai fait que le suivre. Viens. Au moins pour lui dire bonjour, au revoir et merci. Ça ne te coûtera rien et je pense que ça peut être très important pour lui.

A regret, elle se leva et l'autorisa à l'emmener dehors. Rowan hocha la tête en signe d'approbation et retourna à ses valises.

31

– Les as-tu trouvés ? demanda lord Mark.

– Oui, répondit Bothari-Jesek avec raideur.

– Et détruits ?

– Oui.

Mark rougit et laissa retomber sa tête en arrière sur le dossier de Lilly. La pesanteur lui paraissait soudain particulièrement forte.

– Tu les as regardés. Je te l'avais défendu.

– Il le fallait, pour être certaine que c'étaient les bons.

– Non. Tu aurais pu tous les détruire.

– C'est ce que j'ai fait finalement. J'ai commencé à regarder. Puis j'ai coupé le son. Puis je les ai passés à allure rapide. Puis j'ai juste vérifié de temps en temps.

– J'aurais souhaité que tu ne le fasses pas.

– Moi aussi. Mark, il y avait des centaines d'heures d'enregistrement. Je n'arrivais pas à croire qu'il y en ait autant.

– En fait, ça a duré à peine cinquante heures. Cinquante heures... ou cinquante ans. Mais ils faisaient à chaque fois plusieurs enregistrements simultanés. Il y avait toujours plusieurs holocams qui planaient autour de moi. J'ignore si Ryoval faisait ça pour m'étudier et m'analyser ou simplement par plaisir. Un peu des deux, j'imagine. Ses capacités d'analyse étaient étonnantes.

– Je... je n'ai pas compris certaines choses que j'ai vues.

– Tu veux que je te les explique ?

– Non.

– Tant mieux.

– Je comprends pourquoi tu souhaitais qu'ils soient détruits. Pris hors de leur contexte, ces enregistrements pourraient servir à un terrible chantage. Si tu le veux, je suis prête à te faire le serment de ne jamais rien dire.

– Ce n'est pas le problème. Je n'ai pas l'intention de garder ça secret. Personne n'aura plus jamais barre sur moi. Ni ne pourra utiliser quoi que ce soit contre moi. Tu peux raconter ça à toute la galaxie, si ça te chante. Mais... si la SecImp avait mis la main sur ces enregistrements, ils auraient fini entre les mains d'Illyan. Et il n'aurait pas pu les cacher au comte, ou à la comtesse, même si je sais qu'il aurait essayé. Ou à Miles. Tu imagines le comte, la comtesse ou Miles regardant cette merde ?

Les dents serrées, elle respira péniblement.

– Je commence à comprendre.

– Penses-y. Moi je l'ai fait.

– Le lieutenant Iverson était furieux quand il a découvert toutes les disquettes fondues. Il va porter plainte par le canal autorisé.

– Qu'il porte plainte. Si la SecImp envisage de me poursuivre, j'ai moi aussi quelques plaintes à faire valoir contre elle. Comme, par exemple, qu'a-t-elle fabriqué pendant ces cinq jours ? Et je n'aurai aucune pitié à l'égard de personne. Qu'ils s'en prennent à moi et on verra...

Il acheva sa pensée dans des imprécations inintelligibles.

Le visage de Bothari-Jesek avait viré au vert jaunâtre.

– Je... suis vraiment désolée, Mark.

Avec une gêne infinie, elle lui toucha la main.

Il lui saisit le poignet et serra très fort. Ses narines frémirent mais elle ne grimaça pas. Il essaya de se redresser.

– Je t'interdis d'avoir *pitié* de moi. J'ai *gagné*. Si tu as envie de plaindre quelqu'un, plains le baron Ryoval. Je l'ai pris. Je l'ai sucé. Je l'ai battu à son propre jeu, sur son propre terrain. Je ne te laisserai pas transformer ma victoire en défaite pour la simple raison que tu as des... *sentiments*. (Il la lâcha. Elle se massa le poignet en le dévisageant.) C'est ça, le truc. Je pourrai me débrouiller avec Ryoval si on me laisse tranquille. Mais s'ils en savent trop – s'ils avaient vu ces maudits enregistrements – ils ne seront jamais capables de me laisser tranquille. Par remords, ils n'auraient jamais cessé d'y penser. Et ils m'auraient obligé à y repenser. Je ne veux pas avoir à combattre Ry Ryoval dans ma tête, ou dans la leur, pour le restant de ma vie. Il est mort, pas moi. Ça me suffit. (Une pause. Puis il ricana.) Et tu dois admettre que ce serait particulièrement moche pour Miles.

– Oh oui, approuva Bothari-Jesek dans un souffle.

Dehors, la navette dendarii avec Taura aux commandes s'élevait avec son premier chargement de

Durona. *Il s'interrompit pour la regarder. Oui. Partez, partez, partez. Sortons de ce trou, vous, moi, tous les clones. A jamais. Soyons humains, si vous le pouvez, si je le peux.*

Bothari-Jesek le regardait toujours.

– Ils insisteront pour que tu passes une visite médicale.

– Oui, et ils découvriront certaines choses. Je ne peux dissimuler les traces de coups et encore moins l'alimentation forcée. C'était bouffon, hein ?

Elle déglutit et opina.

– Je me suis dit que tu allais... oh, peu importe.

– Exactement. Je t'avais dit de ne pas regarder. Mais plus tard j'irai voir un docteur compétent, plus il me sera facile de rester dans le vague à propos du reste.

– Il faut quand même qu'on te soigne.

– Lilly Durona a fait un excellent boulot. Et, à ma demande, elle n'en a gardé aucune trace sinon dans sa tête. Ses souvenirs ne devraient pas m'empêcher de dormir.

– N'essaye pas de faire l'impasse là-dessus, conseilla Bothari-Jesek. Même si personne d'autre ne se rend compte, tu peux être sûr que la comtesse comprendra. Et puis, tu as sûrement besoin de... d'une aide. Je ne veux pas dire *physiquement*.

– Ô Elena... S'il y a bien une chose que j'ai comprise au cours de ces derniers jours, c'est à quel point je suis tordu. La pire chose que j'ai rencontrée dans la cellule de Ryoval, c'était le monstre dans le miroir. Le miroir psychique de Ryoval. Mon petit monstre à moi, l'hydre à quatre têtes. Qui a prouvé qu'il était bien pire que Ryoval lui-même. Plus fort. Plus rapide. Plus malin. (Il se mordit la langue, conscient qu'il commençait à en dire trop, qu'il paraissait au bord de la démence. Il ne pensait pas être au bord de la démence. Il pensait exactement le contraire : qu'il était au bord de la raison. Il avait simplement dû accomplir un grand détour pour en arriver là. Un long et dur détour.) Je sais ce que je fais. Quelque part, je sais exactement ce que je fais.

– Dans certains enregistrements, on aurait dit que tu jouais avec Ryoval. Comme si tu faisais semblant d'être un autre. Tu parlais tout seul...

– Je n'aurais pas pu tromper Ryoval en faisant semblant de quoi que ce soit. Ce type a tripatouillé les cerveaux des gens pendant des décennies. Mais ma personnalité ne s'est pas vraiment dédoublée. Elle était plutôt comme... inversée. (Comment parler d'une double personnalité à propos d'un phénomène qui était si profondément lui-même ?) Ce n'était pas quelque chose que j'ai décidé de faire. C'était simplement quelque chose que j'ai *fait*.

Elle le dévisageait avec une extrême inquiétude. Il éclata de rire. Mais sa bonne humeur n'était pas aussi rassurante pour elle qu'il le désirait.

– Tu dois comprendre, reprit-il. Parfois, la folie n'est pas une tragédie. Parfois, c'est une stratégie pour survivre. Parfois... c'est un triomphe. (Il hésita.) Sais-tu ce qu'est une bande noire ?

Elle secoua la tête.

– J'ai trouvé ça dans un musée de Londres. Autrefois sur Terre, au dix-neuvième et au vingtième siècle, ils utilisaient des navires qui flottaient et voguaient sur les océans. Ils étaient propulsés par des moteurs à vapeur. La chaleur pour ces moteurs était produite par des feux de charbon dans le ventre de ces navires. Et il fallait que des pauvres types soient enfermés dans la cale pour enfourner le charbon dans les chaudières. Ils étaient là-dedans, dans la puanteur, la sueur, la chaleur et la crasse. Le charbon les noircissait tant qu'on les appelait les bandes noires. Et les officiers et les jolies dames au-dessus d'eux n'avaient rien à faire avec ces pauvres tarés. Mais, sans eux, rien ne bougeait. Rien ne vivait. Pas de vapeur. La bande noire. Des héros oubliés. Des types laids et misérables.

Bon, si elle avait eu des doutes jusqu'à présent, maintenant elle devait être certaine qu'il était cinglé.

548

Ce n'était probablement pas une bonne idée de lui faire le panégyrique de sa bande noire, de lui chanter la féroce loyauté qu'il éprouvait à leur égard. *Ouais, et personne ne m'aime*, geignit Bouffe. *Tu ferais bien de t'y habituer.*

Il sourit.

– Peu importe, reprit-il. Mais, crois-moi, Galen me semble très... petit après Ryoval. Et Ryoval, *je l'ai battu*. C'est bizarre, mais je me sens très libre maintenant. Et j'ai bien l'intention que ça dure.

– Tu me parais plutôt – excuse-moi – un peu cyclothymique, Mark. Chez Miles, c'est assez normal. Disons qu'on en a l'habitude. Après ses périodes d'exaltation, il y a toujours des moments de déprime, pour ne pas dire de dépression. Tu devrais faire attention : sur ce plan-là, tu lui ressembles peut-être.

– En fait, tu me dis qu'il a des hauts et des bas ?

Elle ne put retenir un petit rire.

– Oui.

– Je ferai attention pendant les bas.

– Hum, oui. Mais, pour les autres, c'est surtout pendant ses hauts qu'il vaut mieux se planquer.

– J'ai aussi pris pas mal d'analgésiques et de stimulants. Il fallait ça pour tenir ces deux dernières heures. J'ai peur que leur effet ne soit en train de se dissiper.

Excellent. Voilà qui expliquait son babillage et avait l'avantage d'être vrai.

– Tu veux que j'aille chercher Lilly Durona ?

– Non. Je veux juste rester assis ici. Sans bouger.

– Bonne idée.

Son casque à la main, elle se leva.

– Mais, maintenant, je sais ce que je veux être quand je serai grand, dit-il soudainement.

Elle s'arrêta, les sourcils froncés.

– Je veux être un analyste de la SecImp. Un civil. Quelqu'un qui n'envoie pas les gens au mauvais endroit ou avec cinq jours de retard. Ou mal préparés. Je veux rester assis toute la journée dans un bureau, entouré par une forteresse et comprendre tout ça.

Il attendit les sarcasmes.

Au lieu de cela, à sa grande surprise, elle hocha la tête avec le plus grand sérieux.

– Parlant au nom de ceux que la SecImp expédie un peu partout, j'en serai ravie.

Elle lui fit un vague salut et tourna les talons. Il se posa des questions à propos de ce qu'il avait vu dans ses yeux avant qu'elle ne disparaisse dans le tube. Ce n'était pas de l'amour. Ce n'était pas de la crainte. *Oh. Ainsi voilà à quoi ça ressemble, le respect. Oh. C'est pas désagréable.*

Comme il l'avait dit à Elena, Mark resta simplement assis là, à regarder par la fenêtre. Il faudrait bien que, tôt ou tard, il se décide à bouger. Il pourrait peut-être utiliser son pied cassé comme excuse pour se faire transporter en fauteuil flottant. Lilly lui avait promis six heures de cohérence grâce à ses stimulants. Après quoi, il devrait payer la facture métabolique. Elle ne lui avait pas dit sous quelle forme. Il pria le Ciel pour que cela n'arrive pas avant qu'il soit en sécurité dans la navette de la SecImp. *Ô mon frère. Ramène-moi à la maison.*

Des voix résonnèrent dans le tube. Miles apparut, flanqué d'une Durona. Il était squelettique et pâle comme un fantôme dans son costume gris. Ils semblaient tous les deux être sur les deux plateaux d'une balance organique. Si, par magie, il pouvait transférer dans Miles quelques-uns des kilos que Ryoval l'avait forcé à prendre, ils auraient tous les deux bien meilleure allure. S'il continuait à grossir, il était certain que Miles continuerait à maigrir. Jusqu'à quand ? Jusqu'à disparaître ? Déplorable vision. *Ce sont les drogues, mon garçon, ce sont les drogues.*

– Ah, fit Miles. Elena m'avait dit que tu étais toujours ici. (Avec un geste de prestidigitateur fier de son tour, il présenta la jeune femme qui l'accompagnait.) Tu la reconnais ?

– C'est une Durona, Miles, fit Mark d'une voix lasse

et gentille. Je les vois même dans mes rêves. (Il s'interrompit.) Y a un truc ?

Puis il sursauta, choqué. On *pouvait* reconnaître
des clones, les différencier.

– C'est... *elle* ?!

– Exactement, sourit Miles, satisfait. On l'a sortie
de chez les Bharaputra, Rowan et moi. Elle va partir
pour Escobar avec ses frères et sœurs.

Mark se détendit.

– Ah ! Ah... Oh... Bien. (Hésitant, il se frotta le
front. *Enlève ton doigt de là, Vasa Luigi !*) Je ne pensais pas que tu avais envie de sauver des clones, Miles.

Touché, Miles grimaça.

– Tu m'as inspiré.

Il était clair pour Miles qu'il avait emmené cette
fille ici pour lui faire plaisir. Ce qui était un peu moins
clair pour Miles, mais pas pour Mark qui lisait en lui
comme dans du cristal, c'est qu'il y avait là un élément de subtile rivalité. Pour la première fois de sa
vie, Miles sentait sur sa nuque le souffle chaud d'un
frère concurrent. *Je te mets mal à l'aise ? Ha ! Va falloir t'y habituer, mon gars. Ça fait vingt-deux ans que
je vis avec.* Quand Miles parlait de Mark, il disait
« mon frère » comme il aurait pu dire « mes bottes »
ou peut-être « mon cheval ». Ou – il pouvait bien lui
accorder ça – « mon enfant ». C'était une sorte de
paternalisme voilé. Miles ne s'attendait pas à se
retrouver face à son égal, quelqu'un d'indépendant.
Soudain, Mark découvrit qu'il possédait un délicieux
nouveau passe-temps, quelque chose qui allait l'amuser pendant des années. *Seigneur, qu'est-ce que je vais
me marrer à être ton frère !*

– Oui, dit-il avec bonne humeur, tu pouvais le faire
toi aussi. Je savais que tu pourrais y arriver si seulement tu t'en donnais la peine.

Il rit. Il essaya. A son grand désarroi, son rire se
transforma en hoquet dans sa gorge. Il faillit s'étouffer. Il n'osa plus exprimer la moindre émotion.

– Je suis très content, constata-t-il, aussi neutre
qu'un hublot.

Miles, qui n'avait rien perdu de cette petite scène, hocha la tête.

– Bien, fit-il tout aussi neutre.

Les deux garçons se retournèrent vers la fille. Mal à l'aise sous le poids de leurs deux regards, elle gigota sur place puis rejeta ses cheveux en arrière et marmonna :

– Quand je vous ai vu la première fois, dit-elle à Mark, vous ne m'avez pas trop plu.

Quand tu m'as vu la première fois, je ne me plaisais pas beaucoup non plus.

– Oui ? l'encouragea-t-il.

– Je trouve que vous êtes bizarre. Encore plus bizarre que l'autre (elle hocha le menton vers Miles qui sourit benoîtement), mais... mais...

Les mots lui manquèrent. Avec la prudence et la méfiance d'un oiseau sauvage à qui on offre des graines, elle s'aventura près de lui. Puis elle embrassa sa joue rebondie. Enfin, toujours comme un oiseau, elle s'envola.

– Hum, fit Miles en la voyant plonger dans le tube, j'avais espéré un peu plus d'enthousiasme.

– Tu apprendras, dit Mark, charitable.

Il se toucha la joue et sourit.

– A propos d'ingratitude, tu as pensé à la SecImp, remarqua Miles, maussade. Combien d'équipement as-tu perdu ?

Mark haussa un sourcil.

– Tu cites Illyan ?

– Oh... tu l'as rencontré ?

– Oh, oui.

– J'aurais aimé être là.

– Moi aussi, j'aurais aimé que tu sois là, fit Mark, sincère. Il était... acerbe.

– Je veux bien le croire. Il fait ça mieux que personne, à part ma mère quand elle se met en colère, ce qui, Dieu merci, lui arrive rarement.

– Alors, tu aurais dû la voir le pulvériser, dit Mark. Le choc des titans. Je crois que tu aurais aimé ça. Moi ça m'a plu.

– Hein ? J'ai l'impression qu'on a beaucoup de choses à se dire...

Pour la première fois, comprit soudain Mark, c'était vrai. Son cœur s'éleva. Malheureusement quelqu'un d'autre s'élevait aussi dans le tube : un homme portant la livrée de la maison Fell. Il salua.

– J'ai un courrier à remettre à un dénommé Mark.

– Je suis Mark.

L'homme s'approcha et le balaya avec un scanner d'identification. Ouvrant un étui fin enchaîné à son poignet, il lui tendit une carte.

– Avec les compliments du baron Fell, monsieur. Il espère que ceci aidera à accélérer votre départ.

L'argent. Ah, ah ! Accompagné d'un message éloquent.

– Mes compliments au baron Fell et... et... que désirons-nous dire au baron Fell, Miles ?

– *Merci* suffira, conseilla Miles. Au moins, jusqu'à ce que nous soyons loin, très loin.

– Remerciez-le donc, dit Mark au courrier qui hocha la tête et disparut comme il était apparu.

Mark jeta un coup d'œil vers la comconsole de Lilly. Elle semblait à des kilomètres de lui. Il tendit la main.

– Tu pourrais me passer le lecteur portable, Miles ?

– Bien sûr.

Il lui apporta l'engin.

– Je prédis, fit Mark, qu'il m'a copieusement arnaqué. Mais je ne crois pas que j'irai chez lui en discuter. (Il inséra la carte dans le lecteur et sourit.) Non, j'irai pas.

– Combien as-tu eu ? demanda Miles en se tordant le cou.

– Voilà une question très personnelle, dit Mark. (Pris de remords, Miles cessa d'essayer de lire par-dessus son épaule.) Je te propose un échange. As-tu couché avec ce médecin ?

Miles se mordit la lèvre, visiblement partagé entre sa curiosité et ses bonnes manières. Mark l'observa avec intérêt, se demandant ce qui allait prendre le dessus. Il était prêt à parier sur la curiosité.

Miles respira un bon coup.

– Oui, dit-il enfin.

C'est bien ce que je pensais. Leur bonne fortune, se dit Mark, était partagée équitablement. A Miles, le bon temps ; à lui, le reste. Mais pas cette fois.

– Deux millions.

Miles siffla.

– Deux millions de marks impériaux ? Impressionnant !

– Non. Deux millions de dollars betans. Ce qui fait quoi ? A peu près huit millions de marks ? Non, plutôt dix. Ça dépendra du taux de change. De toute manière, c'est loin de représenter dix pour cent de la valeur de la maison Ryoval. Disons deux pour cent, calcula Mark à haute voix.

Et il eut ainsi le rare et délicieux privilège de rendre Miles Vorkosigan muet.

– Que vas-tu faire de tout ça ? demanda Miles après une bonne minute.

– Investir, déclara Mark avec férocité. Barrayar possède une économie en pleine croissance, non ? (Il réfléchit.) Mais, d'abord, je vais redonner un million à la SecImp, pour ses services rendus depuis quatre mois.

– Personne ne *donne* de l'argent à la SecImp !

– Pourquoi pas ? Considère tes opérations de mercenaires, par exemple. Les mercenaires ne sont-ils pas censés gagner de l'argent ? La Flotte Dendarii pourrait être une source de revenus appréciable pour la SecImp si elle était correctement gérée.

– Ils tirent leur profit des conséquences politiques, dit Miles avec fermeté. Cela dit... si tu comptes vraiment faire ça, je veux être présent. Pour voir la tête d'Illyan.

– Si tu es gentil, je t'autoriserai à venir. Mais je vais le faire, crois-moi. Il y a quelques dettes que je ne pourrai jamais rembourser. (Il pensait à Phillipi et aux autres.) J'ai bien l'intention de payer celles qui sont à ma portée. Quant au reste, je le garderai. Je devrais être capable de doubler ce capital en six ans. Et, à partir de là, recommencer où j'en suis maintenant. Ou mieux. Il est plus facile de gagner un million avec deux que d'en faire deux avec un. Si tu sais y faire. Et j'ai bien l'intention d'apprendre.

Miles le contemplait, fasciné.

– Je n'en doute pas.

– As-tu une idée du désespoir dans lequel j'étais en commençant ce raid ? De ma peur ? J'ai bien l'intention désormais d'avoir une valeur que nul ne pourra ignorer, même si elle se mesure par de l'argent. L'argent est un pouvoir que presque n'importe qui peut acquérir. Tu n'as pas besoin d'avoir un Vor devant ton nom. (Il sourit faiblement.) Peut-être, dans quelque temps, j'aurai un endroit à moi. Comme Ivan. Après tout, ça paraîtrait curieux si je vivais encore chez mes parents à... vingt-huit ans.

Bon, il avait suffisamment provoqué son frère pour aujourd'hui. Miles serait – et il l'avait déjà prouvé – prêt à donner sa vie pour lui mais il possédait aussi une fameuse tendance à considérer les gens autour de lui comme de simples extensions de sa personnalité. *Je ne suis pas ton annexe. Je suis ton frère.* Oui. Mark était prêt à parier que ni l'un ni l'autre n'oublierait ce simple fait désormais. Il s'enfonça dans son siège, épuisé mais satisfait.

– J'ai bien l'impression, fit Miles, encore passablement stupéfait, que tu es le premier Vorkosigan depuis cinq générations à tirer un bénéfice d'une mission. Bienvenue dans la famille.

Mark hocha la tête. Ils restèrent silencieux un moment.

– Ce n'est pas la réponse, déclara finalement Mark. (Il désigna d'un geste vague la clinique du Groupe Durona et, au-delà, l'Ensemble de Jackson.) Ce sauvetage ponctuel et sommaire des clones. Même si j'avais fait sauter toute la maison Bharaputra, quelqu'un aurait pris la place laissée vacante.

– Oui, approuva Miles. La vraie réponse doit être

médico-technique. Il faudra que quelqu'un trouve un meilleur moyen d'allonger la vie. Et je crois que ce quelqu'un existera. Beaucoup de gens travaillent là-dessus, dans beaucoup d'endroits. La transplantation de cerveau comporte trop de risques pour être vraiment compétitive. Elle s'achèvera un jour.

– Je... n'ai aucun talent dans le domaine scientifique, dit Mark. Et pendant ce temps-là, la boucherie continue. Il faudra que je trouve une autre solution... un jour.

– Mais pas aujourd'hui, dit fermement Miles.

– Non.

Par la fenêtre, il vit une autre navette se poser dans l'enceinte des Durona. Ce n'était pas la navette pilotée par Taura.

– C'est pour nous ? demanda-t-il.

Miles alla à la fenêtre regarder dans la cour.

– Oui.

Ils n'eurent dès lors plus un instant à perdre. Mettant à profit l'absence de Miles, parti vérifier leur transport, Mark rassembla une demi-douzaine de Durona autour de lui pour l'aider à transférer son corps raide, pitoyable et à demi paralysé sur une civière flottante. Ses mains crochues tremblaient de façon incontrôlable. Il fallut que Lilly, les lèvres pincées, lui donne une nouvelle hypo d'un produit merveilleux. Il fut tout à fait heureux d'être transporté à l'horizontale. Son pied cassé lui donnait une excuse parfaitement valable pour ne pas marcher. Ce fut un invalide que les types de la SecImp vinrent chercher pour l'emmener dans sa cabine. Un invalide heureux.

Pour la première fois de sa vie, il rentrait chez lui.

32

Miles jeta un coup d'œil au vieux miroir dans l'anti-chambre de la bibliothèque de la résidence Vorkosi-gan. Cet antique objet faisait partie de la dot de la mère du général comte Piotr : son cadre sculpté com-portait quelques insignes de la famille Vorrutyer. Il était seul dans la pièce. Personne ne l'observait. Il se glissa devant la glace et examina, mal à l'aise, son propre reflet.

La tunique écarlate de la tenue impériale de parade bleu et rouge n'atténuait en rien sa pâleur. Il aurait préféré l'élégance plus austère du vert des uniformes de service. Malheureusement, le haut col doré n'était pas assez haut pour dissimuler les deux cicatrices jumelles sur chaque côté de son cou. Elles étaient encore très rouges. Elles finiraient bien par blanchir et même peut-être par disparaître mais, en attendant, elles attiraient le regard. Comment les expliquer ? *Un duel. J'ai perdu.* Ou alors, *des morsures d'amour.* C'était plus proche de la vérité. Il les frôla du bout des doigts, se tordant la tête d'un côté et de l'autre. A la différence de l'explosion de la grenade, il ne se souvenait pas d'avoir reçu ces deux blessures. Ce qui le troublait bien davantage que la vision de sa propre mort.

Bon, ses problèmes médicaux étaient connus et ces deux cicatrices étaient presque assez nettes pour paraître chirurgicales. Il recula d'un pas pour avoir un aperçu plus général. L'uniforme avait encore ten-dance à pendre autour de lui malgré les vaillants efforts de sa mère pour le faire manger un peu plus depuis quelques semaines. Finalement, elle avait confié ce problème à Mark comme si elle s'en remet-tait à un véritable expert. Mark avait doucement rigolé puis il s'était mis à harceler Miles sans pitié. Bon, ça avait fonctionné. Miles se sentait mieux. Plus fort.

Le Bal de la Fête de l'Hiver était un événement plus mondain qu'officiel. Il pouvait donc s'y rendre sans son épée de cérémonie. Ivan aurait la sienne mais Ivan avait la taille adéquate. A la hauteur de Miles, la longue épée traînait par terre et lui donnait un air idiot. Sans parler des danses où il n'arrêtait pas de flanquer des coups dans les tibias de ses partenaires.

Des pas résonnèrent dans le couloir. Miles se détourna vivement et se percha sur un bras de fauteuil, une jambe négligemment pendante dans le vide. Il n'avait aucune envie d'étaler son narcissisme.

– Ah, tu es là.

Mark le rejoignit. Il s'arrêta brièvement devant le miroir pour une rapide inspection. Ses vêtements lui allaient à merveille. Mark avait obtenu le nom du tailleur personnel de Gregor, un secret jalousement gardé par la SecImp. Comment ? En le demandant tout simplement à Gregor. La coupe ample de la veste et du pantalon était immanquablement civile et pourtant sévère. Les couleurs honoraient l'hiver : un vert sombre qui tirait vers le noir brodé de rouge lui aussi presque noir. Le résultat final hésitait entre le sinistre et le festif comme une petite bombe décorée.

Miles repensa à ce moment très étrange dans la vedette de Rowan où, pendant un bref instant, il avait été convaincu d'être Mark. Comme cela avait été terrifiant d'être Mark ! Quelle incroyable solitude ! Le souvenir de cette désolation le fit frissonner. *C'est cela qu'il ressent en permanence ?*

Eh bien, plus maintenant. Pas si je peux faire quelque chose.

– Ça a l'air pas mal, dit-il.

– Ouais. (Mark sourit.) Tu n'es pas trop mal non plus. Tu es moins cadavérique.

– Toi aussi, tu t'améliores. Lentement.

En fait, Mark était vraiment pas mal, se dit Miles. Les distorsions les plus alarmantes que Ryoval lui avait infligées – et dont il refusait résolument de parler – avaient progressivement disparu. Il lui restait toutefois un solide résidu charnel.

– Quel poids vas-tu finalement choisir ? s'enquit Miles, curieux.

– Tu l'as sous les yeux. Sinon, je n'aurais pas investi une fortune dans cette garde-robe.

– Euh... tu te sens à l'aise ?

Les yeux de Mark étincelèrent.

– Oui, merci. L'idée qu'un sniper posté à deux kilomètres ne pourrait pas me prendre pour toi est très réconfortante.

– Oh... Oui. Il y a ça. J'imagine...

– Continue à faire de l'exercice, lui conseilla cordialement Mark. C'est bon pour toi.

La voix de la comtesse dans le couloir les interrompit.

– Mark ? Miles ?

– On est là, dit Miles.

Elle pénétra dans la pièce.

– Ah, vous voilà, tous les deux.

Elle leur sourit avec une maternelle voracité, apparemment très satisfaite. Miles éprouva, malgré lui, une sensation de chaleur, comme si un dernier glaçon oublié lors de la décryogénisation fondait en lui. La comtesse portait une nouvelle robe, plus sophistiquée qu'à l'ordinaire, vert et argent avec des tas de machins et une traîne. Mais ça ne la raidissait pas. Loin de là. La comtesse n'était jamais intimidée par ses vêtements. C'était plutôt le contraire. Ses yeux avaient plus d'éclat que ses broderies argentées.

– Père nous attend ? demanda Miles.

– Il ne va pas tarder à descendre. Je tiens à ce que nous partions à minuit au plus tard. Mais ceci ne vaut pas pour vous deux, bien sûr. Il va trop en faire, j'en suis sûre. Histoire de prouver aux hyènes qu'il est encore trop coriace pour qu'elles lui sautent dessus. Même s'il n'y a pas plus de hyènes. Certains réflexes sont difficiles à perdre. Miles, essaye de concentrer son attention sur le district. Ce pauvre Racozy est Premier ministre maintenant. Il vaut mieux qu'il ne sente pas le souffle d'Aral sur son épaule. Il faut vraiment que nous quittions la capitale, que nous retournions à Hassadar, dès la fin de la Fête.

Miles, qui avait une idée très précise du temps

nécessaire pour se remettre d'une opération à cœur ouvert, acquiesça.

– Je pense que tu parviendras à le convaincre.

– S'il te plaît, ajoute ta voix à la mienne. Je sais qu'il ne peut pas te tromper et il le sait aussi. A quoi dois-je m'attendre de sa part ce soir, selon toi ?

– Il dansera deux fois. La première pour prouver qu'il en est capable et la deuxième pour prouver que la première n'était pas que de la frime. Après ça, tu ne devrais pas avoir trop de mal à le persuader de s'asseoir, prédit Miles avec confiance. Joue les mères couveuses avec lui et il s'arrêtera en prétendant que c'est uniquement pour te faire plaisir et pas parce qu'il est sur le point de s'évanouir. Hassadar me semble une très bonne idée.

– Oui. Barrayar ne sait pas trop quoi faire avec ses *retraités* vivants. Traditionnellement, ils sont décemment morts. Ils ne traînent pas dans le coin à balancer des commentaires sur leurs successeurs. Aral est une première. Même si Gregor a eu une inspiration parfaitement horrible.

– Laquelle ?

– Il a marmonné quelque chose à propos de la vice-royauté de Sergyar. D'après lui, une fois rétabli, Aral sera parfait pour ça. L'actuel vice-roi supplie qu'on le laisse rentrer à ce qu'il paraît. Je ne connais pas de tâche plus ingrate. Un homme honnête s'y ferait broyer à se retrouver coincé entre deux groupes d'intérêts divergents : d'une part, le gouvernement de sa planète natale, de l'autre, les colonisés. Tout ce que tu pourras entreprendre pour faire changer Gregor d'avis là-dessus sera le bienvenu.

Pensif, Miles haussa les sourcils.

– Oh, je ne sais pas. Je veux dire... quelle retraite ! Toute une planète pour jouer avec Sergyar. Et n'est-ce pas toi qui l'as découverte quand tu étais capitaine de Surveillance Astronomique pour Beta ?

– Oui. Si l'expédition militaire barrayarane ne nous avait pas devancés, Sergyar serait une colonie-fille de Beta à présent. Et elle serait bien mieux administrée, crois-moi. Cette planète a vraiment besoin d'être prise en main. Rien que les problèmes écologiques sont à pleurer. Une petite injection d'intelligence ne serait pas de trop... Prends, par exemple, cette peste du ver. Une légère prudence à la manière betane aurait pu... Bah, ils finiront bien par s'en sortir, j'imagine.

Miles et Mark échangèrent un regard. Ce n'était pas de la télépathie. Mais l'idée qu'Aral n'était pas le seul expert vieillissant mais débordant d'énergie que Gregor aurait été heureux d'exporter les traversa tous les deux.

Les traits de Mark s'affaissèrent.

— Et c'est prévu pour quand, ma'ame ?

— Oh, pas avant un an.

— Ah, fit Mark, soulagé.

Pym apparut.

— Nous sommes prêts, milady.

La petite horde traversa le hall dallé de noir et de blanc pour trouver le comte au pied de l'escalier. Il observa les siens approcher avec délices. Suite à ses déboires médicaux, il avait perdu du poids mais cela n'avait fait qu'aiguiser ses traits. En uniforme rouge et bleu, il était impeccable et portait sa longue épée avec une aisance inconsciente. Dans trois heures, se dit Miles, il risquait de s'écrouler mais, entre-temps, il aurait produit une forte impression sur tous les observateurs. Son nouveau cœur lui convenait parfaitement. Son teint était excellent, son regard plus aigu que jamais. Mais il n'y avait plus un seul fil brun dans sa chevelure. En dehors de cela, on aurait vraiment pu le croire immortel.

Sauf que Miles ne croyait plus une telle ineptie. Rétroactivement, ce problème cardiaque l'avait terrifié. Non parce que son père devait mourir un jour, peut-être même avant lui – tel était l'ordre naturel des choses et Miles ne souhaitait pas au comte de connaître l'inverse –, mais qu'il puisse ne pas être présent quand cela se produirait. Lorsqu'on aurait besoin de lui. Il pourrait très bien se trouver à l'autre bout de l'univers avec les Mercenaires Dendariis et apprendre la nouvelle des semaines plus tard. *Trop tard.*

Etant tous deux en uniforme, le lieutenant salua l'amiral avec l'ironie habituelle qu'ils adoptaient pour les courtoisies militaires. Miles aurait préféré l'embrasser mais cela aurait paru bizarre.

Au diable les apparences. Il combla la distance qui les séparait et prit son père dans ses bras.

– Hé, mon garçon, hé, dit le comte, surpris mais content. Je ne vais pas si mal.

Il étreignit Miles à son tour. Puis il s'écarta pour tous les regarder : son élégante épouse et ses – oui, *ses* deux – fils. Souriant avec la béatitude d'un milliardiare dans sa chambre forte, il ouvrit les bras comme pour tous les y accueillir. Ce fut un geste très bref et presque timide.

– Les Vorkosigan sont-ils prêts à déferler sur le Bal de l'Hiver ? Cher capitaine, je prédis que vous allez faire un malheur. Comment va ton pied, Mark ?

Mark leva son pied droit et le tortilla.

– Prêt à se faire écrabouiller par n'importe quelle jeune fille vor de moins de cent kilos, monsieur. J'ai des embouts renforcés, ajouta-t-il en aparté à Miles. Je ne prends pas de risque.

La comtesse se noua au bras de son mari.

– On te suit, mon amour. Les Vorkosigan sont prêts.

Les Vorkosigan sont convalescents. Voilà qui était plus proche de la vérité, se dit Miles. *Mais vous devriez voir dans quel état sont les autres.*

Miles ne fut pas surpris de la première rencontre qu'ils firent en arrivant à la résidence impériale : Simon Illyan. le chef de la SecImp portait son costume habituel pour ce genre d'occasions : uniforme de parade bleu et rouge dissimulant une multitude de communicos.

– Ah, il est là en personne, murmura le comte en repérant son ancien chef de la sécurité dans le vestibule. Ce qui veut dire qu'il n'y a pas de crise majeure ailleurs. Tant mieux.

Ils confièrent leurs manteaux couverts de neige aux majordomes de Gregor. Miles frissonnait. Cette dernière aventure avait dû lui brouiller l'esprit. En général, il s'arrangeait toujours pour ne pas être sur la planète durant l'hiver. Illyan les rejoignit et s'inclina brièvement.

– Bonsoir, Simon, dit le comte.

– Bonsoir, monsieur. Tout est calme, pour l'instant.

– Excellent. (Le comte haussa un sourcil amusé.) Je suis certain que le Premier ministre Racozy sera ravi de l'apprendre.

Illyan ouvrit la bouche. La referma.

– Euh... l'habitude, dit-il, embarrassé.

Fixant le comte Vorkosigan, il semblait frustré. Comme si lui faire des rapports était la seule manière qu'il avait de communiquer avec lui. Mais l'amiral comte ne les recevait plus.

– Ça me fait tout drôle, admit-il.

– Vous vous y habituerez, Simon, assura la comtesse avant d'éloigner avec détermination son mari de l'orbite d'Illyan.

Le comte lui adressa un vague signe qui ne ressemblait pas trop à un salut en guise d'au revoir, comme pour appuyer ce que venait de dire la comtesse.

Le regard d'Illyan tomba sur Miles et Mark.

– Hum, dit-il avec la tête d'un homme qui vient de finir deuxième de la course de l'année.

Miles se redressa de toute sa hauteur. Les medics de la SecImp l'avaient autorisé à reprendre son service dans deux mois, sous réserve d'un examen final. Il n'avait pas pris la peine de leur parler des convulsions. D'ailleurs, il n'en avait plus eu depuis un moment. Il arbora un large sourire, comme s'il revenait d'une cure thermale de six mois. Illyan se contenta de secouer la tête en le regardant.

– Bonsoir, monsieur, dit Mark à son tour. La SecImp a-t-elle pu donner mon cadeau de l'Hiver à mes clones ?

Illyan hocha la tête.

– Cent marks à chacun, dans une enveloppe individuelle, oui, milord.

– Bien.

Mark eut un de ses étranges sourires qui faisaient qu'on se demandait à quoi il pouvait bien penser. Les clones avaient été le prétexte qu'il avait donné à Illyan pour confier un million de dollars de Beta à la SecImp. Les fonds étaient maintenant placés à leur bénéfice, pour, par exemple, payer leur scolarité dans cette école très privée. Illyan en avait été si ébahi qu'il avait paru se changer en robot. Une métamorphose fascinante pour Miles. Selon les calculs de Mark, le million suffirait aux clones jusqu'à ce qu'ils soient en état de se débrouiller par eux-mêmes. Mais les cadeaux pour la Fête de l'Hiver étaient autre chose : ils venaient directement de sa poche.

Mark ne demanda pas comment les cadeaux avaient été reçus. Et même si Miles mourait d'envie de le savoir, il se contenta d'imiter Mark et de saluer Illyan. Ils s'éloignèrent. Mark avait un air narquois.

– Tout ce temps, confia-t-il à Miles à voix basse, je n'étais pas heureux parce que je n'avais jamais reçu de cadeaux. Il ne m'était jamais venu à l'esprit qu'on pouvait en *donner* un. La Fête de l'Hiver est une belle invention, non ? (Il soupira.) J'aurais aimé mieux connaître chacun de ces clones pour leur offrir à chacun quelque chose de plus personnel. Mais, au moins, comme ça, ils choisiront ce qu'ils voudront. C'est comme de leur offrir deux présents à la fois. Comment diable faites-vous pour offrir quelque chose à Gregor, par exemple ?

– On s'appuie sur la tradition. Deux cents litres de sirop d'érable des montagnes dendariis, livrés chaque année chez lui. Ça lui suffit. Mais si tu trouves que c'est difficile de faire un cadeau à Gregor, pense un peu à notre père. C'est comme d'offrir quelque chose au Père Gel lui-même.

– Oui, j'avais déjà pensé à ça.

– Parfois, tu ne peux pas rendre un cadeau. Tu ne

peux qu'accepter. As-tu... signé ces cartes de crédit pour les clones ?

– Plus ou moins. En fait, j'ai signé « Père Gel ». (Mark s'éclaircit la gorge.) Elle sert à ça, cette fête, non ? A apprendre à... recevoir.

– Je crois.

– C'est ce que j'avais cru comprendre.

Mark hocha la tête avec détermination.

Ils se dirigèrent vers la salle de réception pour absorber quelques verres. On les dévorait du regard, nota Miles avec amusement. Tous ces Vors les détaillaient plus ou moins ouvertement. *Ô Barrayar. On va t'étonner.*

Moi, en tout cas, il m'a drôlement étonné.

Ça allait être sacrément drôle d'avoir Mark pour frère. *Un allié enfin ! Je crois...* Miles se demanda s'il parviendrait un jour à amener Mark à aimer Barrayar autant qu'il l'aimait. Cette idée le rendit étrangement nerveux. Mieux valait ne pas trop l'aimer. Barrayar pouvait être mortelle si on en faisait sa dame. Pourtant... quel défi !

Miles allait devoir être prudent : ne rien faire que Mark pourrait interpréter comme une tentative pour le dominer. La violente allergie de Mark envers la moindre forme d'autorité était parfaitement compréhensible. Mais être son mentor allait se révéler une tâche particulièrement délicate.

Vaudrait mieux que je ne fasse pas du trop bon travail, mon gros frère. Tu es utilisable, à présent. Il lissa son bel uniforme, froidement lucide. Il savait très exactement jusqu'à quel point on pouvait être *utilisable* pour Barrayar. Pourtant être battu par son élève représentait l'ultime victoire pour un professeur. *Un paradoxe intéressant. Je ne peux pas perdre.*

Miles sourit. *Ouais, Mark, rattrape-moi, si tu peux. Si tu peux.*

– Ah, fit Mark en hochant la tête vers un homme en uniforme lie-de-vin à l'autre bout de la pièce. N'est-ce pas lord Vorsmythe, l'industriel ?

– Oui.

– J'aimerais lui parler. Tu le connais ? Tu peux me présenter ?

– Bien sûr. Un autre investissement en vue ?

– Oui. J'ai décidé de me diversifier. Deux tiers de mes fonds sur Barrayar, un tiers dans la galaxie.

– La galaxie ?

– Je soutiens la technologie médicale escobarane, si tu tiens à le savoir.

– Lilly ?

– Oui. Elle avait besoin d'un capital de départ. Je serai le partenaire silencieux. (Mark hésita.) La solution doit être médicale, tu l'as dit. Et... tu veux parier qu'elle me fera faire des bénéfices ?

– Oh, non. J'y regarderai à deux fois avant de prendre un pari avec toi.

Mark afficha son sourire de carnassier.

– Bien. Tu apprends, toi aussi.

Miles conduisit Mark et effectua les présentations demandées. Vorsmythe fut enchanté de trouver quelqu'un qui était prêt à parler affaires *ici*. Son air ennuyé s'évanouit à la première question de Mark. Miles les abandonna. Il se retourna quelques mètres plus loin. Vorsmythe gesticulait avec fougue, Mark l'écoutait comme s'il avait un enregistreur greffé dans l'oreille.

Miles épia Delia Koudelka et la rejoignit pour lui réclamer une danse et devancer Ivan. Avec un peu de chance, elle lui fournirait l'occasion de lui faire cette confidence à propos des cicatrices de duel.

33

Après une conversation absolument fascinante sur les secteurs en croissance de l'économie barrayarane, Vorsmythe fut réclamé par sa femme sous un prétexte mondain quelconque. Il quitta Mark – et le coin où ils s'étaient réfugiés – à regret en promettant de lui envoyer quelques prospectus. Mark chercha Miles du regard. Le comte n'était pas le seul qui risquait de trop en faire ce soir pour prouver sa parfaite santé.

Par défaut, Mark était devenu le confident de Miles pour certains tests que celui-ci ne voulait pas effectuer au vu et au su de ses supérieurs de la SecImp : vérifier ses connaissances de base, revoir de vieux machins comme les règlements de service ou les maths en cinq dimensions. Mark s'était une seule fois moqué de lui à ce sujet avant de comprendre à quel point cette incessante vérification terrorisait Miles. Particulièrement quand ils découvraient un nouveau trou dans sa mémoire. Miles en était profondément affecté : il hésitait, n'était plus aussi sûr de lui. Et cela troublait Mark. Il n'aimait pas cette incertitude nouvelle chez son grand frère, ce désespoir. Il espérait que son inflexible confiance en lui lui reviendrait très vite. Étrange réciprocité : Miles désirait se souvenir de certaines choses et en était incapable alors que Mark voulait en oublier certaines. Et en était incapable.

Il allait encourager Miles à le promener un peu partout. Miles adorait jouer les guides, les experts. Cela le mettait automatiquement dans cette position de suprématie à laquelle il était tant accoutumé. Oui, il valait mieux laisser enfler l'insupportable ego de Miles un moment. Mark pouvait se le permettre maintenant. Il entrerait dans la course avec Miles un peu plus tard. Quand les chances seraient un peu plus égales.

Finalement, après être grimpé sur une chaise et s'être tordu le cou un bon moment, il finit par repérer son frère qui quittait la salle de bal en compagnie d'une femme blonde en velours bleu... Delia Koudelka, la plus grande – par la taille – sœur de Kareen. *Elles sont ici. Ô Seigneur.* Il dégringola de sa chaise et courut à la recherche de la comtesse. Il la trouva finalement dans un salon, bavardant avec quelques dames... des commères, visiblement. Dès qu'elle l'aperçut, elle s'excusa et le rejoignit dans le couloir.

– Tu as un problème, Mark ? demanda-t-elle aussitôt en s'installant sur un petit divan.

Il se percha maladroitement à l'autre bout du siège.

– Je ne sais pas. Les Koudelka sont ici. Au Bal de l'Empereur, j'avais promis à Kareen de danser avec elle. Et... je lui avais demandé de parler avec toi. De moi. Elle l'a fait ?

– Oui.

– Que lui as-tu dit ?

– Eh bien, ça a été une longue conversation...

Oh, merde.

– Mais on peut la résumer ainsi : selon moi, tu es un jeune homme intelligent qui a vécu des expériences très désagréables. Si on parvenait à te convaincre d'utiliser cette intelligence pour résoudre tes problèmes, j'approuverais la cour que tu lui fais.

– Tu penses à la thérapie betane ?

– Quelque chose comme ça.

– Ça fait un moment que j'y pense, moi aussi. J'y pense même beaucoup. Mais j'ai trop peur qu'un jour les notes de mon thérapeute betan n'atterrissent sur un bureau de la SecImp. Je n'ai pas envie d'être donné en spectacle.

Encore.

– Je pense pouvoir me débrouiller pour que ça n'arrive pas.

– Vraiment ? (Il leva les yeux, ébranlé d'espoir.) Et toi non plus, tu ne regarderais pas ces rapports ?

– Non.

– Je... j'apprécierais cela énormément, ma'ame.

– Considère que je viens de t'en faire la promesse. Tu as ma parole de Vorkosigan.

– Je préférerais...

– ... Ma parole de mère.

– J'ignore quels détails tu as donnés à Kareen...

– Très peu. Elle n'a que dix-huit ans, après tout. Elle est en train d'assimiler le fait d'être à peine devenue adulte. Des... considérations plus poussées peuvent attendre. A mon avis. Elle doit d'abord faire ses études avant d'envisager une liaison à long terme, conclut-elle.

Il ne savait pas trop si cela le soulageait ou pas.

– Ah... De toute manière, les choses ont pas mal changé depuis notre dernière rencontre. J'ai... acquis un tas de nouveaux problèmes, depuis. Et ils sont bien pires.

– Ce n'est pas ce que je sens, Mark. A mes yeux, tu es beaucoup plus équilibré et détendu depuis que Miles et toi êtes revenus de l'Ensemble de Jackson. Même si tu refuses de parler de ce qui s'est passé là-bas.

– Je ne regrette pas de me connaître mieux, ma'ame. Je ne regrette même pas... *d'être* ce que je suis. (*La bande noire et moi.*) Mais je regrette... d'être si différent de Kareen. Je crois que je suis une sorte de monstre. Et dans la pièce, Caliban n'épouse pas la fille de Prospero. En fait, si je me souviens bien, on lui colle une raclée quand il essaye.

Oui, comment pourrait-il expliquer Bouffe, Grogne, Hurle et Tueur à quelqu'un comme Kareen, sans l'effrayer ou la dégoûter ? Comment pourrait-il lui demander de combler ses appétits anormaux ? C'était sans espoir. Mieux valait ne pas essayer.

La comtesse souriait.

– Ton analogie n'est pas tout à fait pertinente, Mark. Je peux te garantir que tu n'es pas sous-humain, si c'est ce que tu t'imagines. Et Kareen n'est pas surhumaine, non plus. Mais si tu persistes à la traiter comme une récompense et non comme une personne, je peux t'assurer que tu vas au-devant d'un tas de nouveaux ennuis. (Ses sourcils haussés soulignèrent ce point.) J'ai ajouté, comme condition à ma bénédiction de ta cour, la suggestion qu'elle pourrait mettre à profit ses études sur la Colonie Beta l'an prochain pour prendre quelques cours supplémentaires. Un peu d'éducation betane sur des problèmes très personnels pourrait, à mon avis, lui élargir l'esprit. Elle pourra alors... admettre certaines... complications sans vomir. C'est une libéralité de vues qu'une jeune fille de dix-huit ans ne peut acquérir sur Barrayar.

– Oh...

C'était une idée qui ne lui avait jamais traversé l'esprit. Attaquer le problème du point de vue de Kareen. Ça paraissait... intelligent.

– J'avais... envisagé pour moi-même des études sur Beta, l'an prochain. Une éducation galactique ne me fera pas de mal. Surtout si je veux trouver du travail ici. Je refuse de compter uniquement sur le népotisme.

La comtesse le considéra, amusée.

– Bien. Tu as donc fait des plans à long terme te concernant. Des plans qui paraissent parfaitement sensés. Il ne te reste plus qu'à les mettre en œuvre. Tu peux compter sur mon soutien.

– Le long terme. Mais... ce soir, c'est maintenant.

– Et qu'avais-tu l'intention de faire ce soir, Mark ?

– Danser avec Kareen.

– Je ne vois pas en quoi c'est un problème. Tu as le droit de danser. Qui que tu sois. Nous ne sommes pas dans la pièce, Mark, et le vieux Prospero avait plusieurs filles. Il se peut que l'une d'entre elles soit prête à baisser les yeux sur un type un peu bizarre.

– Baisser jusqu'où ?

– Oh... (La comtesse tendit la main à peu près à hauteur de la taille de Mark.) Au moins jusque-là. Va danser avec cette fille, Mark. Elle te trouve intéressant. La Mère Nature donne aux jeunes gens le goût de l'aventure plutôt que celui de la prudence. C'est la seule façon de faire progresser l'espèce.

Traverser la salle de bal de la résidence impériale pour saluer Kareen fut la chose la plus terrifiante que Mark ait jamais accomplie volontairement, en dehors du raid avec les Dendariis. La ressemblance s'arrêtait là. Après, les choses s'améliorèrent.

– Lord Mark ! dit-elle gaiement. Ils m'avaient bien dit que vous étiez ici.

Tu avais demandé ?

– Je suis venu honorer ma parole et ma danse, milady.

Vor jusqu'à la pointe des cheveux, il s'inclina.

– Ah ! Il était temps. J'ai gardé toutes les danses du miroir et toutes les danses en ligne.

Les danses les plus simples : celles qu'il pouvait danser.

– J'ai demandé à Miles de m'apprendre les pas du Menuet de Mazeppa la semaine dernière, dit-il, plein d'espoir.

– Génial. Qui conduisait l'autre ? Oh, la musique commence...

Elle l'entraîna sur le parquet. Sa robe moulante et souple était d'un vert très sombre brodé de rouge qui mettait en valeur ses boucles d'un blond cendré. Dans une sorte de crise de paranoïa positive, il se demanda si les couleurs de sa tenue n'avaient pas été délibérément choisies pour s'harmoniser avec les siennes. Comment... ? *Mon tailleur parle à ma mère, ma mère à la sienne et sa mère à elle. Bon sang, c'est à la portée de n'importe quel analyste de la SecImp.*

Grogne, hélas, avait une forte tendance à la déshabiller mentalement et pas seulement ça. Mais Grogne n'était pas autorisé à s'exprimer ce soir. *Celle-ci, c'est le travail de lord Mark. Et il ne va pas tout foutre en l'air, pour une fois.* Grogne avait juste l'autorisation de bouillir dans son jus. Lord Mark trouverait un moyen d'utiliser toute cette vapeur. En commençant, par exemple, par suivre le rythme. Il y avait même une danse – le Menuet de Mazeppa – où les deux partenaires se touchaient, se tenant la main ou la taille presque tout le temps.

Toute vraie richesse est biologique. Mark comprenait enfin exactement ce que le comte avait voulu dire. Avec tout son million de dollars betans, il ne pouvait se payer ça : cette lueur dans les yeux de Kareen. Cela dit, ça ne pouvait pas faire de mal... Quel était cet oiseau terrestre qui fabriquait un nid très compliqué pour attirer sa partenaire ?

Ils étaient au milieu d'une danse du miroir.

– Kareen, vous êtes une fille. Je voudrais vous demander quelque chose à propos d'une discussion que j'ai eue avec Ivan. Quelle est à votre avis la chose la plus attirante qu'un type puisse avoir ? Une vedette de sport, la richesse... le rang ?

Il espérait que son ton suggérait qu'il menait une sorte d'enquête scientifique. *Ne voyez là rien de personnel, m'dame.*

Elle pinça les lèvres.

– L'intelligence, dit-elle enfin.

Ouais. Et dans quel magasin vas-tu trouver ça, mon garçon, avec ton million de dollars ?

– C'est la danse du miroir, dit Kareen. A mon tour. Quelle est la chose la plus importante qu'une femme puisse avoir ?

– La confiance, répondit-il sans réfléchir.

Puis il y réfléchit et il faillit trébucher. Il allait avoir besoin d'une montagne, d'un océan de confiance. Sans rire. *Alors, commence à la construire ce soir. Lord Mark, mon vieux. Pose une foutue pierre à la fois, puisqu'il le faut.*

Il parvint à la faire éclater de rire quatre fois, après ça. Quatre, pas une de moins : il comptait.

Il mangea trop (même Bouffe était rassasié), but trop, parla trop et dansa *excessivement* trop mais passa somme toute un sacré bon moment. Il eut une surprise avec les danses. A regret, Kareen l'abandonna à toute une ribambelle d'amies curieuses. Ce qui les intéressait, il n'était pas dupe, c'était la nouveauté mais il n'avait guère envie de faire le difficile. A deux heures du matin, il était dans un tel état de surexcitation, qu'il parlait tout seul et boitillait. Mieux valait partir avant que Hurlé ne se réveille pour s'occuper de son corps fourbu. D'ailleurs, cela faisait une bonne demi-heure que Miles était assis dans un coin sans bouger. Avec un air fané qui ne lui ressemblait guère.

Un mot passé à un serviteur amena la voiture du comte devant l'entrée. Pym devait posséder le don d'ubiquité car il avait déjà raccompagné le comte et la comtesse un peu plus tôt. Miles et Mark s'effondrèrent avec un bel ensemble dans le compartiment arrière. La voiture passa le portail de la propriété impériale. La nuit était calme dans la capitale, quelques rares voitures circulaient encore. Miles monta la température et se renfonça dans son siège, les yeux mi-clos.

Ils étaient seuls. Mark compta le nombre de personnes présentes. Un, deux. Trois, quatre, cinq, six, sept. Lord Miles Vorkosigan et l'amiral Naismith. Lord Mark Vorkosigan et Bouffe, Grogne, Hurle et Tueur.

L'amiral Naismith était une création *beaucoup* plus élégante, songea Mark avec un pincement d'envie. Miles pouvait amener l'amiral dans des soirées, le présenter à des femmes, parader en public avec lui à peu près n'importe où sauf sur Barrayar. *Oui, mais ma bande et moi, on est plus nombreux...*

Ils étaient liés, sa bande noire et lui. Très intimement liés. On ne pouvait en séparer un des autres sans trancher dans les chairs, sans une véritable boucherie. *Alors, il faudra que je prenne soin de vous. D'une manière ou d'une autre. Vous vivez là-dedans dans le noir. Parce que vous savez qu'un jour, je risque à nouveau d'avoir besoin de vous. Vous avez pris soin de moi. Je prendrai soin de vous.*

L'amiral Naismith prenait lui aussi soin de Miles. *De quelle manière ?* se demanda Mark. Ce devait être subtil mais essentiel. Même la comtesse l'avait vu. *Qu'avait-elle dit ? Je commencerai à me faire sérieusement du souci pour la santé mentale de Miles quand il sera coupé du petit amiral.* D'où le désespoir de Miles à retrouver sa mémoire, sa capacité à travailler. Son boulot avec la SecImp était son unique pont vers l'amiral Naismith.

Je crois que je comprends ça. Oh oui.

— T'ai-je jamais présenté mes excuses pour t'avoir fait tuer ? demanda-t-il à haute voix.

— Pas que je m'en souvienne... Ce n'était pas entièrement ta faute. Je n'étais pas payé pour monter cette mission. J'aurais dû accepter de payer la rançon de Vasa Luigi. Sauf que...

– Sauf que quoi ?

– Il ne voulait pas te vendre. Ou pas à moi. A mon avis, il pensait déjà soutirer une plus forte somme à Ryoval.

– Oui, c'est ce que je crois aussi. Ah... Merci.

– Je ne suis pas certain que cela ait fait une différence au bout du compte, dit Miles d'un ton d'excuse. Ryoval a quand même eu ce qu'il voulait.

– Oh oui ! Ça fait une énorme différence au bout du compte.

Dans l'obscurité, Mark eut un sourire en coin. L'étrange architecture bigarrée de Vorbarr Sultana défilait derrière la bulle. La neige qui recouvrait tout lui conférait pourtant une espèce d'unité.

– Qu'est-ce qu'on fait demain ? s'enquit-il.

– On dort, murmura Miles, en s'enfonçant un peu plus dans son col comme du dentifrice qui redescend dans le tube.

– Et après ?

– La saison mondaine finit dans trois jours, avec les feux d'artifice. Si mes... nos parents descendent vraiment dans le district, je pense que je partagerai mon temps entre Hassadar et ici. Jusqu'à ce que la SecImp me laisse reprendre du service. Il fait moins froid à Hassadar qu'ici, à cette époque de l'année. Ah... Tu es invité à m'accompagner, si tu en as envie.

– Merci, j'accepte.

– Qu'as-tu l'intention de faire ?

– Quand tu auras obtenu ton autorisation médicale, je pense que je m'inscrirai dans une de vos écoles.

– Laquelle ?

– Si le comte et la comtesse s'installent effectivement à Hassadar, à l'université du district.

– Hum... Je crois qu'il faut te prévenir. Tu trouveras là-bas des gens... de la campagne. Moins policés qu'ici à Vorbarr Sultana. Tu risques d'être confronté aux vieilles mentalités barrayaranes.

– Tant mieux. C'est exactement ce que je veux. J'aurai ainsi un statut officiel – étudiant – et l'occasion de comprendre les *gens*. J'ai tant de choses à apprendre. J'ai besoin de connaître... tout.

C'était une autre sorte de faim, cette insatiable gloutonnerie de connaissances. Un analyste de la SecImp devait sûrement posséder une immense culture générale. Les types qu'il avait rencontrés près de la machine à café au QG de la SecImp tenaient des conversations éblouissantes sur les sujets les plus divers et les plus étonnants. Il allait devoir courir vite s'il voulait entrer en compétition avec ceux-là. *Pour gagner.*

Soudain, Miles éclata de rire.

– Qu'est-ce qu'il y a de si drôle ?

– Je me demandais simplement ce qu'Hassadar allait apprendre de *toi*.

La voiture tourna pour franchir le portail de la résidence Vorkosigan et ralentit.

– Je vais peut-être me lever tôt, dit Mark. Il y a tant à faire.

A moitié endormi, enfoncé dans son uniforme, Miles sourit.

– Bienvenue au commencement.

4025

Composition PCA à Rezé
Achevé d'imprimer en France (La Flèche)
par Brodard et Taupin le 30 janvier 2005 - 27621.
Dépôt légal janvier 2005. ISBN 2-290-34714-0
1er dépôt légal dans la collection : mars 1995

Éditions J'ai lu
84, rue de Grenelle, 75007 Paris
Diffusion France et étranger : Flammarion